第5版

臨床薬物動態学

薬物治療の適正化のために

緒方宏泰 編著

増原慶壮　松本宜明　高橋晴美　小川竜一　木島慎一 著

丸善出版

第５版　はじめに

本書は，2000 年 3 月に初版を出版し，2007 年 4 月，2015 年 2 月，2019 年 8 月と，それぞれに改訂を積み上げ 24 年に至りました．幸いにも多くの方々に読んでいただき，ここに第 5 版を出版する運びとなりました．

本書の基本的な目的は，血中薬物濃度の時間推移をいかに精密に解析するかではなく，また，薬物の臓器への分布，代謝，排泄などの体内動態の各ステップを決定しているメカニズムを詳細に述べることでもなく，薬物治療を適正に有効的に行うために不可欠な情報である「血中非結合形薬物濃度」を決定する因子を抽出し，それによって把握できる変動要因をベースに，治療対象としている患者への適切な用法・用量を判断することにおいています．この目的は初版から変わらないものです．本書の中心テーマとなっていますので，精読ください．

測定される血中薬物濃度は，現在においても，ほとんどの場合，血漿あるいは血清中の薬物総濃度です．本書で述べていますが，薬物の体内動態の決定因子は全血液中薬物総濃度をもとに推定できます．全血液によって薬物は体内を巡るからです．そのため，一般に情報として得られる血漿あるいは血清中の薬物総濃度に基づいて算出された薬物動態パラメータ値を全血液中薬物総濃度に基づく薬物動態パラメータ値に変換することで薬物動態の決定因子が推定できることになります．この考え方と方法を本書では記載しています．

また，薬物の作用，効果の発現を考えますと，発現させる源（私たちがとらえられるもの）は，血中非結合形薬物です．そのため，薬物の作用，効果を知るためには，血中非結合形薬物濃度を把握することが条件となります．

このように考えますと，薬物動態の情報は，すべて，血中非結合形薬物濃度をもとに考察しなければならないということになりそうです．薬物総濃度は非結合形と結合形のそれぞれの濃度の和となっていますが，その間の量的関係を表しているのが，非結合形分率というパラメータ値です．このパラメータ値が一定であれば，血中非結合形薬物濃度の代替として血中薬物総濃度を用いることができます．患者間の病態の違い，同一患者での変化，医薬品の追加や減薬によって非結合形分率が異なる状態となったのかの判断，あるいは確認が必要ですが，変化していなければ，薬物総濃度の変化率は薬物非結合形濃度の変化率と同じになり，あえて非結合形薬物濃度の変化を知る必要はなくなります．薬物総濃度の変化をもとに投与速度の調節を考えるのは，この状況，前提をもとにしたときには妥当ですが，すべてのケースで妥当とは限りません．この点の考察を学んでいただきたいと思います．

上記のように，現時点では，薬物動態パラメータ値は，血漿あるいは血清中の薬物総濃度をもとに推定されています．しかし，この値では薬物の体内動態を決定している因子の正確な評価が困難であり，結論的には間違った推定が行われているケースもみられます．また，本書における記述においても全血液中薬物総濃度と記述すべき箇所を血漿中あるいは血清中薬物総濃度と記述していた箇所がありました．今回の改訂に当たって，このような統一性が不十分であった箇所を正し，混乱を生み出さないように取り組みました．併せて，国内で臨床的に利用可能な薬物に関する情報をまとめた本書 HP も全血液中薬物総濃度に基づいた各薬物の動態の特徴づけに全面改訂し，掲載薬物数も大幅に増加し，新薬についても一部追加しました．さらに，この改訂版に先駆けて，皆さんお一人お一人がご自身で PK の特徴づけを行い，変動因子を明確化できるように，計算シート（PK パラメータの入力により特徴づけに必要な計算をする Excel ファイル）を HP 上で公開しました．これに伴い，その使用方法を F2 節として追加しました．この計算シートでは，血漿中濃度を血液中濃度に変換するときに必須となる B/P を，臨床試験データ（赤血球中への分布データ）から算出することも可能となっています．皆さんが医療者（薬剤師）として，患者さんの治療を考える際の一助となれば幸いです．

2023年6月

緒　方　宏　泰

はじめに

薬物の体内動態というと，薬物血中濃度を用いて，式を多用しコンピューターで解析する小難しい学問といったイメージをお持ちの方も多いかもしれません．しかも，そのように難しくても臨床で薬物治療を行っていくうえで不可欠であれば，誰もが我慢してその内容を勉強したり，理解したりすることに取り組むと思われます．しかし，残念なことに臨床的有用性が十分明らかにされてきませんでしたので，臨床における認識は強いとは言えないことは率直に認めざるを得ません．本書を通じて，薬物血中濃度をいかに解析するかではなく，薬物治療に関わる薬剤師や医師が，薬物動態の情報をいかに治療に適用，利用していくかを述べることにより，薬物動態の視点が薬物治療を適正に遂行していくうえでいかに大切であるかを伝えたいと思っています．

薬物動態とはコンパートメントモデルを基本にした薬物血中濃度の時間推移の解析を中心としたものという印象を強く与えていたと思います．1-コンパートメントか 2-コンパートメントかが興味であったり，吸収速度定数がどうだ，消失速度定数がどうだが興味の対象であったり，または，そのようなパラメータをつかった血中濃度の推定値が実測値と一致しているとか一致していないとかが興味の対象である場合には，確かに臨床的有用性は出てきません．しかも，対象とする患者はその病態を変化させていきますが，そのつど薬物血中濃度を取り直さなければ状態を把握できない，推定できないようでは，有用性は出てきません．変化に対応できることが有用性を決定します．現状の表現だけの機能では臨床応用は限定されてきます．これが，旧来のコンパートメントモデルを基本とする薬物動態学の大きな限界であったと思っています．ですから，何となく好き者が取り扱うもので，一般の臨床での実務者には関係がないものという感想も，そう誤ってもいないと思っています．臨床において薬物治療をフォローしていくための薬物動態学に変身させる必要を日ごろ痛切に感じていました．

私が臨床適用のための薬物動態を模索しているとき，大きな影響を受けた書が二つあります．その内容をご紹介しながら，私が担当した章の内容紹介もしたいと思います．一つは Rowland & Tozer の “Clinical Pharmacokinetics　Concept and Application” でした．その書を手にし，その内容を読み始めたとき，感動を覚え，引き込まれ，一気に読んでしまったことを今もよく覚えています．これだと思いました．薬物の体内での動きと患者の生理的，病理的変化との関連を明確にできる体系，コンセプトが式の利用を最低限度に抑えて展開されていました．Rowland らは，解析のテクニックではなく，考え方の神髄（Concept）を伝え，薬物血中濃度の変化を推定することに大きなウエイトを置いていました．その内容を十分理解し，具体化し，私の言葉で伝えることができるようになるまでには長い試行錯誤の繰り返しが必要でした．研究室で教官と大学院生による輪読を繰り返すことによって理解を深めていきました．私が代表幹事をお引き受けしている「治療薬物モニタリング研究会」における毎年の特別ゼミでの講義にその内容を反映し，受講生の反応や意見を組み入れてきました．また，明治薬科大学では 1993 年から大学院に臨床薬学専攻を設け，「薬物治療に判断力を有し，薬物治療が適正に行われるための責任の一端を担える薬剤師の養成」のための教育を開始しましたが，臨床薬物動態学の講義において全面的な展開を試み，やはり，学生や聴講生の反応を確かめながら講義内容を改善してきました．また，学生が研修中に見つけたり対応した症例を対象とする薬物治療の検討においても薬物動態の概念を具体的にどう適用するかについて学生とともに勉強を続けてきました．その内容を本書で論述したいと思っています．

薬物血中濃度の測定値を全く必要とせず，薬物動態の基本パラメータである，バイオアベイラビリティ，分布容積，全身クリアランスに，さらに尿中排泄率および血漿遊離形分率の五つの情報から，薬物の治療効果の背景となる薬物の血中遊離形濃度の変化を推定し，臨床イベントの把握に役立てることを目的としました．また，この視点は，臨床開発に参加される研究者にも是非つけていただきたいと願っています．患者に投与された新薬が示す臨床上のイベントを的確に見つけ出し，さらに的確な解釈，評価を行うためには，どうしても対象とする新薬の動態上の特徴をあらかじめとらえておく必要があるからです．なお，疾患時の薬物動態を中心に具体例を示すべきでしたが，枚数の制限から全くできませんでした．おこがましいようですが，私が尊敬する慶應義塾大学名誉教授加藤隆一先生の名著である「臨床薬物動態学」（南江堂）を是非お読みになることをすすめます．文献例が豊富に収載されており，私が本書において述べました考え方の確認のために，また，それを豊富化されるのに大いに役立つと思います．

私が影響を強く受けたもう一つの書は Winter の “Basic Clinical Pharmacokinetics” です．薬物血中濃度を利用した投与設計の考え方と応用が述べられています．症例をもとにした演習が多く，臨床の中で遭遇する典型的な症例に対応する考え方を習得させることが目的になっているものです．米国における臨床薬学教育用のテキストの一つです．私がその書を見たとき，これにも感動を覚えました．臨床適用の考え方を読み取ることができたからです．我が国では，薬物血中濃度を用いた解析といえば，精密な解析以外にはありませんでした．臨床から得られた情報量が少ない場合にも，精密な解析をなぞろうとする傾向が強くありました．しかし，医薬品の適正使用に具体的に関与しようとするとき，改めて，臨床応用，臨床適用という目的を明確にして，そのための概念と投与設計に必要な関係式を明確にする必要性を感じてきました．Winterの考え方に学びながら，本書では実践的な視点から投与設計のために必要な関係式をまとめ直しました．また，その背景となる考え方をできるだけ具体的に示すことを心がけました．

本書はさらに，増原先生，松本先生にも分担執筆をお願いしました．増原先生は早くからベッドサイドで薬剤師として薬物治療に関与してこられた我が国におけるパイオニア的存在の先生です．私が現在，代表幹事をしております「治療薬物モニタリング研究会」が発足したときの主要なメンバーの一人でもあります．常に薬物治療に関わる視点を明確にして活動をされてこられました．我が国の薬物血中濃度を用いた薬物治療のモニタリング，いわゆるTDMが血中濃度ありきで患者の治療のフォローという目的から遊離する傾向が強くなっていくことには強い危惧を持たれてきました．その点では，編者である緒方との視点は一致していました．そこで，増原先生には，とくに薬物血中濃度の測定値を利用して評価すべき薬物と状況および具体的な対応を，症例をもとにした演習という手法で解説していただくことを依頼しました．しかし，具体的な内容になりますと，臨床の場での実践の中で築き上げられてきた視点や内容と私が示した具体的な関係式などとの食い違いが一部に生じましたが，十分な討論を経て，全体的には統一性のとれた内容に仕上げることができたと考えています．一方では，逆に増原先生の主張点が十分出していただけず，中途半端になった部分もあるかと思いますが，それは一途に，編者である緒方の責任です．

松本先生は，薬物動態の分野では新進気鋭の研究者，教育者であり，終始，薬物治療と薬物動態の接点を追及されてきております．「治療薬物モニタリング研究会」の幹事を一貫してお引き受けいただき，その発展のために力を尽くしてこられました．とくに最近の松本先生の関心は臨床においてPK/PDのモデリングを具体化し，合理的な用法・用量の設定を行うことに置かれています．私が分担した章では，薬物の作用に関しては作用部位の薬物遊離形濃度に比例するというイメージのみにとどめてその薬物遊離形濃度の変化を推定することに力点を置きました．松本先生には，薬物の作用の強度の変化を主眼において，薬物血中濃度との関連を論じることを依頼しました．PK/PDのモデリングは現在欧米では最も注目され，研究も盛んな分野です．しかし，本書の目的は，薬物治療のモニターを行うための情報を明らかにし，その利用方法をできるだけ具体的に読者に示すことに置いているため，いわゆる精密な記述や解析を目的としたモデリングを述べることは本書の趣旨からは外れます．その点に関し，編者である緒方と松本先生の間で随分討論をし，認識を一致させました．しかし，PK/PDの分野がまだまだデータと検討の蓄積が必要である状況にあるという背景上の制約もあります．今回の松本先生に分担していただいた章の内容は，薬物の血中濃度と作用部位濃度の間に平衡が成立した相での関係と成立していない相での関係が一部混在しており，薬物治療に関わる薬剤師や医師が患者のモニターに用いるための視点から，概念を完全に整理し直すことや具体化する必要のある部分が残っているように思われます．松本先生には今後の重要な課題の紹介，問題提起として執筆いただいたものであり，是非今後の課題として学んでいただきたいと思います．

我が国における薬物治療のあり方が根本から問われていますが，当然，従来の薬物治療に関連した学問体系もその内容が問われていることになります．薬物動態の概念においても臨床における薬物治療に具体的に応用していくための展開に不十分さがあったと感じています．そのため，臨床適用に徹した概念を提起することを本書の目的としました．一貫した考え方によって貫かれた内容にすることが命題となりました．また，本書は，できるだけわかりやすく，不必要に式は用いず，概念で内容を伝えたいという趣旨から，各著者が聴講者を前に講義を行っていることを想定して執筆をすることにしました．このような経過から，一般の教科書というものとはかなり異なったものとなりました．

最後に，以上のようなかなりわがままな執筆方針を受け入れていただき，出版にまでこぎつけていただいた丸善 株式会社に深謝いたします．また，私たちの原稿の遅滞と戦い，最後まで叱咤激励をいただき編集に当たっていただきました，第三出版部 田島牧子さんに厚く感謝いたします．

2000年3月

緒　方　宏　泰

目　次

第 I 部

A　血中薬物濃度のとらえ方　（緒方　宏泰）　2

第 III 部

E　PK/PD 解析　（松本　宣明）　164

第 IV 部

F　薬物の動態パラメータ値の特徴づけとその臨床応用　（高橋　晴美・小川　竜一・木島　慎一・緒方　宏泰）　198

第 I 部

A. 血中薬物濃度のとらえ方

薬物による疾病治療は疾病の治療の中心的地位を占めており，疾病治療のきわめて有効な手段となっています．しかし，薬物治療に対する信頼感はそれに比して低いように思われます．医薬品が必要以上に処方され患者に投与されているのではないか，対象とする疾患に対する有効性が明確でない医薬品が使用されているのではないか，医薬品の治療への適用が経験的で，科学的な根拠に基づいた適用になっていないのではないか，薬物治療に関しチェックや評価の仕組みがないのではないか，薬物治療の有効性や副作用に関し情報が十分公開されていないのではないか，などなど，多くの問題点が挙がってきます．関連した具体的な課題として，多剤併用（ポリファーマシー），残薬問題，抗微生物薬の適正使用などが挙げられてきています．

客観的で科学的な根拠に基づいた治療法，薬物治療の選択，薬剤の選択が行われ，治療中の有効性と副作用に関する的確で注意深いモニタリングが行われることが必要です．薬学の教育の中にも，適正な薬物治療を担う科学である『臨床薬学』の確立と強化が謳われてきています．薬物治療に対する関心は高いにも関わらず，信頼感が低いという我が国の状況において，薬物治療を科学的な根拠に基づいて適正に遂行しようとする考え方とそれを支える学問が確立することは，とくに望まれることと思われます．

A1　薬物治療の適正化と薬物動態の関連性

A1・1　血中薬物濃度と治療効果，副作用の基本的な関係

治療を進めるには，医師はまず患者を診断し，診断に基づいて治療方針を決定します．治療手段として薬物治療が選択された場合，治療に用いる医薬品の選択とあわせて，投与量と投与速度という投与計画が決定される必要があります．

治療においては，一般には人の体をブラックボックス化し，薬物の投与量とその結果としての反応の間の関係をもとに最適な投与量を決定します．私たちが検討の対象とする人の体は，残念ながらあまり厳密には出来上がっていないため，投与量・投与速度を一定に固定しても，図 A1・1中 response の示す値は一定値を示さず，ある幅をもつ分布を示します．すなわち，期待する薬理効果，治療効果は患者ごとで異なっています．そのため，医師は個々の患者の病状を観察しながら，投与量・投与速度を調節し，患者に最も適した処方にもっていくことが求められますし，現実にそのように行われています．“医師のさじ加減”という言葉がありますが，まさに薬物治療の現実を言い当てた言葉です．

図 A1・2は定常状態でプロトロンビン比を2～3に調節するために投与されたワルファリンの投与速度（1日当たりの投与量）を146名の患者でみたものです．5 mg/day 付近が最も多くなっていますが，30 mg/day の値まで分布しており，広い患者間の変動を示しています．ワルファリンの場合，治療効果の指標が明確であるため，現実に臨床ではその値を指標に患者ごとに

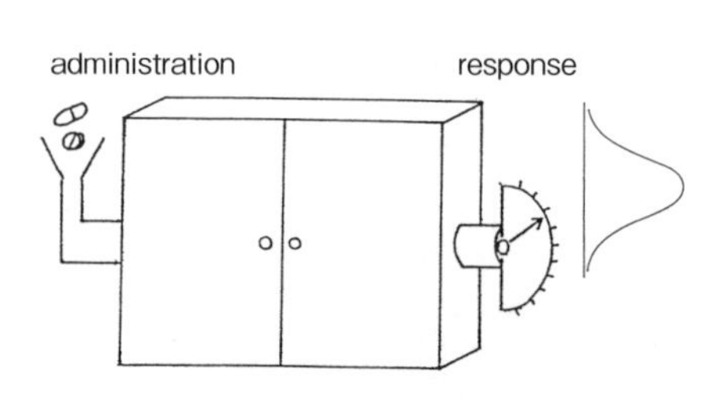

図 A1・1　薬物の投与（administration）と反応（response）

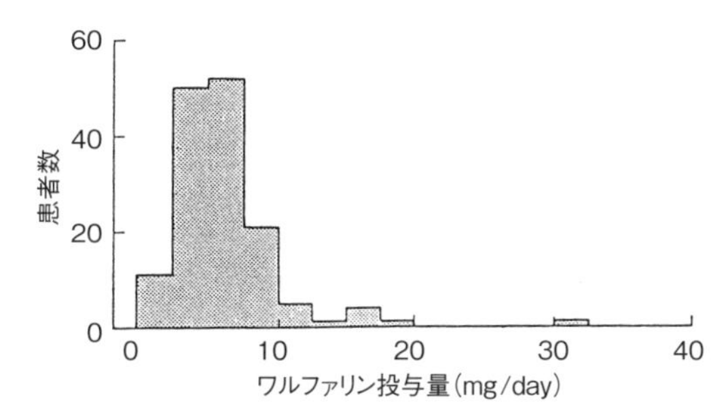

図 A1・2　プロトロンビン比を2～3に調節するために投与されたワルファリンの投与量の分布

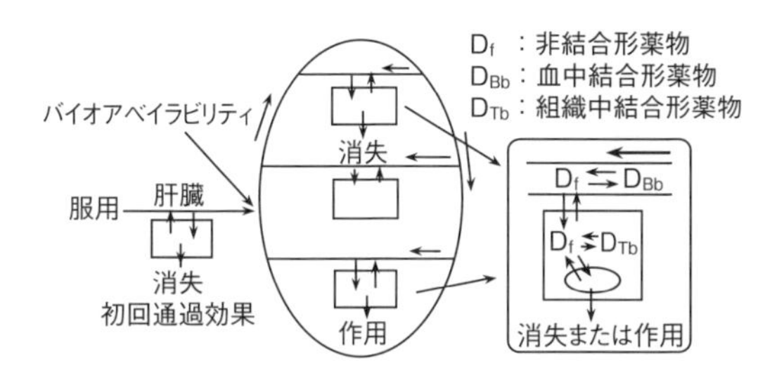

図 A1・3　薬物の体内動態と作用．血中非結合形薬物が効果・作用を引き起こす因子である．

投与設計がなされています．しかし，薬物の多くの場合，残念ながらそのような指標がなく，速やかに投与計画の最適化を行うのは非常に困難なのが実状です．

薬物が生体に投与されてから効果・作用が発現するまでの概略を示したのが図 A1・3です．経口投与など血管外に投与された薬物は全身循環血（systemic circulation）中にすべて到達するとは限りません．吸収（absorption）が不完全である場合，また，吸収されても全身循環血に到達するまでに通過する臓器（経口投与の場合，消化管や肝臓）によって一部が代謝され消失する場合，全身循環血に到達する量は減少します．このように全身循環血に到達するまでに通過する臓器によって代謝され，消失する効果を初回通過効果（first pass effect）といいます．薬物が全身循環血中に到達したところで，ちょうど薬物が静脈内に投与された状態に並ぶことになります．それ以降，効果・作用の発現に結びついていくことになります．そこで，全身循環血に到達した薬物が薬物治療に関わるという意味から，全身循環血中に到達した薬物量をバイオアベイラビリティ（bioavailability；生物学的利用性）の量（あるいは程度），全身循環血に到達する速度をバイオアベイラビリティの速度と表現し，吸収とは区別しています．

全身循環血中に到達した薬物は血液の流れによって各臓器に運ばれ，臓器が薬物を消失させる能力がある場合（代謝；metabolism や排泄；excretion）は，その臓器によって消失（elimination）させられ，一方，臓器が薬物の作用発現部位である場合は，作用を発現させることになります．

運ばれる血液中で，薬物は血漿たん白と結合，あるいは血球に結合・分布している結合形薬物（D_{Bb}）と，結合・分布していない非結合形薬物（D_f）が存在し，両者は可逆的な平衡状態にあります．このうち非結合形薬物のみが血管壁を通過し，細胞外液中に分布することができます．また，薬物が脂溶性を有し，細胞膜を透過できる場合には，細胞外液中の薬物は濃度勾配に従って細胞内に移行し，速やかに細胞内と細胞外の間で平衡状態に達します．細胞の内外で pH はあまり大きく違いがありませんので，ほぼ非結合形濃度は細胞の内外で等しいと考えてよいと思われます．その他に，特殊な機構によって細胞内に取り込まれる薬物も存在しますが，その場合も，細胞内と細胞外の間で平衡が成立します．

さらに細胞内では，血液中と同様に，薬物は細胞内のたん白や小器官と結合した結合形薬物（D_{Tb}）と結合していない非結合形薬物（D_f）として存在し，両者は可逆的な平衡状態にあります．このうち，非結合形薬物が細胞内の薬物消失機構，例えば酵素と相互作用し，消失させられます．消失速度は薬物の消失機構と相互作用している，すなわち結合している濃度に比例します．また，場合によって，非結合形薬物が作用発現機構，例えばレセプター（受容体）と相互作用し，作用を引き起こします．この場合も，作用強度は薬物の作用発現機構と相互作用している，すなわち結合している濃度に比例します．作用の発現のための機構や消失のための機構に結合している薬物量は，一般には小さく，測定できないのですが，結合していない非結合形の薬物とは平衡関係を示すので，結合濃度は非結合形濃度によってとらえることができます．そのため，細胞内薬物非結合形濃度が薬物の消失速度や，薬物が引き起こした作用の強度を決定する因子であることになります．しかも，薬物を投与した直後の短い期間を除き，細胞内非結合形薬物は血中非結合形薬物とほぼ平衡関係にあることより，薬物の消失速度や，薬物が引き起こした作用の強度は血中の薬物非結合形濃度の関数として表現できることになります．

私たちは薬物の効果や副作用を直接的にモニターできればよいのですが，ほとんどの薬物ではできません．しかし，先に述べたように，薬物が引き起こす作用の強度は，細胞内非結合形薬物が血中非結合形薬物と平衡関係を示すようになった後は，血中の薬物非結合形濃度の関数として表現できることになります．ですから，薬物の効果や副作用の直接的なモニターに代わって，血中薬物非結合形濃度をモニターの対象とすることの意義が出てきます．血中薬物非結合形濃度をモニターすることで，薬物の効果と副作用に関する間接的なモニターを行うことができます．また，血中の薬物は薬物を除去しようとする体の機構によって消失していきます．その動きを理解し，患者の病態変化によって，血中薬物非結合形濃度が今後どう変化するかを予測することができれば，それは薬物の効果や副作用が今後どう変化するかを予測することになり，適正な薬物治療を行う上での有益な情報となります．薬物治療の適正化において細胞内と血中との間で平衡が成り立っている状態での薬物動態の情報が重要である理由はここにあります．

なお，一般には，血中薬物濃度の測定は血清または血漿中の総濃度（薬物結合形濃度と薬物非結合形濃度の和）を測定しています．総濃度に対し非結合形濃度が常に一定の比で存在する場合（すなわち非結合形分率が一定）には，見かけ上，薬物総濃度は薬物の消失速度や引き起こした作用強度と関係づけることが可能です．健常人や動物を対象とした薬物動態の検討では非結合形分率が一定であるとの条件が成り立つので，薬物総濃度を薬物非結合形濃度と読み替えても間違えることはありませんが，患者を対象とする臨床薬物動態の条件では非結合形分率を変化させる要因が多く，非結合形分率を一定として考えるわけにはいきません．ですから，薬物総濃度の変化を無条件に非結合形濃度の変化と同一視することは危険です．

A1・2　血中薬物濃度と治療効果，副作用の関係における変動

先に投与量と治療効果の間の関係には患者間に大きな変動幅があることを述べました．薬物が投与されてから治療効果を発現するまでの流れをもとに考えると，このような薬物治療における投与量と臨床効果との間の患者間における広い変動は，大きく分けて2つの過程のそれぞれが患者間変動，患者内変動を有するために引き起こされていることがわかります（図 A1・4）．その1つは，薬物動態（pharmacokinetics）上の変動です．たとえ，同一量が投与されたとしても，バイオアベイラビリティ，分布容積（volume of distribution），クリアランス（clearance）という薬物動態を規定するパラメータが，患者の年齢，体重，病態，肝臓や腎臓の機能，遺伝的要因，環境的要因など多くの要因によって変動し，その結果として，血中薬物濃度の患者間，さらには患者内での差異が生み出されます．この差異が臨床効果の差異を生み出します．2つ目は，作用発現（pharmacodynamics）上の変動です．たとえ同一血中薬物濃度を維持したとしても，作用発現に関与する生理的環境の違い，レセプターの濃度，レセプターと薬物の結合の強さなどが疾病の状態，患者の年齢，薬物治療の経過などによって変動し，結果として，作用・副作用の強度や発現の頻度の患者間，患者内の差異が生み出されます．

以上をまとめると，薬物の投与が効果の発現に結びつく過程は，投与量と血中薬物濃度の関係と血中薬物濃度と効果の関係の二重構造になっていると考えてよいことになります（図 A1・5）．それぞれの過程が変動を有しているので，一定の投与量に対し，それぞれの個体間変動，さらには，患者内変動のかけ算として効果の変動の幅は拡大されてしまいます．しかし，投与した薬物量と発現した作用の強度や頻度に加えて血中薬物濃度を情報としてつけ加えることによって，対象とする患者の投与量－血中薬物濃度－効果の関係を把握することができます．このことにより，より的確な薬効評価，より的確な投与設計が可能となります．

血中薬物濃度と効果との関係において，個体間，個体内の変動が大きく，見かけ上，血中薬物濃度と作用の強度や発現の頻度との間には明確な関係が認められないケースも多く報告されています．血中薬物濃度が

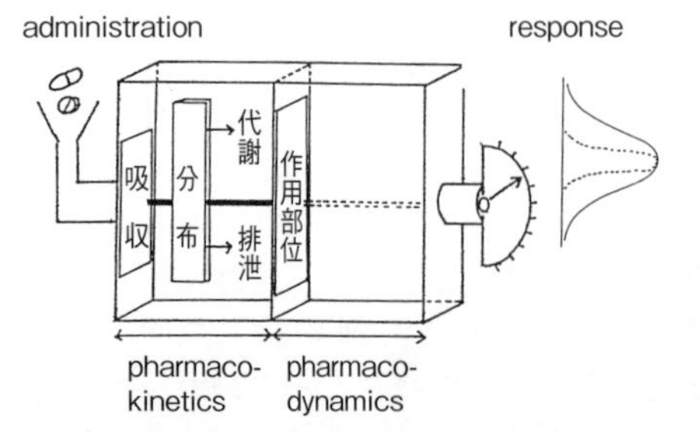

図 A1・4　薬物動態（pharmacokinetics）と作用発現（pharmacodynamics）

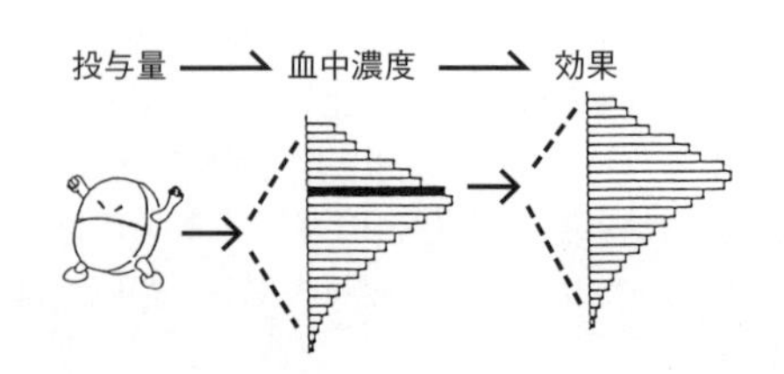

図 A1・5　投与量と効果の関係にみられる二重構造

高くても副作用が発現しないケースもあり，低くても副作用が発現するケースもあります．

図A1・6は抗不整脈薬ジソピラミドにおいて，治療が行われた患者の有効群と無効群における血漿中ジソピラミド濃度を比較したものですが，両群間で血中濃度の高さに差は認められません．このように薬物に対する有効群と無効群で血中薬物濃度に差がない例も多くみられます．

薬物の作用発現の原理からすると，血中薬物濃度と効果や副作用は対応した関係にあると考えられますが，実際の患者のデータを収集すると，明確な対応が認められる例は逆に非常にまれとなります．この矛盾は，1つには，効果と血中薬物濃度の関係は常に直線関係で示されるとは限らないという根本的な問題と，さらにその関係には患者間に大きな変動があることによると考えられます．とくに後者では，図A1・7で

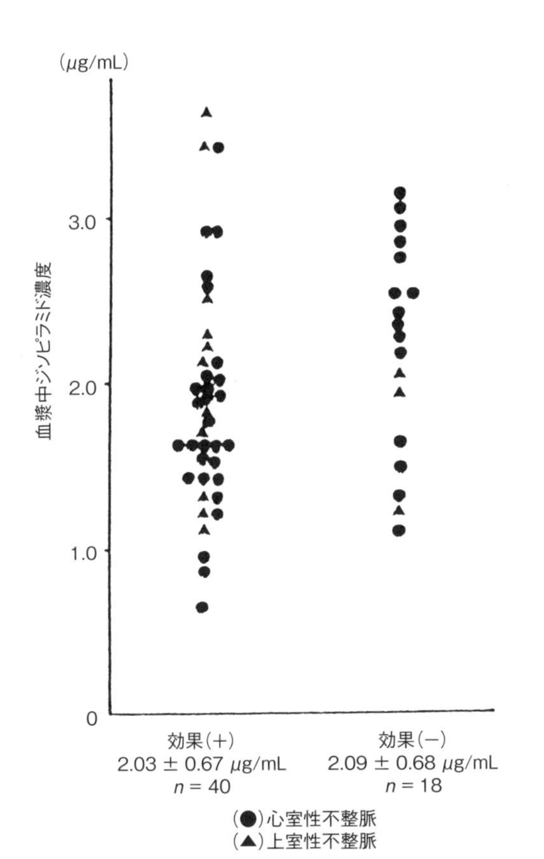

図A1・6　ジソピラミドの血漿中濃度と効果の関係

(Masuhara K, Ohno T, Hamaguchi K, Katoh K, Kashiwada K, Takahashi S, Tanaka Y, Someya K, Ogata H, Relationship between the therapeutic effects or side-effects and the serum disopyramide or mono-*N*-dealkylated disopyramide concentration after repeated oral administration of disopyramide to arrhythmic patients. *Int J Clin Pharm Res*, 1995 ; XV : 103-113)

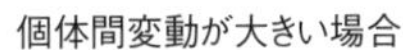

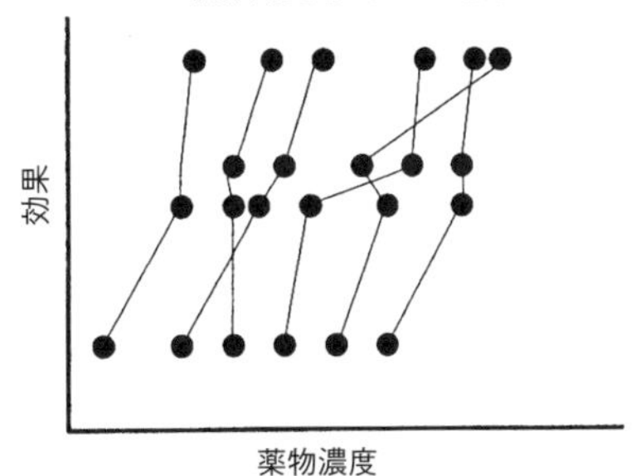

図A1・7　薬物の効果と血中濃度の関係

概念的に示すように，個々の患者ごとには対応していても，患者全体をまとめてみると，見かけ上，相関関係がみえなくなっていると考えられます．

ですから，血中薬物濃度の絶対値と効果や副作用が明確に対応していると考えることは，血中薬物濃度の絶対値に対する過大評価になると考えられます．そのため，一般的には，血中濃度のみから効果を推定することには臨床上は無理があります．臨床の実際では，まず，作用を優先させ，すなわち，副作用もなく症状がコントロールされている，副作用の発現が認められる，症状がコントロールできないなど，臨床上の動機づけを出発点として，それに結びつける形で血中薬物濃度をみるべきです．患者の病状との結びつけによって血中薬物濃度は貴重な示唆や情報を与えてくれます．例えば，中毒症状が生じている場合，対応としては当然投与量は減らしますが，そのときの血中薬物濃度が測定されていれば，患者の感受性の亢進，すなわち作用発現上の要因によるものなのか，または，血中薬物濃度の上昇，すなわち薬物動態上の要因によるものなのかの判断の材料になります．しかも，そのデータはその後の薬物治療に対し貴重な情報を残します．しかし，ルーチン的に，まず血中薬物濃度を測定してみるといった行為では，それだけでは患者の薬物動態のみをみていることになり，血中薬物濃度測定の意義はありません．

一方，薬物治療を行っている状況で血中薬物濃度を測定するあるいは測定できるケースはそれほど多くはありません．では，血中薬物濃度値が情報として与えられない場合には薬物動態に関する考察は臨床ではまったくできないのでしょうか．残念ながら，臨床では薬物動態は役に立たない，薬物動態が必要だとは思ったこともないとの意見をよく聞きます．そのような考えにたてば，薬物治療に関する重要な情報を自ら消失させることになると考えられます．

では，そのような状況では私たちはどうすべきでしょうか．この場合も，まず出発は患者の状態です．副作用の疑いがある，薬物によるコントロールが変化したようだ，などの患者からのサインが認められたとします．対象とする患者の病態や併用薬などの情報から薬物動態の変動の方向や血中薬物非結合形濃度の時間推移が推定できれば，目の前の患者の薬物治療に関するサインが薬物動態の側面から説明できるのかの考察が可能となります．また逆に，血中薬物非結合形濃度に影響を与える要因を事前に頭に入れておけば，どのような病態の変化によって，また，どのような薬物の併用によって，血中薬物非結合形濃度が変化させられるのかは推定ができますので，患者をモニターすべき視点が明確となり，副作用発現などが引き起こされる前に予防することも可能となります．しかし，現実に臨床ではこのような視点が弱いために，薬物動態上の問題点が見過ごされている例が多いのではないかと危惧します．血中薬物非結合形濃度が測定されていなくても，私たちの頭の中で患者の血中薬物非結合形濃度の変化が推理できることが薬物治療に携わる者すべてに求められる基礎力であろうと思います．

A1・3　血中の薬物総濃度と薬物非結合形濃度

「循環血中薬物非結合形濃度を因子として，結果，効果・作用が引き起こされる」との基本構造においては，血中の薬物非結合形濃度が基本的な情報となります．しかし，一方，薬物動態の情報はほとんど血中薬物総濃度に基づいたものとなっています．

そこでまず，血中薬物総濃度から血中薬物非結合形濃度に変換する，あるいは，推定することに取り組みます．また，薬物は全身循環血によって各組織，臓器に運ばれ，分布，消失が引き起こされます．そのため，薬物動態の理論は循環血中薬物総濃度をベースにして組み立てられます．その結果を臨床上の効果・作用に結びつけるためには，循環血中薬物総濃度を循環血中薬物非結合形濃度に変換することが必要となります（後述）．

医薬品の添付文書には，薬物動態の情報として，薬物を健康被験者に単回投与したときに測定した血漿（血清）中薬物総濃度から算出した C_{max}（最高血中濃度），t_{max}（C_{max} を示す時間），$t_{1/2}$（半減期），AUC（area under concentration-time curve；血中薬物濃度－時間曲線下面積）値を示しています．また，腎機能あるいは肝機能の臓器機能障害を有する患者に薬物を投与し得られた血漿（血清）中薬物総濃度値（C_{max}，t_{max}，$t_{1/2}$，AUC）が，臓器機能正常被験者への投与時の血漿（血清）中薬物総濃度値と比較し，示されています．

その中の AUC を対象に，血中の薬物総濃度から薬物非結合形濃度に変換することに取り組みます．血中薬物総濃度の AUC が測定されたとします．薬物非結合形濃度の AUC を AUC_f，血中非結合形分率を fuB としますと，

$$AUC_f = fuB \cdot AUC$$

臓器機能が正常（normal）のときの AUC，AUC_f，fuB を，それぞれ，AUC^N，AUC_f^N，fuB^N，臓器機能障害（impired）患者の AUC, AUC_f, fuB を，それぞれ，AUC^{IM}，AUC_f^{IM}，fuB^{IM} と表しますと，

$$AUC_f^N = fuB^N \cdot AUC^N$$

$$AUC_f^{IM} = fuB^{IM} \cdot AUC^{IM}$$

両者の比をとると，

$$\frac{AUC_f^{IM}}{AUC_f^N} = \frac{fuB^{IM}}{fuB^N} \cdot \frac{AUC^{IM}}{AUC^N}$$

AUC^{IM}/AUC^N は，臓器機能障害患者を対象とした臨床薬物動態試験で測定されています．それらの値をもとに，効果・作用に関係した値である AUC_f^{IM}/AUC_f^N を推定することになりますが，そのためには，fuB^{IM}/fuB^N が必要となります．fuB^{IM}/fuB^N の値から，

≒1：非結合形濃度比は総濃度比（測定値）と一致
＞1：非結合形濃度比は総濃度比（測定値）より大
＜1：非結合形濃度比は総濃度比（測定値）より小

fuB^{IM}/fuB^N ≒ 1の場合：

血中の薬物総濃度の変化率と薬物非結合形濃度の変化率はほぼ同程度であり，血中の薬物総濃度の変化の程度から用法，用量の調節を考察することは妥当と考えられます．

fuB^{IM}/fuB^N ＞ 1の場合：

すなわち，非結合形分率が大きくなっている場合ですが，血中の薬物総濃度の変化率より薬物非結合形濃度の変化率は大きくなっており，血中の薬物総濃度の変化の程度から用法，用量の調節を考察することは妥当でないケースと考えられます．

fuB^{IM}/fuB^N ＜ 1の場合：

すなわち，非結合形分率が小さくなっている場合ですが，血中の薬物総濃度の変化率のほうが薬物非結合形濃度の変化率より大きくなっており，血中の薬物総濃度の変化の程度から用法，用量の調節を考察することは妥当でないケースと考えられます．

fuB^{IM}/fuB^N の値の変化の大きさは，fuB の値が小さいほど変化率は大きくなる傾向を示します．詳細は後述のコラム「薬物のたん白結合率，非結合形分率の考え方」（p.25）を参照してください．

また，血漿（血清）中非結合形分率 fuP が一般には示され，fuP 値をもとに薬物の血漿たん白結合特性を判断します．そこで，全血液中薬物非結合形分率 fuB（後述）の変化率と fuP の変化率を考えます．

fuB を見積もる場合も，fuP を見積もる場合も，測定値は血漿（血清）中の薬物非結合形濃度 C_{pf} です．

$$fuB = \frac{C_{pf}}{C_B}$$

$$fuP = \frac{C_{pf}}{C_p}$$

両式から，

$$fuB = \frac{fuP}{(C_B/C_p)}$$

C_B/C_p が一定であるとすると，

$$\frac{fuP^{IM}}{fuP^{N}} = K \cdot \frac{fuB^{IM}}{fuB^{N}}$$

であり，fuB の変化率は fuP の変化率と比例関係にあります．fuP の変化率の特性は fuB の変化率の特性としても当てはめることができると考えられます．

$fuP < 0.2$ の条件にある場合，わずかな結合率の変化が fuP の大きな変化を引き起こす条件にあり，binding sensitive な状態と定義します．fuB^{IM}/fuB^{N} の値が1以上，あるいは1以下に大きく変化する可能性を考えます．一方，$fuP > 0.2$ の条件にある場合，結合率が変化しても fuP の変化は小さい条件にあり，binding insensitive な状態と定義します．binding insensitive な条件（$fuP > 0.2$）にある薬物では，fuB^{IM}/fuB^{N} の値は小さく，変化してもほぼ1の範囲にとどまることから，変化しないと見なすことができます．

薬物の血漿中結合たん白は，おもに，アルブミンと α_1-酸性糖たん白（α_1-acid glycoprotein；AGP）です．ともに，生体内で生合成され，消失します．そのため，定常状態で存在していますが，その生成速度あるいは消失速度が変化した場合，血漿中たん白濃度は低下あるいは上昇することになります．おもな要因を図 A1・8，図 A1・9に示しました．

アルブミンは肝臓で生合成され，腎機能低下および肝機能低下時には血漿中アルブミン濃度は低下傾向を示します．腎機能低下時には消失速度が亢進し，肝機能低下時には生成速度が低下するためです．その結果，binding sensitive である場合は，fuP は上昇傾向を示します．一方，AGP は肝臓で生合成され，急性期たん白の一種であり，生成を促進する刺激によって血漿中濃度は上昇傾向を示します．その結果，binding sensitive である場合は，fuP は低下傾向を示します．

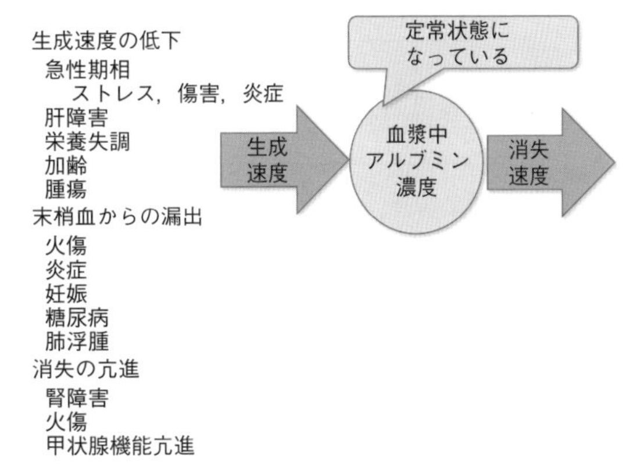

図 A1・8 血漿アルブミン濃度の低下を引き起こす因子

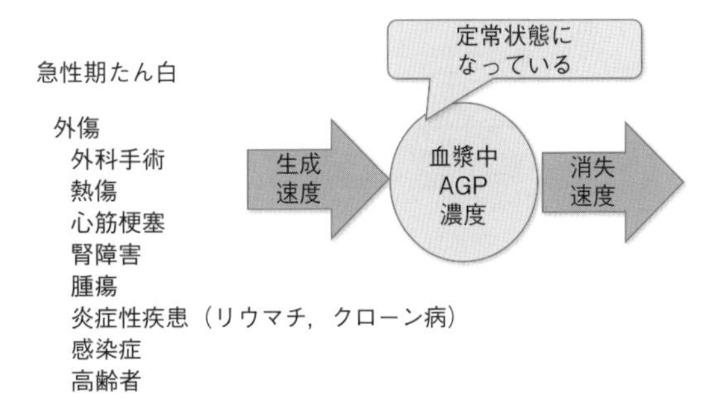

図 A1・9 α_1-酸性糖たん白（AGP）血漿濃度の上昇を引き起こす因子

表 A1・1はビラスチンの例です．腎機能の障害が大きな（GFR < 30 mL/min/1.73 m^2）場合，投与量 20 mg で血中総濃度の AUC の変化率は2.3倍に増大しています．同時に，腎機能障害患者における血漿たん白結合が測定されています．表 A1・2によると，腎機能の障害が大きい（severe）場合，平均の非結合形分率は0.098に1.4倍上昇しています．$fuP^{IM}/fuP^{N} > 1$ の場合に該当します．血漿アルブミン濃度の低下により fuP が上昇したものと推定できます．

$$AUC_f^{IM}/AUC_f^{N} = \frac{fuP^{IM}}{fuP^{N}} \cdot \frac{AUC^{IM}}{AUC^{N}} = (1.4) \cdot (2.3) = 3.2$$

血中の薬物総濃度の上昇率は2.3倍でしたが，薬物非結合形濃度は3.2倍まで大きく上昇していることが推察され，上昇率2.3倍をもとに用法，用量の調節の考察を行うことはミスリードとなる可能性があります．

以上，測定された血中薬物総濃度の変化率をもとに，効果・作用の発現要因となっている血中薬物非結合形濃度の変化率を推定することがポイントであると述べました．

表 A1･1　ビラスチン 20 mg を腎機能正常被験者および腎機能低下被験者に単回投与したときの薬物動態値

腎機能 ［GFR（mL/min/1.73 m²）］	C_{max} (ng/mL)	t_{max} (hr)	$AUC_{0\text{-}inf}$ (ng・hr/mL)	$t_{1/2}$ (hr)
正常 （GFR ＞ 80）	144.0 (57.8)	1.5 (1.0-3.0)	737.4 (260.8)	9.26 (2.79)
軽度低下 （50 ≦ GFR ≦ 80）	172.1 (45.0)	1.5 (0.5-3.0)	967.4 (140.2)	15.08 (7.66)
中等度低下 （30 ≦ GFR ＜ 50）	271.1 (30.4)	2.25 (1.0-2.5)	1384.2 (263.2)	10.47 (2.34)
重度低下 （GFR ＜ 30）	228.8 (81.8)	1.5 (0.5-3.0)	1708.5 (699.0)	18.39 (11.40)

各 6 例の平均値（標準偏差），t_{max} は中央値（最小値－最大値）.
（添付文書，ビラノア錠 20 mg，2016年 9月作成（第 1版），Meiji Seika ファルマ株式会社）

表 A1･2　健康被験者および腎機能低下被験者におけるビラスチンの *in vitro* 血漿たん白結合率

血中総濃度 (ng/mL)	血漿たん白結合率（%）			
	健康被験者	腎機能低下被験者群		
		軽度	中等度	重度
50	93.50[1)]	88.94 ± 3.47[2)]	80.86 ± 9.37[3)]	87.40 ± 5.42[5)]
100	93.09 ± 1.84[2)]	88.98 ± 6.75[3)]	80.05 ± 6.81[3)]	90.25[1)]
500	90.64 ± 2.04[2)]	91.11 ± 3.97[3)]	84.90 ± 4.98[3)]	82.46 ± 6.74[4)]
1000	90.09 ± 2.90[2)]	90.33 ± 2.91[4)]	85.79 ± 1.13[5)]	88.05[1)]

平均値（n=2 の場合）または平均値±標準偏差で示した.
1)：n=2，2)：n=5，3)：n=6，4)：n=4，5)：n=3
（申請資料概要，ビラノア錠 20mg，臨床概要 第 2部，大鵬薬品工業株式会社から改変）

しかし，血中薬物総濃度の変化，血中薬物非結合形濃度の変化の有無，変化の程度は実測値に基づく対応ですが，それらの変化を引き起こしている因子の把握がされていれば，必ずしも実測値がなくても，変化を引き起こしている因子と患者の病態との関連性が明らかにされることで，広い範囲での対応が可能となります．そこで，次のステップとして，血中濃度の変化を決定している因子の把握に進みます．

A2　薬物動態の基本パラメータ

全身適用を目的とする薬物を考えます．薬物を投与すると，吸収され，全身循環血に到達し，全身循環血の流れによって，各臓器，組織に運ばれます．全身循環血中では，薬物は血漿たん白と結合している結合形薬物（D_{Bb}）と結合していない非結合形薬物（D_f）の平衡状態で存在します．低分子の薬物は非結合形薬物が血管壁を通過し，さらに細胞膜を通過し，組織，臓器中に移行します．組織，臓器中に移行した非結合形薬物は，組織，臓器内に存在しているたん白と結合し，結合形薬物（D_{Tb}）と非結合形薬物（D_f）間で速やかに平衡に到達します．移行した組織，臓器中に薬物を消失させる機構を有している場合，非結合形薬物が消失機構と相互作用し，その結果，消失させられます（消失）．一方，移行した組織，臓器中に薬物を消失させる機構がない場合には，血液と臓器，組織間で非結合形薬物が平衡関係で存在することになります（分布）．また，移行した組織，臓器中に効果・作用を引き起こすための構造体（受容体など）が存在している場合，非結合形薬物がその構造体と相互作用し，その結果，効果・作用発現に結びつく生体内反応が開始されます（図 A2・1）．

このように，薬物の体内での動きは，基本的には，循環血を介して引き起こされます．血液は大きくは，血球と血漿（血清）に分けられますが，血中の薬物は血球と血漿（血清）の両画分に平衡状態で存在し，組織，臓器に運ばれていきます．そのため，薬物の体内動態を仲介しているのは血液（血流）全体であるとして，取り扱っていきます．

A2・1　バイオアベイラビリティ

a. バイオアベイラビリティの定義

処方された薬物量をＤとします．全身作用を期待する薬物では全身循環血中に到達した量が薬物治療に関与します．血管外投与された薬物はすべてが全身循環血中に到達するとは限りません．血管外投与された薬物量と全身循環血中に到達した薬物量を関係づける定数がＦです．Ｆは投与量に対する全身循環血中に到達した薬物量の比を表し，バイオアベイラビリティ（bioavailability）の量の比といいます（図 A2・2）．

$$\text{全身循環血中に到達した薬物量} = F \cdot D$$

b. 初回通過効果

血管外投与された薬物の吸収が不完全である場合，また，吸収されても全身循環血に到達するまでに通過する臓器（経口投与の場合，肝臓）によって排泄・代謝される場合，全身循環血に到達する量は減少します（図 A2・3）．

Ｆは次式で表されます．

$$F = F_a \cdot F_h$$

F_a は吸収の分率，F_h は肝消失の回避の分率を表します．

一度，全身循環血中に入った薬物は，その一部が消失に関与する臓器に運ばれ，消失を受けますが，吸収部位から全身循環血へ運ばれる過程に消失臓器が存在する場合には，吸収された薬物はすべて消失臓器を一度通過することになります．そのため，この初回の通過は消失に大きな効果を与えます．この効果をとくに，

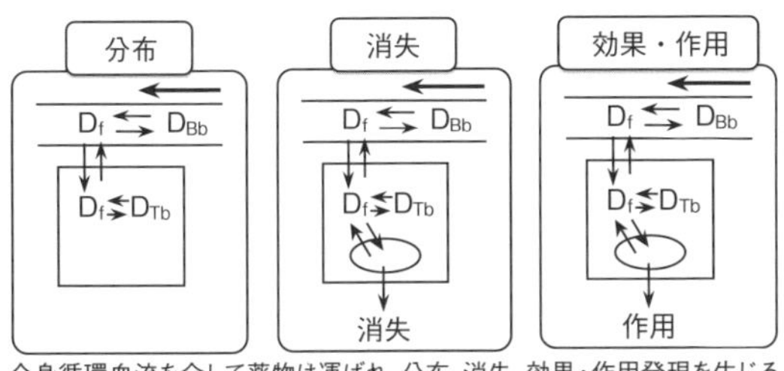

図 A2・1　体内における薬物の分布，消失，効果・作用発現のモデル

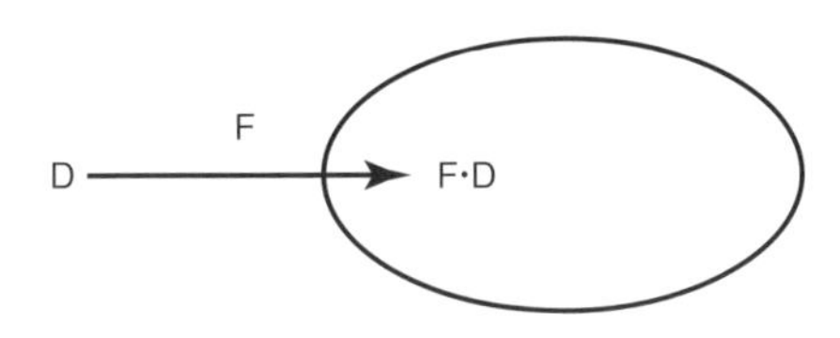

図 A2・2　バイオアベイラビリティ（F）の定義

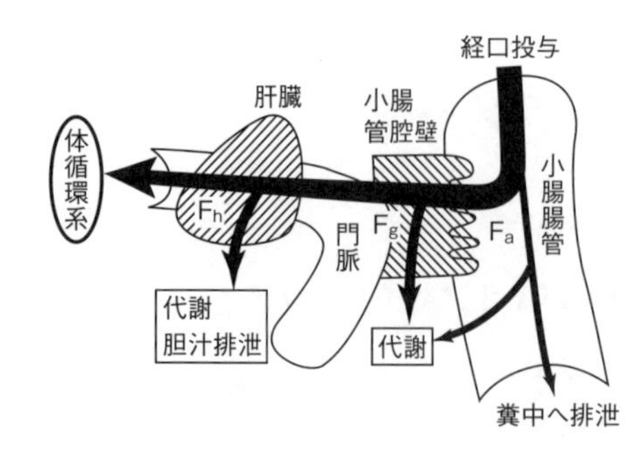

図 A2·3　バイオアベイラビリティの構成要素

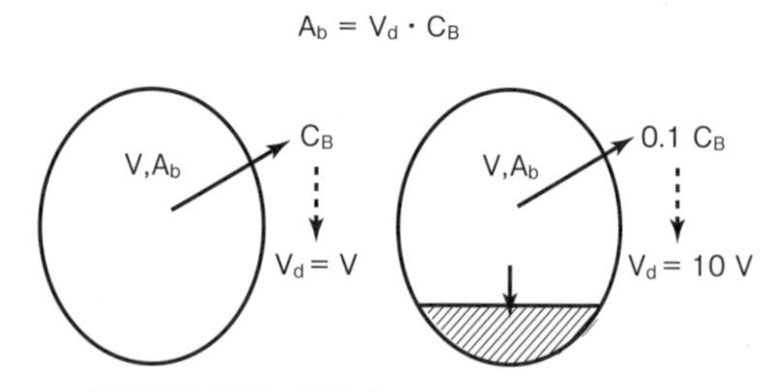

図 A2·5　分布容積の大きさを決定するメカニズム

初回通過効果（first pass effect）と呼びます．

薬物を経口投与したのちの初回通過効果は，従来，肝臓における代謝によると考えられてきましたが，むしろ消化管粘膜上皮細胞における代謝の寄与が大きい場合のあることが，最近のシクロスポリンなどの研究で明らかにされてきています．その場合には，バイオアベイラビリティは次式で表現することになります．

$$F = F_a \cdot F_g \cdot F_h$$

F_g，F_h はそれぞれ，消化管細胞における消失回避比率，肝臓における消失回避比率を表します．

A2・2　分布容積

a．分布容積の定義

全身循環血に到達した薬物は血流によって各臓器に運ばれ，臓器中に分布します．一方，私たちは体内に存在する薬物の挙動は血液中の薬物総濃度（C_B）のみを情報として推察するしかありません．そこで，血中薬物総濃度と体内に残存している薬物量とを関連づける比例定数として分布容積（volume of distribution；V_d）を考えます（図 A2・4）．

$$体内薬物量\ (A_b) = V_d \cdot C_B$$

体内循環血中に到達するまでは「量」の単位で薬物をとらえていましたが，循環血中に入ってからは「濃度」（血中総濃度）の単位の情報のみが得られます．そこで量と濃度の橋渡しをする定数が必要となりますが，これが分布容積です．

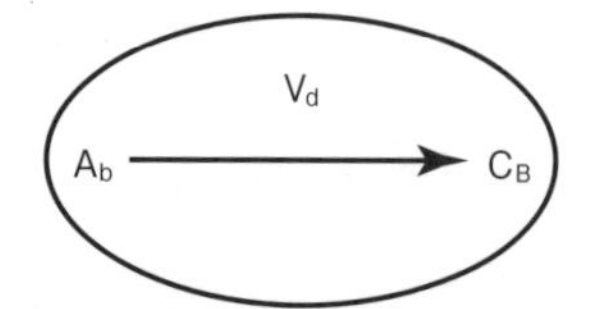

図 A2·4　分布容積の定義

もし仮に，薬物が図 A2・5の左図に示すように，体液中に均等に分布しているとすると，体液中に溶解している薬物量とその上澄み液としての血液中の薬物濃度を関連づける容量は薬物が溶解している体液の容量そのものを表します．しかし，図 A2・5の右図に示すように，薬物が組織中の特殊なたん白や小器官などに結合すると，薬物が溶解している体液の容量が同じでも上澄み液である血液中の薬物濃度は当然低下するはずです．すると，薬物が分布している体液容量は変化していないにも関わらず，薬物が組織中で結合すればするほど血中濃度は低下し，結果として分布容積は，より大きな値を示すことになります．例えばそのために1/10にまで低下すれば，結果として分布容積は実際の体液の容量より10倍大きくなります．この特性をもつ分布容積は，均等に溶解していると仮定した条件での，薬物によって汚染されている体液容量と見なすことができます．

成人健常男子（60～70 kg）の平均体液容量は，血液容量3 L，細胞外液容量12 L（0.2 L/kg 体重），全体液容量36 L（0.6 L/kg 体重）です．これらの生理的値と薬物分布容積値との比較から薬物の体内での分布の状態をおおよそ推定することができます．

血液中アルブミンなどにほとんどすべてが結合し，血管外にほとんど分布しない薬物，あるいは水溶性の性質を有し，かつ分子量が大きく，血管壁を通過できない薬物は，血液中にのみ存在しているので，その分布容積は血液容量にほぼ等しくなります．

血管から細胞外液には容易に移行はしますが，その親水性の性質から組織細胞内への移行がきわめてわずかである薬物，あるいは血漿たん白への結合がかなり強く，一方，組織中での結合がわずかであるような薬物では，分布容積は細胞外液容量にほぼ等しくなります．

血液中においても細胞内においても，ほとんど高分子と結合しない薬物や結合したとしても両画分中での非結合形分率がほぼ等しい薬物の分布容積は，全体液容積量に等しくなります．

細胞内高分子などに対する結合率が大きく，血液中における結合率より大きい場合，薬物の分布容積は全体液容量より大きくなります．

A2・3　クリアランス

a. クリアランスの定義

薬物の体内から消失する速度は，ほとんどの薬物で，血中薬物総濃度に比例します．その場合の比例定数をクリアランス（clearance；CL）と呼びます（図 A2・6）．

$$薬物消失速度 = CL \cdot C_B$$

クリアランスは血中薬物総濃度当たりの薬物消失速度を表し，同一血中濃度で比較した場合，クリアランス値が大きいほど薬物の体内からの消失速度は大きいことになります．

全身からの薬物の消失を想定した場合には，その場合のクリアランスを全身クリアランス（total clearance；CL_{tot}）と呼びます．

$$全身からの薬物消失速度 = CL_{tot} \cdot C_B$$

この関係はどの時間をとっても，その時点での関係を表しています．

次に，薬物が投与されてから，体内から完全に消失し終わるまでの累積を考えます．全身からの薬物消失速度を時間に対し累積すると，消失した全量が得られます．一方，血中薬物総濃度の時間に対する累積値は一義的に決定できないので記号 AUC で表します．AUC は血中薬物総濃度−時間曲線下面積（area under concentration-time curve）を表す記号です．今後，薬物の投与経路をとくに考慮しなければならない場合は，その結果得られた AUC には，添字をつけて区別します．薬物を血管外投与した場合 AUC_{ev}，経口投与の場合 AUC_{po}，静脈内投与の場合 AUC_{iv} とします．薬物を血管外投与した場合は次式となります．

$$薬物消失全量 = F \cdot D = CL_{tot} \cdot AUC_{ev}$$

薬物の体内から消失した全量は全身循環血中に入った全量，すなわちバイオアベイラビリティの量（F・D）に相当するので，薬物消失全量を F・D とおくことができます．

b. 臓器クリアランスの定義

薬物は腎臓による代謝や尿への排泄，肝臓による代謝や胆汁への排泄など各臓器が有している薬物除去機構によって体内から消失します（図 A2・7）．そこで，各臓器ごとに薬物消失速度を考えます．

$$腎臓による薬物消失速度 = 薬物尿中排泄速度 = CL_R \cdot C_B$$

（腎臓からは尿中への未変化体の排泄のみで消失し，代謝による消失はないとした場合）

$$肝臓による薬物消失速度 = 肝代謝速度 = CL_H \cdot C_B$$

（肝臓からは代謝のみで消失するとした場合）

⋮

$$臓器 x による薬物消失速度 = CL_x \cdot C_B$$

次に，薬物が投与されてから，体内から完全に消失し終わるまでの累積を考えます．時間に対し累積すると次式が得られます．

$$薬物尿中排泄量 (A_e) = CL_R \cdot AUC$$

$$薬物総代謝物量 (A_m) = CL_H \cdot AUC$$

⋮

$$臓器 x による薬物総消失量 (A_x) = CL_x \cdot AUC$$

これらの式をすべて累積します．

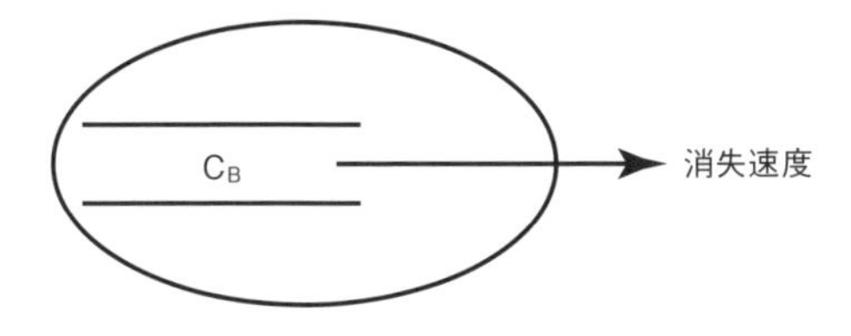

図 A2・6　クリアランスの定義

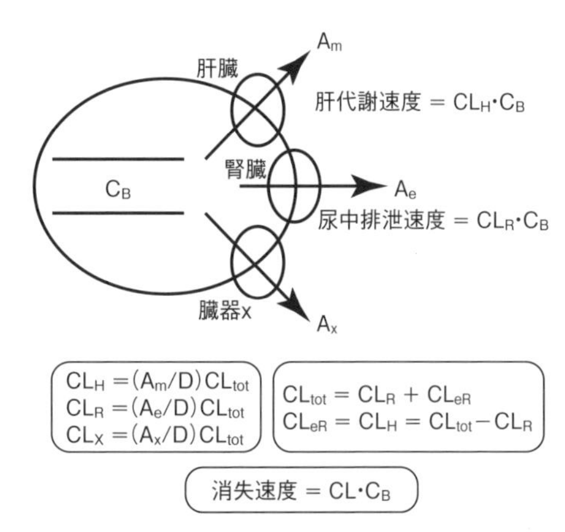

図 A2・7　薬物を消失させている臓器のクリアランス

$$A_e + A_m + \cdots + A_x = (CL_R + CL_H + \cdots + CL_x) \cdot AUC$$

左辺は体から消失してきた総薬物量ですので，血管外投与した場合，全身循環血中に入った総薬物量 F・D と等しくなります．

$$A_e + A_m + \cdots + A_x = F \cdot D = CL_{tot} \cdot AUC_{ev}$$

$$CL_{tot} = CL_R + CL_H + \cdots + CL_x$$

このように，全身クリアランスは薬物の消失に関与している臓器のクリアランスの総和となっているという，簡単で理解しやすい関係が得られます．

ここで，約束事があります．腎臓は尿中に未変化体として薬物を排泄させる以外に代謝によって薬物を消失させる機能を有していますが，CL_R は前者，すなわち，尿中に未変化体として排泄させる機能に限定して表現すると規定します．

また，全身クリアランスと腎臓のクリアランスとの関係は以下の式から得られます．

$$A_e = CL_R \cdot AUC$$

$$F \cdot D = CL_{tot} \cdot AUC$$

上式より

$$CL_R = \frac{A_e}{F \cdot D} \cdot CL_{tot}$$

同様に各臓器クリアランスと全身クリアランスとの関係は以下のように与えられます．

$$CL_H = \frac{A_m}{F \cdot D} \cdot CL_{tot}$$

$$CL_x = \frac{A_x}{F \cdot D} \cdot CL_{tot}$$

一般に血管外投与のみを行った場合，F は決定できません．全身循環血中に入った薬物量がはっきりするのは，薬物を静脈内投与する場合です．この場合，F＝1.0です．投与した薬物量 (D) に対する，それぞれの臓器が消失させた薬物量 (A_e, A_m, …) の比（すなわち，消失に対する貢献度）を指標にして，全身クリアランスを比例配分することにより，個々の臓器のクリアランスは推定できることになります．

$$CL_R = \frac{A_e}{D} \cdot CL_{tot}$$

$$CL_H = \frac{A_m}{D} \cdot CL_{tot}$$

$$CL_x = \frac{A_x}{D} \cdot CL_{tot}$$

しかし，薬物が体内から消失するルートのうち，尿中への未変化体の排泄速度や排泄量は測定できますが，他の臓器から消失する速度や全量は一般には測定できません．そこで，測定できるものと測定できないものとをグループ化して表現せざるを得ません．

$$CL_{tot} = CL_R + CL_{eR}$$

CL_{eR} は腎外クリアランス（extrarenal clearance）と呼ばれ，腎クリアランス以外の臓器クリアランスの総和を表します．CL_{eR} は CL_{tot} から CL_R を差し引くことによって得られます．一般には，腎臓以外ではおもに肝臓から薬物は消失します．そこで，腎外クリアランスをとりあえず肝クリアランスと見なすことが広く行われています．

$$CL_{eR} = CL_H = CL_{tot} - CL_R$$

本書では，腎外クリアランスを肝クリアランスと見なすことで話を進めます．

c. 臓器クリアランスの変動要因

ある臓器 x から薬物が消失することを仮定します．薬物は体内に入ると直接に薬物を消失させる臓器に飛んでいくことはありません．体内に入ると，分布容積の大きさを有する架空の体液に分布（貯蔵）され，その体液の一部が全身循環血流となって，消失機能を有する臓器に薬物を運んでいくというイメージです．図 A2・8はそのイメージを示しています．薬物は消失する臓器に運ばれてくるということが重要です．

臓器が示すクリアランスについてさらに詳しく考えてみたいと思います（図 A2・9）．

動脈血によって薬物の一部が運ばれてきます．血流速度を Q_x，そのときの薬物総濃度を C_{Ba} とします．そうすると，臓器へ運ばれてくる薬物の速度は $Q_x \cdot C_{Ba}$ となります．臓器を通過する間に薬物は速やかに臓器中に移行し，その臓器が有する薬物消失機構によって消失させられます．そのため通過によって血中薬物総濃度は減少し，C_{Bv} の濃度で静脈血中に出てくるとします．薬物の臓器から出てくる速度は $Q_x \cdot C_{Bv}$

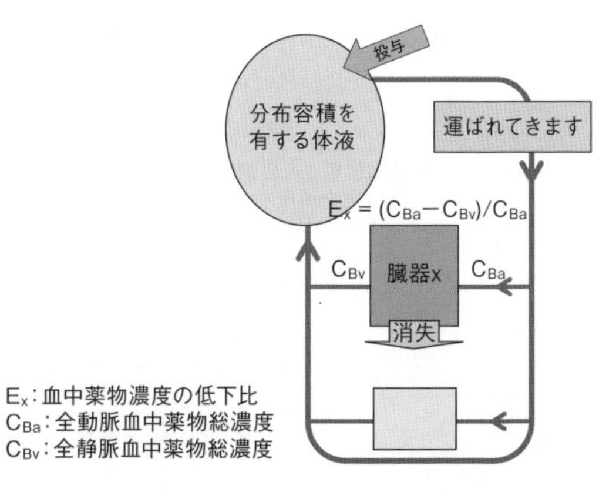

図 A2・8　薬物が臓器 x から消失する状況

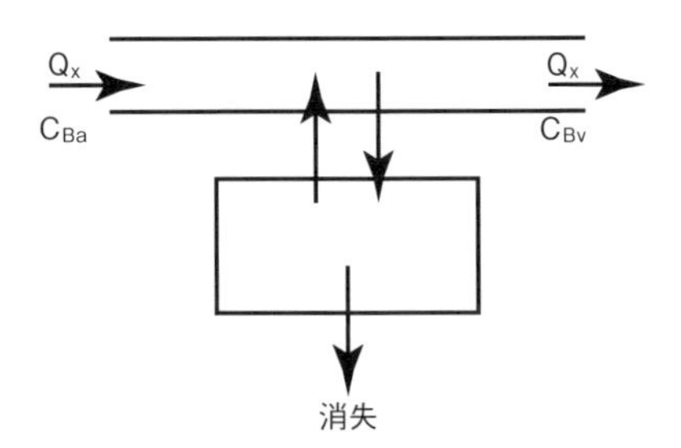

消失速度 = $Q_x \cdot C_{Ba} - Q_x \cdot C_{Bv} = Q_x (C_{Ba} - C_{Bv})$
消失速度 = $CL_x \cdot C_{Ba}$
$CL_x = Q_x (C_{Ba} - C_{Bv}) / C_{Ba}$

$CL_x = Q_x \cdot E_x$

臓器クリアランスは臓器による血液清浄速度を表す.

図 A2·9　臓器クリアランスが表現する内容

となります.

クリアランスの定義式から次式が与えられます.

$$消失速度 = Q_x \cdot C_{Ba} - Q_x \cdot C_{Bv} = CL_x \cdot C_{Ba}$$

式から臓器クリアランスは次式となります.

$$CL_x = Q_x \cdot \frac{(C_{Ba} - C_{Bv})}{C_{Ba}} = Q_x \cdot E_x$$

$$E_x = \frac{(C_{Ba} - C_{Bv})}{C_{Ba}}$$

ここで, E_x は臓器 x を1回通過するときの血中薬物総濃度の低下の分率を示しています. 抽出比 (extraction ratio) と呼びます.

この式から CL_x は血流速度 Q_x と抽出比 E_x の積になっていることがわかります. CL_x が一定とすれば, Q_x が小さくなれば E_x は大きくなり, すなわち, ゆっくり流れれば薬物の濃度の低下分率は大きくなり, Q_x が大きくなれば E_x は小さくなる, すなわち, 速く流れれば, 薬物の臓器に運ばれてくる速度は大きくなり, 濃度の低下分率は小さくなることがわかります. ここで, $E_x = 1.0$, すなわち $C_{Bv} = 0$ のときの Q_x を Q_x' とすると, $CL_x = Q_x'$ となります.

$$CL_x = Q_x' \cdot 1 = Q_x'$$

$$E_x = \frac{CL_x}{Q_x} = \frac{Q_x'}{Q_x}$$

生理的には Q_x の大きさで流れているので, Q_x'/Q_x は臓器 x に流れている血流速度のうち, 完全に薬物が除去される血流速度の比, すなわち, 結果として薬物濃度が低下する比率となります. すなわち, 臓器クリアランスは, 臓器が血液中の薬物を完全に除去 (清浄化) している血液流速の大きさを表していることになります. 逆に考えれば, 臓器が示す血液清浄速度と見なすことができます.

投与された薬物が全身循環血中に入り, 体内から消失する過程での薬物の動きは, F, V_d, CL_{tot} のパラメータで表現されることがわかります. しかも重要なのは, これらのパラメータ値は体と薬物の相互関係によって独立して決定されるパラメータであることです.

A2・4　消失速度定数

体内に存在する薬物が, それぞれの組織と血液との間ですでに平衡関係が成立した場合, 血中薬物総濃度の対数値は時間に対し直線的に減少します.

$$\ln C_B = \ln C_{B0} - k_{el} \cdot t$$

そのときの勾配値を消失速度定数 (elimination rate constant ; k_{el}) と呼びます.

$$k_{el} = \frac{(\ln C_{B0} - \ln C_B)}{t}$$

k_{el} は単位時間当たりの血中薬物総濃度 (の対数値) の低下度を表しています. 一定時間後の, 血中薬物総濃度の減少率はスタート点の濃度に関係なく一定であるという特徴を有しています. そこで, 血中薬物総濃度が半減する時間 (半減期 ; $t_{1/2}$) はスタート点の薬物の血中総濃度に関係なく一定値を示します.

$$t_{1/2} = \frac{0.693}{k_{el}}$$

別の視点から k_{el} の表す内容を考えてみます (図 A2・10). 分布容積は薬物に汚染された体液の架空の容量を示し, 全身クリアランスはその体液を清浄化する体が有する清浄能を示していることは先に述べました. そうすると, 単位時間当たりの血中薬物総濃度 (の対数値) の低下度 (k_{el}) は, 汚染された体液容量に対するその体液の清浄能の比であるとも考えられます.

$$k_{el} = \frac{CL_{tot}}{V_d}$$

k_{el} は薬物固有のパラメータと考えられる向きがあ

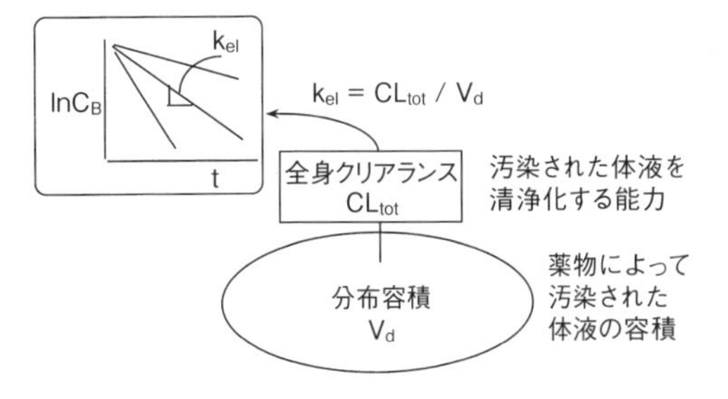

図 A2·10　薬物の消失速度定数の決定

りますが，全身クリアランスと分布容積という固有の独立したパラメータの相対的関係で決定されるパラメータとなっています．清浄能が一定で清浄化すべき体液容量が多ければ多いほど，薬物濃度の減少する勾配値は小さくなります．また，清浄化すべき体液容量が一定で清浄能が大きくなればなるほど，薬物濃度の減少する勾配値は大きくなります．すなわち，消失速度定数は分布容積に逆比例し，全身クリアランスに正比例します．ややもすると，k_{el} を全身クリアランスのみの関数ととらえる向きがありますが，それが成立するのは，分布容積が一定に保たれている場合のみです．両パラメータが同時に変動する可能性がある臨床においては，全身クリアランスのみの関数として k_{el} をとらえることは，示された現象を誤解することにもなりかねないので注意が必要です．k_{el} というパラメータの変動要因を検討している研究報告も見受けられますが，k_{el} 自身が固有に変動要因を有し，変動しているわけではないので，原理的には誤っています．また，仮に変動要因が認められたとしても，それは分布容積と全身クリアランスの個々の変動の組合せの中で，たまたま見かけ上現れた変動要因にすぎず，何ら本質的で，適用性の広い関係ではないことになります．

また，次のような式に変換している例を見受けます．

$$CL_{tot} = k_{el} \cdot V_d$$

これをみますと，CL_{tot} が V_d の関数のように思えてしまいがちです．このような変換は避けたいところです．

k_{el} が全身クリアランスと分布容積という独立したパラメータの組合せによってたまたま決定される値であるとの理解は，イメージとしてなかなかとらえにくい面があるかもしれません．説明としての例を示します．

小児から成人への成長過程で薬物の消失速度定数が小さくなり，半減期が長くなることが多くの薬物でみられます（図 A2・11）．この現象をどのように説明すればよいのでしょうか．例えば，消失速度定数を全身クリアランスのみの関数としてとらえると，成長とともに全身クリアランスが減少することになり，薬物の消失に関与する臓器の機能が成長とともに大きくなるとの事実と矛盾します．実際にはほとんどの薬物で成長とともにその全身クリアランスの絶対値は大きくなっています．一方，同時に，成長とともに体液容量も増えるので，分布容積も大きくなっています．全身クリアランスと分布容積はともに年齢とともに増大していますが，増大の程度が分布容積のほうがより大きい場合には，消失速度定数は年齢とともに小さくなり，多くの薬物の場合にみられるケースと一致します．仮に分布容積の増大のほうが小さい場合があるとするな

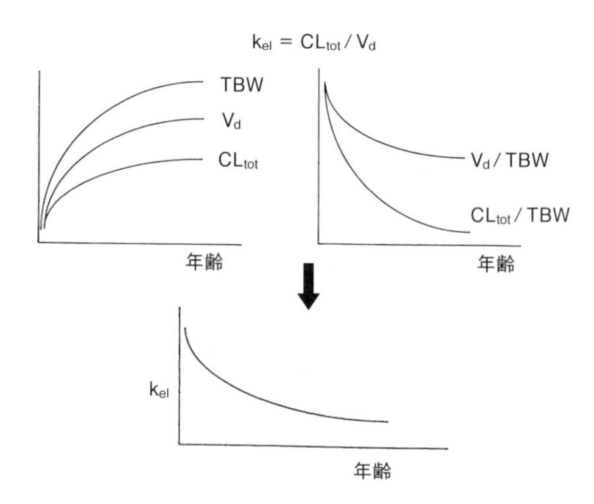

図 A2・11　小児から成人への成長過程での薬物消失速度定数の低下

らば，消失速度定数は年齢とともに大きくなると考えられます．このように，消失速度定数はクリアランスと分布容積の組合せによって決まると理解すべきです．

また，小児科領域ではクリアランスや分布容積の値を絶対値でなく体重（TBW）当たりで表現することも一般によく行われます．この場合も体重当たりの分布容積やクリアランスは年齢とともに小さくなる傾向を示す薬物がほとんどです．この場合は，体重の増加率に対して，薬物の分布容積やクリアランスの増加率が小さいために起こる現象です．成長とともにそれらパラメータの絶対値が小さくなっているわけでは当然ありません．ですから，体重当たりのクリアランスの値に対し，大きい，小さいという表現を使っていると，場合によっては思わぬ考え違いを生み出す原因となっていることがあるので，注意が必要です．本人は体重当たりのつもりで述べていることが，他人は絶対値のつもりで聞いているということが，時に見受けられます．

おもに肝臓で代謝されることによって消失し，肝障害時にかえって消失速度定数が大きくなるケースや変化しないケースもしばしば見受けられます．この現象を説明するためにも，消失速度定数がクリアランスと分布容積の組合せによって決まることを理解する点が重要です．また，消失速度定数の変化を中心として，薬物動態の変化を議論することは避けるべきです．これは後の節（A3節）で述べます．

A2・5　コンパートメントモデル

a. コンパートメントの定義

静脈内に急速に投与された後，薬物は循環血から各

臓器に分布するとともに消失臓器から消失します．薬物を急速に静脈内に投与したとき，薬物の各臓器への分布が非常に速やかで投与直後から血液中薬物と臓器内薬物が平衡状態にある場合，血中薬物濃度の対数値は時間に対し投与直後から直線的に減少します．体内の各臓器中の薬物濃度の大きさは，血中の薬物濃度と必ずしも同じではありませんが，各臓器中の薬物濃度の対数値の時間推移はすべて血中の薬物濃度の対数値の時間推移と同一の勾配を示すことが特徴となります．

一方，静脈内に急速に薬物が投与された後，血中の薬物とある臓器や組織内薬物との間の平衡関係が成立するのに時間経過が必要である場合，その間，その臓器中薬物濃度は緩やかに上昇し，逆に血中薬物濃度は速やかに低下します．しかし，すべての臓器と血液との間に平衡関係が成立した後には，血中薬物濃度の対数値は時間に対し直線的に減少し，また，各臓器中薬物濃度も血中薬物濃度と平行に減少していきます（図A2・12）．

薬物濃度の時間推移を速度論的に取り扱う場合には，速度論上で同じ挙動をとるものは区別できないのでそれをひとまとめにして，同一のコンパートメント（compartment）にあるとして取り扱います．そうすると，薬物の各臓器への分布が非常に速やかで投与直後から血液中薬物と臓器内薬物が平衡状態にある場合は，体全体を1つのコンパートメントで表します．また，血液との平衡が遅れて成立する一群が1つ存在する場合は，体全体を血液との平衡が速やかであるコンパートメントと平衡に時間的遅れを示すコンパートメントの2つのコンパートメントで成り立っているとするモデルで表現します．注意すべきは，臓器中の薬物濃度を指標にコンパートメントを定義しているわけではないことです．

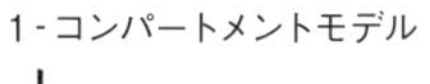

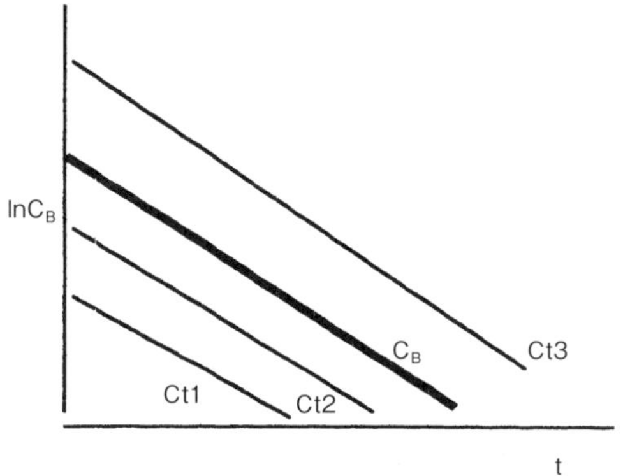

組織 t1, t2, t3 と血液との間にはただちに平衡が成立

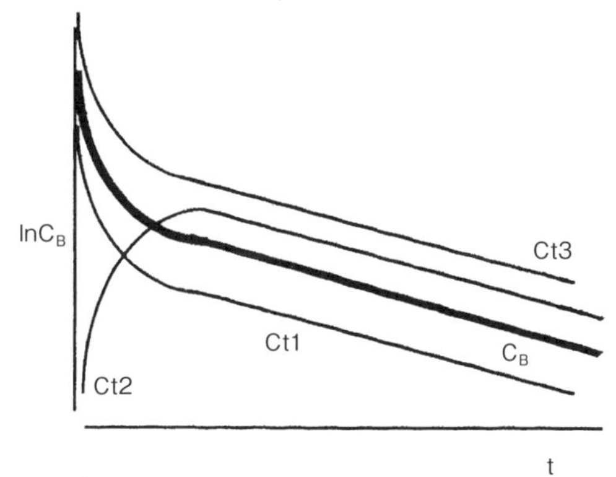

組織 t1, t3 と血液との間にはただちに平衡が成立
組織 t2 と血液との間の平衡には時間経過が必要

図 A2・12　コンパートメントモデル

b. 1-コンパートメントモデル

静脈内に急速に薬物が投与された後，体内のすべての部分の薬物濃度の対数値の時間推移が血中薬物濃度の対数値の時間推移と同じ勾配で表現され，そのため，血中薬物濃度の対数値は時間に対し投与直後から1本の直線上を減少する場合に，薬物は1-コンパートメントモデル（one compartment model）に従うとして取り扱います（図A2・13）．

血中薬物濃度の対数値は時間に対し1本の直線上を減少するので，血中薬物濃度は次式で表現します．

$$\ln C_B = \ln A - k_{el} \cdot t$$

$$C_B = A \cdot e^{-k_{el} \cdot t}$$

c. 多-コンパートメントモデル

血中薬物濃度の対数値の時間経過は，2つ以上の直線の和として表現される挙動をとります．結論的にいうと，構成する直線の数だけコンパートメントが存在するとして取り扱います（図A2・14）．

この場合，血中薬物濃度は次式で表現します．

$$C_B = A \cdot e^{-\alpha \cdot t} + B \cdot e^{-\beta \cdot t} + C \cdot e^{-\gamma \cdot t} + \cdots$$

おもに第1項によって現れる血中濃度の時間推移の部分をα相，おもに第2項による部分をβ相，おもに第3項による部分をγ相と呼びます．血中薬物濃度を厳密な速度論的解析に用いるのが目的ではなく，血中薬物濃度を臨床上の治療モニタリングに利用しようとする場合は，どの相の血中薬物濃度を治療に対応したものとして用いるのがよいかを考える必要があります．臨床においては，治療におもに用いられる相の血中濃度を正確にとらえることができれば十分です．

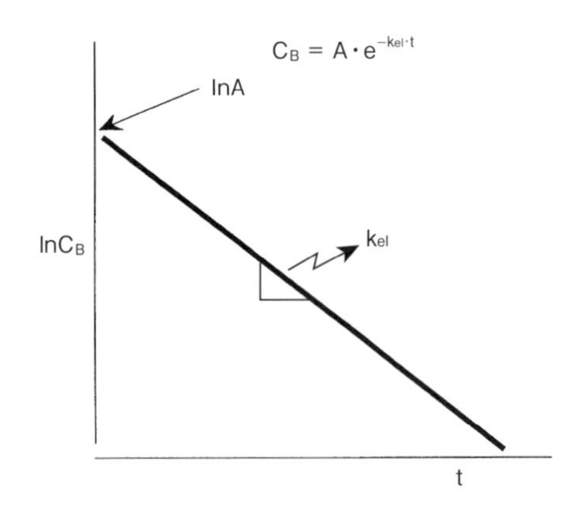

図 A2･13　1-コンパートメントモデル

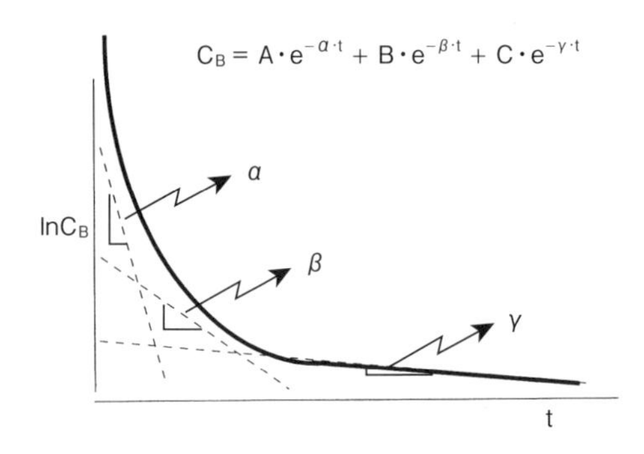

図 A2･14　多-コンパートメントモデル

2本の直線で表現できる2-コンパートメントモデルで表現される薬物は非常に多いようです（図 A2･15）．作用発現に関与する組織中の薬物が血中の薬物と速やかに平衡に達し，血中薬物濃度の変化と同一コンパートメントにあるとして取り扱える場合，血中薬物濃度が直接，薬効と関係します．急速投与直後の血中薬物濃度は高く，しかも，速やかに減少する α 相の部分を治療域の中心に入れることは，効果の持続性や安全性などの観点から，一般には行いません．投与速度を遅くして投与直後の高い濃度が現れないように調節し，しかも，遅い消失相（β 相）を治療域の中心に入れるように投与量を決定することが行われます．その結果，投与後血中薬物濃度の対数値が時間に対し1本の直線で減少する部分で治療が行われるので，治療をモニターするためには，薬物濃度の時間推移の表現も1-コンパートメントモデルで行うことで十分になります．

血中薬物濃度の推移より遅れて薬物が分布する臓器や組織中の薬物濃度が薬効と関係する場合，急速投与直後に示される α 相の血中濃度はまったく治療とは関係がありません．血中薬物濃度の対数値が2本目の

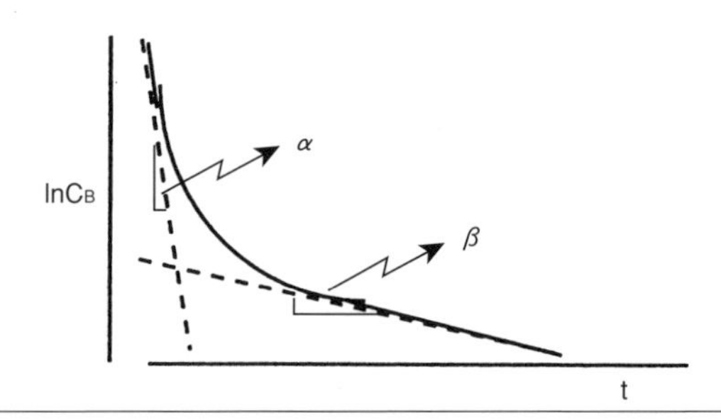

2- コンパートメントモデルへの対応

◯薬物の血中濃度が効果，副作用に関係する場合
　急速投与を避け，急激な濃度の高まりを避ける．
　投与終了後は一直線部分で表現できる領域でのモニター

◯薬物の組織中（末梢コンパートメント）濃度が効果，副作用に関係する場合
　薬物の血中濃度と組織中濃度が平衡に達する前の血中濃度は無意味．一直線部分で表現できる領域でのモニター

臨床実用的には1-コンパートメントモデルで対応できる．

図 A2･15　2-コンパートメントモデルへの対応

直線部分で表現される時点から，ほぼ薬物が遅れて分布する臓器や組織中の薬物濃度と血中薬物濃度との間に平衡関係が成立し，組織中薬物濃度も血中薬物濃度と同様の時間推移をとるようになります．そのため，血中薬物濃度を指標に治療をモニターするためには，2本目の直線部分の血中薬物濃度に限定して利用すべきです．また，どのコンパートメントに属する組織中の濃度が薬効や副作用と関係するかが不明確な場合には，血液中の薬物がすべての組織中の薬物と平衡が成立し，血中濃度の推移や高さが，組織中の薬物濃度のそれらと対応している，最も遅い消失相（しかも，この相において血中濃度の対数値が時間に対し直線的に減少する）の血中濃度が，薬物治療のモニタリングに利用できる情報であると考えられます．そのため，治療モニタリングに用いる薬物濃度の時間推移の表現は1-コンパートメントモデルで対応できます．

A2・6　コンパートメントモデルを用いない薬物動態パラメータの決定

原則的には臨床における薬物動態の取り扱いはコンパートメントモデルを基礎にはおかないのが一般的となっています．そのため，すでに述べてきた基本的な薬物動態パラメータの決定もコンパートメントモデルを用いずに決定することが原則です．

また，薬物動態パラメータを得るためには，薬物を血管内投与することが絶対条件となります．血管外投与，例えば経口投与を行った場合には，バイオアベイ

薬物治療のモニタリングにおける薬物動態モデルの取り扱いの考え方

薬物動態を速度論的にどう精密に表現（解析）するかという立場と，臨床薬物動態において血中薬物濃度を治療モニターに用いるに当たって速度論的に薬物濃度を取り扱おうとする立場と，目的に違いがあることは明確に区別しておく必要があります．どちらが優れ，どちらが劣っているというようなものではありません．従来，我が国では薬物動態の臨床適用に関する概念やフィロソフィに基づいた構築や展開に不十分さがあったきらいがあります．そのため，臨床活動にも精密な速度論解析を持ち込まないと誤りであるような風潮が支配してきた傾向があります．残念ながら，現在においても混乱があるようにみえます．

例えば，ある特定の薬物対象として，臨床応用を目的としたコンピュータソフトが出されていますが，それには，2-コンパートメントモデルが使われている場合があります．日本の患者を対象とした調査結果から，2-コンパートメントモデルで解析できたことを根拠につくられたものと推察できますが，薬物治療のモニタリングのためには，先にも述べたように，α相，β相の両相の血中薬物濃度をとらえなければ治療モニタリングが不可能なのか，例えばβ相だけでよいのかの検討がまず必要です．従来から行われているβ相を対象としたモニタリングで十分であるならば，臨床適用のためには1-コンパートメントモデルに基づく解析でよいと考えられます．あえて，2-コンパートメントモデルを用いることは，臨床に混乱を持ち込むだけになります．また，2-コンパートメントモデルでは，決定しなければならないパラメータ数が1-コンパートメントモデルに比べ多くなるので，仮に，患者の血中濃度に基づいて決定しようとすれば，採血すべき時期の制限や採血数がより多くなってしまいます．臨床上，意味のない負担がかかることは避ける必要があります．厳密に投与直後から完全に体内から消失し終わるまでの血中薬物濃度の時間推移を表現するためのモデルと，臨床適用にとって十分なモデルとの区別は厳密にされるべきと考えます．

ラビリティ（F）が全身クリアランス，分布容積に含まれる，CL_{tot}/F，V_d/Fとなるからです．以下，血管内薬物投与を条件に薬物動態パラメータの決定法を述べます．

a. クリアランス

全身クリアランスおよび臓器クリアランスは血管内投与後のAUC（AUC_{iv}），尿中排泄比率（A_e（%）；A_e/D）の測定によって推定できます．当然ですが，A_e/Dは薬物の未変化体のみの尿中排泄量の投与量に対する比率を表します．我が国の各メーカが出しているインタビューフォームやそれに類した情報では，A_e/Dとして代謝物量を含めている場合が多く見受けられますが，厳密に区別する必要があります．以下に算出に用いる式を示します．

$$CL_{tot} = \frac{D}{AUC_{iv}}$$

$$CL_R = \frac{A_e}{D} \cdot CL_{tot}$$

$$CL_{eR} = CL_{tot} - CL_R = CL_H$$

AUCの算出は，一般には血中薬物総濃度の実測値を用いる台形法が用いられます.測定点を直線で結び，つくられる台形の面積を計算していきます．図A2・16は台形法によるAUC算出法を示しています.

b. 分布容積

分布容積はクリアランスのように血中薬物濃度の時間推移に関係なく確定することはできません．薬物を血管内急速投与した場合を条件に，血中薬物総濃度の対数値が直線1本（指数項1つ）で表現できる場合と，直線2本以上（指数項2つ以上）の場合について分けて考えます．

(i) 指数項1つ

分布容積は投与直後の血中薬物総濃度C_{B0}の測定値あるいは推定値から確定されます．投与直後の体内薬物量は投与量に相当するからです（図A2・17）.

$$V_d = \frac{D}{C_{B0}}$$

(ii) 指数項2つ以上

例として指数項2つの場合を述べます（図A2・18）.

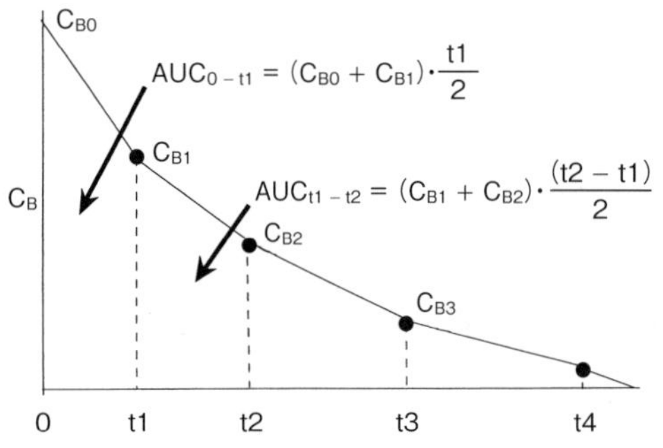

図 A2・16　血中薬物濃度時間曲線下面積（AUC）の計算

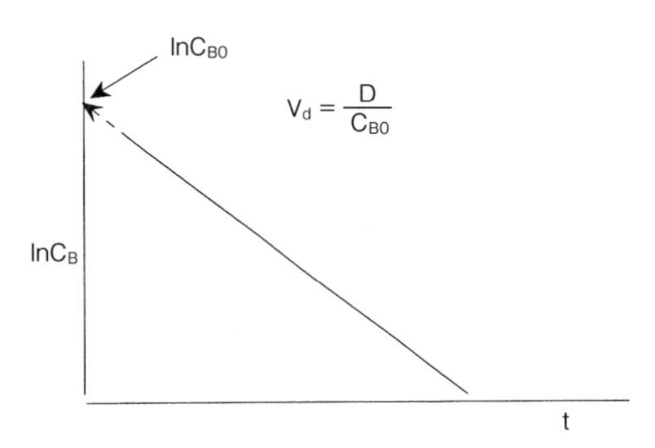

図 A2・17　1-コンパートメントモデルにおける分布容積の決定

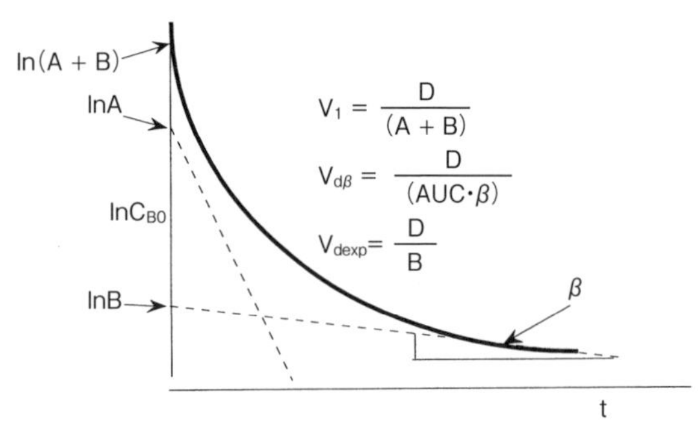

図 A2・18　2-コンパートメントモデルにおける分布容積の決定

(1) V_1

投与直後の血中総濃度と体内薬物量（投与量）との関係を取り扱う場合には次式で表します．この値は全身循環血とただちに平衡状態を示す体液画分に相当する分布容積となります．急速投与を行った直後の薬物総濃度を見積もるために必要です．

$$V_1 = \frac{D}{(A + B)}$$

(2) $V_{d\beta}$

考慮の対象となっている相（一般には 2-コンパートメントモデルの β 相）における見かけの消失速度定数（β）と全身クリアランス（CL_{tot}）の関係づけに用いる架空の分布容積です．次式で表します．

$$V_{d\beta} = \frac{CL_{tot}}{\beta} = \frac{D}{AUC \cdot \beta}$$

$V_{d\beta}$ は $V_{d,area}$，V_{dz} とも表現します．

(3) V_{dexp}

考慮の対象となっている相（β 相）における見かけの消失速度定数（β）の 0 時間における切片（B）と投与量（D）の関係から得られる架空の分布容積です．次式で表します．

$$V_{dexp} = \frac{D}{B}$$

考慮の対象である β 相の直線一本のみで，血中総濃度推移をとらえ，表現するために用います．

(4) V_{dss}

定常状態における血中薬物総濃度 C_{Bss} と体内薬物量 A_{bss} を結びつけるための容積で，次式で表します．

$$A_{bss} = V_{dss} \cdot C_{Bss}$$

2-コンパートメントモデルで考えます．血液を含むコンパートメントと分布に遅れを示すコンパートメントの間で薬物が平衡状態に達している状態で考えているので，V_{dss} は両コンパートメントの容積の和に相当します（図 A2・19）．

急速投与後の血中総濃度の時間推移を用いる場合には，次式から算出します．

$$V_{dss} = \frac{CL_{tot}}{\left(\frac{1}{MRT}\right)} = CL_{tot} \cdot MRT$$

$$= \frac{D}{AUC} \cdot MRT$$

$$= D \cdot \frac{AUMC}{AUC^2}$$

ここで MRT は薬物の体内における平均滞留時間を表し，1/MRT は平均消失速度定数と呼ぶことができる値です．MRT は具体的には AUMC と AUC から算出します．AUMC は血中薬物総濃度とその時間の積

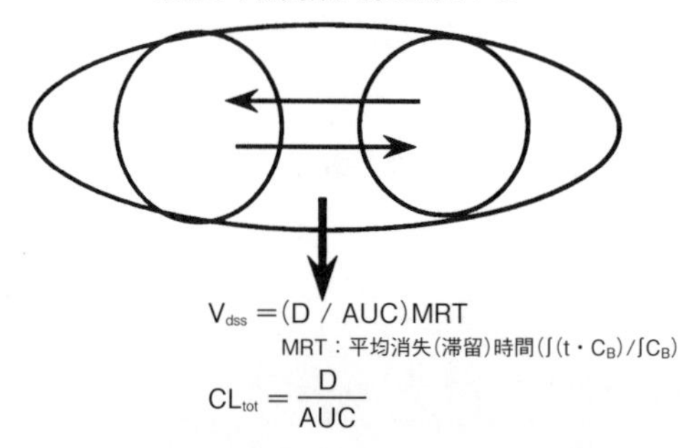

図 A2・19　定常状態における分布容積

MRTについて

MRTは，mean residence time；平均滞留時間を指します．MRTの表す意味を考えます．例えば1000人の学生を対象に身長の分布を表現します．横軸に身長，縦軸に人数をプロットし身長の分布曲線を得ます．平均身長は次式で算出できます．

$$\text{平均身長} = \frac{\Sigma\ (H_i \cdot n_i)}{\Sigma\ (n_i)}$$

ここで，H_iという身長の人数をn_iとしています．

ここで，血中薬物濃度の時間推移の曲線を同様に考えます．体内に存在する薬物の量を反映しているのが血中薬物濃度と考え，薬物投与後の時間を横軸，各時間に薬物が存在する量（数）を縦軸にとると，該当する時間における体内薬物量の分布を表現していることになります．そこで同じように，平均時間を計算します．

$$\text{平均時間} = \frac{\Sigma\ (t_i \cdot C_{Bi})}{\Sigma\ (C_{Bi})} = \frac{\int (t_i \cdot C_{Bi})\,dt}{\int (C_{Bi})\,dt} = \frac{AUMC}{AUC}$$

ここで，t_iという時間における薬物量に対応する血中濃度をC_{Bi}としています．AUMCは，$(t_i \cdot C_{Bi})$の時間曲線下面積を表します．

このようにして求めた平均時間はあたかも薬物が体内に存在（滞留）している時間の平均値であるようにみえるので，平均滞留時間（MRT）と呼びます．

MRTの単位は時間ですから，逆数は1/時間の単位をもち，一次過程の速度定数となります．血中薬物濃度の時間推移は複数のコンパートメントが存在する場合には見かけ上，複数の消失速度定数が関与します．そこで，薬物が体内から消失する平均的な消失速度定数に該当します．

複数のコンパートメントにより表現できる場合，体内からの薬物の平均的な消失速度定数と全身クリアランスの関係を考えます．このときの分布容積は，コンパートメント間に平衡に行き渡ったときの分布容積に相当します．

$$\text{平均消失速度定数} = \frac{1}{MRT} = \frac{CL_{tot}}{V_{dss}}$$

この関係から，V_{dss}は次式のように表現できます．

$$V_{dss} = CL_{tot} \cdot MRT$$

の値$(t \cdot C_B)$を時間に対し積分した値であり，次式で与えられます．

$$AUMC = \int (t \cdot C_B)\,dt$$

短時間定速血管内注入投与の場合，注入平均時間を差し引く必要があります．次式から得られます．

$$V_{dss} = D \cdot \frac{\left(\frac{AUMC}{AUC} - \frac{t_{in}}{2}\right)}{AUC}$$

t_{in}：定速注入時間

AUMCの算出には，実際には台形法で計算します．

c. 文献中の薬物動態パラメータ値の読み方

薬物動態パラメータ値が各種報告されていますが，その場合のパラメータ値の読み方には注意が必要です．

全身クリアランスはAUCから算出されますので，血中薬物濃度推移や算出した方法によって食い違うことはありません．問題点があるとすれば，薬物の投与が血管内投与されたときの値であるか，血管外投与されたときの値であるかの区別です．血管外投与されたときの値（AUC_{ev}）では正確な全身クリアランスは算出できません．バイオアベイラビリティの項が含まれた見かけの値となるからです．

$$\frac{D}{AUC_{ev}} = CL_{ev} = \frac{CL_{ev}}{F}$$

また，腎クリアランスを推定するためには，尿中排泄比率（A_e/D）が必要になりますが，A_e/Dは当然，静脈内投与された薬物の未変化体として尿中に排泄される率です．しかし，とくに我が国のメーカからの資料には，血管外投与されていない条件で，しかも，代謝物を含めた値が示される場合が多いようです．これは，使えませんので注意が必要です．

分布容積に関しては血中薬物濃度の推移が示すパターンの違いによって異なり，先に述べたように2-コンパートメントモデルでは意味の異なる分布容積があります．それぞれによって値が異なるので，どの分布容積に相当する値であるのかを必ず確認する必要があります．一般には，治療がβ相で行われているとい

腎クリアランス算出のための尿中排泄比率データ

臓器クリアランスを，次式によって推定するためには，まず，尿中排泄比率 (A_e/D) を得て，CL_R を決定することが必要になります．

$$CL_R = \frac{A_e}{D} \cdot CL_{tot}$$

この場合，尿中排泄比率 (A_e/D) の値は以下の条件によって得られた値です．

1) 医薬品が血管内投与されている

血管外投与されている場合，全身循環血に到達した薬物量が不明で，比率 (A_e/D) を算出することができないためです．

2) 尿中に排泄された未変化体のみが測定されている

腎クリアランスは，腎臓が未変化体として尿中に排泄する速度を対象に定義されます．腎臓によって薬物が代謝され消失することも認められますが，この場合には，定義からすると腎クリアランスには含まれず，腎外クリアランスに含まれることになります．医薬品の標識体が投与された後の尿中に排泄された総線量が測定されている場合がありますが，上記の理由から用いることができません．

3) 薬物の5～7半減期以上の期間にわたり，尿が採取されている

原理的には，全身循環に入った薬物のうち，尿中に排泄された量を完全に収集することが必要です．5～7半減期で (31/32) ～ (127/128) の量が収集されますので，実際には，ほぼ収集は完全であると考えてよいとされます．

腎クリアランス値は下記の式を用いて得ることもできます．

$$CL_R = \frac{A_e(t)}{AUC(t)}$$

$A_e(t)$ は t 時間までの尿中排泄量，$AUC(t)$ は t 時間までの AUC を表します．この場合には，上記1)，3) の条件は必要なく，t 時間までの未変化体の尿中排泄量と t 時間までの AUC の測定が行われていれば CL_R の算出は可能です．ただし，1) の条件がない場合には CL_{tot} 値を得ることはできません．

う背景から，$V_{d\beta}$ が算出される例が多いように見受けられます．この場合，CL_{tot} との組合せで β 相（消失相）の見かけの消失速度定数 β が推定できます．

また，β 相（消失相）の見かけの消失速度定数 β は得られているのですが，分布容積が示されていない場合には，以下の式から $V_{d\beta}$ が算出できます．

$$\frac{CL_{tot}}{\beta} = V_{d\beta}$$

先にも述べましたが，薬物が血管外投与されている場合には，このような関係式から得られる分布容積にも F が入ってきます．

$$\frac{CL_{ev}}{\beta} = \frac{(CL_{tot}/F)}{\beta} = \frac{V_{d\beta}}{F}$$

A3　薬物動態パラメータの変動要因からみた薬物の特徴づけ

バイオアベイラビリティ F，分布容積 V_d，全身クリアランス CL_{tot} が薬物の体内動態を説明するための基本的なパラメータであることを述べてきました．この節では，これら基本的パラメータを変動させている要因について述べます．

A3・1　分布容積の変動要因

a. 分布容積の変動要因

分布容積がどのような要因によって変動するのかを知るために，薬物の体内における分布状態をもう少し詳しく考えたいと思います．最も簡単なモデルとして，体内を大きく2つの画分に分けて考えます．すなわち，血液，細胞外液を中心とする画分と細胞内液に分けます．両者は細胞膜で仕切られています．前者の容積を V_B，後者の容積を V_T とおきます（図 A3・1）．

血管外に投与された薬物が循環血液中に到達し，さらに細胞膜を通過し両画分間で平衡が成立した条件を考えます．薬物の一部は血液中でアルブミンなどの生体高分子と結合（D_{Bb}）し，非結合形薬物（D_f）と平衡関係が成立した状態にあります．また，細胞内においても同様に非結合形薬物（D_f）と細胞内高分子と結合した結合形薬物（D_{Tb}）との間には平衡関係が成立しています．非結合形薬物のみが細胞膜を通過することができ，両画分の pH がほぼ同じで，両画分の間で薬物の平衡が成立するとき，両画分中の薬物非結合形濃度はほぼ等しいと考えることができます．

ここで，血液を中心とする画分中の薬物総濃度を C_B，薬物非結合形濃度を C_{Bf}，薬物結合形濃度を C_{Bb} とおきます．また，細胞内液の画分中の薬物総濃度を C_T，薬物非結合形濃度を C_{Tf}，薬物結合形濃度を C_{Tb} とします．

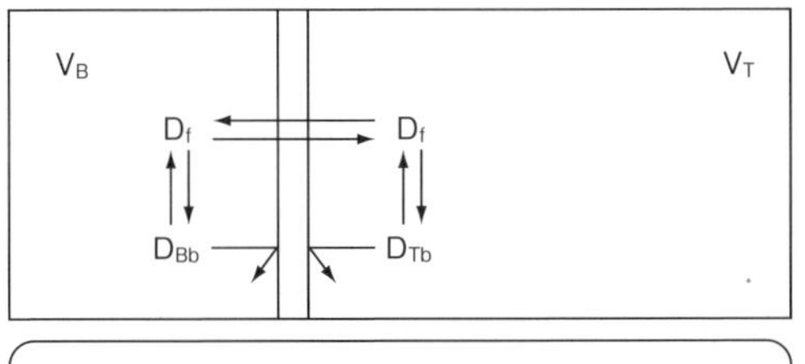

$$A_b = V_d \cdot C_B$$
$$A_b = V_B \cdot C_B + V_T \cdot C_T$$
$$V_d = V_B + (fuB / fuT) V_T$$

図 A3・1　分布容積の変動要因

体内に存在する薬物は2つの画分にそれぞれ存在するので，以下の式で表すことができます．

$$A_b = A_{bB} + A_{bT}$$

A_{bB}，A_{bT} はそれぞれ，血液を中心とする画分中に存在する薬物の量および細胞内画分中薬物の量であり，それぞれ次式で表すことができます．

$$A_{bB} = V_B \cdot C_B$$
$$A_{bT} = V_T \cdot C_T$$

そこで，体内薬物量は次式で表されます．

$$A_b = V_B \cdot C_B + V_T \cdot C_T$$

一方，分布容積の定義式より体内薬物量は次式でも表現されます．

$$A_b = V_d \cdot C_B$$

両式より分布容積は次式で与えられます．

$$V_d = V_B + V_T \cdot \left(\frac{C_T}{C_B}\right)$$

すなわち，薬物の分布容積は，$C_T = 0$ のとき，ほぼ V_B と等しくなり，$C_T/C_B = 1$ で薬物が体内に均等に分布している場合には $V_B + V_T$ となり，$C_T/C_B > 1$ で薬物が特定の組織に濃縮されている場合には，形態学的な体液容量より大きくなることがわかります．

先に述べたように，両画分中の薬物非結合形濃度はほぼ等しいとします．

$$C_{Bf} = C_{Tf}$$

一方，各薬物非結合形濃度と薬物総濃度との関係は以下の式で表すことができます．

$$C_{Bf} = C_B \cdot fuB$$
$$C_{Tf} = C_T \cdot fuT$$

fuB，fuT はそれぞれの非結合形分率を表します．

これらの関係を用いることによって分布容積は次式で表すことができます．

$$V_d = V_B + V_T \cdot \left(\frac{fuB}{fuT}\right)$$

薬物の細胞内移行に特殊な輸送系が存在せず，また，血液と組織内で pH に大きな差がない場合，薬物の分布容積は血液を中心とする画分中の薬物非結合形分率（fuB）と細胞内液中の薬物非結合形分率（fuT）の比によって決定されていることになります．すなわち，両画分中において薬物をとどめておく要因はたん白結合であり，それぞれの画分中でのたん白結合の程度（逆にいえば，非結合形分率の程度）のバランスによって薬物の分布，ひいては分布容積は決定されていると考えることができます．

b. 分布容積からみた薬物の特徴づけ

分布容積は次式で表されることは先に述べました．

$$V_d = V_B + V_T \cdot \left(\frac{fuB}{fuT}\right)$$

分布容積を表す式は2項から成り立っていますので，その2項の相対的大きさから薬物を分類すると実用的に便利です．

なお，臨床上に起こっている現象を取り扱う場合，±10％の範囲に入るものは差がないと取り扱いますし，さらに30％以内であればその存在も無視できる範囲にあるとします．このようなルールに基づいて関係を簡略化していきます．また，生理的な値を用いる場合には，健常成人（体重60～70 kg：本書では60 kg）の値を基本に考えます．

体内薬物量をA_b，細胞外液容量をV_B，細胞外液中，すなわち血中の薬物総濃度をC_B，細胞外液中薬物量をA_{bB}，分布容積をV_dとします．

$$A_b = V_d \cdot C_B$$

$$A_{bB} = V_B \cdot C_B$$

細胞外液中に存在する薬物量の体内に存在する全薬物量に対する比率は次式で表されます．

$$\frac{A_{bB}}{A_b} = \frac{V_B \cdot C_B}{V_d \cdot C_B} = \frac{V_B}{V_d} = \frac{12\,L}{V_d}$$

(i) 分布容積が小さい場合（$V_d < 20$ L）

細胞外液中に体内薬物量のほぼ70％以上が存在する場合，$12/V_d > 0.7$の関係から，おおよそ$V_d < 20$Lとします．分布容積は第1項のみで表現することができます．

$$V_d = V_B$$

この場合，薬物は血漿あるいは細胞外液中にほぼおしとどめられており，分布容積は血漿容量や細胞外液容量にほぼ等しくなります．腹水，浮腫などのサードスペースへの体液貯留によって分布容積は大きくなります．当然，fuB，fuTは影響を与えません．

(ii) 分布容積が大きい場合（$V_d > 50$ L）

（V_Bは生理的に3～12 Lを示すので）細胞内液中に体内薬物量のほぼ70％以上を示す場合，$12/V_d > 0.3$の関係から，おおよそ$V_d > 50$Lとします．分布容積は第2項のみでほぼ表現されます．

$$V_d = V_T \cdot \left(\frac{fuB}{fuT}\right)$$

薬物は厳密に考えれば，両画分中に存在していますが，量としては圧倒的に細胞内液中に存在していることになります．薬物量としてはほんのわずかしか存在しない細胞外液（血漿液）中の薬物濃度から体内量を推定するという状況を考えることになります．この場合，分布容積に影響を与える要因は，fuB，fuTです．分布容積はfuBに比例し，fuTに反比例します．

(iii) 分布容積が中間の値を示す場合（$V_d = 20 \sim 50$ L）

第1項，第2項ともに考慮せざるを得ません．薬物は両画分中に存在し，量としても両画分中に相対的に無視できない程度に存在しています．

$$V_d = V_B + V_T \cdot \left(\frac{fuB}{fuT}\right)$$

V_B，V_T，fuB，fuTのそれぞれの因子によって変動しますが，その影響の度合いは，(i)，(ii)の場合に比べ小さくなり，そのため，比較的変動しにくいと考えられます．そこで，具体的な変動要因を書き入れず，$V_d = V_d$と表現しておきます．

この分類に用いるV_d<20 L，V_d>50 Lの数字，20 L，50 Lはおおよその見積りです．ですから，$V_d = 23$ Lなら中間型，と杓子定規に用いることは避けてください．あくまで，薬物動態上の特徴を把握する上で用います．そのような傾向，特徴を有するという把握のために用います．

A3・2　クリアランスの変動要因

a. 臓器クリアランスの変動要因

一般に，連続した複数過程を経過して進行する反応の最終ゴールに到達する速度はそれら過程のうちの最も遅い過程の速度によって決定されます．それを律速過程（rate determining step）と呼びます．薬物が臓器（臓器xとおきます）から消失していく速度を律速過程の視点から考察します．

薬物は，薬物を蓄えている架空の体液（その容量がV_d）からその一部が動脈血によって臓器に運ばれてきます（図A3・2）．血液中では，薬物は血漿たん白と結合している結合形薬物（D_b）と結合していない非結合形薬物（D_f）が存在し，両者は可逆的な平衡状態にあります．このうち，非結合形薬物のみが血管壁を通過し，細胞外液中に分布することができます．また，薬物の脂溶性が高く，そのため，薬物が細胞膜を透過できる場合には，細胞外液中の薬物は濃度勾配に従っ

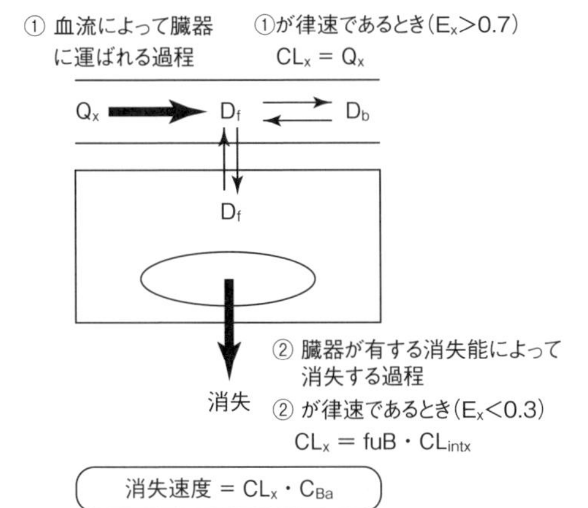

図 A3･2　臓器からのクリアランスを決定する要因

て細胞内に移行し，速やかに細胞内と細胞外の間で平衡状態に達します．細胞内では，血液中と同様に，薬物は細胞内のたん白や小器官と結合した結合形薬物と結合していない非結合形薬物 (D_f) として存在し，両者は可逆的な平衡状態にあります．このようにして，血液（静脈）中の非結合形薬物と細胞中の非結合形薬物の間の平衡は速やかに成立します．しかも，血液と細胞内の pH がほぼ等しい場合には，血液（静脈）中非結合形濃度と細胞内非結合形濃度はほぼ等しくなります．このうち，細胞内の非結合形薬物が細胞内の薬物消失機構と相互作用し，消失させられます．

このように考えると，薬物が臓器から消失する過程は，全身循環から薬物が臓器に運ばれる過程，薬物が血液から臓器細胞内に移行する過程および臓器細胞内から消失機構の働きによって消失していく過程の 3 つの連続的な過程としてとらえることができます．このうち，薬物が血液から臓器細胞内に移行する過程の速度は，一般には他の過程の速度に比べはるかに速いと考えてよいようです．そうすると，律速過程を注目する視点からは，体内の架空の貯蔵所におかれている薬物が最終的に臓器によって消失する速度は全身循環から薬物が臓器に運ばれる過程，臓器細胞内から消失していく過程の 2 つの連続的な過程としてとらえることができ，これら 2 つの過程の遅いほうの過程の速度が薬物の臓器からの消失速度となります．

(i) 血流速度依存性：E_x > 0.7 の場合

血液によって臓器 x に運ばれる過程が臓器 x が有する消失能によって消失する過程より遅い場合，律速過程は薬物が全身循環から血液によって臓器に運ばれる過程となり，消失速度は運搬速度となり，次式で表されます．

$$\text{消失速度} = Q_x \cdot C_{Ba}$$

Q_x は臓器 x に流れ込む血流速度，C_{Ba} は動脈血中薬物濃度を表します．

一方，クリアランスの定義から，

$$\text{消失速度} = CL_x \cdot C_{Ba}$$

それゆえ，臓器 x のクリアランスは次式で表されることになります．

$$CL_x = Q_x$$

この関係は臓器に運ばれてきた薬物が 1 回通過によりほとんど血液から除去される場合，すなわち，E_x (= CL_x/Q_x) > 0.7 の場合にほぼ成り立つと考えられます．この場合，臓器クリアランスを決定する要因は血流速度のみとなります．このような薬物を血流速度依存性 (flow dependent) クリアランスを有する薬物と呼びます．

(ii) 消失能依存性：E_x < 0.3 の場合

臓器 x が有する消失機構によって消失させられている過程の速度が血液によって臓器に運ばれる過程の速度より遅い場合，律速過程は臓器 x が有する消失機構によって消失させられる過程となり，消失速度は次式で表します．

$$\text{消失速度} = CL_{intx} \cdot C_{Tf} = CL_{intx} \cdot fuB \cdot C_{Bv}$$

CL_{intx} は臓器 x の消失機構自身が有する消失能であり，固有クリアランス (intrinsic clearance) と呼びます．消失機構によって消失する速度は臓器内の薬物非結合形濃度に比例すると考えます．比例定数が CL_{intx} です．また，C_{Tf} は薬物の細胞内非結合形濃度であり，静脈血中非結合形濃度 (fuB・C_{Bv}) と平衡になっており，その値と等しいと考えます．fuB は静脈血中薬物の非結合形分率を表します．

一方，臓器クリアランスの定義から

$$\text{消失速度} = CL_x \cdot C_{Ba}$$

それゆえ，臓器 x クリアランスは次式で表されます．

$$CL_x = CL_{intx} \cdot fuB \cdot \frac{C_{Bv}}{C_{Ba}} = CL_{intx} \cdot fuB$$

この関係は臓器に運ばれてきた薬物が 1 回臓器を通過するとき，あまり血液から除去されない場合，すなわち，E_x (= CL_x/Q_x) < 0.3 ($C_{Bv}/C_{Ba} \fallingdotseq 1$) の場合に成り立ちます．この場合には，固有クリアランスが変動要因となります．このような薬物を消失能依存性 (capacity dependent) クリアランスを有する薬物と呼びます．

(iii) E_x (= CL_x / Q_x) = 0.3 ～ 0.7 の場合

臓器クリアランスは次式で表されます．

臓器クリアランスを表現する一般式

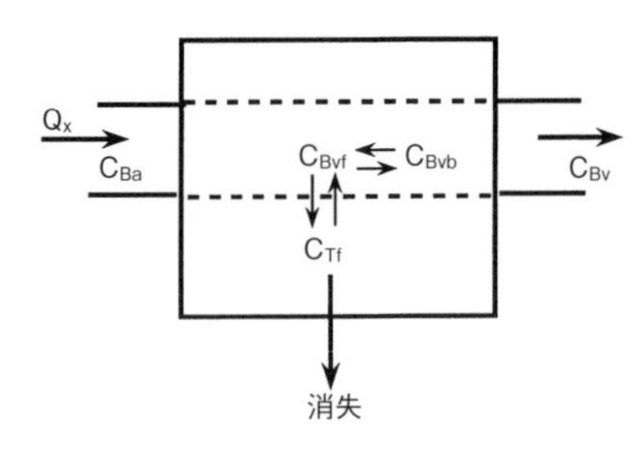

図 A3①　臓器からの薬物の消失

臓器クリアランスを薬物消失の律速過程の視点から説明しましたが，一般的な式の誘導からの説明を以下に述べます．

血中薬物濃度の変化から臓器クリアランスをまず考えます．

$$消失速度 = Q_x \cdot C_{Ba} - Q_x \cdot C_{Bv} = CL_x \cdot C_{Ba}$$

臓器クリアランスは次式となります．

$$CL_x = Q_x \cdot \frac{(C_{Ba} - C_{Bv})}{C_{Ba}} = Q_x \cdot E_x$$

臓器内の薬物消失機構から臓器クリアランスを考えます．臓器が有している薬物消失能を固有クリアランス（intrinsic clearance；CL_{int}）として表現すると，消失速度は次式で表現できます．

$$消失速度 = CL_{intx} \cdot C_{Tf}$$

また，組織中薬物非結合形濃度（C_{Tf}）は静脈血中薬物非結合形濃度（C_{Bvf}）に等しいので次式に変換できます．

$$消失速度 = CL_{intx} \cdot C_{Tf} = CL_{intx} \cdot fuB \cdot C_{Bv}$$

また，クリアランスの定義から

$$消失速度 = CL_x \cdot C_{Ba}$$

ゆえに

$$CL_x = CL_{intx} \cdot fuB \cdot \frac{C_{Bv}}{C_{Ba}} = CL_{intx} \cdot fuB \cdot (1 - E_x)$$

以上の関係から次式が得られます．

$$E_x = fuB \cdot \frac{CL_{intx}}{(Q_x + fuB \cdot CL_{intx})}$$

$$CL_x = Q_x \cdot fuB \cdot \frac{CL_{intx}}{(Q_x + fuB \cdot CL_{intx})}$$

このようにして得られた上式が臓器クリアランスを表す一般式です．

分母は2項の和になっていますので，2項の間の相対的大きさに注目します．

(i)　$Q_x \gg fuB \cdot CL_{intx}$ のとき

$E_x < 0.3$ に相当します．

$$CL_x = Q_x \cdot fuB \cdot \frac{CL_{intx}}{Q_x} = fuB \cdot CL_{intx}$$

すなわち，消失過程が律速の場合に相当します．

(ii)　$Q_x \ll fuB \cdot CL_{intx}$ のとき

$E_x > 0.7$ に相当します．

$$CL_x = Q_x \cdot fuB \cdot \frac{CL_{intx}}{fuB \cdot CL_{intx}} = Q_x$$

すなわち，血液による運搬過程が律速の場合に相当します．

$$CL_x = Q_x \cdot fuB \cdot \frac{CL_{intx}}{(Q_x + fuB \cdot CL_{intx})}$$

上記（i），（ii）の場合のように臓器クリアランスの変動が fuB，CL_{intx}，Q_x という因子にとくに依存することはなく，それぞれの因子によって影響を受けることになりますが，それぞれの因子の臓器クリアランスに対する影響の度合いは小さく，比較的変動を受けにくい薬物と考えられます．そこで，具体的な変動要因を書き入れず，$CL_x = CL_x$ と表現しておきます．

b. クリアランスからみた薬物の特徴づけ

以上の考察に基づいて，クリアランス値から薬物の特徴づけを行う手順を述べます（図 A3・3）．

まず，全身クリアランス CL_{tot} と尿中排泄比率 A_e/D から各臓器クリアランス値を割り振ります．

$$CL_R = \frac{A_e}{D} \cdot CL_{tot}$$

$$CL_{eR} = CL_{tot} - CL_R \;(= CL_H)$$

次に，それぞれ確定した臓器クリアランスに関し，E_x 値をもとにそのおもな決定因子を考察します．

薬物のたん白結合率，非結合形分率の考え方

薬物の分布容積に血液中非結合形分率および細胞中非結合形分率が決定因子として関与する場合があることを述べました．また，臓器クリアランスに血液中非結合形分率が決定因子として関与する場合もあります．変動要因としての臨床上の重要性という観点で考えると，非結合形分率が0.2以下の場合にのみ変動要因として頭に入れておく必要があり，それより大きい場合には事実上，変動要因とはなりません．

例えば99%の結合率の場合と，50%の結合率を考えます．fuBとしては1%，50%となります．例えば結合率が2%低下し，それぞれ97%，48%になったとすると，fuBとしては1%から3%へと変化し3倍の変化と，50%から52%へと変化し1.04倍の変化となります．このように，結合率が大きいほど，同一の結合率の変化によってfuBの変化率はより大きくなることがわかります．たん白結合の変動に対し非結合形分率の変化率が臨床的な意味合いから無視できない範囲は，甘く見積もって非結合形分率が0.2以下の場合で，より厳密に考えて非結合形分率が0.1以下とする研究者もいます．本書の場合，やや広めに0.2以下として話を進めていきます．このように，非結合形分率が0.2以下で，たん白結合の変化の影響を受けやすい薬物を，たん白結合に依存性を示す薬物(binding sensitive drug)と呼びます．逆に，非結合形分率が0.2より大きく，たん白結合の変化を受けにくい薬物を，たん白結合に依存性を示さない(非依存性)薬物(binding insensitive drug)と呼びます．

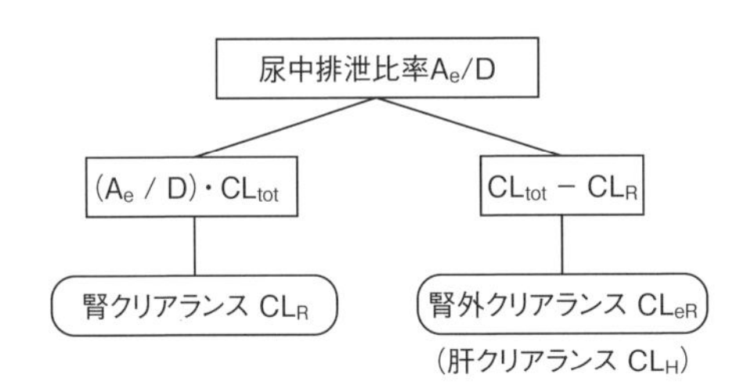

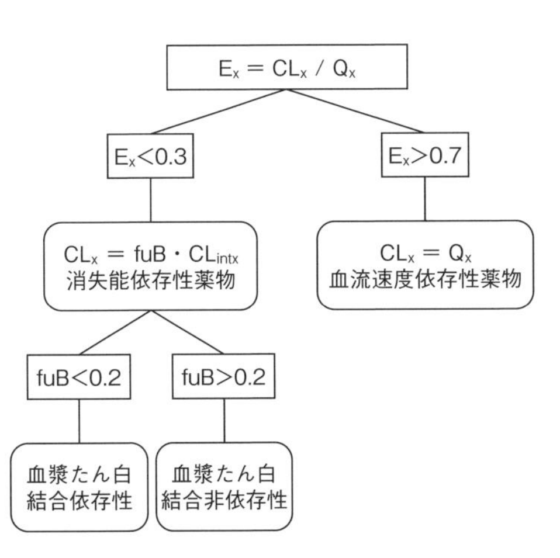

図A3·3　薬物のクリアランスからみた分類

E_x値は次式で表されます．

$$E_x = \frac{CL_x}{Q_x}$$

Q_x；腎臓；1200 mL/min（全血液）
600 ～ 700 mL/min（血漿，血清）
肝臓；1600 mL/min（全血液）
800 ～ 900 mL/min（血漿，血清）

通常，血漿中あるいは血清中の薬物濃度を測定していますので，血漿あるいは血清の流量をQ_xの値にとります．血漿あるいは血清の流量を用いることの限界はA3・3項において述べます．

(i) E_x < 0.3 の場合

$$CL_x = CL_{intx} \cdot fuB$$

臓器クリアランスを決定する要因は固有クリアランス(CL_{int})と血液中非結合形分率(fuB)となります．

この種の薬物はさらにfuBの値から2つに分割します．詳しくは，上記コラムを参照してください．臨床上，fuBの変動が臓器クリアランスに大きく影響を与える薬物と，fuBの変動が臨床上重要な要因とはならない薬物に分割できます．そこで，fuB < 0.2を血漿(血清)たん白結合依存性(binding sensitive)の薬物とし，臓器クリアランスの変動要因としてfuBを考慮の対象とします．一方，fuB > 0.2を血漿(血清)たん白結合非依存性(binding insensitive)の薬物とし，臓器

クリアランスの変動要因としては fuB を考慮の対象からはずします.

(ii) $E_x > 0.7$ の場合

$$CL_x = Q_x$$

臓器クリアランスを決定する要因は血流速度 (Q_x) のみとなります.

(iii) $E_x = 0.3 \sim 0.7$ の場合

$$CL_x = Q_x \cdot fuB \cdot \frac{CL_{int}}{(Q_x + fuB \cdot CL_{int})}$$

臓器クリアランスに大きく影響を与える因子はなく, 相対的に変動しにくい薬物となります. そこで, CL_x によってのみ決定される AUC, C_{Bss}, C_{Bssave} の変化の考察においては, 変化の程度がわずかな範囲となるので, 変化はないと割り切り, 具体的な変動要因を書き入れず, $CL_x = CL_x$ と表現しておきます.

この分類に用いている, $E_x<0.3$, $E_x>0.7$ の数字, 0.3, 0.7 はおおよその見積りです. ですから, $E_x = 0.32$ なら中間型, と杓子定規に用いることは避けてください. あくまで, 薬物動態上の特徴を把握する上で用います. そのような傾向, 特徴を有するという把握のために用います.

c. 経口投与された薬物の AUC

(i) 経口クリアランスの定義

経口投与した場合に, 測定された AUC_{po} と全身クリアランスの関係は次式で表されます.

$$CL_{tot} = \frac{F \cdot D}{AUC_{po}}$$

経口投与によって得られたデータだけからでは, F は決定できません. そこで, 便宜的に次式でクリアランスを表現します.

$$CL_{po} = \frac{D}{AUC_{po}}$$

CL_{po} を経口クリアランス (oral clearance) と呼びます. 全身クリアランスと経口クリアランスとの間の関係は次式で表されます.

$$CL_{po} = \frac{CL_{tot}}{F}$$

F が 1.0 より小さくなるほど CL_{po} は CL_{tot} より大きな値となります. ですから, この経口クリアランスは全身クリアランスの代わりにはなりません. $F = 1.0$ のときのみ, 両者は一致します. 経口投与では $F = 1.0$ であることをどうしても保証できません. 静脈内投与が必要な理由がここにあります. ですから, 経口クリアランスは全身クリアランスを求めるためではなく, あくまで, 薬物の経口投与量と結果として得られる AUC_{po} の間の関係を表す比例定数としての役割のためのみに用います.

(ii) 経口クリアランスの変動要因

(1) おもに肝臓による代謝によって消失する薬物

吸収された薬物は門脈血に入りますが, 全身循環血に到達する前に肝臓を一度通過します. 肝臓で代謝されやすい薬物は当然, 肝臓を通過するとき, 一部代謝あるいは排泄され消失します. これを初回通過効果 (first pass effect) と呼びます.

吸収の分率を F_a, 初回通過効果を回避した分率を F_h とすると, バイオアベイラビリティ F は次式で与えられます.

$$F = F_a \cdot F_h$$

また, E_H を, 肝を 1 回通過するときの血中薬物総濃度の低下分率とすると, F_h は次式で表現できます.

$$F_h = 1 - E_H$$

$E_H < 0.3$ の場合：

肝初回通過効果は小さく, 臨床的にはほとんどないとして取り扱うことができます. そのため, F は以下の式で表現してよいことになります.

$$F = F_a$$

経口投与後の AUC_{po} は全身循環血に到達してからの全身クリアランス CL_{tot} (CL_H) によって決定されるので, CL_H を決定する因子の影響を受けることになります.

$$CL_{po} = \frac{D}{AUC_{po}} = \frac{CL_{tot}}{F_a} = \frac{fuB \cdot CL_{intH}}{F_a}$$

$E_H > 0.7$ の場合：

肝初回通過効果は大きく, 結果として経口投与後の AUC_{po} は全身循環血に到達する前の肝臓からの消失によって決定されます. 肝初回通過における薬物の消失は, 体液中に存在する薬物の一部が肝臓に運ばれ消失するという 2 つの連続した過程 (血液による運搬過程と肝臓による消失過程) を考えたモデルとは異なり, 吸収された薬物はすべて門脈血によって肝臓に運ばれるため, 薬物の肝臓への運搬速度は非常に大きくなり, 薬物の肝臓における消失過程が律速過程となります.

$$CL_{po} = \frac{D}{AUC_{po}} = \frac{fuB \cdot CL_{intH}}{F_a}$$

以上より, おもに肝臓による消失によって体内から消失する薬物の CL_{po} は CL_H の大きさに関係なく以下の式で表現されることになります.

$$CL_{po} = \frac{D}{AUC_{po}} = \frac{fuB \cdot CL_{intH}}{F_a}$$

肝臓による代謝によってのみ消失する薬物の経口投与後のAUC_{po}は，薬物の全身クリアランスCL_{tot}（＝肝クリアランス；CL_H）を決定する要因に関係なく，CL_{intH}，fuBおよびF_aによって決定されることになります．

(2) おもに腎臓による排泄によって消失する薬物

$F_h = 1$であるので，Fは次式で与えられます．

$$F = F_a$$

そこで，経口クリアランスは以下に示す式で表すことができます．

$E_R < 0.3$の場合：

$$CL_{tot} = CL_R = fuB \cdot CL_{intR}$$

CL_{po}は次式で与えられます．

$$CL_{po} = \frac{CL_{tot}}{F} = \frac{fuB \cdot CL_{intR}}{F_a}$$

CL_{intR}，fuBおよびF_aによって決定されることになります．

$E_R > 0.7$の場合：

$$CL_{tot} = CL_R = Q_R$$

CL_{po}は次式で与えられます．

$$CL_{po} = \frac{CL_{tot}}{F} = \frac{Q_R}{F_a}$$

Q_RとF_aによって決定されることになります．

$E_R = 0.3 \sim 0.7$の場合：

臨床実用上は変動要因がほとんどない，変化しにくい薬物として取り扱うことができます．そこで，具体的な変動要因を書き入れず，$CL_{po} = CL_{po}$と表現しておきます．

A3・3　血漿（血清）中薬物濃度値から算出された臓器クリアランス，分布容積の変動要因評価の限界とその対応策

薬物は全身循環血中に入り，全身循環血流を介して組織，臓器に運ばれます．この規定では，当然，全身循環血全体として薬物を運んでいると想定しています．そのため，血中薬物総濃度はC_Bとして表現してきました．しかし，現在，行われている臨床薬物動態の試験（研究）は，ほぼ，血漿（血清）中薬物総濃度（C_p）が測定され，血漿（血清）中薬物総濃度（C_p）値に基づいて薬物動態パラメータ値が算出（推定）されています．血漿（血清）中薬物総濃度（C_p）値が測定された患者の状態が変化しない条件での速度論的取り扱いには対応できますが，患者の病態が変化した状況に対して血中薬物濃度の変化の方向を推定するためには，薬物動態の基本パラメータの決定因子の推定，把握が必要となります．そのためには，全身循環血全体として薬物を運んでいるという基本条件に変換させることが必要です．血漿（血清）中薬物総濃度（C_p）値に基づいて算出（推定）された薬物動態パラメータ値に基づく決定因子の推定の限界点を考え，限界に対する対応策を以下に示します．

a. 消失速度

臓器xからの薬物の消失速度を決定している因子は，血流が臓器xに薬物を運んでくる速度と，臓器xにおいて消失している速度の比較から考えます．

そのため，血中薬物総濃度は全血液中薬物総濃度でなくてはなりません．全血液中薬物総濃度が測定されている場合は，

$$E_x(b) = \frac{CL_x(B)}{Q_x(B)}$$

によって，抽出比は正しく評価できます．$CL_x(B)$は全血液中薬物総濃度値から算出された臓器クリアランス，$Q_x(B)$は臓器xに流れる全血液流量です．

薬物が血漿（血清）中のみに存在し，血球には移行していない場合は，血漿中薬物総濃度が測定され算出された臓器クリアランス$CL_x(p)$と血漿流量$Q_x(p)$から抽出比は正確に評価できます．

$$E_x(p) = \frac{CL_x(p)}{Q_x(p)}$$

しかし，多くの場合，薬物の一部は血球に移行しています．そうしますと，血漿中薬物総濃度が測定され算出された臓器クリアランス$CL_x(p)$と血漿流量$Q_x(p)$から算出した抽出比は，過大評価の傾向を示すことになります．それでも，$E_x(p) < 0.3$であれば，消失能依存性であることは明らかですが，$E_x(p) > 0.3$の場合はそのクリアランスを決定している因子は特定できないことになります．

b. 分布量

体内薬物量を蓄えている体液の一部として存在する全血液中の薬物総濃度から推定するための指標として分布容積を算出しています．

そのため，血中薬物総濃度は全血液中薬物総濃度でなくてはなりません．全血液中薬物総濃度が測定されている場合は，その値から算出された$V_d()$の値が20L以下か，50L以上か，あるいは20～50Lの範囲内かによって，決定因子を推定します．

しかし，多くの場合，薬物の一部は血球に移行して

います．そうしますと，血漿中薬物総濃度が測定され算出された $V_d(p)$ 値は過大評価の傾向を示すことになり，20L 以下の場合は，ほとんどが細胞外液中に存在すると推定できますが，20L 以上の値の場合には存在状態を特定できません．

c. B/P を用いた血漿中薬物総濃度から全血液中薬物総濃度への変換

消失速度を全血液中薬物総濃度および血漿中薬物総濃度を用いて，それぞれ定義します．

$$\text{消失速度} = CL(B) \cdot C_B = CL(p) \cdot C_p$$

C_B；全血液中薬物総濃度

$CL(B)$；全血液中薬物総濃度を用いて見積もられたクリアランス

C_p；血漿中薬物総濃度

$CL(p)$；血漿中薬物総濃度を用いて見積もられたクリアランス

$$CL(B) = \frac{CL(p)}{(C_B/C_p)} = \frac{CL(p)}{(B/P)}$$

C_B/C_p を以降，B/P と表します．

上記関係式を用いることによって，血漿中薬物総濃度を用いて見積もられたクリアランス CL(p) を，全血液中薬物総濃度を用いて見積もられたクリアランス CL(B) に変換することができます．

このようにして得られた CL(B) と全血液流量から正確な E_x を推定することができます．

分布容積は体内薬物量と血中薬物総濃度との間の関係をとりもつ比例定数という定義です．血中薬物総濃度は全血液中の薬物総濃度を想定していますが，実際の臨床薬物動態研究によって得られたパラメータ値のほとんどは，血漿あるいは血清中薬物総濃度から見積もられたパラメータ値が報告されています．薬物が血液中において血球に移行していると全血液中薬物総濃度は一定であっても血漿中薬物総濃度は低くなり，その結果，分布容積の見積りは過大評価になります．

体内薬物量を全血液中薬物総濃度および血漿中薬物総濃度を用いて，それぞれ定義をします．

$$\text{体内薬物量} = V_d(B) \cdot C_B = V_d(p) \cdot C_p$$

C_B；全血液中薬物総濃度

$V_d(B)$；全血液中薬物総濃度を用いて見積もられた分布容積

C_p；血漿中薬物総濃度

$V_d(p)$；血漿中薬物総濃度を用いて見積もられた分布容積

$$V_d(B) = \frac{V_d(p)}{(C_B/C_p)} = \frac{V_d(p)}{(B/P)}$$

上記関係式を用いることによって，血漿中薬物総濃度を用いて見積もられた分布容積 $V_d(p)$ を全血液中薬物総濃度を用いて見積もられた分布容積 $V_d(B)$ に変換することができます．このようにして得られた $V_d(B)$ から正確な特徴づけが可能となります．

A3・4　B/P の推定

B/P の値が報告されていればよいのですが，異なる値で報告されている場合があります．

(i) 血液中薬物の分布状態から B/P の推定

A_B：全血液中薬物量，A_p：血漿中薬物量，C_B：全血液中薬物総濃度，V_B：全血液容積，V_{bc}：血球容積，Ht：ヘマトクリット値とします．

$$\begin{aligned}\frac{A_B}{A_p} &= \frac{C_B \cdot V_B}{C_p \cdot V_p} \\ &= \frac{C_B}{C_p} \cdot \frac{V_B}{V_p} \\ &= (B/P)\ \frac{1}{V_p/V_B} \\ &= (B/P)\ \frac{1}{(V_B - V_{bc})/V_B} \\ &= (B/P)\ \frac{1}{1 - V_{bc}/V_B} \\ &= (B/P)\ \frac{1}{1 - Ht}\end{aligned}$$

$$B/P = \frac{A_B}{A_p}(1 - Ht)$$

例えば，「ヒトの血液に本薬の ^{14}C–標識体 0.3，3 及び 30 μg/mL（最終濃度）を添加したときの血球移行率は，1.6～2.4％であった」（審議結果報告書，H23.12.9，アジルバ錠（アジルサルタン），武田薬品工業）の例では，平均血球移行率を 2.0％，$A_B/A_p = 1/0.98$，$Ht = 0.5$ としますと，

$$B/P = \frac{1}{0.98}(1 - 0.5) = 0.51$$

(ii) 血球中薬物濃度 / 血漿中薬物濃度比（C_{bc}/P）から B/P の推定

V_p：血漿容積，A_{bc}：血球中薬物量，C_{bc}：血球中薬物濃度，V_{bc}：血球容積とします．

$$\begin{aligned}A_B &= A_p + A_{bc} \\ &= C_p \cdot V_p + C_{bc} \cdot V_{bc} \\ &= C_B \cdot V_B\end{aligned}$$

$$\begin{aligned}\frac{C_B}{C_p} &= \frac{V_p}{V_B} + \frac{C_{bc}}{C_p} \cdot \frac{V_{bc}}{V_B} \\ &= \frac{V_B - V_{bc}}{V_B} + \frac{C_{bc}}{C_p} \cdot Ht \\ &= (1 - Ht) + \frac{C_{bc}}{C_p} \cdot Ht\end{aligned}$$

$$B/P = \left(\frac{C_{bc}}{C_p} - 1\right) \cdot Ht + 1$$

例えば，「ヒトの血中に本薬の ^{14}C-標識体（約300 nM）を添加したとき，添加後3時間までの血球及び血漿中放射能濃度比（C_{bc}/C_p）は，0.51であった」（審議結果報告書，H23.6.3，トラゼンタ錠5 mg（リナグリプチン），日本ベーリンガーインゲルハイム）の例では，$C_{bc}/C_p = 0.51$，$Ht = 0.5$としますと，

$B/P = (0.51 - 1) \cdot (0.5) + 1 = 0.76$

なお，この場合には血液中で3時間インキュベートしていますので，この間に血液中で薬物が分解や代謝は受けないとした場合です．

(iii) B/P 情報の収集

企業が出している添付文書，インタビューフォームには，ほぼ，B/P の記載がありません．近年，生理学的薬物速度論（physiologically based pharmacokinetics；PBPK）モデルを用いた解析が医薬品の開発に適用されるようになってきていますが，この解析には B/P 情報を利用することが多く，その結果を受けて，独立行政法人医薬品医療機器総合機構（PMDA）が出している審査報告書には記載されるケースが増加してきています．おもに，「ヒト生体試料を用いた *in vitro* 試験」の項に記載が多く認められます．上記資料で記載がない場合は，MEDLINE などで文献検索をすることが必要です．

A3・5　血漿中薬物濃度に基づいた E_x, V_d による特徴づけ

先にも述べたように，B/P が測定されているケースはきわめて少なく，B/P を得ることができない場合に，可能な範囲で特徴づけを行うことになります．

B/P と薬物の血液中分布状態との関係は次式で表されます．

$$B/P = \frac{A_B}{A_p}(1 - Ht)$$

A_B： 全血液中薬物量，A_p：血漿中薬物量，Ht： ヘマトクリット値を表します．

薬物が血球には分布せず，血漿だけに存在している場合，$Ht = 0.5$と簡略して考えますと，

$$B/P = \frac{1}{1} \cdot 0.5 = 0.5$$

薬物が血球に分布すればするほど，A_B/A_p 値は大きくなりますので，B/P は0.5より大きくなっていきます．すなわち，B/P の最低値が0.5です．

血漿中薬物濃度で算出された場合を E_x，V_d で表現し，全血液中薬物濃度によって得られた値を E_x'，V_d' で表現します．すると，E_x'，V_d' は次式で得られます．

$$E_x' = \frac{(CL_x / (B/P))}{Qx'}$$

$$V_d' = \frac{V_d}{(B/P)}$$

$B/P = 0.5$を用いますと，この値が最低値ですので，

$$E_x' < \frac{(CL_x/0.5)}{Qx'}$$

$$V_d' < \frac{V_d}{0.5}$$

Q_x'は臓器 x に流れる全血流速度です．$Q_H' = 1600$ mL/min，$Q_R' = 1200$ mL/min とします．

それゆえ，それぞれの E_x'，V_d' の最大値を示すことになります．

E_x'が0.3より小さな値であれば，消失能依存性のクリアランスであることは確かです．しかし，例えば0.6以下となれば，$0.3 < E_x' < 0.6$で変動しにくいクリアランスか，あるいは$0.3 > E_x'$で消失能依存性のクリアランスですが，どちらであるかは特定できません．

ただし，肝代謝型の薬物で F が0.7以上の場合には，$E_H < 0.3$と推定できますので，肝クリアランスは消失能依存性を示すと判断できます．

また，$B/P = 0.5$を代入して得られた V_d' が20 L より小さな値であれば，細胞外液中にほとんどが存在することは明らかです．しかし，例えば80 L 以下と

B/P がない場合の対処法

CL_x

○$B/P > 0.5$ の関係から

$E_x' < CL_x(p)/0.5/Q_x'$

$E_x' < 0.3$ のとき：CL_x は消失能依存性

$E_x' > 0.3$ のとき：特徴づけができない

○肝代謝型薬物

$F > 0.7$ のとき：CL_H は消失能依存性

V_d

○$B/P > 0.5$ の関係から

$V_d' < V_d/0.5$

$V_d' < 20$ L のとき：$V_d' = V_B$

$V_d' > 20$ L のとき：特徴づけができない

演習1　B/P値が得られない場合の特徴づけへの取り組み

① トルブタミドの体内動態パラメータを表に示します．クリアランス，分布容積に関する特徴づけを行いなさい．

トルブタミドの薬物動態パラメータ
（血漿中薬物総濃度値から算出）

F	A_e (%)	fuP	CL_{tot} (L/h)	V_d (L)
	＜5	0.05	1.2	7

〈解〉

fuP＝0.05より，binding sensitiveな特性を有します．A_e (%)＜5より，ほぼ完全に肝臓から消失すると考えられます．

$$CL_{tot} = CL_H$$

B/P値がありません．Fの値もありませんので，F値を用いた推定もできません．よって，B/P＞0.5を用います．

$$E_H' < \frac{(20\ \text{mL/min})/0.5}{(1600\ \text{mL/min})} = 0.025$$

E_H'は0.025より小さな値ですので，消失能依存性のクリアランスであることは確かです．

$$CL_H' = fuB \cdot CL_{intH}$$

V_d＝7 L，B/P＞0.5を用います．

$$V_d' < \frac{7}{0.5} = 14\ \text{L}$$

V_d'は14 Lより小さな値ですので，薬物は細胞外液中にほとんどが存在することは確かです．

$$V_d' = V_B$$

② フルバスタチンの体内動態パラメータを表に示します．クリアランス，分布容積に関する特徴づけを行いなさい．

フルバスタチンの薬物動態パラメータ
（血漿中薬物総濃度値から算出）

F	A_e (%)	fuP	CL_{tot} (mL/min)	V_d (L)
0.29	0	0.01	972	25.2

〈解〉

fuP＝0.01より，binding sensitiveな特性を有します．A_e (%)＝0より，完全に肝臓から消失すると考えられます．

$$CL_{tot} = CL_H \qquad CL_H = 972\ \text{mL/min}$$

B/P値がありません．F＝0.29で，F値を用いた推定もできません．よって，B/P＞0.5を用います．

$$E_H < \frac{972/0.5}{1600} = 1.215$$

$CL_H = Q_H$，$CL_H = CL_H$，$CL_H = fuB \cdot CL_{intH}$の可能性があり，どれであるかは，以上に示した情報からは特定できません．肝消失型ですので，CL_{po}の決定因子は特定できます．

$$CL_{po} = fuB \cdot \frac{CL_{intH}}{F_a} \qquad CL_{pof} = \frac{CL_{intH}}{F_a}$$

V_d＝25.2 L，B/P＞0.5を用います．

$$V_d' < \frac{25.2}{0.5} = 50\ \text{L}$$

薬物の分布状態は，中間状態にある，あるいは，ほとんど細胞外液中にあることが推定されますが，どちらであるかは，以上に示した情報からは特定できません．

なれば，50 L＜V_d'＜80 Lで細胞内液中にほとんど存在するのか，V_d'＜20Lで細胞外液中にほとんど存在するのか，あるいはそれらの中間なのかのそれぞれの可能性があり，どれであるかは特定できません．

A3・6　薬物非結合形濃度を決定するパラメータの定義

血液（全血）が薬物を全身に運搬し，しかも，採取できるのは全血液であることから，全血液中の薬物総濃度を指標に，体内に存在する全薬物量を推定するためのパラメータとして分布容積（V_d），体内から消失速度を推定するためのパラメータとして全身クリアランス（CL_{tot}）を規定してきました．

一方，薬物の作用や効果の指標は，厳密に表現しますと，血液中の非結合形薬物の濃度であり，薬物総濃度ではありません．しかし，どのような状況においても血中の非結合形分率が一定で変化しないのであれば，血中薬物非結合形濃度の代替指標として薬物総濃度を用いることができますが，血中の非結合形分率は病態や併用薬の存在によっては変化しますので，薬物非結合形濃度を決定している薬物動態パラメータを考

演習2　Eの推定

① フェロジピンの体内動態パラメータを表に示します．クリアランスに関する特徴づけを行いなさい．

フェロジピンの薬物動態パラメータ
（血漿中薬物総濃度値から算出）

F	A_e (%)	CL_{tot} (mL/min)
0.15	＜1	840

B/P = 1.45

〈解〉

A_e (%) ＜1より，ほぼ完全に肝臓から消失すると考えます．

幸い，B/P が報告されています．それを利用し，血漿中薬物総濃度によって計算されているクリアランス値 $CL_H(p)$ を全血液中薬物総濃度によるクリアランス値 $CL_H(B)$ へ変換します．

$$CL_H(B) = \frac{CL_H(p)}{(B/P)} = 579\ \mathrm{mL/min}$$

全血流速に対する $CL_H(B)$ の比から E_H を推定します．

$$E_H = \frac{(579\,\mathrm{mL/min})}{(1600\,\mathrm{mL/min})} = 0.36$$

0.3という基準値より大きな値ですが，ほぼ0.3近くの値ですので，血流速度依存性というより，むしろ消失能依存性の特徴を示す薬物であるとしてとらえるほうが，より的確であると思われます．

② ハロペリドールの体内動態パラメータを表に示します．クリアランスに関する特徴づけを行いなさい．

ハロペリドールの薬物動態パラメータ
（血漿中薬物総濃度値から算出）

F	A_e (%)	CL_{tot} (mL/min)
0.65	0	770

〈解〉

A_e (%) = 0より，完全に肝臓から消失すると考えます．

B/P は見あたりません．肝代謝型薬物で，F の値が報告されている場合，F 値が役に立ちます．

$$F = 0.65$$

F = 0.65であることから，$E_H < 0.35$であることは確かです．すなわち，血流速度依存性ではなく，むしろ，消失能依存性に近い特性を示す薬物であることが推定できます．

察する必要があります．

a. 薬物非結合形濃度に基づく分布容積

体内薬物量を血中薬物非結合形濃度によって表現します．

$$A_b = V_{df} \cdot C_{Bf}$$

$$V_{df} = \frac{A_b}{C_{Bf}} = \frac{A_b}{C_B \cdot fuB} = \frac{V_d}{fuB}$$

すなわち，体内薬物量を薬物非結合形濃度に結びつけるための分布容積（V_{df}）は，薬物総濃度と結びつける分布容積（V_d）を fuB で割った値であることがわかります．

(i) V_d < 20 L の場合

$$V_{df} = \frac{V_B}{fuB}$$

分布容積は，V_B，fuB の関数となります．

(ii) V_d > 50 L の場合

$$V_{df} = \frac{V_T}{fuT}$$

分布容積は V_T，fuT によって決定されます．

(iii) V_d = 20 〜 50 L の場合

先に述べた (i) V_d < 20 L のとき，あるいは (ii) V_d > 50 L のときに比べ，fuB や fuT の影響の度合いが小さく，相対的に変動しにくい薬物であると考えられます．

具体的な変動要因がありませんので，以下のように表現しておきます．

$$V_{df} = V_{df}$$

b. 薬物非結合形濃度に基づく臓器クリアランス

薬物消失速度を血中薬物非結合形濃度によって表現します．

$$\text{薬物消失速度} = CL_{xf} \cdot C_{Bf}$$

$$CL_{xf} = \frac{\text{薬物消失速度}}{C_{Bf}} = \frac{\text{薬物消失速度}}{C_B \cdot fuB} = \frac{CL_x}{fuB}$$

すなわち，体内からの薬物の消失速度を血中薬物非結合形濃度に結びつけるためのクリアランス（CL_{xf}）は，薬物総濃度と結びつけるクリアランス（CL_x）をfuBで割った値であることがわかります．

(i) $E_x < 0.3$ の場合

$$CL_{xf} = CL_{intx}$$

クリアランスは CL_{intx} によってのみ決定されます．

(ii) $E_x > 0.7$ の場合

$$CL_{xf} = \frac{Q_x}{fuB}$$

クリアランスは Q_x と fuB によって決定されます．

(iii) $E_x = 0.3 \sim 0.7$ の場合

先に述べた (i) $E_x < 0.3$の場合，あるいは (ii) $E_x > 0.7$の場合のときに比べ，CL_{intx}，fuB や Q_x の影響の度合いが小さく，相対的に変動しにくい薬物であると考えられます．そのため，具体的な変動要因を書き入れず，以下のように表現しておきます．

$$CL_{xf} = CL_{xf}$$

c. 薬物非結合形濃度に基づく経口クリアランス

経口クリアランスを血中薬物非結合形濃度によって定義します．

$$CL_{pof} = \frac{D}{AUC_{pof}} = \frac{CL_{po}}{fuB}$$

(i) おもに肝臓による代謝によって消失する薬物

$$CL_{po} = \frac{CL_H}{F} = \frac{fuB \cdot CL_{intH}}{F_a}$$

$$CL_{pof} = \frac{CL_{po}}{fuB} = \frac{CL_{intH}}{F_a}$$

CL_{intH} および F_a によって決定されます．

(ii) おもに腎臓による排泄によって消失する薬物

$E_R < 0.3$ の場合：

$$CL_{po} = \frac{CL_R}{F} = \frac{fuB \cdot CL_{intR}}{F_a}$$

$$CL_{pof} = \frac{CL_{po}}{fuB} = \frac{CL_{intR}}{F_a}$$

CL_{intR} および F_a によって決定されます．

$E_R > 0.7$ の場合：

$$CL_{po} = \frac{CL_R}{F} = \frac{Q_R}{F_a}$$

$$CL_{pof} = \frac{Q_R}{F_a \cdot fuB}$$

Q_R，F_a，fuB によって決定されます．

$E_R = 0.3 \sim 0.7$ の場合：

先に述べた $E_R < 0.3$の場合，あるいは $E_R > 0.7$の場合のときに比べ，CL_{intR}，fuB や Q_R の影響の度合いが小さく，相対的に変動しにくい薬物であると考えられます．そのため，具体的な変動要因を書き入れず，以下のように表現しておきます．

$$CL_{pof} = CL_{pof}$$

d. 薬物非結合形濃度を決定するパラメータによって考えなければならない例の検証

binding sensitive（fuB = 0.05）の場合と binding insensitive（fuB = 0.5）の場合で結合率が10％減少した場合を考えます．

binding sensitive（fuB = 0.05）

：変化後の fuB = 0.15　3倍上昇

binding insensitive（fuB = 0.5）

：変化後の fuB = 0.6　1.2倍上昇

このように，結合率が高いほど，結合率のわずかな変化によって非結合形分率の変化率は高くなります．

血中薬物濃度にあてはめて，さらに考えます．

(i) 急速静脈内投与直後の血中薬物総濃度 C_{B0}

血中薬物総濃度

$$C_{B0} = \frac{D}{V_d}$$

血中薬物非結合形濃度

$$C_{B0f} = \frac{D}{V_{df}}$$

$V_d = V_B$ の場合：

$$C_{B0} = \frac{D}{V_B} \qquad C_{B0f} = \frac{D}{(V_B/fuB)}$$

binding sensitive；C_{B0} 変化なし　C_{B0f} 3倍上昇

：両者の乖離は大きく，無視することができない

binding insensitive；C_{B0} 変化なし　C_{B0f} 1.2倍上昇

：両者の乖離は小さく，無視することができる

$V_d = \left(\frac{fuB}{fuT}\right) \cdot V_T$ の場合：

$$C_{B0} = \frac{D}{(fuB/fuT) \cdot V_T}$$

$$C_{B0f} = \frac{D}{(V_T/fuT)}$$

binding sensitive；C_{B0} 1/3倍に低下　C_{B0f} 変化なし

：両者の乖離は大きく，無視することができない

binding insensitive；C_{B0} 1/1.2倍に低下　C_{B0f} 変化なし

：両者の乖離は小さく，無視することができる

$V_d = V_d$ の場合：

$$C_{B0} = \frac{D}{V_d} \qquad C_{B0f} = \frac{D}{V_{df}}$$

binding sensitive；C_{B0} ほとんど変化なし　C_{B0f} ほと

んど変化なし

：両者の乖離は小さく，無視することができる

binding insensitive；C_{B0} ほとんど変化なし　C_{B0f} ほとんど変化なし

：両者の乖離は小さく，無視することができる

(ii) 静脈内持続等速投与の定常状態血中薬物濃度 C_{Bss}

血中薬物総濃度

$$C_{Bss} = \frac{R_{inf}}{CL_{tot}}$$

血中薬物非結合形濃度

$$C_{Bssf} = \frac{R_{inf}}{CL_{totf}}$$

$CL_{tot} = CL_H$ の場合を考えます.

CL_H ＝ fuB・CL_{intH} の場合：

$$C_{Bss} = \frac{R_{inf}}{fuB \cdot CL_{intH}} \qquad C_{Bssf} = \frac{R_{inf}}{CL_{intH}}$$

binding sensitive；C_{Bss} 1/3倍に低下　C_{Bssf} 変化なし

：両者の乖離は大きく，無視することができない

binding insensitive；C_{Bss} 1/1.2倍に低下　C_{Bssf} 変化なし

：両者の乖離は小さく，無視することができる

CL_H ＝ Q_H の場合：

$$C_{Bss} = \frac{R_{inf}}{Q_H} \qquad C_{Bssf} = \frac{R_{inf}}{(Q_H/fuB)}$$

binding sensitive；C_{Bss} 変化なし　C_{Bssf} 3倍上昇

：両者の乖離は大きく，無視することができない

binding insensitive；C_{Bss} 変化なし　C_{Bssf} 1.2倍上昇

：両者の乖離は小さく，無視することができる

CL_H ＝ CL_H の場合：

$$C_{Bss} = \frac{R_{inf}}{CL_H} \qquad C_{Bssf} = \frac{R_{inf}}{CL_{Hf}}$$

binding sensitive；C_{Bss} ほとんど変化なし　C_{Bssf} ほとんど変化なし

：両者の乖離は小さく，無視することができる

binding insensitive；C_{Bss} ほとんど変化なし　C_{Bssf} ほとんど変化なし

：両者の乖離は小さく，無視することができる

A3・7　経口投与後の血中薬物濃度から得られる薬物動態パラメータの利用

我が国では，医薬品が静脈内投与製剤でない限り，薬物を血管内投与することによって，全身クリアランスを含めた薬物動態パラメータを求めることが行われない傾向があります．しかし，一方，欧米では，その医薬品の投与経路とは関係なく，薬物を血管内投与し，薬物の全身クリアランスなどの薬物動態パラメータを求めていることが多いようです．ですから残念ながら，報告されている全身クリアランスなどの薬物動態パラメータは，そのほとんどが欧米における研究によるものです．薬物動態研究における我が国の後進性が最も顕著に現れているところで，なかなか改善されません．

我が国でもっぱら行われる薬物の経口投与ではどのようなパラメータが得られるのかを考察し，その利用を考えます（図 A3・4）．

経口クリアランスの値から薬物の体内動態の特徴づけが可能かどうかを考えます．薬物の消失が，そのほとんどが肝臓による消失である場合，肝初回通過効果の影響を受けるため，CL_H の変動要因を推定することができません。

おもに腎排泄で消失する場合，得られた CL_{po} と B/P および腎血流速度の値から E を算出します．

$$E_R' = \frac{(CL_{po}/(B/P))}{Q_R'}$$

$E_R' < 0.3$ の場合，CL_{po} は本来の CL_{tot} の値より大きめの値になっているので，この条件では，CL_R は capacity dependent であると推定できます．しかし，E_R' が 0.3 より大きな値では，推定は不可能です．

B/P がない場合，

$$E_R' < \frac{(CL_{po}/0.5)}{Q_R'}$$

$E_R' < 0.3$ の場合，$(CL_{po}/0.5)/Q_x'$ は大きめの値となっていますので，この条件では，CL_R は消失能依存性であると推定できます．

経口投与時の分布容積は消失相の勾配 β と AUC_{po} から推定されます．

$$V_{dpo\beta} = \frac{D}{\beta \cdot AUC_{po}} = \frac{V_{d\beta}}{F}$$

このように，分布容積の値も，そのものの値は得る

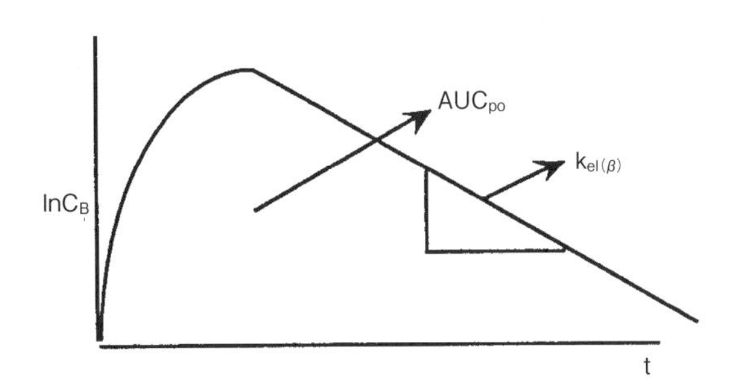

図 A3・4　経口投与後の血中濃度からの動態パラメータ

ことができません．F がかかっています．クリアランスと同様に，F＝1.0のときのみ，両者は一致します．経口投与では F＝1.0であることを保証できません．

このようにして得られた V_d の値から薬物の体内動態の特徴づけが可能かどうかを考えます．

B/P がある場合，

$$V_d' < \frac{V_{dpo}}{(B/P)}$$

$V_d' < 20$ L の場合，V_{dpo} は本来の V_d の値より大きめの値になっていますので，この条件では，$V_d = V_B$ であると推定できます．しかし，20 L 以上の値では，推定は不可能です．

B/P がない場合，

$$V_d' < \frac{V_{dpo}}{0.5}$$

$(V_{dpo}/0.5) < 20$ L の場合，大きめの値で 20 L 以下ですので，$V_d = V_B$ であると推定できます．しかし，20 L 以上の値では推定は不可能です．

薬物の尿中排泄比率 $A_e(\%)_{po}$ は静注投与時の $A_e(\%)$ と次式で表す関係にあります．

$$A_e(\%)_{po} = \frac{A_{epo}}{D} = F \cdot A_e(\%)$$

$A_e(\%)_{po}$ の値が 80％以上であれば，薬物がほとんど腎排泄されているとして取り扱えますが，それ以外であれば，$A_e(\%)_{po}$ の値から，消失経路を推定できません．

なお k_{el} は，経口投与のデータからも得られます．

$$\frac{CL_{po}}{V_{dpo}} = \frac{(CL_{tot}/F)}{(V_d/F)} = \frac{CL_{tot}}{V_d} = k_{el}$$

また，CL_R も経口投与時に得られるデータから推定が可能です．

$$CL_{po} \cdot \frac{A_{epo}}{D} = CL_R$$

以上，まとめると，経口投与の場合には，投与後の血中濃度推移を示すためのパラメータ，AUC_{po}，最高血中濃度（C_{max}），C_{max} を示す時間（t_{max}）を示すにとどまります．残念ながら，これらの値からは，薬物の体内動態の変動要因は一部を除いて推定できないことがわかります．

A3・8　我が国における薬物動態パラメータの記載の状況

図 A3・5は，少し古いデータ（2003年公表）とはなりますが，我が国の医療に用いられている主要な医薬品 321について，そのインタビューフォーム（IF）に記載されている薬物動態パラメータ（血漿中薬物総濃度値から算出）の内容を調査した結果を示しています．fuB（実際は fuP の値）は 73.5％の記載率ですが，F 24％，CL 6.2％，V_d 6.5％，$A_e(\%)$ 1.6％と非常に少ないことがわかります．$A_e(\%)$ は未変化体薬物のみが測定されている場合に記載されているとしましたので，非常に少ない値となっています．しかし，他方，同一の 321について，調査した時点での Goodman & Gilman の薬理書を見ますと，約 50％の医薬品については 5つのパラメータが揃って記載されており，我が国のインタビューフォームでは 5つのパラメータが揃って記載されていた医薬品はわずか 1.2％でした（図 A3・6）．一般的な公開されたデータベースからアクセスできる状態にあるにも関わらず，我が国のインタビューフォームからは情報が得られないことが歴然としています．

図 A3・7は抗悪性腫瘍剤 124薬剤，130薬物の臨床薬物動態パラメータ値（F，V_d，CL，$A_e(\%)$，fuP，B/P）の収集数の調査結果（2016年公表）を示しています．収集は，対象医薬品の医薬品インタビューフォーム（IF）でまず調査し，収集できなかったパラメータ

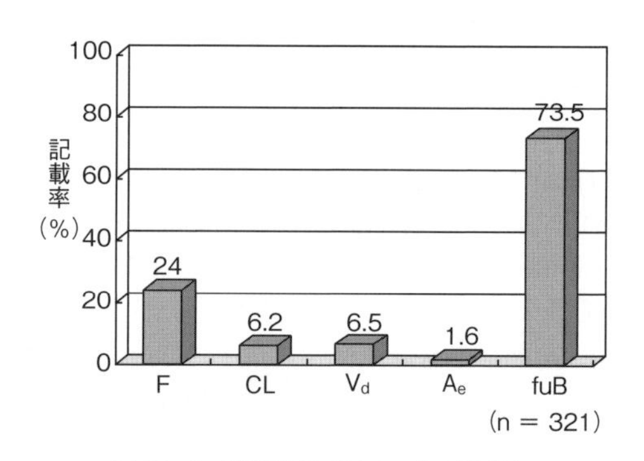

図 A3・5　薬物動態パラメータの記載率
（新田邦宏，三原潔，緒方宏泰，インタビューフォームにおける薬物動態情報の現状と問題点．TDM 研究　2003；20：297-304）

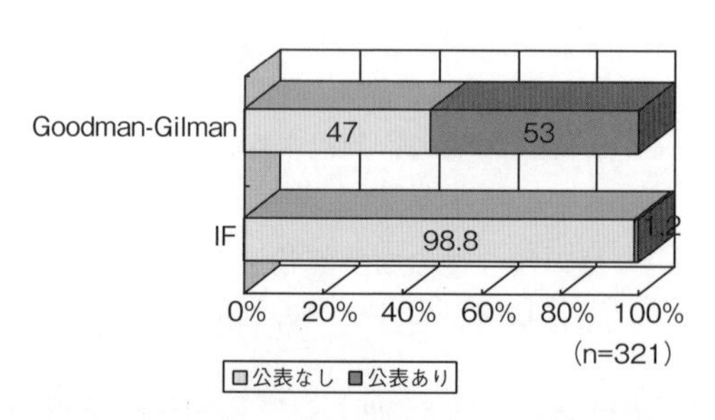

図 A3・6　5つのパラメータの記載率における Goodman-Gilman と IF の比較
（新田邦宏，三原潔，緒方宏泰，インタビューフォームにおける薬物動態情報の現状と問題点．TDM 研究　2003；20：297-304）

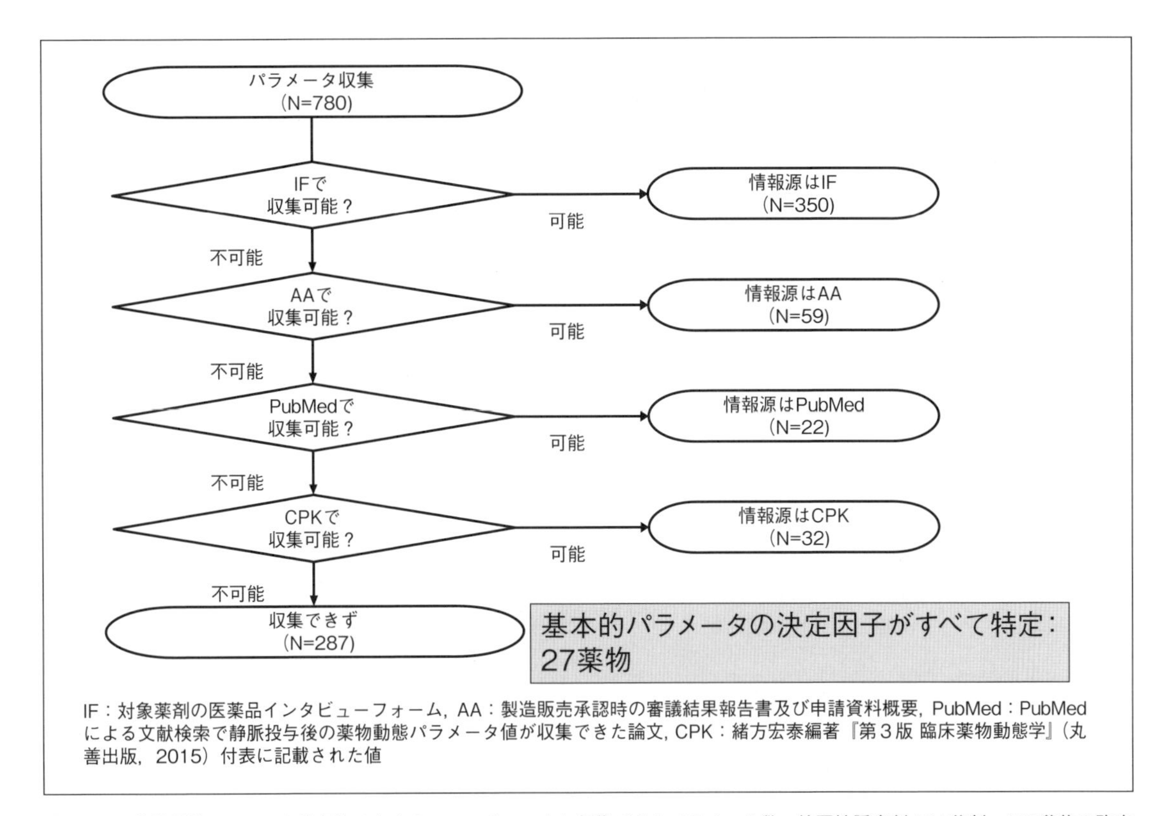

図 A3·7 薬物動態パラメータ値収集のためのフローチャートと収集できたパラメータ数，抗悪性腫瘍剤 124 薬剤，130 薬物の臨床薬物動態パラメータ値（F, V_d, CL, A_e (%), fuP, B/P）の収集
（宮本康敬，坪井久美，平野公美，遠藤拓未，渡邉進士，緒方宏泰，抗悪性腫瘍剤の臨床薬物動態に影響を与える因子の解析．アプライド・セラピューティクス 2016；8 (1)：35-57）

値を次に，製造販売承認時の審議結果報告書及び申請資料概要（AA）から，収集できなかった場合，PubMed による文献検索で静脈投与後の薬物動態パラメータ値が収集できた論文（PubMed），さらに収集できなかったパラメータ値を本書（緒方宏泰編著，臨床薬物動態学・付表 丸善出版）（CPK）を対象に調査した結果を示しています．130 薬物の 6 パラメータ値ですので，総数 780 のパラメータを対象としています．結果は，350（約 45%）が IF から収集され，収集できなかったパラメータのうち，AA からは 59 が追加でき，さらに，文献検索，二次資料からの収集を加え，総数として 493（63%）のパラメータ値が収集されました．また，基本パラメータ値のすべてが収集できた薬物は 27（21%）にしかすぎない状態でした．

我が国の製薬企業が提供している全身適用の 28 の糖尿病治療薬の臨床薬物動態情報を製薬企業編集の IF，および，製造販売承認時の審査報告書及び申請資料概要から情報を収集しました（2019年公表）．その結果は，F 値は 13 薬物で，A_e（%）値は 7 薬物，V_d 値は 13 薬物，CL_{tot} 値は 12 薬物，fuP 値は 24 薬物で収集できていました．F，A_e（%），V_d，CL_{tot}，fuP の 5 パラメータ値のすべてが得られたのは 7 薬物（25%）に限られていました（緒方宏泰，我が国の製薬企業が提供している糖尿病治療薬の臨床薬物動態情報．アプライド・セラピューティクス 2019;11 (1)：1-12）．

このように，現在でも，基本パラメータを中心とする臨床薬物動態情報の公表は限定的で，改善されていないことがわかります．

A4　血中薬物濃度の決定

A2節，A3節において，薬物動態の基本パラメータについて概説し，とくにそれらの変動要因について述べてきました．A4節では，血中薬物濃度とそれらパラメータとの関係を明らかにし，パラメータの変化がどのように血中薬物濃度の変化に結びつくのかを概説します．

A4・1　静脈内急速負荷投与直後の血中薬物濃度

薬物の急速静注（負荷投与）を行った直後の血中濃度の上昇値（総濃度；ΔC_B，非結合形濃度；ΔC_{Bf}）は分布容積のみによって決定されます（図A4・1）．

$$\Delta C_B = \frac{D}{V_d}$$

$$\Delta C_{Bf} = \frac{D}{V_{df}}$$

先に述べましたが，V_dの大きさに従って薬物を分類して考察すると有益です．

V_d < 20 L の場合：

$$V_d = V_B$$

$$V_{df} = \frac{V_B}{fuB}$$

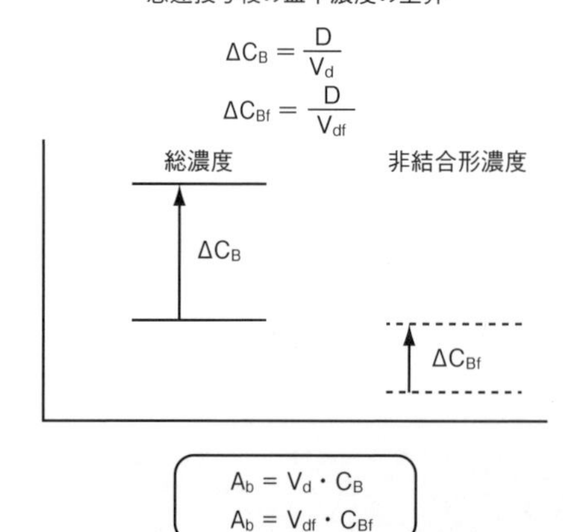

図A4・1　分布容積と血中薬物濃度

V_d > 50 L の場合：

$$V_d = \left(\frac{fuB}{fuT}\right)\cdot V_T$$

$$V_{df} = \frac{V_T}{fuT}$$

V_d = 20〜50 L の場合：

$$V_d = V_d$$

$$V_{df} = V_{df}$$

a.　fuB が上昇した場合

fuBが小さくたん白結合依存性の薬物について，fuBが上昇した前後のΔC_BおよびΔC_{Bf}について考察を加えます（表A4・1，図A4・2）．

(i)　V_d < 20 L の場合

fuBの変化によってもV_dは変化しないので，静脈内急速負荷投与直後の血中の薬物総濃度に変化は認められませんが，fuBの上昇によってV_{df}は低下するので，血中非結合形濃度は上昇することが考えられます．

(ii)　V_d > 50 L の場合

fuBの上昇によってV_dは増加し，血中の薬物総濃度の低下が考えられますが，V_{df}は変化しないので非結合形濃度には変化がないと推定されます．

このように，たん白結合依存性の薬物の場合，fuBの変化によって，血中の薬物総濃度における変化と非結合形濃度の変化はまったく食い違っていることが特徴であり，血中薬物総濃度が測定されている場合には，測定された総濃度の変化にとらわれることがないようにすべきです．

b.　fuT が上昇した場合

fuTが小さく，組織内でのたん白結合依存性の薬物について，fuTが上昇した前後のΔC_BおよびΔC_{Bf}について考察を加えます（表A4・2，図A4・3）．

(i)　V_d < 20 L の場合

薬物はほとんど組織中には存在しないので，fuTの変化は分布容積にほとんど影響を与えず，総濃度および非結合形濃度ともに変化が認められないことが推定できます．

(ii)　V_d > 50 L の場合

fuTの上昇はV_d，V_{df}の両者の減少をもたらし，その結果，血中の薬物総濃度および非結合形濃度ともに

表 A4・1　V_d および ΔC_B の変化：fuB が上昇した場合

	血中薬物濃度	式	V_d	ΔC_B または ΔC_{Bf}
V_d<20 L	総濃度	$V_d = V_B$	↔	↔
	非結合形濃度	$V_{df} = V_B / fuB$	↓	↑
V_d>50 L	総濃度	$V_d = (fuB / fuT) V_T$	↑	↓
	非結合形濃度	$V_{df} = V_T / fuT$	↔	↔

↑上昇　↓低下　↔変化なし

表 A4・2　V_d および ΔC_B の変化：fuT が上昇した場合

	血中薬物濃度	式	V_d	ΔC_B または ΔC_{Bf}
V_d<20 L	総濃度	$V_d = V_B$	↔	↔
	非結合形濃度	$V_{df} = V_B / fuB$	↔	↔
V_d>50 L	総濃度	$V_d = (fuB / fuT) V_T$	↓	↑
	非結合形濃度	$V_{df} = V_T / fuT$	↓	↑

↑上昇　↓低下　↔変化なし

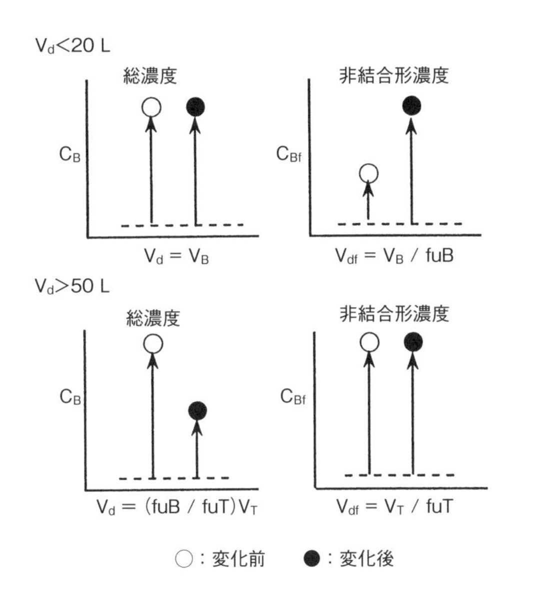

図 A4・2　同一薬物量を急速投与後の血中薬物濃度の上昇の変化：fuB が上昇した場合

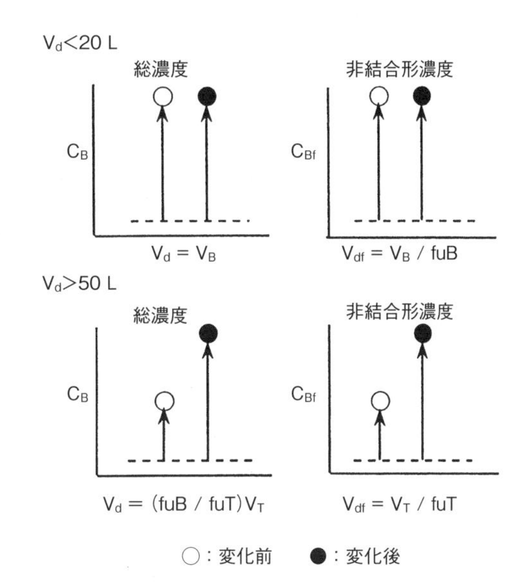

図 A4・3　同一薬物量を急速投与後の血中薬物濃度の上昇の変化：fuT が上昇した場合

上昇することが考えられます．

このように，fuT の変化は薬物の総濃度および非結合形濃度ともに同一の割合で変化をもたらすので，とらえやすいことがわかります．

fuB および fuT が測定されるケースは，臨床においてはほとんどないと考えられます．そのため，患者の病態と併用薬などの情報から，fuB，fuT の変化の可能性をよく考察することが求められます．

A4・2　定常状態血中薬物濃度

定常状態においては，薬物が全身循環血中に入ってくる速度と，薬物が全身循環血中から消失する速度が等しくなっています．消失する速度は $CL_{tot} \cdot C_B$ で表されるので，定常状態における血中薬物濃度は全身クリアランスのみによって決定されます．V_d は関与しないことは注意すべきです（図 A4・4）．

血漿たん白結合の変化と負荷投与直後の血中薬物非結合形濃度の変化

血漿たん白結合の変化, すなわち, fuB の変化が, $V_d > 50$ L の場合には負荷投与直後の血中薬物非結合形濃度は変化させず, 総濃度は変化させること, また, $V_d < 20$ L の場合には負荷投与直後の血中薬物非結合形濃度は変化させ, 総濃度は変化させないことを説明しました. この現象をもう少し感覚的な方法で説明します.

体を2つの部屋, 細胞外液の部屋および細胞内液の部屋で成り立っていると考えます. x 軸方向は薬物量を, y 軸方向は薬物濃度を表現します. 非結合形濃度は細胞外液と細胞内液で同じになっています.

薬物の体内量と血中薬物非結合形濃度との間の関係を説明します.

(i) $V_d > 50$ L の場合（図 A4 ①参照）

$$V_d = \left(\frac{fuB}{fuT}\right) \cdot V_T \qquad V_{df} = \frac{V_T}{fuT}$$

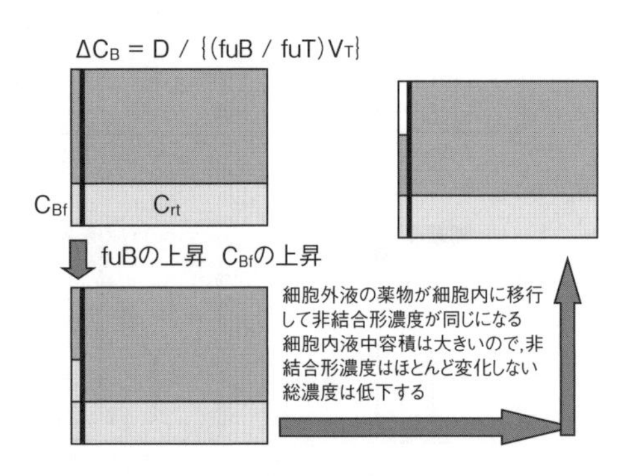

図 A4①　なぜ, ΔC_{Bf} が変化せず, ΔC_B が低下するか

薬物の大半は細胞内に存在します. 細胞外液中の fuB が何らかの理由で急速に上昇したとします. すると, 細胞外と細胞内で非結合形濃度に差ができたので, 高いほう（細胞外）から低いほう（細胞内）に向かって薬物の移行が始まります. 濃度の違いによって細胞外から細胞内に薬物は移動しても, 細胞外の薬物量はわずかであり, 細胞内の薬物量はもともと大きいので, 濃度の上昇はほとんど起こりません. 変化しないと考えてよいと思われます. すると, 細胞外の非結合形濃度が細胞内濃度に等しくなったときに移動は止まり, 平衡が成り立ちます. fuB の変化前と比べ, 非結合形濃度は変化せず, 細胞外液中では非結合形濃度が低下した割合に従って総濃度は低下した状態で平衡が成り立っていることになります.

(ii) $V_d < 20$ L の場合（図 A4 ②参照）

$$V_d = V_B \qquad V_{df} = \frac{V_B}{fuB}$$

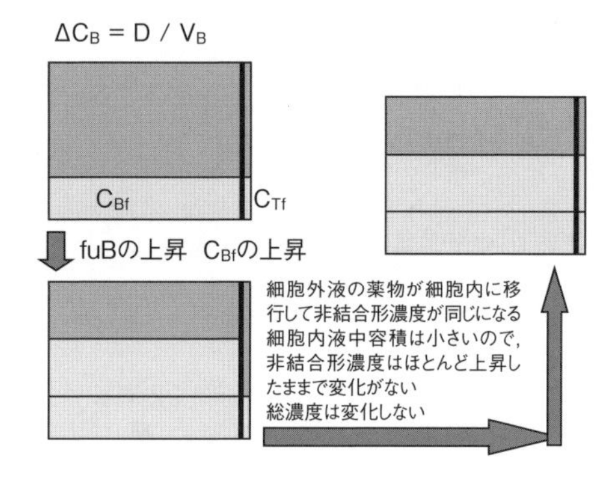

図 A4②　なぜ, ΔC_B が変化せず, ΔC_{Bf} が上昇するか

薬物の大半は細胞外に存在します. 細胞外液中の fuB が何らかの理由で急速に上昇したとします. すると, 細胞外と細胞内で非結合形濃度に差ができたので, 高いほう（細胞外）から低いほう（細胞内）に向かって薬物の移行が始まります. 細胞内での薬物量はわずかしか存在できないように条件づけられているので, 薬物のわずかな量が細胞内に入るだけで非結合形濃度は上昇します. しかし, 細胞外は薬物量が大きいため, 薬物が細胞内に移行したとしてもそのわずかな量ではほとんど変化がない状態で平衡が成り立つことが考えられます. そのため, fuB の変化前と比べ, 細胞外の総濃度は変化がありません. しかし, fuB の上昇に従った非結合形濃度の上昇が認められることになります.

このように, 分布容積の大きさによって, また fuB の上昇によって, 細胞外液中および細胞内液中薬物非結合形濃度の変化は異なります. 一般論として,「細胞外液中（血漿中）非結合形分率が上昇すると, …」と論じるのでは, 実際に起こる現象を的確にとらえることができないことになります.

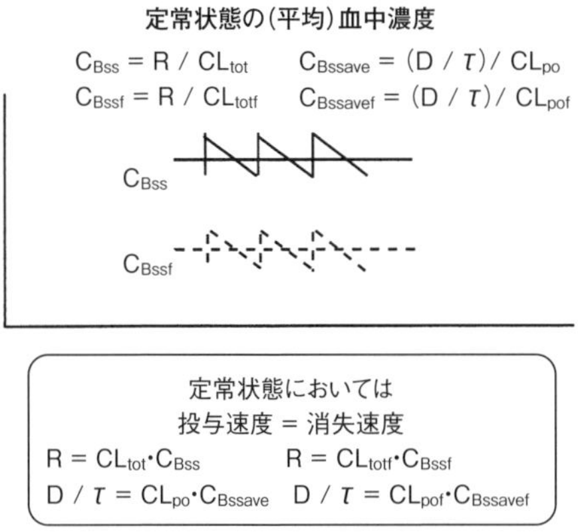

定常状態の(平均)血中濃度

$C_{Bss} = R / CL_{tot}$　　$C_{Bssave} = (D / \tau) / CL_{po}$

$C_{Bssf} = R / CL_{totf}$　　$C_{Bssavef} = (D / \tau) / CL_{pof}$

C_{Bss}

C_{Bssf}

定常状態においては
投与速度 = 消失速度

$R = CL_{tot} \cdot C_{Bss}$　　$R = CL_{totf} \cdot C_{Bssf}$

$D / \tau = CL_{po} \cdot C_{Bssave}$　　$D / \tau = CL_{pof} \cdot C_{Bssavef}$

図 A4·4　クリアランスと血中薬物濃度

◎静注持続注入投与

定常状態における血中薬物総濃度 C_{Bss} および血中薬物非結合形濃度 C_{Bssf} は次式で表されます．

$$C_{Bss} = \frac{R}{CL_{tot}}$$

$$C_{Bssf} = \frac{R}{CL_{totf}}$$

R は持続注入速度を表します．

◎急速静注繰り返し投与

定常状態における平均血中薬物総濃度 C_{Bssave} および平均血中薬物非結合形濃度 $C_{Bssavef}$ は次式で表されます．

$$C_{Bssave} = \frac{(D/\tau)}{CL_{tot}}$$

$$C_{Bssavef} = \frac{(D/\tau)}{CL_{totf}}$$

D は薬物の 1 回投与量，τ は投与間隔を表し，D/τ は平均薬物投与速度を表します．

◎繰り返し経口投与

定常状態における平均血中薬物総濃度 C_{Bssave} および平均血中薬物非結合形濃度 $C_{Bssavef}$ は次式で表されます．

$$C_{Bssave} = \frac{(D/\tau)}{CL_{po}}$$

$$C_{Bssavef} = \frac{(D/\tau)}{CL_{pof}}$$

a.　おもに肝臓における代謝によって消失する薬物

(i)　fuB が上昇した場合

fuB が小さく，たん白結合依存性を示す薬物について，fuB が上昇した前後の定常状態における血中薬物濃度あるいは平均血中薬物濃度について考察を加えます（表 A4・3，図 A4・5）．

$E_H < 0.3$ の場合：

全身クリアランス，経口クリアランスは次式で表現できます．

$$CL_{tot} = CL_H = fuB \cdot CL_{intH}$$

$$CL_{totf} = CL_{intH}$$

$$CL_{po} = \frac{CL_{tot}}{F} = fuB \cdot \frac{CL_{intH}}{F_a}$$

$$CL_{pof} = \frac{CL_{intH}}{F_a}$$

持続注入を行っている場合，fuB が上昇すると CL_{tot} が増大するので，定常状態の薬物総濃度は低下し，また，CL_{totf} は変化しないので非結合形濃度は変化しないことが推定されます．

静注および経口の繰り返し投与の場合も，fuB が上昇すると CL_{tot}，CL_{po} は増大するため，平均薬物総濃度は低下します．しかし，CL_{totf}，CL_{pof} は変化しないので平均非結合形濃度は変化しないことが推定されます．

$E_H > 0.7$ の場合：

全身クリアランス，経口クリアランスは次式で表現できます．

$$CL_{tot} = CL_H = Q_H$$

$$CL_{totf} = \frac{Q_H}{fuB}$$

$$CL_{po} = fuB \cdot \frac{CL_{intH}}{F_a}$$

$$CL_{pof} = \frac{CL_{intH}}{F_a}$$

持続注入を行っている場合，fuB が上昇しても CL_{tot} は変化しないので，定常状態の薬物総濃度は変化しませんが，CL_{totf} は低下するので非結合形濃度は上昇することが推定されます．

静注繰り返し投与の場合，fuB が上昇しても CL_{tot} は変化しないので，定常状態の平均薬物総濃度は変化しませんが，CL_{totf} は低下するので平均非結合形濃度は上昇することが推定されます．

経口繰り返し投与の場合は，fuB が上昇すると CL_{po} は上昇するので，定常状態の平均薬物総濃度は低下し，CL_{pof} は変化しないので非結合形濃度は変化しないことが推定されます．

(ii)　CL_{intH} が低下した場合

CL_{intH} が低下した前後の定常状態における血中薬物濃度あるいは平均血中薬物濃度について考察を加えま

表 A4·3　肝代謝型の薬物における CL_{tot}，C_{Bss}，CL_{po}，C_{Bssave} の変化：fuB が上昇した場合

	血中薬物濃度	式	CL_{tot}	C_{Bss}	CL_{po}	C_{Bssave}
$E_H<0.3$	総濃度	$CL_{tot} = fuB \cdot CL_{intH}$ $CL_{po} = fuB \cdot CL_{intH} / F_a$	↑	↓	↑	↓
	非結合形濃度	$CL_{totf} = CL_{intH}$ $CL_{pof} = CL_{intH} / F_a$	↔	↔	↔	↔
$E_H>0.7$	総濃度	$CL_{tot} = Q_H$ $CL_{po} = fuB \cdot CL_{intH} / F_a$	↔	↔	↑	↓
	非結合形濃度	$CL_{totf} = Q_H / fuB$ $CL_{pof} = CL_{intH} / F_a$	↓	↑	↔	↔

↑上昇　↓低下　↔変化なし

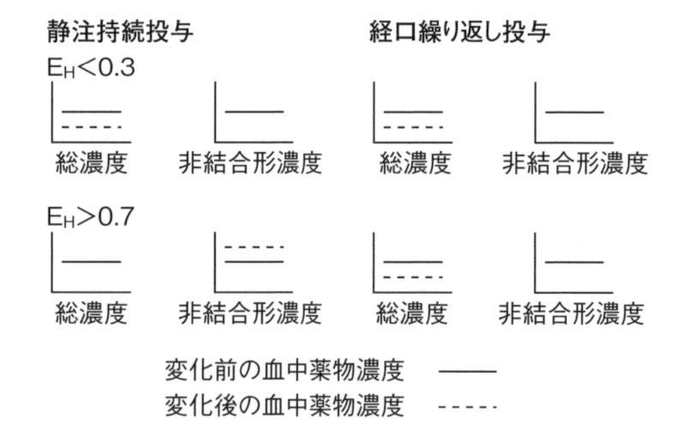

図 A4·5　肝代謝型の薬物：非結合形分率（fuB）が上昇した場合の定常状態時血中薬物濃度の変化

す（表 A4・4，図 A4・6）．

$E_H < 0.3$ の場合：

全身クリアランス，経口クリアランスは次式で表現できます．

$$CL_{tot} = CL_H = fuB \cdot CL_{intH}$$

$$CL_{totf} = CL_{intH}$$

$$CL_{po} = fuB \cdot \frac{CL_{intH}}{F_a}$$

$$CL_{pof} = \frac{CL_{intH}}{F_a}$$

持続注入を行っている場合，CL_{intH} が低下すると CL_{tot}，CL_{totf} は低下するので，定常状態の薬物総濃度，非結合形濃度ともに上昇することが推定されます．

静注および経口の繰り返し投与の場合も，CL_{intH} が低下すると，CL_{tot}，CL_{po}，CL_{totf}，CL_{pof} は低下するので，平均薬物総濃度，非結合形濃度ともに上昇することが推定されます．

$E_H > 0.7$ の場合：

全身クリアランス，経口クリアランスは次式で表現できます．

$$CL_{tot} = CL_H = Q_H$$

$$CL_{totf} = \frac{Q_H}{fuB}$$

$$CL_{po} = fuB \cdot \frac{CL_{intH}}{F_a}$$

$$CL_{pof} = \frac{CL_{intH}}{F_a}$$

持続注入を行っている場合，CL_{intH} が低下しても CL_{tot}，CL_{totf} は変化しないので，定常状態の薬物総濃度，非結合形濃度ともに変化しないことが推定されます．

静注繰り返し投与の場合，CL_{intH} が低下しても CL_{tot}，CL_{totf} は変化しないので，定常状態の平均薬物総濃度，非結合形濃度ともに変化しないことが推定されます．

経口繰り返し投与の場合は，CL_{intH} が低下すると CL_{po}，CL_{pof} が低下するので，定常状態の平均薬物総濃度，非結合形濃度ともに上昇することが推定されます．

(iii) fuB が上昇し，同時に CL_{intH} が低下した場合

変化した前後の定常状態における血中薬物濃度あるいは平均血中薬物濃度について考察を加えます（表

表 A4·4　肝代謝型の薬物における CL_{tot}，C_{Bss}，CL_{po}，C_{Bssave} の変化：CL_{intH} が低下した場合

	血中薬物濃度	式	CL_{tot}	C_{Bss}	CL_{po}	C_{Bssave}
$E_H<0.3$	総濃度	$CL_{tot}=fuB\cdot CL_{intH}$ $CL_{po}=fuB\cdot CL_{intH}/F_a$	↓	↑	↓	↑
	非結合形濃度	$CL_{totf}=CL_{intH}$ $CL_{pof}=CL_{intH}/F_a$	↓	↑	↓	↑
$E_H>0.7$	総濃度	$CL_{tot}=Q_H$ $CL_{po}=fuB\cdot CL_{intH}/F_a$	↔	↔	↓	↑
	非結合形濃度	$CL_{totf}=Q_H/fuB$ $CL_{pof}=CL_{intH}/F_a$	↔	↔	↓	↑

↑上昇　↓低下　↔変化なし

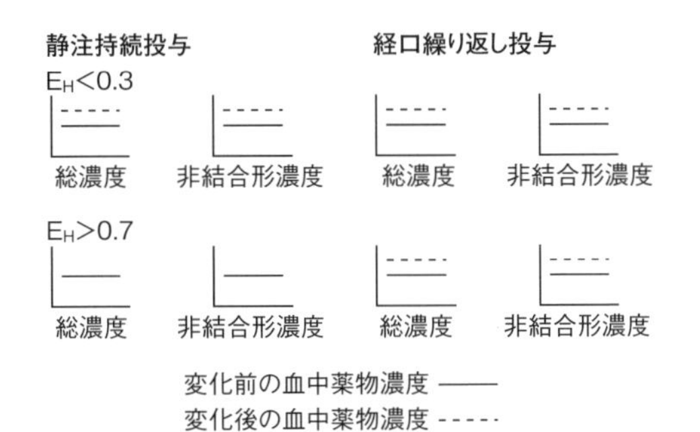

図 A4·6　肝代謝型の薬物：固有クリアランス（CL_{intH}）が減少した場合の定常状態時の血中薬物濃度の変化

A4・5，図 A4・7）．

$E_H<0.3$ の場合：

全身クリアランス，経口クリアランスは次式で表現できます．

$$CL_{tot}=CL_H=fuB\cdot CL_{intH}$$

$$CL_{totf}=CL_{intH}$$

$$CL_{po}=fuB\cdot\frac{CL_{intH}}{F_a}$$

$$CL_{pof}=\frac{CL_{intH}}{F_a}$$

持続注入を行っている場合，CL_{tot} は fuB の上昇の程度と CL_{intH} の低下の程度によって，上昇，低下，変化なしといったバラバラの結果が示される可能性があるので，定常状態の薬物総濃度は fuB の上昇の程度と CL_{intH} の低下の程度によって，上昇，低下，変化なしといったバラバラの結果が示されることが推定されます．しかし，CL_{totf} は CL_{intH} の低下の程度のみに従って低下するので，非結合形濃度は CL_{intH} の低下の程度に従って上昇することが推定されます．

静注および経口の繰り返し投与の場合も，CL_{tot}，CL_{po} は fuB の上昇の程度と CL_{intH} の低下の程度によって，上昇，低下，変化なしといったバラバラの結果が示される可能性があるので，定常状態の平均薬物総濃度は fuB の上昇の程度と CL_{intH} の低下の程度によって，上昇，低下，変化なしといったバラバラの結果が示されることが推定されます．しかし，CL_{totf}，CL_{pof} は CL_{intH} の低下の程度のみに従って低下するので，平均非結合形濃度は CL_{intH} の低下の程度に従って上昇することが推定されます．

$E_H>0.7$ の場合：

全身クリアランス，経口クリアランスは次式で表現できます．

$$CL_{tot}=CL_H=Q_H$$

$$CL_{totf}=\frac{Q_H}{fuB}$$

$$CL_{po}=fuB\cdot\frac{CL_{intH}}{F_a}$$

$$CL_{pof}=\frac{CL_{intH}}{F_a}$$

持続注入を行っている場合，CL_{tot} が変化しないので定常状態の薬物総濃度は変化しません．しかし，CL_{totf} は低下するので非結合形濃度は上昇することが

表 A4・5 肝代謝型の薬物における CL_{tot}, C_{Bss}, CL_{po}, C_{Bssave} の変化：fuB が上昇し，同時に CL_{intH} が低下した場合

	血中薬物濃度	式	CL_{tot}	C_{Bss}	CL_{po}	C_{Bssave}
$E_H<0.3$	総濃度	$CL_{tot}=fuB\cdot CL_{intH}$ $CL_{po}=fuB\cdot CL_{intH}/F_a$	↔↑↓	↔↑↓	↔↑↓	↔↑↓
	非結合形濃度	$CL_{totf}=CL_{intH}$ $CL_{pof}=CL_{intH}/F_a$	↓	↑	↓	↑
$E_H>0.7$	総濃度	$CL_{tot}=Q_H$ $CL_{po}=fuB\cdot CL_{intH}/F_a$	↔	↔	↔↑↓	↔↑↓
	非結合形濃度	$CL_{totf}=Q_H/fuB$ $CL_{pof}=CL_{intH}/F_a$	↓	↑	↓	↑

↑上昇 ↓低下 ↔変化なし ↔↑↓一定の傾向を示さない

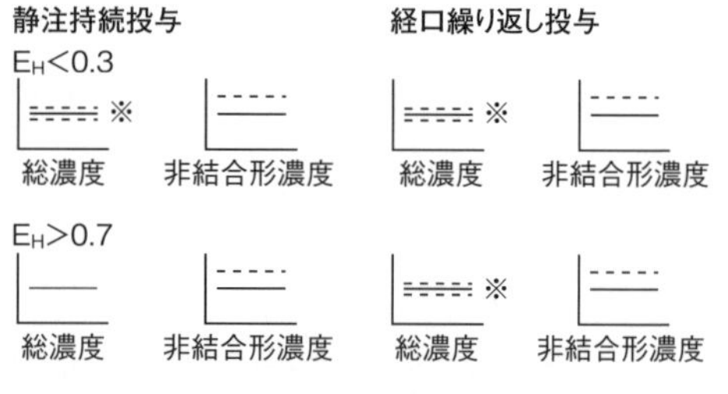

変化前の血中薬物濃度 ——
変化後の血中薬物濃度 -----

※fuB の上昇程度と CL_{intH} の減少の程度の相対的な関係によって，血中薬物濃度は低下，上昇，ほとんど変化しないなど，一定しない.

図 A4・7 肝代謝型薬物：非結合形分率（fuB）が上昇し，同時に固有クリアランス（CL_{intH}）が減少した場合の定常状態時の血中薬物濃度の変化

推定されます.

静注繰り返し投与の場合，CL_{tot} が変化しないので，定常状態の平均薬物総濃度は変化しません．しかし，CL_{totf} は低下するので，平均非結合形濃度は上昇することが推定されます.

経口繰り返し投与の場合は，CL_{po} が fuB の上昇の程度と CL_{intH} の低下の程度によって，上昇，低下，変化なしといったバラバラの結果が示される可能性があるので，定常状態の平均薬物総濃度は fuB の上昇の程度と CL_{intH} の低下の程度によって，上昇，低下，変化なしといったバラバラの結果が示されることが推定されます．しかし，CL_{pof} は CL_{intH} の低下の程度のみに従って低下するので，平均非結合形濃度は CL_{intH} の低下の程度に従って上昇することが推定されます.

(iv) Q_H が低下した場合

Q_H が低下した前後の定常状態における血中薬物濃度あるいは平均血中薬物濃度について考察を加えます（表 A4・6，図 A4・8）.

$E_H<0.3$ の場合：

全身クリアランス，経口クリアランスは次式で表現できます.

$$CL_{tot}=CL_H=fuB\cdot CL_{intH}$$
$$CL_{totf}=CL_{intH}$$
$$CL_{po}=fuB\cdot\frac{CL_{intH}}{F_a}$$
$$CL_{pof}=\frac{CL_{intH}}{F_a}$$

持続注入を行っている場合，CL_{tot}，CL_{totf} に変化がありませんので，定常状態の薬物総濃度，非結合形濃度ともに変化しないことが推定されます.

静注および経口の繰り返し投与の場合も，CL_{tot}，CL_{po}，CL_{totf}，CL_{pof} に変化がないので，定常状態の平均薬物総濃度，非結合形濃度ともに変化しないことが推定されます.

$E_H>0.7$ の場合：

全身クリアランス，経口クリアランスは次式で表現できます.

$$CL_{tot}=CL_H=Q_H$$

表 A4·6　肝代謝型の薬物における CL_{tot}，C_{Bss}，CL_{po}，C_{Bssave} の変化：Q_H が低下した場合

	血中薬物濃度	式	CL_{tot}	C_{Bss}	CL_{po}	C_{Bssave}
$E_H<0.3$	総濃度	$CL_{tot}=fuB\cdot CL_{intH}$ $CL_{po}=fuB\cdot CL_{intH}/F_a$	↔	↔	↔	↔
	非結合形濃度	$CL_{totf}=CL_{intH}$ $CL_{pof}=CL_{intH}/F_a$	↔	↔	↔	↔
$E_H>0.7$	総濃度	$CL_{tot}=Q_H$ $CL_{po}=fuB\cdot CL_{intH}/F_a$	↓	↑	↔	↔
	非結合形濃度	$CL_{totf}=Q_H/fuB$ $CL_{pof}=CL_{intH}/F_a$	↓	↑	↔	↔

↑上昇　↓低下　↔変化なし

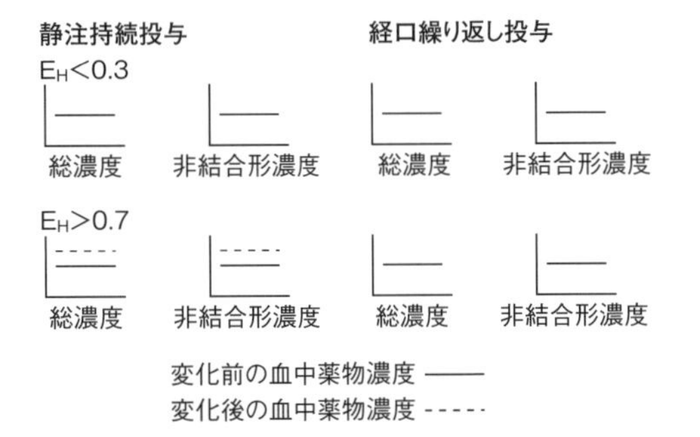

図 A4·8　肝代謝型薬物：肝血流速度（Q_H）が減少した場合の定常状態時の血中薬物濃度の変化

$$CL_{totf}=\frac{Q_H}{fuB}$$

$$CL_{po}=fuB\cdot\frac{CL_{intH}}{F_a}$$

$$CL_{pof}=\frac{CL_{intH}}{F_a}$$

持続注入を行っている場合，CL_{tot}，CL_{totf} が低下するので，定常状態の薬物総濃度，非結合形濃度ともに上昇することが推定されます．

静注繰り返し投与の場合，CL_{tot}，CL_{totf} が低下するので，定常状態の平均薬物総濃度，平均非結合形濃度ともに上昇することが推定されます．

経口繰り返し投与の場合は，CL_{po}，CL_{pof} に変化がないので，定常状態の平均薬物総濃度，非結合形濃度ともに変化しないことが推定されます．

b.　おもに腎臓による排泄によって消失する薬物

(i)　fuB が上昇した場合

fuB が小さく，たん白結合依存性を示す薬物について，fuB が上昇した前後の定常状態における血中薬物濃度あるいは平均血中薬物濃度について考察を加えます（表 A4・7，図 A4・9）．

$E_R<0.3$ の場合：

全身クリアランス，経口クリアランスは次式で表現できます．

$$CL_{tot}=CL_R=fuB\cdot CL_{intR}$$

$$CL_{totf}=CL_{intR}$$

$$CL_{po}=fuB\cdot\frac{CL_{intR}}{F_a}$$

$$CL_{pof}=\frac{CL_{intR}}{F_a}$$

持続注入を行っている場合，fuB が上昇すると，CL_{tot} が増加するので定常状態薬物総濃度は低下します．しかし，CL_{totf} は変化しないので非結合形濃度は変化しないことが推定されます．

静注および経口の繰り返し投与の場合も，fuB が上昇しますと，CL_{tot}，CL_{po} が増加するので平均薬物総濃度は低下します．しかし，CL_{totf}，CL_{pof} に変化がないので平均非結合形濃度は変化しないことが推定されます．

$E_R>0.7$ の場合：

全身クリアランス，経口クリアランスは次式で表現できます．

血漿たん白結合の変化と定常状態血中非結合形濃度の変化

薬物の一定速度により持続投与されている条件における定常状態での血中薬物濃度を考えた場合血漿たん白結合の変化，すなわち，fuB の変化が，$E_x > 0.7$の場合には非結合形濃度は変化させ，総濃度は変化させないこと，また，$E_x < 0.3$の場合には定常状態での血中非結合形濃度は変化させず，総濃度は変化させることを説明しました．この現象をもう少し感覚的な方法で説明します．

定常状態における消失速度と血中薬物非結合形濃度との間の関係を説明します．

薬物の投与速度を一定に維持し，投与速度と消失速度が釣り合い，血中薬物濃度は一定になっています．薬物を消失させる臓器を仮に肝臓とします．

$$投与速度 = R_{inf} = 消失速度$$
$$= CL_{tot} \cdot C_{Bss} = CL_{totf} \cdot C_{Bssf}$$

何らかの理由で急速に fuB が上昇した場合の定常状態における血中総濃度，血中非結合形濃度を考えます．CL_{tot} は CL_H のみで成り立っているとします．

y 軸方向は薬物濃度を表現します．

(i) $E_H < 0.3$ の場合（図 A4 ③参照）

$$消失速度 = CL_{intH} \cdot C_{Bf}$$

fuB が大きくなれば，非結合形濃度が上昇し，そのため，消失速度は大きくなります．消失速度が R_{inf} と釣り合う，すなわち，fuB の変化する前の非結合形濃度にまで血中非結合形濃度が低下し，その点で，投与速度と消失速度は釣り合います．結果として，総濃度は低下し，非結合形濃度は変化しません．

(ii) $E_H > 0.7$ の場合（図 A4 ④参照）

$$消失速度 = Q_H \cdot C_B$$

何らかの理由で急速に fuB が大きくなれば，非結合形濃度が上昇しますが，消失速度は血流によって運ばれてくる過程が律速となっているので，消失速度は $Q_H \cdot C_B$ であり，非結合形濃度が変化しても，消失速度は変化しません．そのため，変化前と変わらない，すなわち，総濃度は変化がなく，fuB が大きくなった分，非結合形濃度は大きくなり，その状態が保たれます．

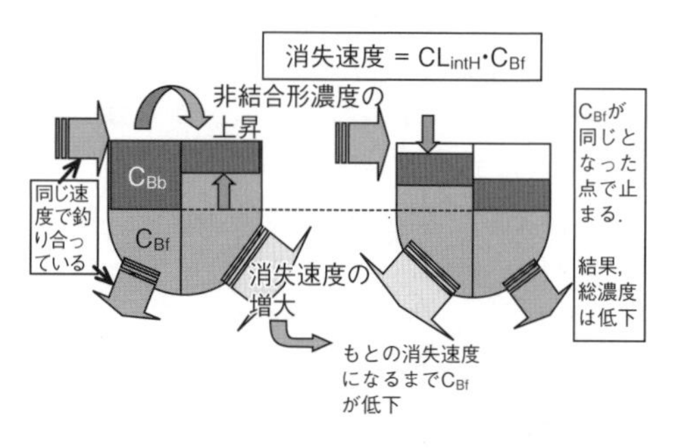

図 A4③　なぜ，定常状態における総濃度は低下し，非結合形濃度は変化しないか：$E_H < 0.3$の場合

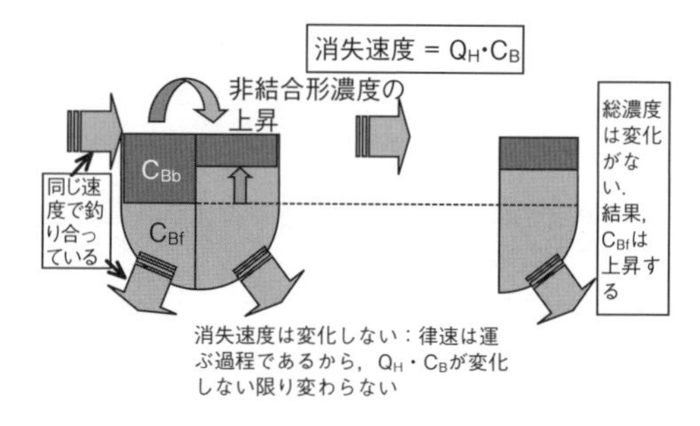

図 A4④　なぜ，定常状態における総濃度は変化せず，非結合形濃度は上昇するか：$E_H > 0.7$の場合

表 A4·7　腎排泄型の薬物における CL_{tot}，C_{Bss}，CL_{po}，C_{Bssave} の変化：fuB が上昇した場合

	血中薬物濃度	式	CL_{tot}	C_{Bss}	CL_{po}	C_{Bssave}
$E_R<0.3$	総濃度	$CL_{tot}=fuB\cdot CL_{intR}$ $CL_{po}=fuB\cdot CL_{intR}/F_a$	↑	↓	↑	↓
	非結合形濃度	$CL_{totf}=CL_{intR}$ $CL_{pof}=CL_{intR}/F_a$	↔	↔	↔	↔
$E_R>0.7$	総濃度	$CL_{tot}=Q_R$ $CL_{po}=Q_R/F_a$	↔	↔	↔	↔
	非結合形濃度	$CL_{totf}=Q_R/fuB$ $CL_{pof}=Q_R/(F_a\cdot fuB)$	↓	↑	↓	↑

↑上昇　↓低下　↔変化なし

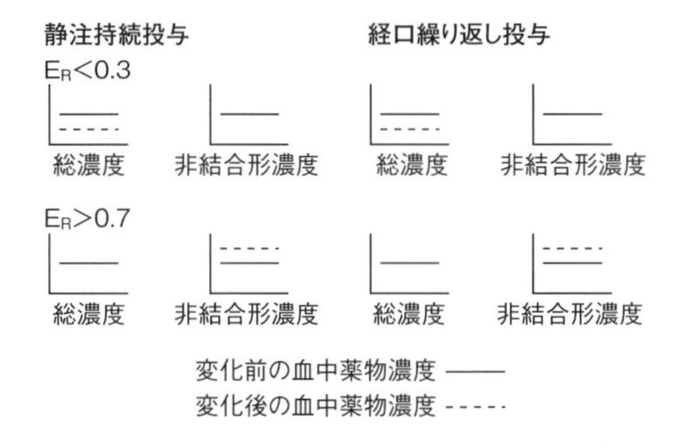

図 A4·9　腎排泄型：非結合形分率（fuB）が上昇した場合の定常状態時の血中薬物濃度の変化

$$CL_{tot}=CL_R=Q_R$$

$$CL_{totf}=\frac{Q_R}{fuB}$$

$$CL_{po}=\frac{Q_R}{F_a}$$

$$CL_{pof}=\frac{Q_R}{fuB\cdot F_a}$$

持続注入を行っている場合，fuB が上昇しても CL_{tot} は変化しないので，定常状態の薬物総濃度は変化しません．しかし，CL_{totf} は低下するので非結合形濃度は上昇することが推定されます．

静注繰り返し投与，経口繰り返し投与の場合，fuB が上昇しても CL_{tot}，CL_{po} は変化しないので，定常状態の平均薬物総濃度は変化しません．しかし，CL_{totf}，CL_{pof} は低下するので，平均非結合形濃度は上昇することが推定されます．

(ii)　CL_{intR} が低下した場合

CL_{intR} が低下した前後の定常状態における血中薬物濃度あるいは平均血中薬物濃度について考察を加えます（表 A4・8，図 A4・10）．

$E_R<0.3$ の場合：

全身クリアランス，経口クリアランスは次式で表現できます．

$$CL_{tot}=CL_R=fuB\cdot CL_{intR}$$

$$CL_{totf}=CL_{intR}$$

$$CL_{po}=fuB\cdot\frac{CL_{intR}}{F_a}$$

$$CL_{pof}=\frac{CL_{intR}}{F_a}$$

持続注入を行っている場合，CL_{intR} が低下すると，CL_{tot}，CL_{totf} は低下するので定常状態の薬物総濃度，非結合形濃度ともに上昇することが推定されます．

静注および経口の繰り返し投与の場合も，CL_{intR} が低下すると，CL_{tot}，CL_{po}，CL_{totf}，CL_{pof} が低下するので平均薬物総濃度，非結合形濃度ともに上昇することが推定されます．

$E_R>0.7$ の場合：

全身クリアランス，経口クリアランスは次式で表現できます．

$$CL_{tot}=Q_R$$

$$CL_{totf}=\frac{Q_R}{fuB}$$

表 A4・8　腎排泄型の薬物における CL_{tot}, C_{Bss}, CL_{po}, C_{Bssave} の変化：CL_{intR} が低下した場合

	血中薬物濃度	式	CL_{tot}	C_{Bss}	CL_{po}	C_{Bssave}
$E_R<0.3$	総濃度	$CL_{tot}=fuB\cdot CL_{intR}$ $CL_{po}=fuB\cdot CL_{intR}/F_a$	↓	↑	↓	↑
	非結合形濃度	$CL_{totf}=CL_{intR}$ $CL_{pof}=CL_{intR}/F_a$	↓	↑	↓	↑
$E_R>0.7$	総濃度	$CL_{tot}=Q_R$ $CL_{po}=Q_R/F_a$	↔	↔	↔	↔
	非結合形濃度	$CL_{totf}=Q_R/fuB$ $CL_{pof}=Q_R/(F_a\cdot fuB)$	↔	↔	↔	↔

↑上昇　↓低下　↔変化なし

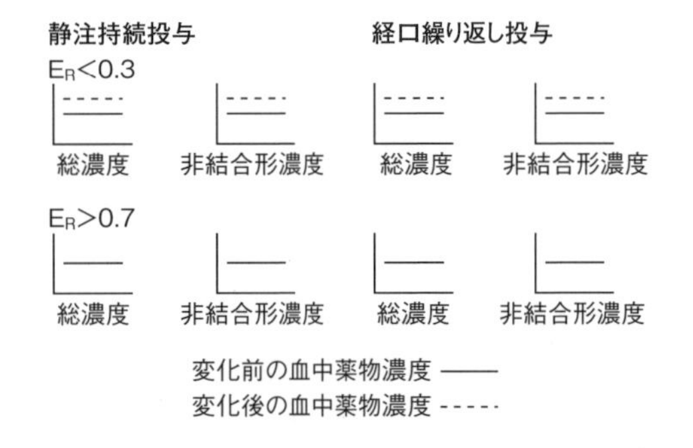

図 A4・10　腎排泄型薬物：固有クリアランス（CL_{intR}）が減少した場合の定常状態時の血中薬物濃度の変化

$$CL_{po}=\frac{Q_R}{F_a}$$

$$CL_{pof}=\frac{Q_R}{fuB\cdot F_a}$$

持続注入を行っている場合，CL_{intR} が低下しても，CL_{tot}，CL_{totf} に変化がないので，定常状態の薬物総濃度，非結合形濃度ともに変化しないことが推定されます．

静注繰り返し投与，経口繰り返し投与の場合，CL_{intR} が低下しても CL_{tot}，CL_{po}，CL_{totf}，CL_{pof} は変化しないので，定常状態の平均薬物総濃度，非結合形濃度ともに変化しないことが推定されます．

(iii) fuB が上昇し，同時に，CL_{intR} が低下した場合

変化した前後の定常状態における血中薬物濃度あるいは平均血中薬物濃度について考察を加えます（表 A4・9，図 A4・11）．

E_R < 0.3 の場合：

全身クリアランス，経口クリアランスは次式で表現できます．

$$CL_{tot}=CL_R=fuB\cdot CL_{intR}$$

$$CL_{totf}=CL_{intR}$$

$$CL_{po}=fuB\cdot\frac{CL_{intR}}{F_a}$$

$$CL_{pof}=\frac{CL_{intR}}{F_a}$$

持続注入を行っている場合，CL_{tot} は fuB の上昇の程度と CL_{intR} の低下の程度によって，上昇，低下，変化なしといったバラバラの結果が示される可能性があるので，定常状態の薬物総濃度は fuB の上昇の程度と CL_{intR} の低下の程度によって，上昇，低下，変化なしといったバラバラの結果が示されることが推定されます．しかし，CL_{totf} は CL_{intR} の低下の程度に従って低下するので，非結合形濃度は CL_{intR} の低下の程度に従って上昇することが推定されます．

静注および経口の繰り返し投与の場合も，CL_{tot}，CL_{po} は fuB の上昇の程度と CL_{intR} の低下の程度によって，上昇，低下，変化なしといったバラバラの結果が示される可能性があるので，定常状態の平均薬物総濃度は fuB の上昇の程度と CL_{intR} の低下の程度によって，上昇，低下，変化なしといったバラバラの結果が示されることが推定されます．しかし，CL_{totf}，CL_{pof} は CL_{intR} の低下の程度に従って低下するので，

表 A4・9　腎排泄型の薬物における CL_{tot}, C_{Bss}, CL_{po}, C_{Bssave} の変化：fuB が上昇し，同時に CL_{intR} が低下した場合

	血中薬物濃度	式	CL_{tot}	C_{Bss}	CL_{po}	C_{Bssave}
$E_R<0.3$	総濃度	CL_{tot} = fuB・CL_{intR} CL_{po} = fuB・CL_{intR} / F_a	↔↑↓	↔↑↓	↔↑↓	↔↑↓
	非結合形濃度	CL_{totf} = CL_{intR} CL_{pof} = CL_{intR} / F_a	↓	↑	↓	↑
$E_R>0.7$	総濃度	CL_{tot} = Q_R CL_{po} = Q_R / F_a	↔	↔	↔	↔
	非結合形濃度	CL_{totf} = Q_R / fuB CL_{pof} = Q_R / (F_a・fuB)	↓	↑	↓	↑

↑上昇　↓低下　↔変化なし　↔↑↓一定の傾向を示さない

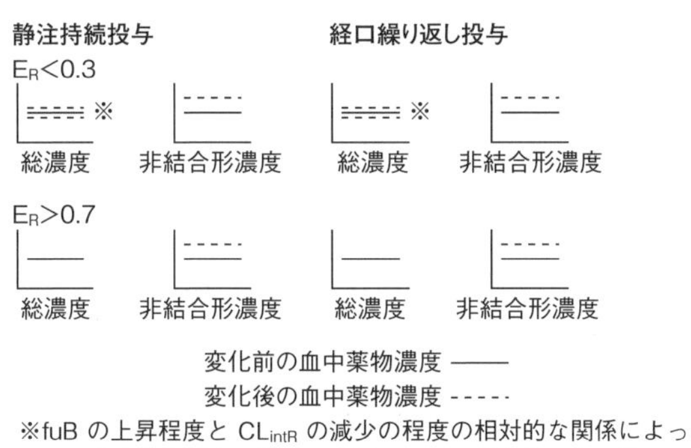

※fuB の上昇程度と CL_{intR} の減少の程度の相対的な関係によって，血中薬物濃度は低下，上昇，ほとんど変化しない等一定しない．

図 A4・11　腎排泄型薬物：非結合形分率（fuB）が上昇し，同時に固有クリアランス（CL_{intR}）が減少した場合の定常状態時の血中薬物濃度の変化

平均非結合形濃度は CL_{intR} の低下の程度に従って上昇することが推定されます．

$E_R>0.7$ の場合：

全身クリアランス，経口クリアランスは次式で表現できます．

$$CL_{tot} = Q_R$$

$$CL_{totf} = \frac{Q_R}{fuB}$$

$$CL_{po} = \frac{Q_R}{F_a}$$

$$CL_{pof} = \frac{Q_R}{fuB \cdot F_a}$$

持続注入を行っている場合，CL_{tot} は変化しないので定常状態の薬物総濃度は変化しませんが，CL_{totf} は低下するので非結合形濃度は上昇することが推定されます．

静注繰り返し投与，経口繰り返し投与の場合，CL_{tot}, CL_{po} は変化しないので，定常状態の平均薬物総濃度は変化しません．しかし，CL_{totf}, CL_{pof} は低下するので平均非結合形濃度は上昇することが推定されます．

(iv)　Q_R が低下した場合

Q_R が低下した前後の定常状態における血中薬物濃度あるいは平均血中薬物濃度について考察を加えます（表 A4・10，図 A4・12）．

$E_R<0.3$ の場合：

全身クリアランス，経口クリアランスは次式で表現できます．

$$CL_{tot} = CL_R = fuB \cdot CL_{intR}$$

$$CL_{totf} = CL_{intR}$$

$$CL_{po} = fuB \cdot \frac{CL_{intR}}{F_a}$$

$$CL_{pof} = \frac{CL_{intR}}{F_a}$$

持続注入を行っている場合，CL_{tot}, CL_{totf} が変化しないので定常状態の薬物総濃度，非結合形濃度ともに変化しないことが推定されます．

静注および経口の繰り返し投与の場合も，CL_{tot}, CL_{po}, CL_{totf}, CL_{pof} は変化しないので定常状態の平

表 A4･10　腎排泄型の薬物における CL_{tot}, C_{Bss}, CL_{po}, C_{Bssave} の変化：Q_R が低下した場合

	血中薬物濃度	式	CL_{tot}	C_{Bss}	CL_{po}	C_{Bssave}
$E_R<0.3$	総濃度	CL_{tot} = fuB・CL_{intR} CL_{po} = fuB・CL_{intR} / F_a	↔	↔	↔	↔
	非結合形濃度	CL_{totf} = CL_{intR} CL_{pof} = CL_{intR} / F_a	↔	↔	↔	↔
$E_R>0.7$	総濃度	CL_{tot} = Q_R CL_{po} = Q_R / F_a	↓	↑	↓	↑
	非結合形濃度	CL_{totf} = Q_R / fuB CL_{pof} = Q_R /（F_a・fuB）	↓	↑	↓	↑

↑上昇　↓低下　↔変化なし

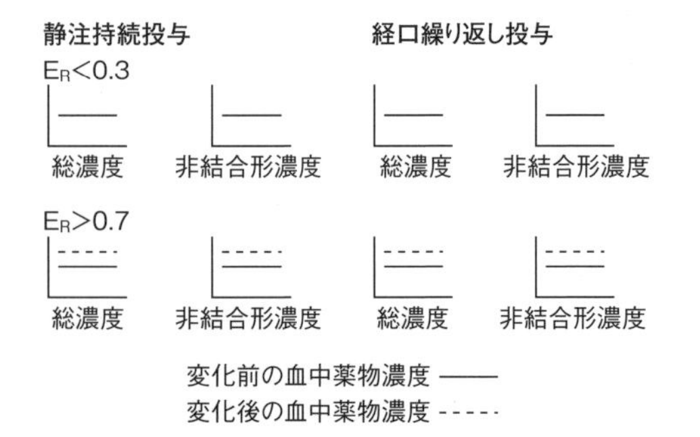

図 A4･12　腎排泄型の薬物：腎血流速度（Q_R）が減少した場合の定常状態時の血中薬物濃度の変化

均薬物総濃度，非結合形濃度ともに変化しないことが推定されます．

$E_R > 0.7$ の場合：

全身クリアランス，経口クリアランスは次式で表現できます．

$$CL_{tot} = Q_R$$

$$CL_{totf} = \frac{Q_R}{fuB}$$

$$CL_{po} = \frac{Q_R}{F_a}$$

$$CL_{pof} = \frac{Q_R}{fuB \cdot F_a}$$

持続注入を行っている場合，CL_{tot}, CL_{totf} が低下するので定常状態の薬物総濃度，非結合形濃度ともに上昇することが推定されます．

静注繰り返し投与，経口繰り返し投与の場合，CL_{tot}, CL_{po}, CL_{totf}, CL_{pof} は低下するので定常状態の平均薬物総濃度，平均非結合形濃度ともに上昇することが推定されます．

A4・3　血中薬物濃度の時間推移の決定

薬物治療が行われる場合，薬物を繰り返し投与し，定常状態において，ある一定幅の血中薬物濃度を維持することが一般には行われます．この場合は，定常状態での平均薬物濃度が重要となるので，薬物の全身クリアランスまたは経口クリアランスのみが薬物動態の検討対象となります．しかし，薬物によっては単回投与のみによって治療を行う場合や，繰り返し投与を行っていても，1投与間隔内において投与された薬物のほとんどが消失し，繰り返し投与を行っても，体内にほとんど蓄積されない状態で治療が行われる場合もあります．このような状況では，最高血中濃度（ピーク濃度）や最低血中濃度（トラフ濃度），あるいはその間の血中濃度の時間推移を考察することが必要となる場合もあります．本項では，血中薬物総濃度あるいは非結合形濃度の時間推移とその変化の推定を試みます．

a. 血中薬物濃度推移の時間推移を推定するために必要な基本的項目

1-コンパートメントモデルを考えます．血中濃度

血漿たん白結合率の高い薬物の fuB 値が大きくなった場合の平均血中薬物濃度の変化

表 A4① フェニトインの薬物動態パラメータ
（血漿中薬物総濃度値から算出）

A_e	4%	おもに肝代謝
CL_{tot}	K_m = 5.7 mg/L V_{max} = 7.5 mg/day/kg	fuB・CL_{intH} (iv), fuB・CL_{intH}/F_a(po)
V_d	0.5 ～ 0.8 L/kg	
fuP	10%	binding sensitive

血漿たん白結合率の高い薬物の体内動態は，薬物の総濃度の結果がそのまま臨床上の評価には用いることができない可能性があるため，非常に難しい面があります．薬学，医学の領域の教科書を見ても，著者の誤解や判断ミスが多くみられます．非結合形分率が大きくなると，非結合形濃度が高くなり，効果の増強，副作用発現に結びつくという考え方が根強く存在しています．果たしてそうでしょうか．具体例から考察してみたいと思います．

フェニトインの薬物動態パラメータを表 A4①に示します．フェニトインはほとんど完全に肝代謝によって消失するので，全身クリアランスは肝クリアランスに相当します．フェニトインの肝クリアランスは定常状態の平均血中濃度に対し非線形性を示しますが，定常状態の平均血中濃度を 10 mg/L としたときの平均肝クリアランス値は 17 mL/min です．B/P ＞ 0.5を用いると，E_H'＜ 17/0.5/1600 ＝ 0.02となり，肝消失能依存性の薬物です．しかも血漿中非結合形分率は 0.1と，血漿たん白結合依存性の薬物でもあります．半減期が長く，定常状態における1投与間隔内における血中薬物濃度の時間推移はほとんど上下しないので，平均血中濃度によって治療効果の考察が可能な薬物です．

フェニトインに関する特徴づけから，肝クリアランス，経口クリアランスは次式で表現できます．

$$CL_{tot} = CL_H = fuB \cdot CL_{intH}$$

$$CL_{Hf} = CL_{intH}$$

$$CL_{po} = fuB \cdot \frac{CL_{intH}}{F_a}$$

$$CL_{pof} = \frac{CL_{intH}}{F_a}$$

フェニトインの定常状態の平均薬物総濃度は fuB および CL_{intH} の変化によって影響を受けますが，治療効果や副作用に直接関連する非結合形濃度は CL_{intH} の変動のみの影響を受けることがわかります．

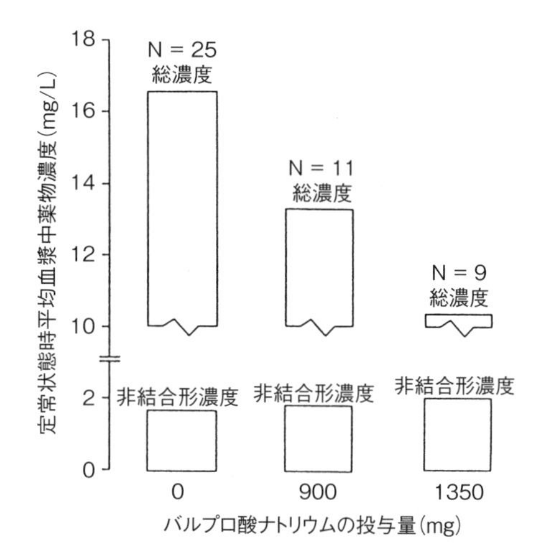

図 A4⑤ バルプロ酸ナトリウムとの併用におけるフェニトインの定常状態の平均血漿中薬物総濃度および非結合形濃度
(Mattson RH, Cramer JA, Williamson PD, Novelly RA, Valproic acid in epilepsy : Clinical and pharmacological effects, *Ann Neurol* 1978 ; **3** : 20-25)

図 A4⑤はバルプロ酸との併用時におけるフェニトインの定常状態の平均総濃度および平均非結合形濃度を示しています．バルプロ酸の併用量を増加させるほど，フェニトインの fuB は増し，定常状態の平均血中総濃度は低下しています．しかし，非結合形濃度はほぼ一定の値を示し，上昇はしていません．バルプロ酸はフェニトインの血漿たん白結合を阻害しますが，CL_{intH} にはまったく影響を与えていないことが推定できます．

すなわち，定常状態における血中薬物濃度推移の考察においては，試験管内のように閉鎖系として取り扱うことはできません．非結合形分率のみが増した場合，総濃度のクリアランスがそれに見合って上昇するため総濃度は低下し，非結合形濃度の値としては変化のない新たな状態で定常状態に達します．バルプロ酸を急速に大量に負荷投与した場合には，新たな定常状態に達するまで非結合形濃度が一時的に上昇することが考えられますが，バルプロ酸が投与開始された場合，バルプロ酸の血中濃度が定常状態に到達するのに2～3日の経過が必要であるので，その間徐々にフェニト

表 A4② ワルファリンの薬物動態パラメータ（血漿中薬物総濃度値から算出）

A_e	< 1%	おもに肝代謝
CL_{tot}	3 mL/min	$fuB \cdot CL_{intH}$ (iv), $fuB \cdot CL_{intH}/F_a$ (po)
V_d	0.1 L/kg	
fuP	1%	binding sensitive

インのたん白結合の阻害が引き起こされるため，急激な一過性の非結合形濃度の上昇は起こらないと考えられます．

薬物相互作用についても例を挙げて考察します．ワルファリンの薬物動態パラメータを表 A4②に示します．

ワルファリンはほとんど肝代謝によって消失し，全身クリアランスは肝クリアランスに相当する薬物です．$B/P > 0.5$を用いると，$E_H' < 3/0.5/1600 = 0.004$となり，肝クリアランスは肝血流速度よりはるかに小さく，消失能依存性の薬物です．また，血漿中非結合形分率は 0.01 と小さく，血漿たん白依存性の薬物でもあります．半減期が長いことから，定常状態における平均血中濃度によって治療効果を考えてよい薬物です．そのため，薬物動態上の要因によって引き起こされる相互作用の原因はクリアランスの変化のみであることがわかります．

ワルファリンは併用された多くの薬物が引き起こす相互作用の結果，作用が増強され，出血傾向が現れることで有名であり，処方の鑑査がとくに必要であるとされる薬物です．

ワルファリンの薬物動態の特徴からすると，定常状態における平均薬物濃度を決定するクリアランスは次式で表すことができます．

$$CL_{po} = fuB \cdot \frac{CL_{intH}}{F_a} \qquad CL_{pof} = \frac{CL_{intH}}{F_a}$$

この関係からすると，非結合形濃度に影響を与える因子はCL_{intH}のみであり，代謝の阻害や亢進を引き起こす薬物のみが臨床的に重要な相互作用を起こしうる薬物であると考えられます．

しかし，我が国の臨床薬理や薬物動態学の教科書，薬物間相互作用に関する総説，データブックを見ますと，ワルファリンの相互作用の重要な機序に血漿たん白結合の阻害を挙げている例が非常に多いことに気がつきます．仮に臨床上の作用増強の評価（出血傾向）がしっかりなされているとするならば，薬物動態上の理由としては，固有クリアランスの低下を必ず引き起こしているはずであり，相互作用の機序としては，固有クリアランスの低下を挙げるべきであると考えられます．たとえ血漿たん白結合の競合現象が観察されたとしても，臨床的にはまったく重要でない現象であるといえます．また，固有クリアランスの低下の証拠が得られない場合には，その相互作用は pharmacodynamics 上の要因によって引き起こされていると考え，その点に関する検討を行うべきであると考えられます．たん白結合の競合という理由で挙げられている薬物の相互作用の機序は，固有クリアランスの低下あるいは抗凝血反応の増強のいずれかに分類しなおす必要があると考えられます．

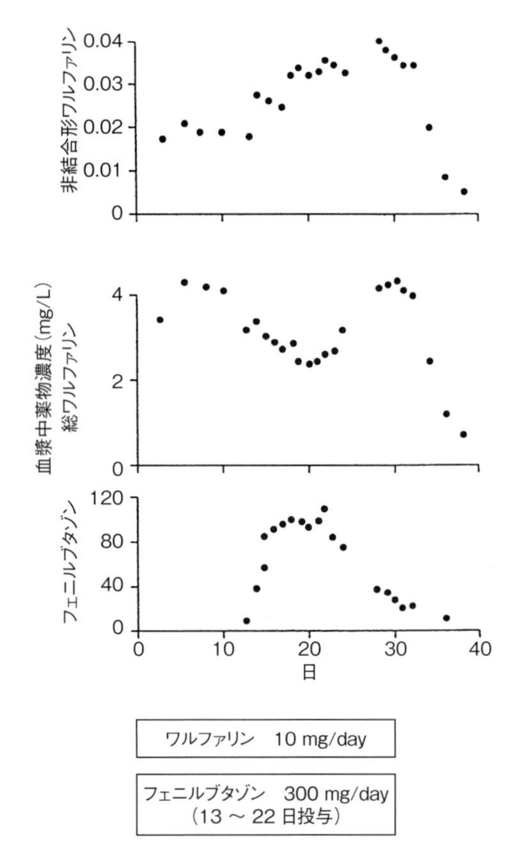

図 A4⑥ フェニルブタゾン併用によるワルファリンの血漿中総濃度および非結合形濃度の変化
(Schary WL, Lewis RJ and Rowland M, Warfarin-phenylbutazone interaction in man : A long term multiple dose study, *Res Commun Chem Pathol Pharmacol* 1975 ; **10** : 663-672)

図 A4⑥にはワルファリンとフェニルブタゾンの間の相互作用を示しています．ワルファリンの

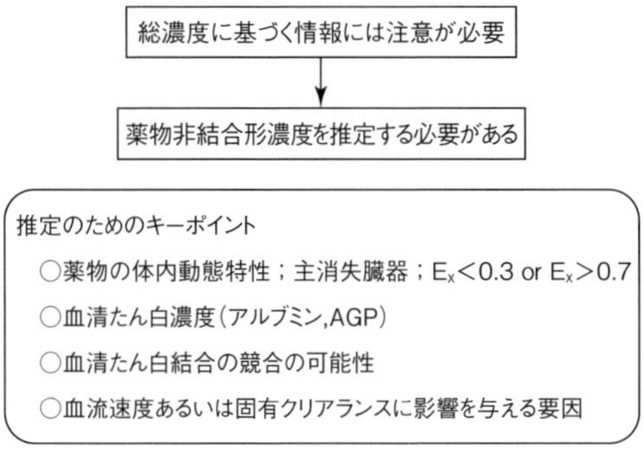

総濃度に基づく情報には注意が必要

↓

薬物非結合形濃度を推定する必要がある

推定のためのキーポイント

○薬物の体内動態特性；主消失臓器；$E_x<0.3$ or $E_x>0.7$

○血清たん白濃度（アルブミン,AGP）

○血清たん白結合の競合の可能性

○血流速度あるいは固有クリアランスに影響を与える要因

図 A4⑦　血漿たん白結合の大きな薬物の血中濃度

総濃度はフェニルブタゾンの併用によって低下していますが，同時に非結合形濃度は上昇しています．非結合形濃度の推移からすると，薬物動態上の要因によって作用増強がもたらされたことが推定されます．ここで非結合形濃度が上昇していることから，フェニルブタゾンはワルファリンの代謝阻害作用を有することが示唆されます．フェニルブタゾンは抗凝血作用を有する (*S*)-ワルファリンの代謝を阻害することが，その後の研究によって明らかにされています．

血漿たん白結合率が高く，血漿たん白結合依存性を示す薬物の血中薬物総濃度の測定値が得られていても，その血中濃度の見かけの高低から患者の薬物動態は判断できないことが以上の考察や例からわかります (図 A4⑦)．総濃度の変化と非結合形濃度の変化が必ずしも一致しない場合があるからです．血流速度あるいは固有クリアランスが変化しているのか，たん白結合率が変化しているかは血中薬物総濃度値だけからは判断できません．固有クリアランス，非結合形分率，さらにバイオアベイラビリティのそれぞれの変化の可能性がないのかを，患者の病態，検査値，併用薬などを検討することによって推定しなければなりません．しかし，そのような考察を行い，非結合形濃度の変化の有無の推定が可能となっても，それはあくまで推定です．しかも，血中の薬物非結合形濃度値と薬物の効果や副作用との関連性は患者間に大きな変動の幅があります．血中薬物濃度のみから効果にさかのぼることにはどうしても限界があります．

逆に，薬物濃度の測定がどうしても必要である状況，例えば，副作用が疑われる状況であるとか，薬物による症状のコントロールがうまくいっていないなど，患者の薬物に対する反応の状況が把握され，絞り込まれている状況においては，血中薬物濃度が測定された場合，あるいは血中薬物濃度の変動要因の考察が加えられた場合には，薬物治療の評価に対し，血中薬物濃度は一定の示唆を与えることができます．

血中薬物濃度を測定することによって治療のモニタリングを行うことが推奨されている薬物の中で，血漿たん白結合依存性を示す薬物には，フェニトイン，バルプロ酸，カルバマゼピン，シクロスポリン，タクロリムスなどがあります．測定した血中薬物総濃度の高い，低いのみから，投与設計を行うことは避けなければならない薬物です．

演習 3　ビリルビンの血漿たん白結合の追い出し

ビリルビンは水溶性物質であり，血液脳関門を通過して脳内に移行することはできませんが，新生児においては血液脳関門が未完成で，ビリルビンは脳内に移行します．血液中ではビリルビンは血漿たん白と結合した結合形ビリルビンと結合していない非結合形ビリルビンが平衡状態で存在しており，何らかの原因で血液中非結合形ビリルビン濃度が上昇した場合，脳内濃度の高まりによって障害が引き起こされる危険性が高まります．血中非結合形ビリルビン濃度を上昇させる要因の1つとして，投与された薬物によるビリルビンの血漿たん白結合阻害が挙げられてきています．新生児は感染しやすく，抗生剤が投与される機会は多く，ビリルビンの血漿たん白結合に対する抗生剤の影響は重要な検討項目とされてきています．これは正しいでしょうか．考察してみてください．

〈解〉

ビリルビンは体内で生合成され，おもに肝臓から消失していきます．生合成速度 R は一定であり，消失速度と釣り合い，定常状態となり，その結果，血中ビリルビン濃度 C_{Bss} は一定値が保たれています．薬物が一定速度で持続点滴投与され定常状態が成立している状況と同じです．血中でビリルビンは血漿たん白と結合しています．非結合形ビリルビンと結合形ビリルビンが平衡となり，そのうち非結合形ビリルビンが脳内に移行し，平衡が保たれます．

ビリルビンの消失は消失能依存性であり，また，binding sensitive となっています．以上の状況を式で表現します．

血中総濃度：

$$R = CL_{tot} \cdot C_{Bss}$$

$$CL_{tot} = CL_H = fuB \cdot CL_{intH}$$

血中非結合形濃度：

$$R = CL_{totf} \cdot C_{Bssf}$$

$$CL_{totf} = CL_{Hf} = CL_{intH}$$

投与された抗生剤がビリルビンの血漿たん白結合を競合的に阻害し，ビリルビンの fuB が上昇したと想定します．そうしますと，定常状態血漿中総濃度は低下するが，非結合形濃度は変化しないことが推定されます．この推定からは，従来いわれている，「抗生剤がビリルビンの血漿たん白結合を競合的に阻害し，ビリルビンの非結合形濃度を上昇させ，核黄疸の危険性を増大させる」ことはないとなります．

図 A4⑧，図 A4⑨は測定された結果です．総ビリルビン濃度は抗生剤が投与されていない control に比べ，各種抗生剤が投与された場合には有意に低下しています．一方，非結合形ビリルビン濃度は変化がなく，変化が認められた場合もやや低下傾向で，少なくとも，従来いわれてきたような上昇傾向は認められていません．推定通りの結果です．

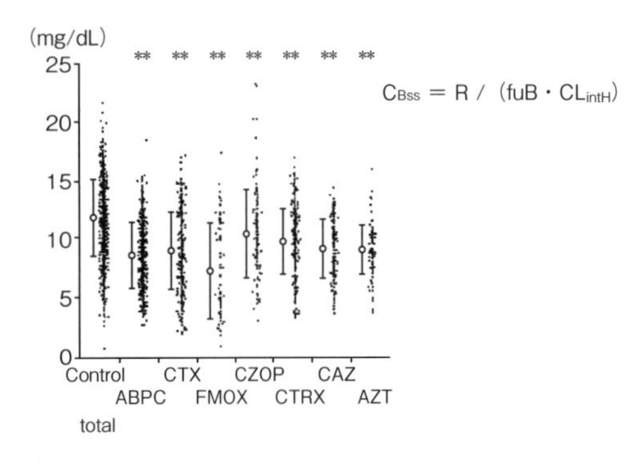

図 A4⑧　新生児における抗生剤投与時の血漿中総ビリルビン濃度
(山藤満，佐藤吉壮，岩田敏，秋田博伸，砂川慶介，新生児における遊離ビリルビン濃度に与える抗菌薬の影響．日本化学療法学会雑誌 2004；**52**：574-582)

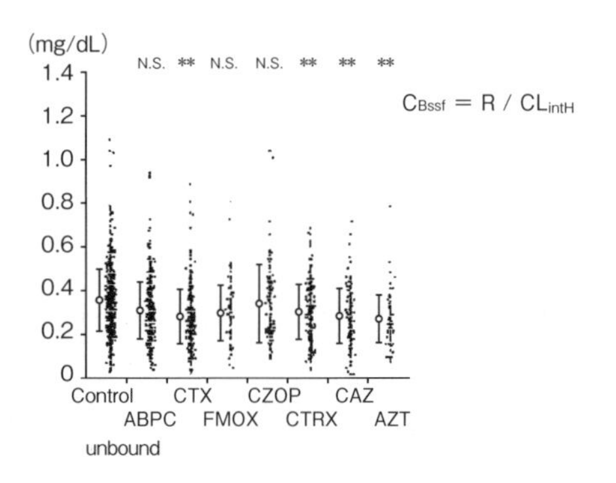

図 A4⑨　新生児における抗生剤投与時の血漿中非結合形ビリルビン濃度
(山藤満，佐藤吉壮，岩田敏，秋田博伸，砂川慶介，新生児における遊離ビリルビン濃度に与える抗菌薬の影響．日本化学療法学会雑誌 2004；**52**：574-582)

の時間推移を推定するのに必要な項目は一次パラメータから算出できます．

◎静注単回急速投与

投与直後の体内薬物量は投与量となります．投与直後の血中総濃度 C_{B0} および非結合形濃度 C_{B0f} は V_d，V_{df} のみで決定され，次式で与えられます．

$$C_{B0} = \frac{D}{V_d}$$

$$C_{B0f} = \frac{D}{V_{df}}$$

血中総濃度の AUC および非結合形濃度の AUC_f は CL_{tot}，CL_{totf} のみで決定されます．

$$AUC = \frac{D}{CL_{tot}}$$

$$AUC_f = \frac{D}{CL_{totf}}$$

消失速度定数 k_{el} は総濃度の場合も非結合形濃度の場合も同じ値となります．

$$k_{el} = \frac{CL_{tot}}{V_d}$$

$$k_{elf} = \frac{CL_{totf}}{V_{df}} = \frac{\left(\frac{CL_{tot}}{fuB}\right)}{\left(\frac{V_d}{fuB}\right)} = k_{el}$$

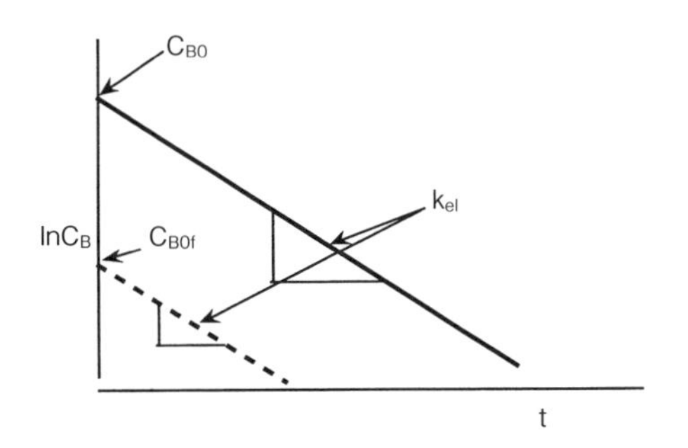

図 A4・13　血中薬物濃度の時間推移の描き方
1-コンパートメントモデル：静注単回急速投与

図 A4・13においては，縦軸に血中薬物濃度の対数値，横軸に時間をとっています．投与直後の縦軸切片に C_{B0} または C_{B0f} をとります．その点から k_{el} を勾配とする直線を引くことで，血中薬物濃度の時間推移を簡単に表現，推定することができます．

◎単回経口投与

投与後薬物濃度がピークを示した後，薬物が体内に入る過程は中断され，もっぱら体内からの消失のみが行われているとき，薬物の体内での動きは，薬物が全身循環血中に到達した後の動態を表現しているので，その時点での勾配値として得られる消失速度定数は静注投与の場合の消失速度定数と同じ値となります．ですから，k_{el} に関与するのは CL_{tot} であって，CL_{po} ではないことには注意が必要です．

$$k_{el} = \frac{CL_{tot}}{V_d}$$

$$k_{elf} = \frac{CL_{totf}}{V_{df}} = \frac{\left(\dfrac{CL_{tot}}{fuB}\right)}{\left(\dfrac{V_d}{fuB}\right)} = k_{el}$$

一方，AUC の値は CL_{po} によって決定されます．

$$AUC_{po} = \frac{D}{CL_{po}}$$

$$AUC_{pof} = \frac{D}{CL_{pof}}$$

図 A4・14においては，縦軸に血中薬物濃度の対数値，横軸に時間をとっています．ピーク濃度を示す時間以降の血中濃度の勾配値（k_{el}）を急速静注単回投与時の勾配値（k_{el}）と同じ値にとります．

薬物を経口投与あるいは筋注投与した場合，バイオアベイラビリティの速度が非常に遅くなるケースがあります．とくに徐放性製剤においては，その可能性が高くなります．この場合には，ピーク濃度を示す時間以降の血中濃度の勾配値は k_{el} ではなく，それよりも

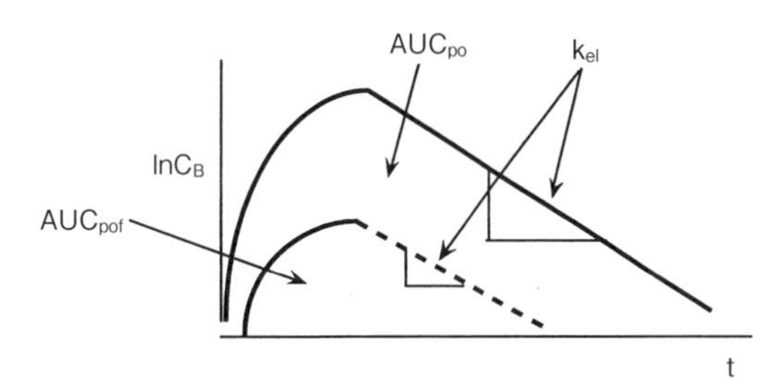

図 A4・14　血中薬物濃度の時間推移の描き方
1-コンパートメントモデル：経口単回投与

値の小さいバイオアベイラビリティの速度を表現する速度定数（吸収速度定数，放出速度定数）が現れます．この現象を flip-flop 現象と呼びます．注意が必要です．

◎静注持続注入投与

定常状態血中濃度（C_{Bss}）は投与速度（R）を一定とした場合，全身クリアランスのみによって決定されます（図 A4・15）．

$$C_{Bss} = \frac{R}{CL_{tot}}$$

$$C_{Bssf} = \frac{R}{CL_{totf}}$$

定常状態に到達する時間は半減期（$t_{1/2}$）の 4～5倍の時間です．この時間は薬物の総濃度であっても，非結合形濃度であっても同じ値となります．

$$t_{1/2} = \frac{0.693}{k_{el}} = \frac{0.693}{\left(\dfrac{CL_{tot}}{V_d}\right)}$$

$$t_{1/2f} = \frac{0.693}{k_{elf}} = t_{1/2}$$

図 A4・15においては，縦軸に血中薬物濃度値，横軸に時間をとっています．血中薬物濃度は投与を開始して半減期（$t_{1/2}$）の 4～5倍の時間後に一定の値，定常状態値（C_{Bss} または C_{Bssf}）を示すように描きます．

◎静注繰り返し急速投与

平均血中濃度（C_{Bssave}）は平均投与速度（D/τ ；τ ：

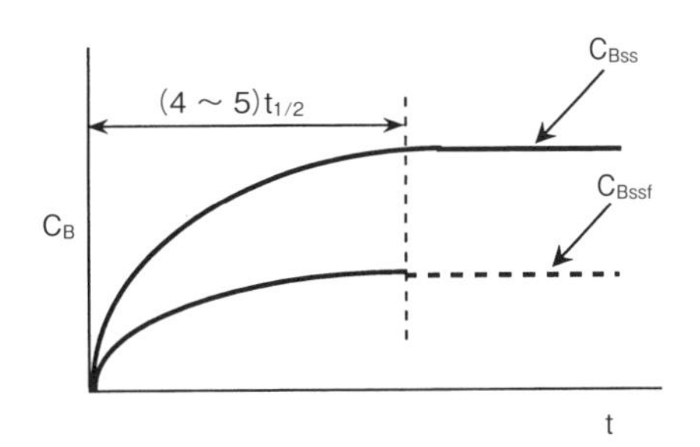

図 A4・15　血中薬物濃度の時間推移の描き方
1-コンパートメントモデル：静注持続注入投与

投与間隔）が一定であれば，全身クリアランスのみによって決定されます（図 A4・16）．

$$C_{Bssave} = \frac{(D/\tau)}{CL_{tot}}$$

$$C_{Bssavef} = \frac{(D/\tau)}{CL_{totf}}$$

定常状態に到達する時間は投与を開始して半減期（$t_{1/2}$）の 4～5倍の時間です．この時間は薬物の総濃度であっても，非結合形濃度であっても同じ値となります．

$$t_{1/2} = \frac{0.693}{k_{el}} = \frac{0.693}{\left(\frac{CL_{tot}}{V_d}\right)}$$

$$t_{1/2f} = \frac{0.693}{k_{elf}} = t_{1/2}$$

血中薬物濃度は 1 投与間隔内で上下しながら，半減期（$t_{1/2}$）の 4～5倍の時間後に一定の濃度範囲内で上下し，平均血中薬物濃度（C_{Bssave} または $C_{Bssavef}$）を示す定常状態に到達するように描きます．

◎繰り返し経口投与

平均血中濃度（C_{Bssave}）は平均投与速度（D/τ；τ：投与間隔）が一定であれば，経口クリアランスのみによって決定されます（図 A4・17）．

$$C_{Bssave} = \frac{(D/\tau)}{CL_{po}}$$

$$C_{Bssavef} = \frac{(D/\tau)}{CL_{pof}}$$

定常状態に到達する時間は半減期（$t_{1/2}$）の 4～5倍の時間です．この時間は薬物の総濃度であっても，非結合形濃度であっても同じ値となります．

$$t_{1/2} = \frac{0.693}{k_{el}} = \frac{0.693}{\left(\frac{CL_{tot}}{V_d}\right)}$$

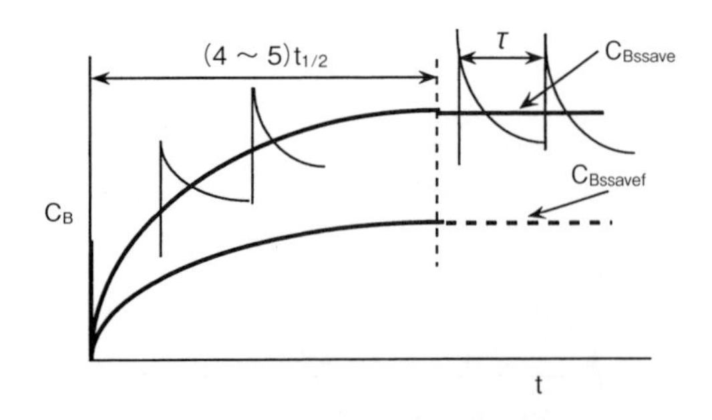

図 A4・16　血中薬物濃度の時間推移の描き方
1-コンパートメントモデル：静注繰り返し急速投与

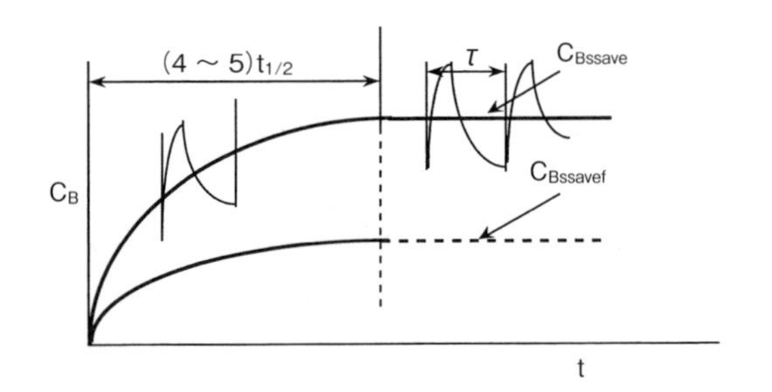

図 A4・17　血中薬物濃度の時間推移の描き方
1-コンパートメントモデル：繰り返し経口投与

$$t_{1/2f} = \frac{0.693}{k_{elf}} = t_{1/2}$$

血中薬物濃度は 1 投与間隔内で上下しながら，半減期（$t_{1/2}$）の 4～5倍の時間後に一定の濃度範囲内で上下し，平均血中薬物濃度（C_{Bssave} または $C_{Bssavef}$）を示す定常状態に到達するように描きます．

b．薬物動態パラメータ（V_d，CL_x）からみた薬物の分類分け

薬物のクリアランス，分布容積，バイオアベイラビリティに関する考察をもとに，血中薬物濃度時間推移を推定できることを示しました．薬物のおおよその特徴を臓器クリアランスに関し 2つ（$E_x < 0.3$，$E_x > 0.7$），分布容積に関し 2つ（$V_d = V_B$，$V_d = (fuB/fuT) \cdot V_T$）に大きく分け，それらの組合せにより得られる 4種の薬物は，変動要因からみた典型的な薬物の動きを示すことになります．さらにこれら 4種の薬物は全身クリアランスがおもに肝クリアランスで占められている場合と腎クリアランスで占められている薬物の場合に分けて考察し，さらに血漿たん白結合に依存性を有する特性をもつかどうかの考察も加える必要があります．このように類別化し，薬物の特徴を把握できれば，あらゆる薬物の体内動態の変化を容易に推定できます．これが頭で連想ゲームのように展開できれば，臨床の現場で，従来思いもつかなかったいろいろの現象や問題点を薬物動態の視点から問題提起や問題解決ができるようになると確信します．これは記憶に頼る内容ではなく，考え方として，ぜひ身につけていただきたい内容です．

典型的な 4つの薬物の特徴づけを以下に示します．

薬物 A：臓器クリアランス；$E_x < 0.3$
　　　　分布容積；$V_d = V_B$
薬物 B：臓器クリアランス；$E_x < 0.3$

分布容積；$V_d = \frac{fuB}{fuT} \cdot V_T$

薬物C：臓器クリアランス；$E_x > 0.7$

分布容積；$V_d = V_B$

薬物D：臓器クリアランス；$E_x > 0.7$

分布容積；$V_d = \frac{fuB}{fuT} \cdot V_T$

c. 特徴づけられた薬物の血中薬物濃度推移の推定のために必要な項目

表A4・11，表A4・12（ともにp.57）に薬物A，B，C，Dの項目を表現する式をまとめて示しています．

d. 薬物の体内動態パラメータと血中薬物濃度の変化の方向

薬物A，B，C，Dについて，影響因子が変化した場合のパラメータ値および血中薬物濃度値の変化の方向を表A4・13～20（pp.58-61）に示します．この場合，すべてbinding sensitiveであることを仮定します．

e. 薬物Bを例にとった血中薬物濃度時間推移の推定

各薬物群の血中薬物濃度の時間推移を決定する体内動態パラメータ変動要因と各パラメータ値の変動の方向を明らかにしてきましたが，それらを使って血中濃度の時間推移の概略図を描く方法を次に述べます．

おもに肝代謝によって消失する薬物BのfuBが上昇した場合を例として具体的に述べます．

薬物Bは$E_H < 0.3$，$V_d = (fuB/fuT) \cdot V_T$の薬物です．

$$CL_{tot} = CL_H = fuB \cdot CL_{intH}$$

$$CL_{po} = \frac{fuB \cdot CL_{intH}}{F_a}$$

$$V_d = \left(\frac{fuB}{fuT} \right) \cdot V_T$$

$$k_{el} = \frac{fuT \cdot CL_{intH}}{V_T}$$

(i) 薬物動態パラメータおよび項目

血中薬物濃度の時間推移を推定するために必要な体内動態パラメータおよび項目を表す式は表A4・11に示しています．

(ii) 薬物動態パラメータおよび項目の変化の方向

血中薬物濃度の時間推移を推定するために必要な薬物動態パラメータおよび項目の変化の方向は表A4・13に示しています．

(iii) 血中薬物濃度の時間推移の推定

◎静注単回急速投与

縦軸に血中薬物濃度の対数値，横軸に時間をとります．投与直後の縦軸切片にC_{B0}またはC_{B0f}をとり，その点からk_{el}を勾配とする直線を引くことで血中薬物濃度の時間推移を簡単に表現，推定することができます．また，結果として得られた図から，AUCの変化が推定された通りになっているかどうかを確認します．具体的には図A4・18になります．

図A4・18中の実線が変化前，破線が変化後のそれぞれ血中薬物濃度の時間推移を表します．

薬物を急速負荷投与したときのピーク濃度は薬物総濃度では低下しますが，非結合形濃度は変化しません．

薬物総濃度と非結合形濃度のそれぞれの時間推移の勾配は，等しく書くことが必要です．fuBの上昇によっても勾配は変化しませんが，薬物総濃度でAUCが小さくなるのに対し，非結合形濃度では変わりません．仮に総濃度が測定されている場合には，測定値が低下していることが値として示されますが，投与量は変更しなくてよいと判断しなければならない例となります．

◎静注持続注入投与

縦軸に血中薬物濃度値，横軸に時間をとります．血中薬物濃度は投与を開始して半減期（$t_{1/2}$）の4～5倍の時間後に一定の値になるように描き，その一定値は定常状態値（C_{Bss}またはC_{Bssf}）を示すように描きます（図A4・19）．

定常状態の薬物濃度は，総濃度では低下しますが，非結合形濃度は変化しません．ですから，投与速度を変更する必要はありません．仮に総濃度が測定されている場合には，測定値が低下していることが値として示されますが，投与速度は変更しなくてよいと判断しなければならない例となります．

定常状態に達する時間は，半減期が変化しませんので，総濃度，非結合形濃度ともに同じであり，変化しません．

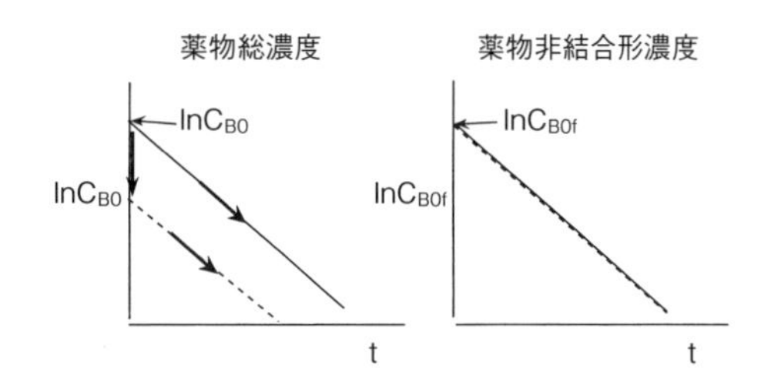

図A4・18　おもに肝代謝によって消失する薬物Bの血中薬物濃度の変化：fuBが上昇した場合．静注単回急速投与

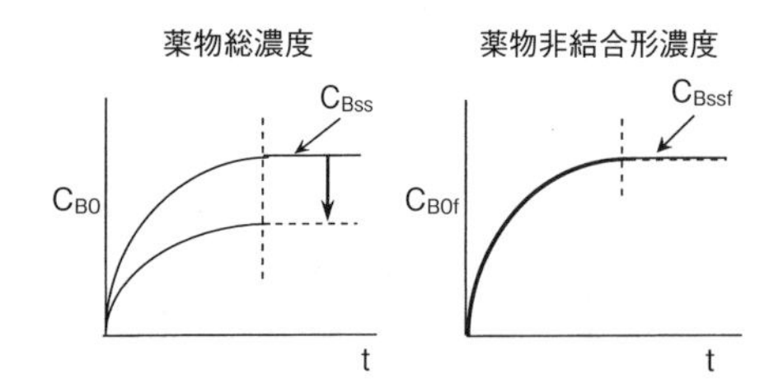

図 A4·19　おもに肝代謝によって消失する薬物 B の血中薬物濃度の変化：fuB が上昇した場合．静注持続注入投与

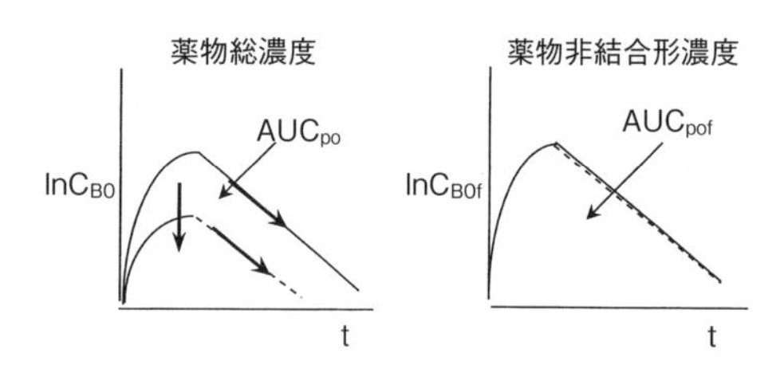

図 A4·20　おもに肝代謝によって消失する薬物 B の血中薬物濃度の変化：fuB が上昇した場合．単回経口投与

◎単回経口投与

縦軸に血中薬物濃度の対数値を，横軸に時間をとります．ピーク濃度を示す時間以降の血中濃度の勾配値 (k_{el}) を静注単回急速投与時の勾配値 (k_{el}) と同じ値にとります．吸収速度は変わらないとするので，ピーク濃度を示す時間は同じにとります．勾配の傾きの変化と面積の変化から血中薬物濃度推移を描き，図 A4・20に示すような略図が書けます．

fuB の上昇によって勾配値は変化せず，総濃度では AUC 値が低下しますが，非結合形濃度では AUC 値は変化しません．薬物非結合形濃度が変化しないので，投与量の変更は必要ありません．

◎静注繰り返し急速投与

縦軸に血中薬物濃度，横軸に時間をとります．薬物治療が，繰り返し投与され定常状態の平均薬物濃度を指標に行われる場合は，1投与ごとの血中薬物濃度の時間推移は示さず，平均濃度値のみを図示することで実用的には間に合います (図 A4・21)．

fuB が上昇することにより，定常状態の薬物総濃度は低下しますが，非結合形濃度には変化がありません．仮に総濃度が測定されている場合には，測定値が低下していることが値として示されますが，投与速度 (投与量と投与間隔) は変更しなくてよいと判断しなければならない例となります．

◎繰り返し経口投与

縦軸に血中薬物濃度，横軸に時間をとります．薬物治療が，繰り返し投与され定常状態の平均薬物濃度を指標に行われる場合は，1投与ごとの血中薬物濃度の時間推移は示さず，平均濃度値のみを図示することで実用的には間に合います (図 A4・22)．

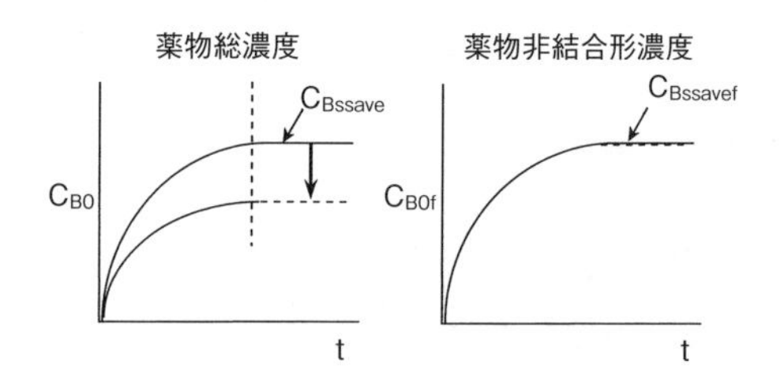

図 A4·21　おもに肝代謝によって消失する薬物 B の血中薬物濃度の変化：fuB が上昇した場合．静注繰り返し急速投与

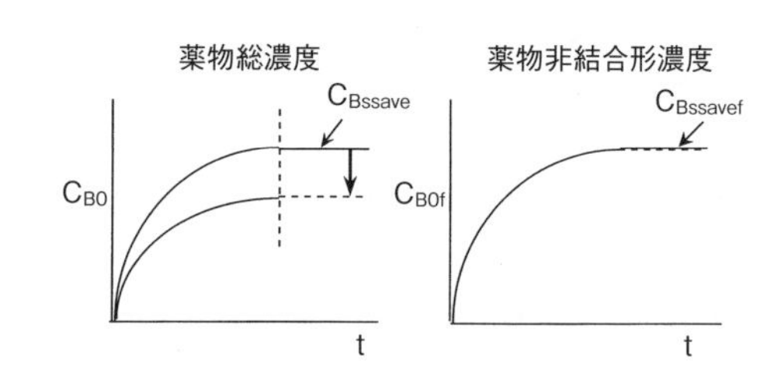

図 A4·22　おもに肝代謝によって消失する薬物 B の血中薬物濃度の変化：fuB が上昇した場合．繰り返し経口投与

投与経路に静注投与と経口投与の違いはありますが，結果として，静注繰り返し急速投与時の図と同じになります．経口投与の場合も，とりあえず，経口クリアランスのみで決定される平均濃度値を示すことを目標とします．

fuB が上昇することにより，定常状態の薬物総濃度は低下しますが，非結合形濃度には変化がありません．仮に総濃度が測定されている場合には，測定値が低下していることが値として示されますが，投与速度 (投与量と投与間隔) は変更しなくてよいと判断しなければならない例となります．

以上，血漿たん白結合率が高く ($fuB < 0.2$)，おもに肝代謝によって消失し (A_e (%) < 20)，肝抽出比が小さく ($E_H < 0.3$)，その分布容積が大きい ($V_d > 0.8$ L/kg) 薬物の血中薬物濃度の推定を行いました．

f. 静注単回投与，単回経口投与後の血中薬物濃度推移の変化

表 A4・13〜20に薬物の動態パラメータと血中薬物濃度の変化の方向を図示しましたが，それぞれの条件での，薬物を静脈内単回急速投与した場合と単回経口投与した場合の血中薬物濃度の変化を図 A4・23〜30 (pp.62-63) にまとめて示しました．図中の実線が

表 A4･11　典型的な４つの薬物（A，B，C，D）の血中濃度を決定するパラメータ：おもに肝代謝によって消失する薬物

		血中薬物濃度	V_d	C_{B0}	CL_{tot}	AUC_{iv}	CL_{po}	AUC_{po}	k_{el}	C_{Bss}	C_{Bssave}
A	E_H 小 V_d 小	総濃度	V_B	D / V_B	$fuB \cdot CL_{intH}$	$D / (fuB \cdot CL_{intH})$	$fuB \cdot CL_{intH} / F_a$	$D / (fuB \cdot CL_{intH} / F_a)$	$fuB \cdot CL_{intH} / V_B$	$R / (fuB \cdot CL_{intH})$	$(D/\tau) / (fuB \cdot CL_{intH} / F_a)$
		非結合形濃度	V_B / fuB	$D / (V_B / fuB)$	CL_{intH}	D / CL_{intH}	CL_{intH} / F_a	$D / (CL_{intH} / F_a)$	$CL_{intH} / (V_B / fuB)$	R / CL_{intH}	$(D/\tau) / (CL_{intH} / F_a)$
B	E_H 小 V_d 大	総濃度	$(fuB/fuT) V_T$	$D / \{(fuB / fuT) V_T\}$	$fuB \cdot CL_{intH}$	$D / (fuB \cdot CL_{intH})$	$fuB \cdot CL_{intH} / F_a$	$D / (fuB \cdot CL_{intH} / F_a)$	$fuB \cdot CL_{intH} / \{(fuB / fuT) V_T\}$	$R / (fuB \cdot CL_{intH})$	$(D/\tau) / (fuB \cdot CL_{intH} / F_a)$
		非結合形濃度	V_T / fuT	$D / (V_T / fuT)$	CL_{intH}	D / CL_{intH}	CL_{intH} / F_a	$D / (CL_{intH} / F_a)$	$CL_{intH} / (V_T / fuT)$	R / CL_{intH}	$(D/\tau) / (CL_{intH} / F_a)$
C	E_H 大 V_d 小	総濃度	V_B	D / V_B	Q_H	D / Q_H	$fuB \cdot CL_{intH} / F_a$	$D / (fuB \cdot CL_{intH} / F_a)$	Q_H / V_B	R / Q_H	$(D/\tau) / (fuB \cdot CL_{intH} / F_a)$
		非結合形濃度	V_B / fuB	$D / (V_B / fuB)$	Q_H / fuB	$D / (Q_H / fuB)$	CL_{intH} / F_a	$D / (CL_{intH} / F_a)$	$(Q_H / fuB) / (V_B / fuB)$	$R / (Q_H / fuB)$	$(D/\tau) / (CL_{intH} / F_a)$
D	E_H 大 V_d 大	総濃度	$(fuB/fuT) V_T$	$D / \{(fuB/fuT) V_T\}$	Q_H	D / Q_H	$fuB \cdot CL_{intH} / F_a$	$D / (fuB \cdot CL_{intH} / F_a)$	$Q_H / \{(fuB / fuT) V_T\}$	R / Q_H	$(D/\tau) / (fuB \cdot CL_{intH} / F_a)$
		非結合形濃度	V_T / fuT	$D / (V_T / fuT)$	Q_H / fuB	$D / (Q_H / fuB)$	CL_{intH} / F_a	$D / (CL_{intH} / F_a)$	$(Q_H / fuB) / (V_T / fuT)$	$R / (Q_H / fuB)$	$(D/\tau) / (CL_{intH} / F_a)$

表 A4･12　典型的な４つの薬物（A，B，C，D）の血中薬物濃度を決定するパラメータ：おもに腎排泄によって消失する薬物

		血中薬物濃度	V_d	C_{B0}	CL_{tot}	AUC_{iv}	CL_{po}	AUC_{po}	k_{el}	C_{Bss}	C_{Bssave}
A	E_R 小 V_d 小	総濃度	V_B	D / V_B	$fuB \cdot CL_{intR}$	$D / (fuB \cdot CL_{intR})$	$fuB \cdot CL_{intR} / F_a$	$D / (fuB \cdot CL_{intR} / F_a)$	$fuB \cdot CL_{intR} / V_B$	$R / (fuB \cdot CL_{intR})$	$(D/\tau) / (fuB \cdot CL_{intR} / F_a)$
		非結合形濃度	V_B / fuB	$D / (V_B / fuB)$	CL_{intR}	D / CL_{intR}	CL_{intR} / F_a	$D / (CL_{intR} / F_a)$	$CL_{intR} / (V_B / fuB)$	R / CL_{intR}	$(D / \tau) / (CL_{intR} / F_a)$
B	E_R 小 V_d 大	総濃度	$(fuB/fuT) V_T$	$D / \{(fuB/fuT) V_T\}$	$fuB \cdot CL_{intR}$	$D / (fuB \cdot CL_{intR})$	$fuB \cdot CL_{intR} / F_a$	$D / (fuB \cdot CL_{intR} / F_a)$	$fuB \cdot CL_{intR} / \{(fuB/fuT) V_T\}$	$R / (fuB \cdot CL_{intR})$	$(D/\tau) / (fuB \cdot CL_{intR} / F_a)$
		非結合形濃度	V_T / fuT	$D / (V_T / fuT)$	CL_{intR}	D / CL_{intR}	CL_{intR} / F_a	$D / (CL_{intR} / F_a)$	$CL_{intR} / (V_T / fuT)$	R / CL_{intR}	$(D / \tau) / (CL_{intR} / F_a)$
C	E_R 大 V_d 小	総濃度	V_B	D / V_B	Q_R	D / Q_R	Q_R / F_a	$D / (Q_R / F_a)$	Q_R / V_B	R / Q_R	$(D / \tau) / (Q_R / F_a)$
		非結合形濃度	V_B / fuB	$D / (V_B / fuB)$	Q_R / fuB	$D / (Q_R / fuB)$	$(Q_R / F_a) / fuB$	$D / \{(Q_R / F_a) / fuB\}$	$(Q_R / fuB) / (V_B / fuB)$	$R / (Q_R / fuB)$	$(D/\tau) / \{(Q_R / F_a) / fuB\}$
D	E_R 大 V_d 大	総濃度	$(fuB/fuT) V_T$	$D / \{(fuB/fuT) V_T\}$	Q_R	D / Q_R	Q_R / F_a	$D / (Q_R / F_a)$	$Q_R / \{(fuB / fuT) V_T\}$	R / Q_R	$(D / \tau) / (Q_R / F_a)$
		非結合形濃度	V_T / fuT	$D / (V_T / fuT)$	Q_R / fuB	$D / (Q_R / fuB)$	$(Q_R / F_a) / fuB$	$D / \{(Q_R / F_a) / fuB\}$	$(Q_R / fuB) / (V_T / fuT)$	$R / (Q_R / fuB)$	$(D/\tau) / \{(Q_R / F_a) / fuB\}$

表 A4·13　肝代謝型薬物の薬物動態パラメータと血中薬物濃度の変化：fuB が上昇した場合

		血中薬物濃度	V_d	C_{B0}	CL_{tot}	AUC_{iv}	CL_{po}	AUC_{po}	k_{el}	C_{Bss}	C_{Bssave}
A	E_H 小 V_d 小	総濃度	↔	↔	↑	↓	↑	↓	↑	↓	↓
		非結合形濃度	↓	↑	↔	↔	↔	↔	↑	↔	↔
B	E_H 小 V_d 大	総濃度	↑	↓	↑	↓	↑	↓	↔	↓	↓
		非結合形濃度	↔	↔	↔	↔	↔	↔	↔	↔	↔
C	E_H 大 V_d 小	総濃度	↔	↔	↔	↔	↑	↓	↔	↔	↓
		非結合形濃度	↓	↑	↓	↑	↔	↔	↔	↑	↔
D	E_H 大 V_d 大	総濃度	↑	↓	↔	↔	↑	↓	↓	↔	↓
		非結合形濃度	↔	↔	↓	↑	↔	↔	↓	↑	↔

↑ 上昇　　↓ 低下　　↔ 不変

表 A4·14　肝代謝型薬物の薬物動態パラメータと血中濃度の変化：CL_{intH} が低下した場合

		血中薬物濃度	V_d	C_{B0}	CL_{tot}	AUC_{iv}	CL_{po}	AUC_{po}	k_{el}	C_{Bss}	C_{Bssave}
A	E_H 小 V_d 小	総濃度	↔	↔	↓	↑	↓	↑	↓	↑	↑
		非結合形濃度	↔	↔	↓	↑	↓	↑	↓	↑	↑
B	E_H 小 V_d 大	総濃度	↔	↔	↓	↑	↓	↑	↓	↑	↑
		非結合形濃度	↔	↔	↓	↑	↓	↑	↓	↑	↑
C	E_H 大 V_d 小	総濃度	↔	↔	↔	↔	↓	↑	↔	↔	↑
		非結合形濃度	↔	↔	↔	↔	↓	↑	↔	↔	↑
D	E_H 大 V_d 大	総濃度	↔	↔	↔	↔	↓	↑	↔	↔	↑
		非結合形濃度	↔	↔	↔	↔	↓	↑	↔	↔	↑

↑ 上昇　　↓ 低下　　↔ 不変

表 A4·15 肝代謝型薬物の薬物動態パラメータと血中濃度の変化：fuB が上昇し，同時に CL_{intH} が低下した場合

		血中薬物濃度	V_d	C_{B0}	CL_{tot}	AUC_{iv}	CL_{po}	AUC_{po}	k_{el}	C_{Bss}	C_{Bssave}
A	E_H 小 V_d 小	総濃度	↔	↔	↑↓↔	↑↓↔	↑↓↔	↑↓↔	↑↓↔	↑↓↔	↑↓↔
		非結合形濃度	↓	↑	↓	↑	↓	↑	↑↓↔	↑	↑
B	E_H 小 V_d 大	総濃度	↑	↓	↑↓↔	↑↓↔	↑↓↔	↑↓↔	↓	↑↓↔	↑↓↔
		非結合形濃度	↔	↔	↓	↑	↓	↑	↓	↑	↑
C	E_H 大 V_d 小	総濃度	↔	↔	↔	↔	↑↓↔	↑↓↔	↔	↔	↑↓↔
		非結合形濃度	↓	↑	↓	↑	↓	↑	↔	↑	↑
D	E_H 大 V_d 大	総濃度	↑	↓	↔	↔	↑↓↔	↑↓↔	↓	↔	↑↓↔
		非結合形濃度	↔	↔	↓	↑	↓	↑	↓	↑	↑

↑ 上昇　↓ 低下　↔ 不変　↑↓↔ 一定の傾向を示さない

表 A4·16 肝代謝型薬物の薬物動態パラメータと血中濃度の変化：Q_H が低下した場合

		血中薬物濃度	V_d	C_{B0}	CL_{tot}	AUC_{iv}	CL_{po}	AUC_{po}	k_{el}	C_{Bss}	C_{Bssave}
A	E_H 小 V_d 小	総濃度	↔	↔	↔	↔	↔	↔	↔	↔	↔
		非結合形濃度	↔	↔	↔	↔	↔	↔	↔	↔	↔
B	E_H 小 V_d 大	総濃度	↔	↔	↔	↔	↔	↔	↔	↔	↔
		非結合形濃度	↔	↔	↔	↔	↔	↔	↔	↔	↔
C	E_H 大 V_d 小	総濃度	↔	↔	↓	↑	↔	↔	↓	↑	↔
		非結合形濃度	↔	↔	↓	↑	↔	↔	↓	↑	↔
D	E_H 大 V_d 大	総濃度	↔	↔	↓	↑	↔	↔	↓	↑	↔
		非結合形濃度	↔	↔	↓	↑	↔	↔	↓	↑	↔

↑ 上昇　↓ 低下　↔ 不変

表 A4·17　腎排泄型薬物の薬物動態パラメータと血中濃度の変化：fuB が上昇した場合

		血中薬物濃度	V_d	C_{B0}	CL_{tot}	AUC_{iv}	CL_{po}	AUC_{po}	k_{el}	C_{Bss}	C_{Bssave}
A	E_R 小 V_d 小	総濃度	↔	↔	↑	↓	↑	↓	↑	↓	↓
		非結合形濃度	↓	↑	↔	↔	↔	↔	↑	↔	↔
B	E_R 小 V_d 大	総濃度	↑	↓	↑	↓	↑	↓	↔	↓	↓
		非結合形濃度	↔	↔	↔	↔	↔	↔	↔	↔	↔
C	E_R 大 V_d 小	総濃度	↔	↔	↔	↔	↔	↔	↔	↔	↔
		非結合形濃度	↓	↑	↓	↑	↓	↑	↔	↑	↑
D	E_R 大 V_d 大	総濃度	↑	↓	↔	↔	↔	↔	↓	↔	↔
		非結合形濃度	↔	↔	↓	↑	↓	↑	↓	↑	↑

↑ 上昇　　↓ 低下　　↔ 不変

表 A4·18　腎排泄型薬物の薬物動態パラメータと血中濃度の変化：CL_{intR} が低下した場合

		血中薬物濃度	V_d	C_{B0}	CL_{tot}	AUC_{iv}	CL_{po}	AUC_{po}	k_{el}	C_{Bss}	C_{Bssave}
A	E_R 小 V_d 小	総濃度	↔	↔	↓	↑	↓	↑	↓	↑	↑
		非結合形濃度	↔	↔	↓	↑	↓	↑	↓	↑	↑
B	E_R 小 V_d 大	総濃度	↔	↔	↓	↑	↓	↑	↓	↑	↑
		非結合形濃度	↔	↔	↓	↑	↓	↑	↓	↑	↑
C	E_R 大 V_d 小	総濃度	↔	↔	↔	↔	↔	↔	↔	↔	↔
		非結合形濃度	↔	↔	↔	↔	↔	↔	↔	↔	↔
D	E_R 大 V_d 大	総濃度	↔	↔	↔	↔	↔	↔	↔	↔	↔
		非結合形濃度	↔	↔	↔	↔	↔	↔	↔	↔	↔

↑ 上昇　　↓ 低下　　↔ 不変

表 A4·19　腎排泄型薬物の薬物動態パラメータと血中濃度の変化：fuB が上昇し，同時に CL_{intR} が低下した場合

		血中薬物濃度	V_d	C_{B0}	CL_{tot}	AUC_{iv}	CL_{po}	AUC_{po}	k_{el}	C_{Bss}	C_{Bssave}
A	E_R 小 V_d 小	総濃度	↔	↔	↔↓↑	↔↓↑	↔↓↑	↔↓↑	↔↓↑	↔↓↑	↔↓↑
		非結合形濃度	↓	↑	↓	↑	↓	↑	↔↓↑	↑	↑
B	E_R 小 V_d 大	総濃度	↑	↓	↔↓↑	↔↓↑	↔↓↑	↔↓↑	↓	↔↓↑	↔↓↑
		非結合形濃度	↔	↔	↓	↑	↓	↑	↓	↑	↑
C	E_R 大 V_d 小	総濃度	↔	↔	↔	↔	↔	↔	↔	↔	↔
		非結合形濃度	↓	↑	↓	↑	↓	↑	↔	↑	↑
D	E_R 大 V_d 大	総濃度	↑	↓	↔	↔	↔	↔	↓	↔	↔
		非結合形濃度	↔	↔	↓	↑	↓	↑	↓	↑	↑

↑ 上昇　↓ 低下　↔ 不変　↔↓↑ 一定の傾向を示さない

表 A4·20　腎排泄型薬物の薬物動態パラメータと血中濃度の変化：Q_R が低下した場合

		血中薬物濃度	V_d	C_{B0}	CL_{tot}	AUC_{iv}	CL_{po}	AUC_{po}	k_{el}	C_{Bss}	C_{Bssave}
A	E_R 小 V_d 小	総濃度	↔	↔	↔	↔	↔	↔	↔	↔	↔
		非結合形濃度	↔	↔	↔	↔	↔	↔	↔	↔	↔
B	E_R 小 V_d 大	総濃度	↔	↔	↔	↔	↔	↔	↔	↔	↔
		非結合形濃度	↔	↔	↔	↔	↔	↔	↔	↔	↔
C	E_R 大 V_d 小	総濃度	↔	↔	↓	↑	↓	↑	↓	↑	↑
		非結合形濃度	↔	↔	↓	↑	↓	↑	↓	↑	↑
D	E_R 大 V_d 大	総濃度	↔	↔	↓	↑	↓	↑	↓	↑	↑
		非結合形濃度	↔	↔	↓	↑	↓	↑	↓	↑	↑

↑ 上昇　↓ 低下　↔ 不変

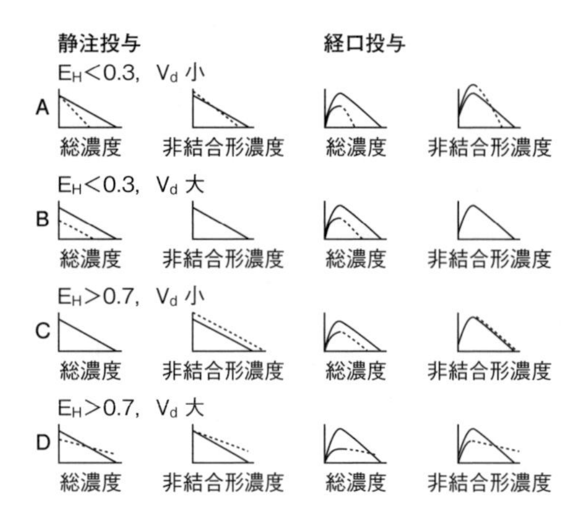

図 A4･23　肝代謝型薬物の血中薬物濃度の変化：fuB が上昇した場合

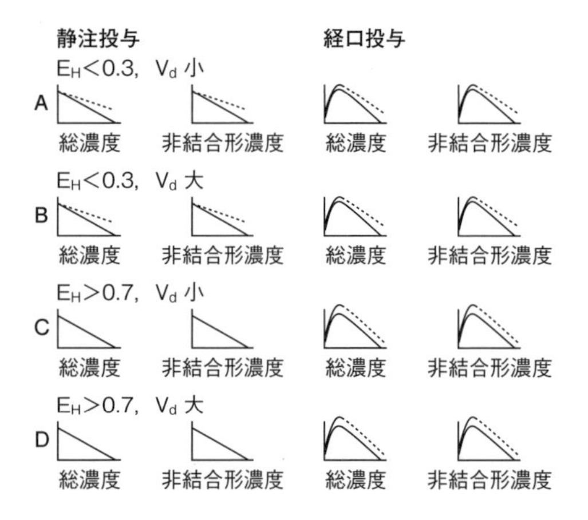

図 A4･24　肝代謝型薬物の血中薬物濃度の変化：CL_{intH} が低下した場合

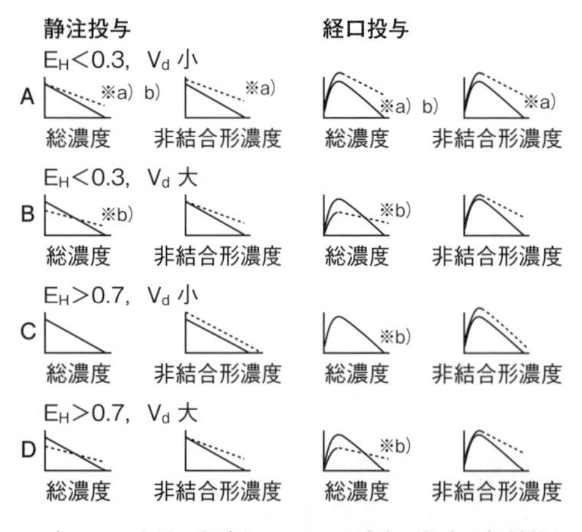

※a) fuB の上昇の程度と CL_{intH} の減少の程度の相対的な関係によって，k_{el} の変化は一定しない．

※b) fuBの上昇の程度と CL_{intH} の減少の程度の相対的な関係によって，AUC の変化は一定しない．

図 A4･25　肝代謝型薬物の血中薬物濃度の変化：fuB が上昇し，同時に CL_{intH} が低下した場合

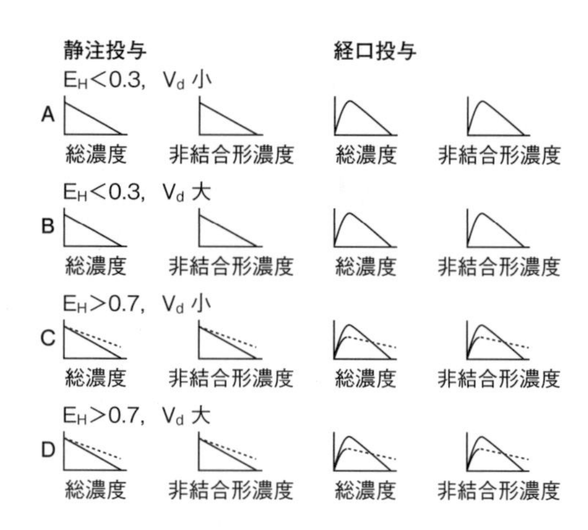

図 A4･26　肝代謝型薬物の血中薬物濃度の変化：Q_H が低下した場合

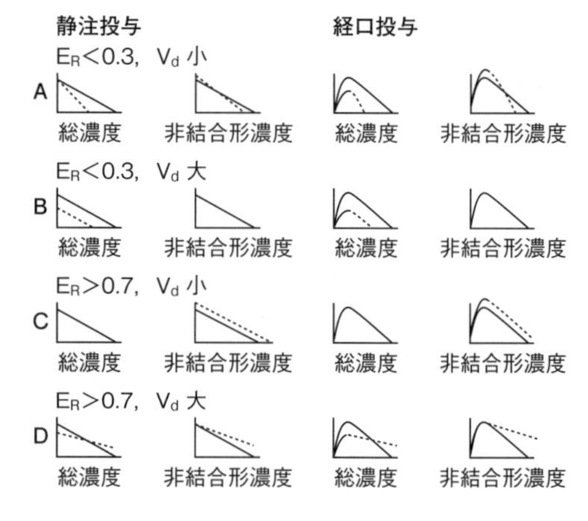

図 A4･27　腎排泄型薬物の血中薬物濃度の変化：fuB が上昇した場合

静注投与　　経口投与

$E_R<0.3$, V_d 小

A　総濃度　非結合形濃度　総濃度　非結合形濃度

$E_R<0.3$, V_d 大

B　総濃度　非結合形濃度　総濃度　非結合形濃度

$E_R>0.7$, V_d 小

C　総濃度　非結合形濃度　総濃度　非結合形濃度

$E_R>0.7$, V_d 大

D　総濃度　非結合形濃度　総濃度　非結合形濃度

図 A4･28　腎排泄型薬物の血中薬物濃度の変化：CL_{intR} が低下した場合

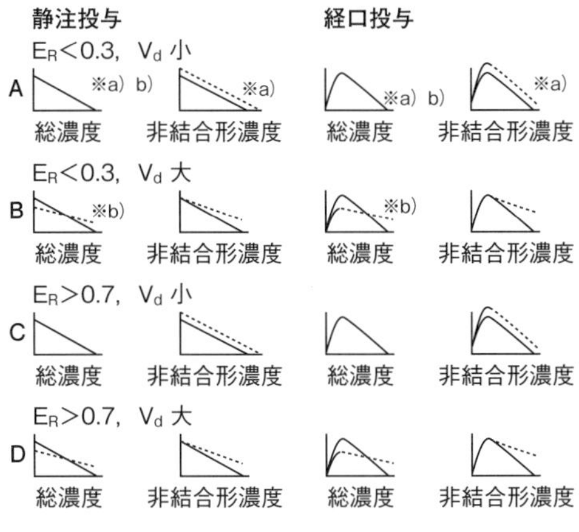

図 A4·29　腎排泄型薬物の血中薬物濃度の変化：fuB が上昇し，同時に CL_{intR} が低下した場合

静注投与　経口投与
E_R<0.3，V_d 小
A　総濃度　非結合形濃度　総濃度　非結合形濃度
E_R<0.3，V_d 大
B　総濃度　非結合形濃度　総濃度　非結合形濃度
E_R>0.7，V_d 小
C　総濃度　非結合形濃度　総濃度　非結合形濃度
E_R>0.7，V_d 大
D　総濃度　非結合形濃度　総濃度　非結合形濃度

図 A4·30　腎排泄型薬物の血中薬物濃度の変化：Q_R が低下した場合

演習 4　グリベンクラミド

血糖降下剤グリベンクラミド（glibenclamide）について考察を行いなさい．

〈解〉

グリベンクラミドの薬物動態パラメータを示します．

グリベンクラミドの薬物動態パラメータ
（血漿中薬物総濃度値から算出）

F	A_e (%)	fuP (%)	CL_{tot} (mL/min)	V_d (L/kg)
0.4～1	0	＜1	92	0.15

A_e (%) の値より，全身クリアランスはすべて肝クリアランスに相当します．B/P 値がありませんので，B/P > 0.5の関係を用います．

$$E_H' < (92/0.5)/1600 = 0.12$$

E_H の値は0.3より小さな値であると推定できますので，肝消失能依存性の薬物であり，また，fuP (%) の値からたん白結合依存性薬物です．

$$V_d < 9/0.5 = 18\ \mathrm{L}$$

V_d の値は20 L より小さな値であると推定できますので，分布容積は小さい薬物です．以上の特徴づけにより，グリベンクラミドは薬物 A タイプのたん白結合依存性の薬物であることがわかります．また，CL_{tot}，V_d (60 kg) の値より，$t_{1/2}$ は約1時間と非常に短いことがわかります．

薬物動態パラメータ：

$$CL_{tot} = CL_H = fuB \cdot CL_{intH}$$

$$CL_{totf} = CL_{intH}$$

$$V_d = V_B$$

$$V_{df} = \frac{V_B}{fuB}$$

$$k_{el} = k_{elf} = \frac{fuB \cdot CL_{intH}}{V_B}$$

$$CL_{po} = fuB \cdot \frac{CL_{intH}}{F_a}$$

$$CL_{pof} = \frac{CL_{intH}}{F_a}$$

fuB が上昇した状態を想定します．肝疾患あるいは腎障害における低アルブミン血症や薬物の併用による血漿たん白結合が阻害された状況などに相当します（図 A4⑩）．

◎静注単回急速投与

$$C_{B0} = \frac{D}{V_B}$$

$$C_{B0f} = D \cdot \frac{fuB}{V_B}$$

$$k_{el} = k_{elf} = \frac{fuB \cdot CL_{intH}}{V_B}$$

投与直後の値は，血中薬物総濃度では変化が認められませんが，非結合形濃度では上昇します．k_{el} は薬物総濃度の場合と非結合形濃度の場合で同じ値であり，大きくなります．総濃度からみると

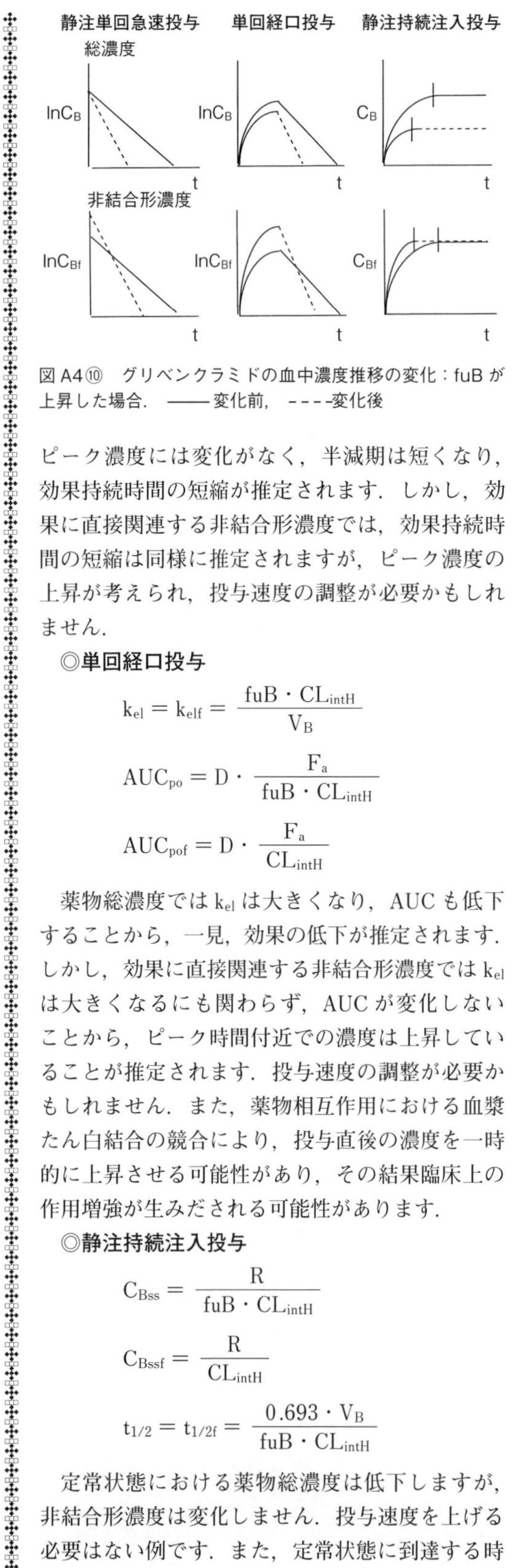

図 A4⑩　グリベンクラミドの血中濃度推移の変化：fuB が上昇した場合．——変化前，- - - -変化後

ピーク濃度には変化がなく，半減期は短くなり，効果持続時間の短縮が推定されます．しかし，効果に直接関連する非結合形濃度では，効果持続時間の短縮は同様に推定されますが，ピーク濃度の上昇が考えられ，投与速度の調整が必要かもしれません．

◎単回経口投与

$$k_{el} = k_{elf} = \frac{fuB \cdot CL_{intH}}{V_B}$$

$$AUC_{po} = D \cdot \frac{F_a}{fuB \cdot CL_{intH}}$$

$$AUC_{pof} = D \cdot \frac{F_a}{CL_{intH}}$$

薬物総濃度では k_{el} は大きくなり，AUC も低下することから，一見，効果の低下が推定されます．しかし，効果に直接関連する非結合形濃度では k_{el} は大きくなるにも関わらず，AUC が変化しないことから，ピーク時間付近での濃度は上昇していることが推定されます．投与速度の調整が必要かもしれません．また，薬物相互作用における血漿たん白結合の競合により，投与直後の濃度を一時的に上昇させる可能性があり，その結果臨床上の作用増強が生みだされる可能性があります．

◎静注持続注入投与

$$C_{Bss} = \frac{R}{fuB \cdot CL_{intH}}$$

$$C_{Bssf} = \frac{R}{CL_{intH}}$$

$$t_{1/2} = t_{1/2f} = \frac{0.693 \cdot V_B}{fuB \cdot CL_{intH}}$$

定常状態における薬物総濃度は低下しますが，非結合形濃度は変化しません．投与速度を上げる必要はない例です．また，定常状態に到達する時間は，総濃度も非結合形濃度も短くなります．

◎静注繰り返し投与

薬物の半減期が短く，繰り返し投与を行っても，ほとんど蓄積されないため，単回投与時の考察で間に合います．

◎繰り返し経口投与

薬物の半減期が短く，繰り返し投与を行っても，ほとんど蓄積されないため，単回投与時の考察で間に合います．

演習 5　モルヒネ

モルヒネ（morphine）について考察を行いなさい．

〈解〉

モルヒネの薬物動態パラメータを示します．

モルヒネの薬物動態パラメータ

（血漿中薬物総濃度値から算出）

F	A_e (%)	fuP (%)	CL_{tot} (mL/min)	V_d (L/kg)
0.2～0.33	8	65	1050	3.3

B/P = 1.03

A_e（%）の値より全身クリアランスはほとんど肝クリアランス（CL_H = 966 mL/min）に相当します．肝血漿流量と CL_H の値からしますと，E_H は 1 からやや 1 を超える値となります．B/P 値を用いて評価します．

$E_H = 966/1.03/1600 = 0.59$

肝クリアランスは変動しにくい特徴を有していると考えられます．また，fuP (%) の値から血漿たん白結合非依存性の薬物であると考えられます．

$V_d' = 198/1.03 = 192$ L

V_d'の値から分布容積はかなり大きい薬物です．また，CL_{tot}，V_d (60 kg) の値より，$t_{1/2}$ は約 2 時間と短い値を示します．

おもな代謝物はグルクロン酸抱合体であり，グルクロン酸抱合体のうち 6 位の抱合体である M6G は活性を有していることが報告されています．肝による初回通過効果が大きく，F が 20% 前後の値であることが報告されています．静注投与から経口投与に切り替えるときには，投与量は 5 倍程度増やすことが必要であると推定されます．しかし，活性代謝物が初回通過効果により多く生成されることより，3～5 倍量が適当と考えられています．

薬物動態パラメータ：

$$CL_{tot} = CL_H$$

$$CL_{totf} = CL_{Hf}$$

$$V_d = \left(\frac{fuB}{fuT}\right) \cdot V_T$$

$$V_{df} = \frac{V_T}{fuT}$$

$$k_{el} = k_{elf} = fuT \cdot \frac{CL_H}{fuB \cdot V_T}$$

$$CL_{po} = fuB \cdot \frac{CL_{intH}}{F_a}$$

$$CL_{pof} = \frac{CL_{intH}}{F_a}$$

肝障害によって CL_{intH} が低下している場合を想定します．肝障害時には低アルブミン血症が生じる可能性がありますが，血漿たん白結合非依存性の薬物なので，fuB の変化については考慮しなくてよい薬物です（図 A4⑪）．

◎静注単回急速投与

$$C_{B0} = D \cdot \frac{fuT}{fuB \cdot V_T}$$

$$C_{B0f} = D \cdot \frac{fuT}{V_T}$$

$$k_{el} = k_{elf} = fuT \cdot \frac{CL_H}{fuB \cdot V_T}$$

投与直後の値は，血中薬物総濃度，非結合形濃度ともに変化が認められません．k_{el} は薬物総濃度の場合でも非結合形濃度の場合でも変化しません．肝代謝によって消失するにも関わらず，動態に変化は認められにくいと考えられます．

◎単回経口投与

$$k_{el} = k_{elf} = fuT \cdot \frac{CL_H}{fuB \cdot V_T}$$

$$AUC_{po} = D \cdot \frac{F_a}{fuB \cdot CL_{intH}}$$

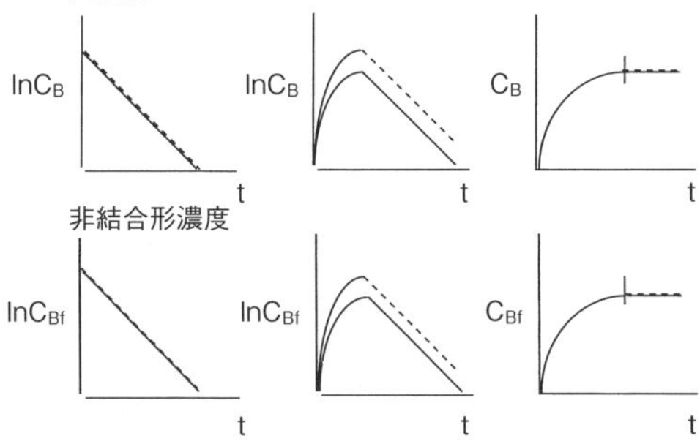

図 A4⑪　モルヒネの血中濃度推移の変化：CL_{intH} が低下した場合．——変化前，----変化後

$$AUC_{pof} = D \cdot \frac{F_a}{CL_{intH}}$$

薬物の総濃度および非結合形濃度の k_{el} には変化がありません．しかし，CL_{po} は CL_{intH} によって決定されるので，肝機能障害患者では，総濃度および非結合形濃度の AUC は上昇します．効果の増強が推定されます．

◎静注持続注入投与

$$C_{Bss} = \frac{R}{CL_H}$$

$$C_{Bssf} = \frac{R}{CL_{Hf}}$$

$$t_{1/2} = t_{1/2f} = 0.693 \cdot fuB \cdot \frac{V_T}{fuT \cdot CL_H}$$

定常状態時における薬物総濃度および非結合形濃度はともに変化しません．また，定常状態に達する時間にも変化が認められません．

◎静注繰り返し急速投与

薬物の半減期が短いため，繰り返し投与を行っても，ほとんど蓄積されないため，単回投与時の考察で間に合います．

◎繰り返し経口投与

薬物の半減期が短いため，繰り返し投与を行っても，ほとんど蓄積されないため，単回投与時の考察で間に合います．

なお，腎障害時には，活性を有する M6G の生成クリアランスには変化はありませんが，腎クリアランスは低下するため，血液中に M6G が高濃度に蓄積することが推定されます．そのため，効果の増強が考えられます．

演習 6　血漿たん白結合の飽和

クリアランスは投与量に対し一定の値を示し，低投与量の静脈内急速投与では，血中濃度の時間推移は 1-コンパートメントモデルに従った挙動を示し，血漿たん白結合は binding sensitive である薬物を想定します．高投与量の場合，薬物の血漿たん白結合に飽和が認められるとします．この薬物を静注急速単回投与後の，血中濃度の時間推移を，低投与量と高投与量で比較し推定しなさい．

〈解〉

薬物 A, B, C, D について考察します（図 A4⑫）．

薬物 A：

$$V_d = V_B \qquad V_{df} = \frac{V_B}{fuB}$$

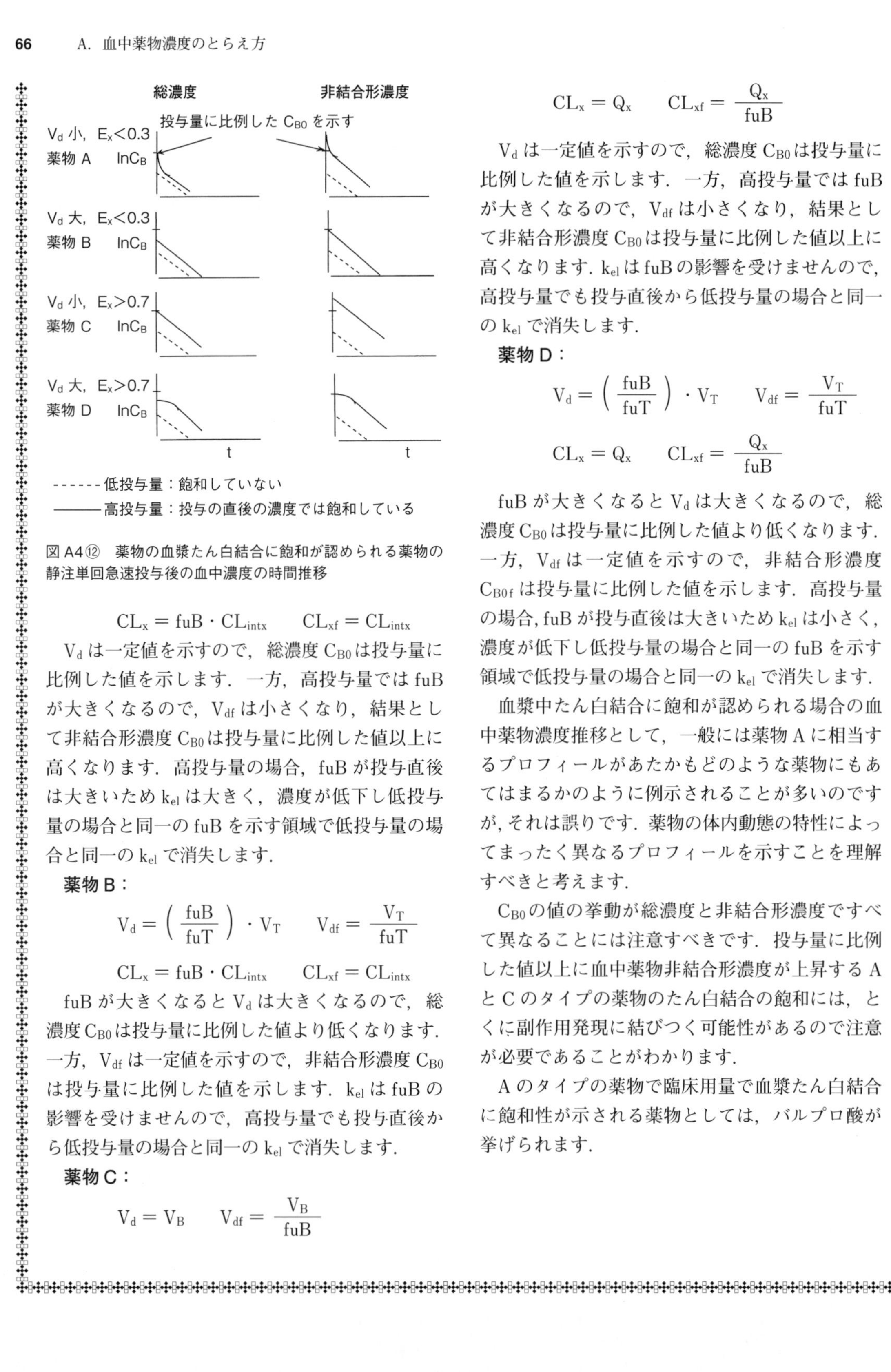

図 A4⑫　薬物の血漿たん白結合に飽和が認められる薬物の静注単回急速投与後の血中濃度の時間推移

$$CL_x = fuB \cdot CL_{intx} \qquad CL_{xf} = CL_{intx}$$

V_d は一定値を示すので，総濃度 C_{B0} は投与量に比例した値を示します．一方，高投与量では fuB が大きくなるので，V_{df} は小さくなり，結果として非結合形濃度 C_{B0} は投与量に比例した値以上に高くなります．高投与量の場合，fuB が投与直後は大きいため k_{el} は大きく，濃度が低下し低投与量の場合と同一の fuB を示す領域で低投与量の場合と同一の k_{el} で消失します．

薬物 B：

$$V_d = \left(\frac{fuB}{fuT}\right) \cdot V_T \qquad V_{df} = \frac{V_T}{fuT}$$

$$CL_x = fuB \cdot CL_{intx} \qquad CL_{xf} = CL_{intx}$$

fuB が大きくなると V_d は大きくなるので，総濃度 C_{B0} は投与量に比例した値より低くなります．一方，V_{df} は一定値を示すので，非結合形濃度 C_{B0} は投与量に比例した値を示します．k_{el} は fuB の影響を受けませんので，高投与量でも投与直後から低投与量の場合と同一の k_{el} で消失します．

薬物 C：

$$V_d = V_B \qquad V_{df} = \frac{V_B}{fuB}$$

$$CL_x = Q_x \qquad CL_{xf} = \frac{Q_x}{fuB}$$

V_d は一定値を示すので，総濃度 C_{B0} は投与量に比例した値を示します．一方，高投与量では fuB が大きくなるので，V_{df} は小さくなり，結果として非結合形濃度 C_{B0} は投与量に比例した値以上に高くなります．k_{el} は fuB の影響を受けませんので，高投与量でも投与直後から低投与量の場合と同一の k_{el} で消失します．

薬物 D：

$$V_d = \left(\frac{fuB}{fuT}\right) \cdot V_T \qquad V_{df} = \frac{V_T}{fuT}$$

$$CL_x = Q_x \qquad CL_{xf} = \frac{Q_x}{fuB}$$

fuB が大きくなると V_d は大きくなるので，総濃度 C_{B0} は投与量に比例した値より低くなります．一方，V_{df} は一定値を示すので，非結合形濃度 C_{B0f} は投与量に比例した値を示します．高投与量の場合, fuB が投与直後は大きいため k_{el} は小さく，濃度が低下し低投与量の場合と同一の fuB を示す領域で低投与量の場合と同一の k_{el} で消失します．

血漿中たん白結合に飽和が認められる場合の血中薬物濃度推移として，一般には薬物 A に相当するプロフィールがあたかもどのような薬物にもあてはまるかのように例示されることが多いのですが, それは誤りです．薬物の体内動態の特性によってまったく異なるプロフィールを示すことを理解すべきと考えます．

C_{B0} の値の挙動が総濃度と非結合形濃度ですべて異なることには注意すべきです．投与量に比例した値以上に血中薬物非結合形濃度が上昇する A と C のタイプの薬物のたん白結合の飽和には，とくに副作用発現に結びつく可能性があるので注意が必要であることがわかります．

A のタイプの薬物で臨床用量で血漿たん白結合に飽和性が示される薬物としては，バルプロ酸が挙げられます．

変化前，破線が変化後です．

g. CL_x あるいは V_d に明確な決定因子を示さない場合の k_{el} の決定因子の推定

E_x が 0.3～0.7の場合，CL_x は明確な決定因子を示さないため，CL_x のみで決定される血中濃度の変動要因はないと割り切った考察を行います．しかし，消失速度定数は CL_{tot} と V_d の相対関係で決定されますので，複合の一般式で考察を行います．

$$CL_x = Q_x \cdot fuB \cdot CL_{intx} / (Q_x + fuB \cdot CL_{intx})$$

$$CL_{xf} = Q_x \cdot CL_{intx} / (Q_x + fuB \cdot CL_{intx})$$

V_d が 20～50 L の場合，V_d は明確な決定因子を示さないため，V_d のみで決定される血中濃度の変動要因はないと割り切った考察を行います．しかし，消失速度定数は CL_{tot} と V_d の相対関係で決定されますので，複合の一般式で考察を行います．

$$V_d = V_B + (fuB/fuT) V_T$$

$$V_{df} = V_B/fuB + V_T/fuT$$

一例として，CL_{tot} は肝消失型で，E_x が 0.3～0.7，分布容積が小さく血漿たん白結合依存性の薬物で fuB が上昇した場合を考えます．

$$CL_H = Q_H \cdot fuB \cdot CL_{intH} / (Q_H + fuB \cdot CL_{intH})$$

$$CL_{Hf} = Q_H \cdot CL_{intH} / (Q_H + fuB \cdot CL_{intH})$$

$$V_d = V_B$$

$$V_{df} = \frac{V_B}{fuB}$$

と表現できますので，fuB の上昇により，CL_H はほとんど変化しませんが（分母，分子ともに上昇する），CL_{Hf} はわずかに低下し，その結果，非結合形の AUC_{iv} や $C_{Bss\,(iv)}$ はわずかに上昇する方向に動きます．この場合，k_{el} はほとんど変化しません．

k_{el}：CL_{tot} はほとんど不変 /V_B は不変；ほとんど不変

k_{elf}：CL_{Hf} はわずかに低下 / (V_B/fuB) は低下；ほとんど不変

k_{el} と k_{elf} の変化の方向や変化率は同じになります．このように病態の変化により各 PK パラメータが変化したとしても，その変化の程度が小さいと想定できます．

また，一例として，V_d が 20～50 L の場合で，CL_{tot} は肝消失型で，消失能依存，血漿たん白結合依存性の薬物で fuB が上昇した場合を考えます．

$$CL_H = fuB \cdot CL_{intH}$$

$$CL_{Hf} = CL_{intH}$$

$$V_d = V_B + \left(\frac{fuB}{fuT}\right) V_T$$

$$V_{df} = \left(\frac{V_B}{fuB}\right) + \left(\frac{V_T}{fuT}\right)$$

と表現できますので，fuB の上昇により，V_d はわずかに上昇，V_{df} はわずかに低下し，その結果，k_{el} は下式からわずかに上昇，半減期はある程度，低下する方向に動きます．

k_{el}：CL_{tot}（= fuB・CL_{intH}）は上昇 /V_d はわずかに上昇；ある程度上昇

k_{elf} = CL_{intH} は不変 /V_{df} はわずかに低下；ある程度上昇

k_{el} と k_{elf} の変化の方向や変化率は同じになります．

以上のように，CL_x，V_d の特性が中間にある場合，わずかな変化を考慮した考察によって説明できますが，k_{el} と k_{elf} の変化の傾向と変化率は同一となりますので，CL_x，V_d の特性が中間にある場合には，変動しないとし，$CL_x = CL_x$，$V_d = V_d$ と表現し，k_{el} の変化のみで考察することで，k_{el} (k_{elf}) の変化の方向と変化の程度は把握できると考えます．

h. 薬物動態上の薬物相互作用における決定因子

薬物動態上の相互作用によって副作用の発現が起こりうるかを事前にとらえておくことは，患者をモニターする場合，非常に重要なことです．相互作用に関する情報は非常に多くなってきましたが，すべての事象を個別に記憶することは限界があり，また，情報を整理する点でも困難を伴います．また，情報の中には間違いが含まれている危険性もあります．情報を正しく評価し，原理的な視点からとらえておくことが求められます．それは，薬物の動態上の特徴をとらえることで可能になります．

(i) 定常状態血中濃度

薬物による治療が定常状態において行われる場合には，定常状態の平均血中薬物濃度，とくに薬物非結合形濃度の変化をもたらす因子に注目する必要があります．それは，薬物のクリアランスと血漿非結合形分率です．

図 A4・5～12に定常状態薬物非結合形濃度の変化を図示しましたが，非結合形濃度を上昇させる因子を再度，要約しますと表 A4・21のようになります．

先にも述べましたが，薬物の血漿たん白結合の競合による相互作用は，非常に限られたものであり，薬物が静脈内投与される場合は，E が 0.7以上の薬物，経口投与される場合は，腎排泄型薬物で E_R が 0.7以上の薬物に限られることを，改めて注意したいと思います．

(ii) 単回投与後の血中濃度

薬物による治療が単回の投与で行われる場合，および繰り返し投与は行われるが，ほとんど薬物の血中濃度が蓄積されてこない場合には，平均値ではなく，血中濃度の時間推移の変化をもたらす因子に注目する必要があります．

図 A4・23～30に単回投与における血中薬物濃度推移の変化を図示しましたが，非結合形濃度を上昇させる因子を再度，要約しますと表 A4・22，表 A4・23のようになります．

先にも述べましたが，薬物の血漿たん白結合の競合による相互作用は，非常に限られたものであり，投与ルートに関係なく，また肝代謝型，腎排泄型にも関係なく，薬物 A の投与初期，また，肝代謝型で E_H が 0.7以上の薬物が静脈内投与された場合と，投与ルートに関係なく腎排泄型で E_R が 0.7以上の薬物に限られます．

以上，薬物間相互作用のうち，薬物動態の変化によって引き起こされる可能性のある場合は，その薬物特性から限定されてくることがわかります．治療に用いられる薬物が選択されれば，相互作用の可能性として注目すべき動態パラメータは自ずと限定されますので，その点に絞った文献調査を行うことで，的確に精選された情報を収集することができます．

表 A4・21　薬物相互作用において血中薬物非結合形濃度を上昇させる要因：定常状態血中濃度

静脈内投与の場合		
肝代謝型薬物		
E_H ＜0.3の薬物	肝固有クリアランスの低下	代謝阻害
E_H ＞0.7の薬物	肝血流速度の低下	
	血漿非結合形分率の上昇	たん白結合の競合
腎排泄型薬物		
E_R ＜0.3の薬物	腎固有クリアランスの低下	能動分泌阻害
E_R ＞0.7の薬物	腎血流速度の低下	
	血漿非結合形分率の上昇	たん白結合の競合
経口投与の場合		
肝代謝型薬物		
E_H ＜0.3の薬物	肝固有クリアランスの低下	代謝阻害
E_H ＞0.7の薬物	肝固有クリアランスの低下	代謝阻害
腎排泄型薬物		
E_R ＜0.3の薬物	腎固有クリアランスの低下	能動分泌阻害
E_R ＞0.7の薬物	腎血流速度の低下	
	血漿非結合形分率の上昇	たん白結合の競合

表 A4・22　薬物相互作用において血中薬物非結合形濃度を上昇させる要因：静脈内単回投与後の血中濃度

肝代謝型薬物		
薬物 A (E_H < 0.3, V_d 小)	肝固有クリアランスの低下 血漿非結合形分率の上昇	代謝阻害 たん白結合の競合（投与初期のみ）
薬物 B (E_H < 0.3, V_d 大)	肝固有クリアランスの低下	代謝阻害
薬物 C (E_H > 0.7, V_d 小)	血漿非結合形分率の上昇 肝血流速度の低下	たん白結合の競合
薬物 D (E_H > 0.7, V_d 大)	血漿非結合形分率の上昇 肝血流速度の低下	たん白結合の競合
腎排泄型薬物		
薬物 A (E_R < 0.3, V_d 小)	腎固有クリアランスの低下 血漿非結合形分率の上昇	能動分泌阻害 たん白結合の競合（投与初期のみ）
薬物 B (E_R < 0.3, V_d 大)	腎固有クリアランスの低下	能動分泌阻害
薬物 C (E_R > 0.7, V_d 小)	血漿非結合形分率の上昇 腎血流速度の低下	たん白結合の競合
薬物 D (E_R > 0.7, V_d 大)	血漿非結合形分率の上昇	たん白結合の競合

表 A4・23　薬物相互作用において血中薬物非結合形濃度を上昇させる要因：単回経口投与後の血中濃度

肝代謝型薬物		
薬物A (E_H <0.3, V_d小)	肝固有クリアランスの低下 血漿非結合形分率の上昇	代謝阻害 たん白結合の競合（投与初期のみ）
薬物B (E_H <0.3, V_d大)	肝固有クリアランスの低下	代謝阻害
薬物C (E_H >0.7, V_d小)	肝固有クリアランスの低下	代謝阻害
薬物D (E_H >0.7, V_d大)	肝固有クリアランスの低下	代謝阻害
腎排泄型薬物		
薬物A (E_R <0.3, V_d小)	腎固有クリアランスの低下 血漿非結合形分率の上昇	能動分泌阻害 たん白結合の競合（投与初期のみ）
薬物B (E_R <0.3, V_d大)	腎固有クリアランスの低下	能動分泌阻害
薬物C (E_R >0.7, V_d小)	血漿非結合形分率の上昇 腎血流速度の低下	たん白結合の競合
薬物D (E_R >0.7, V_d大)	血漿非結合形分率の上昇 腎血流速度の低下	たん白結合の競合

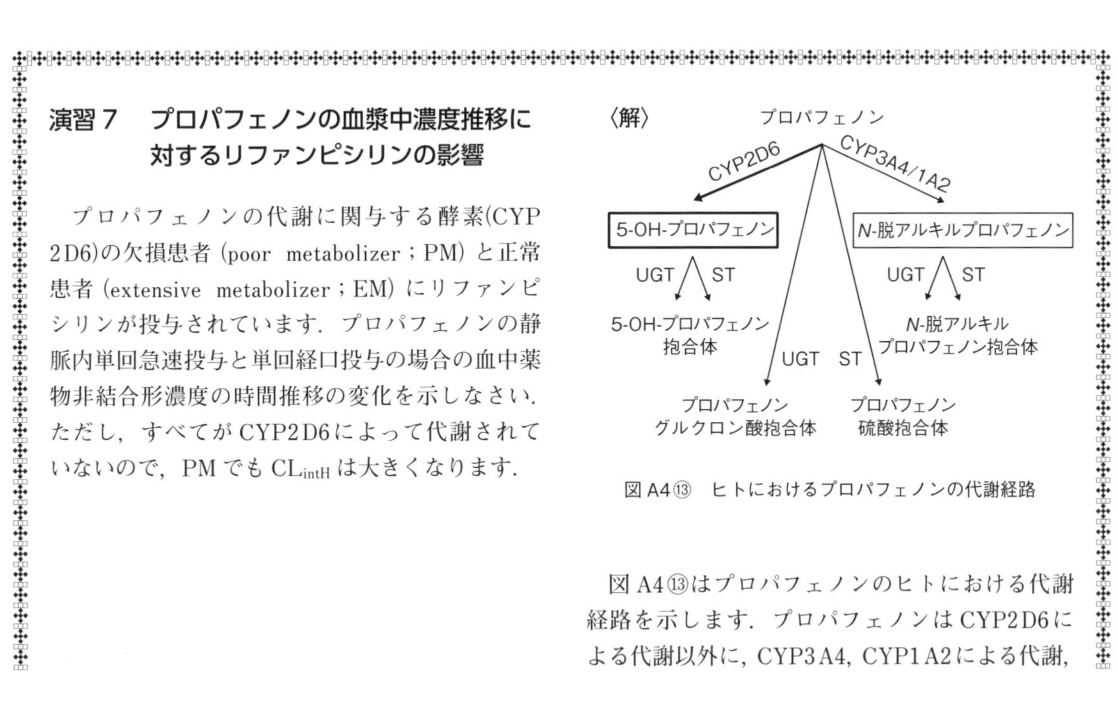

演習 7　プロパフェノンの血漿中濃度推移に対するリファンピシリンの影響

プロパフェノンの代謝に関与する酵素(CYP2D6)の欠損患者 (poor metabolizer；PM) と正常患者 (extensive metabolizer；EM) にリファンピシリンが投与されています．プロパフェノンの静脈内単回急速投与と単回経口投与の場合の血中薬物非結合形濃度の時間推移の変化を示しなさい．ただし，すべてがCYP2D6によって代謝されていないので，PMでも CL_{intH} は大きくなります．

〈解〉

図 A4⑬　ヒトにおけるプロパフェノンの代謝経路

図 A4⑬はプロパフェノンのヒトにおける代謝経路を示します．プロパフェノンはCYP2D6による代謝以外に，CYP3A4，CYP1A2による代謝，グルクロン酸抱合，硫酸抱合による代謝があります．

プロパフェノンの薬物動態パラメータ

（血漿中薬物総濃度値から算出）

F	A_e (%)	CL_{tot} (mL/min)	V_d (L)	fuP (%)
extensive metabolizer				
0.05 ～ 0.5	＜1	1020	216	5 ～ 15
poor metabolizer				
		320		

B/P = 0.66 ～ 0.75

(Hardman JG, Limbird LE, Molinoff PB, Ruddon RW, Goodman Gilman A, "Goodman & Gilman's the Pharmacological Basis of Therapeutics, 9th ed." McGraw-Hill, 1996)

表には extensive metabolizer と poor metabolizer の薬物動態パラメータを示します．poor metabolizer において CL_{tot} 以外は extensive metabolizer の値と同じです．

CL_{tot} の特徴づけを行います．A_e (%) ＜1であることより，$CL_{tot} = CL_H$ とおくことができます．

EM：

B/P の値がありますので，その値を利用して全血液中濃度による E_H を算出します．

$$E_H' = \frac{(1020/0.7)}{(1600)} = 0.91$$

血流速度依存性のクリアランスと推定できます．

$$CL_{tot} = CL_H = Q_H \qquad CL_{totf} = CL_{Hf} = \frac{Q_H}{fuB}$$

PM：

$$E_H' = \frac{(320/0.7)}{(1600)} = 0.28$$

消失能依存性のクリアランスと推定できます．

$$CL_{tot} = CL_H = fuB \cdot CL_{intH}$$

$$CL_{totf} = CL_{Hf} = CL_{intH}$$

CL_{po} は肝代謝型の薬物ですから，E_H に関係なく消失能に依存して変化します．

$$CL_{po} = fuB \cdot \frac{CL_{intH}}{F_a} \qquad CL_{pof} = \frac{CL_{intH}}{F_a}$$

V_d の特徴づけを行います．

$$V_d' = \left(\frac{216}{0.7}\right) = 309\ \mathrm{L} > 50\ \mathrm{L}$$

$$V_d = \left(\frac{fuB}{fuT}\right) \cdot V_T \qquad V_{df} = \frac{V_T}{fuT}$$

k_{el}，k_{elf} は次式で表現できます．

EM：

$$k_{el} = k_{elf} = \frac{(Q_H \cdot fuT)}{(fuB \cdot V_T)}$$

PM：

$$k_{el} = k_{elf} = \frac{(fuT \cdot CL_{intH})}{V_T}$$

EM，PM によって全身クリアランス，消失速度定数を決定している因子が異なることがわかります．

プロパフェノンの静注単回急速投与と単回経口投与の場合の血中薬物非結合形濃度の時間推移の変化を考えます．

リファンピシリンは代謝酵素の誘導を引き起こす薬物です．CL_{intH} は上昇しますが，Q_H，fuB，fuT は変化しないとすることができます．

静注単回急速投与：

EM：

血中総濃度

$$C_{B0} = \frac{D}{V_d} = \frac{D}{\left\{\left(\frac{fuB}{fuT}\right) \cdot V_T\right\}}$$

変化しません．

$$AUC = \frac{D}{CL_{tot}} = \frac{D}{Q_H}$$ 変化しません．

$$k_{el} = \frac{(Q_H \cdot fuT)}{(fuB \cdot V_T)}$$ 変化しません．

血中非結合形濃度

$$C_{B0f} = \frac{D}{V_{df}} = \frac{D}{\left(\frac{V_T}{fuT}\right)}$$ 変化しません．

$$AUC_f = \frac{D}{CL_{totf}} = \frac{D}{\left(\frac{Q_H}{fuB}\right)}$$ 変化しません．

$$k_{elf} = \frac{(Q_H \cdot fuT)}{(fuB \cdot V_T)}$$ 変化しません．

PM：

血中総濃度

$$C_{B0} = \frac{D}{V_d} = \frac{D}{\left\{\left(\frac{fuB}{fuT}\right) \cdot V_T\right\}}$$

変化しません．

$$AUC = \frac{D}{CL_{tot}} = \frac{D}{(fuB \cdot CL_{intH})}$$

低下します．

$$k_{el} = \frac{(fuT \cdot CL_{intH})}{V_T}$$　大きくなります.

血中非結合形濃度

$$C_{B0f} = \frac{D}{V_{df}} = \frac{D}{\left(\frac{V_T}{fuT}\right)}$$　変化しません.

$$AUC_f = \frac{D}{CL_{totf}} = \frac{D}{(fuB \cdot CL_{intH})}$$

低下します.

$$k_{elf} = \frac{(fuT \cdot CL_{intH})}{V_T}$$　大きくなります.

図 A4⑭にプロパフェノンの静注単回急速投与後の血中薬物濃度推移の変化：CL_{intH} の上昇を表します.

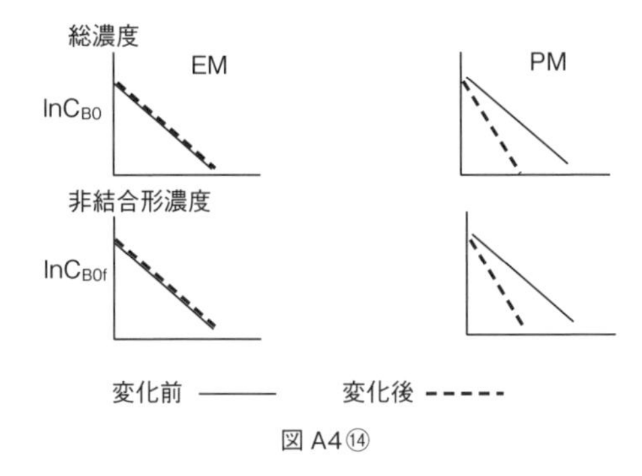

図 A4⑭

単回経口投与：

EM：

血中総濃度

$$AUC_{po} = \frac{D}{CL_{po}} = F_a \cdot \frac{D}{(fuB \cdot CL_{intH})}$$

低下します.

$$k_{el} = \frac{(Q_H \cdot fuT)}{(fuB \cdot V_T)}$$　変化しません.

血中非結合形濃度

$$AUC_f = \frac{D}{CL_{pof}} = F_a \cdot \frac{D}{CL_{intH}}$$　低下します.

$$k_{elf} = \frac{(Q_H \cdot fuT)}{(fuB \cdot V_T)}$$　変化しません.

PM：

血中総濃度

$$AUC = \frac{D}{CL_{po}} = F_a \cdot \frac{D}{(fuB \cdot CL_{intH})}$$

低下します.

$$k_{el} = \frac{(fuT \cdot CL_{intH})}{V_T}$$　大きくなります.

血中非結合形濃度

$$AUC_f = \frac{D}{CL_{pof}} = F_a \cdot \frac{D}{CL_{intH}}$$　低下します.

$$k_{elf} = \frac{(fuT \cdot CL_{intH})}{V_T}$$　大きくなります.

図 A4⑮にプロパフェノンの単回経口投与後の血中薬物濃度推移の変化：CL_{intH} の上昇を表します.

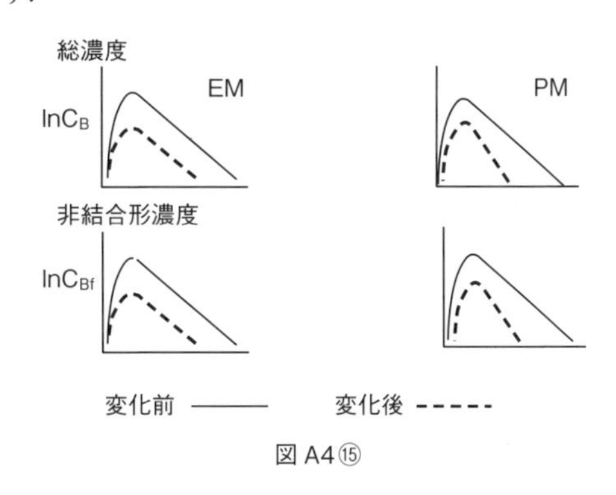

図 A4⑮

次に逆の例，すなわち薬物相互作用の結果を表す血中薬物総濃度推移が示されています．このデータから，何が変化しているのか推定するとともに，効果，作用に関係する薬物非結合形濃度の時間推移はどのように変化しているのか推理するというものです．多くの研究報告は血中薬物総濃度の測定値をもとに行われています．非結合形濃度まで測定している例は残念ながら多くはありません．そこで，データにさらに切り込み，推定することが必要です．報告のまとめ，結論では，研究者が総濃度で認められた結果から導いている場合が多く，その奥で非結合形濃度はどうなっているのかまで考察していない論文も多くあります．読まれる方は，それにおつきあいして，そのレベルで考察をとどめるのでなく，ぜひ，非結合形濃度の世界に足を踏み入れていただきたいと思います．以下に，その練習のための3例を示します．

演習 8　ワルファリン血漿中濃度に対するフェニルブタゾンの影響

ワルファリンはラセミ体で医療に提供されていますが，両エナンチオマーともに肝代謝によって消失し，血漿たん白との結合性，分布容積には差異がありません．ただし，肝代謝を担っているおもな酵素は，*S* 体は CYP2C9，*R* 体は CYP3A4 であると推定されています．また，抗凝固作用はおもにS体が担っています．フェニルブタゾン100 mgを1日3回4日間繰り返し経口投与されている条件において，ワルファリン1.5 mg/kgの単回経口投与された後の血中総ワルファリン濃度がR体，S体について測定されました．この血中濃度推移から，ワルファリンの各エナンチオマーとフェニルブタゾンとの間の相互作用の内容を推定しなさい．

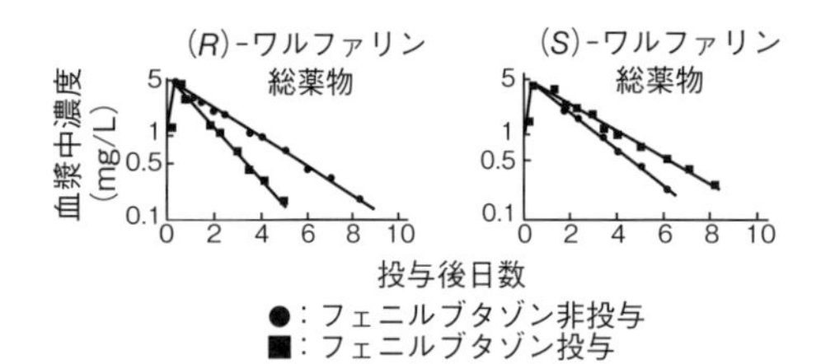

図A4⑯　ラセミ体ワルファリン投与後の(R)-，(S)-ワルファリンの血中濃度に対するフェニルブタゾンの影響
(Banfield C, O'Reilly R, Chan E, Rowland M, Phenylbutazone-warfarin interaction in man: further stereochemical and metabolic considerations. *Br J Clin Pharmacol* 1983；**16**：669-675)

〈解〉

両ワルファリンの薬物動態パラメータを表に示します．

ワルファリンの薬物動態パラメータ
（血漿中薬物総濃度値から算出）

	V_d/F	CL_{tot}/F
R	8.4 L	2.6 mL/min
S	8.4 L	4.6 mL/min

$$CL_{tot} = CL_H$$

R体，S体それぞれのCL_{tot}/Fの値が示されています．$F \leqq 1$であることよりCL_{tot}はその値と同じか，より小さいことが推定できます．

また，それぞれのエナンチオマーのB/P値はありませんが，$B/P > 0.5$を利用します．

R体　$E_H' < 0.003$

S体　$E_H' < 0.005$

ともに消失能依存性であると推定できます．

R体　$CL_H = fuB \cdot CL_{intH}$　　$CL_{Hf} = CL_{intH}$

$$CL_{po} = fuB \cdot \frac{CL_{intH}}{F_a} \qquad CL_{pof} = \frac{CL_{intH}}{F_a}$$

S体　$CL_H = fuB \cdot CL_{intH}$　　$CL_{Hf} = CL_{intH}$

$$CL_{po} = fuB \cdot \frac{CL_{intH}}{F_a} \qquad CL_{pof} = \frac{CL_{intH}}{F_a}$$

分布容積については，両エナンチオマーとも同一の値であり，

$$V_d' < \frac{V_d}{0.5} = 17\ \mathrm{L}$$

そのため，以下のように推定できます．

$$V_d = V_B \qquad V_{df} = \frac{V_B}{fuB}$$

以上より，両エナンチオマーとも，

$$k_{el} = k_{elf} = fuB \cdot \frac{CL_{intH}}{V_B}$$

$fuP = 0.01$　binding sensitiveです．

R体の血中総濃度のデータをもとに考えます．速やかに吸収されたとすると，投与直後のピーク濃度(C_{max})はV_dの変化の影響を受けます．C_{max}はほとんど変化していません．V_d ($= V_B$)は変化しなかったことが推定されます．

k_{el}の増大が認められます．

$$k_{el} = fuB \cdot \frac{CL_{intH}}{V_B}$$

V_Bは変化していませんでした．ですから，k_{el}を増大させる可能性は，fuBの増大，CL_{intH}の増大となります．fuBの増大は血漿たん白へのワルファリンの結合に対するフェニルブタゾンの阻害効果があれば生じます．CL_{intH}の増大は，フェニルブタゾンによるCYP3A4の誘導作用があれば生じます．両者それぞれが起こされている場合と，同時に両者が起こされている可能性があります．

AUC_{po}は低下しています．

$$AUC_{po} = F_a \cdot \frac{D}{(fuB \cdot CL_{intH})}$$

AUC_{po}の低下は，k_{el}の増大と同じ要因でもたらされていることがわかります．

ここで，fuBの増大の場合の単回経口投与後の血中非結合形濃度時間推移を推定しましょう．

非結合形ピーク濃度はV_{df}によってほぼ決定されます．

$$V_{df} = \frac{V_B}{fuB}$$

fuBの増大によって非結合形ピーク濃度は増大します．

AUC_{pof}については次式で表されます．

$$AUC_{pof} = F_a \cdot \frac{D}{CL_{intH}}$$

fuBの増大によってAUC_{pof}は変化しません．

また，k_{elf}はk_{el}と同じ値であり，増加しています．

以上の考察をもとに表した推定血中濃度推移は図A4⑰です．

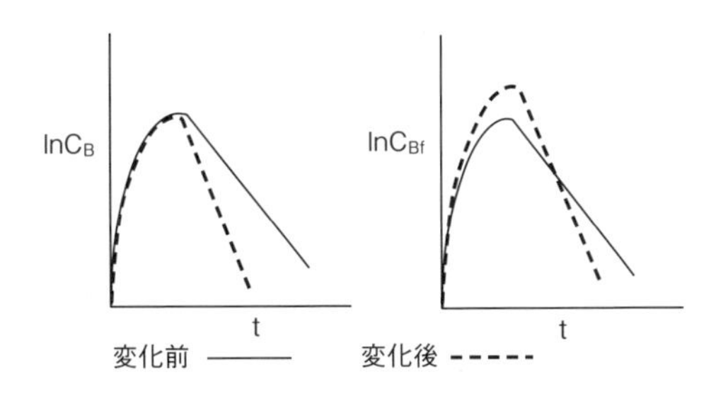

図 A4⑰　単回経口投与：fuB が増大した場合

一方，CL_{intH} の増大の場合の単回経口投与後の血中非結合形濃度時間推移を推定しましょう．

非結合形ピーク濃度は V_{df} によってほぼ決定されます．

$$V_{df} = \frac{V_B}{fuB}$$

CL_{intH} の増大によってはピーク濃度は変化しません．

AUC_{pof} については次式で表されます．

$$AUC_{pof} = F_a \cdot \frac{D}{CL_{intH}}$$

CL_{intH} の増大によって低下します．

また，k_{elf} は k_{el} と同じ値であり，増加しています．

以上の考察をもとに表した推定血中濃度推移は図 A4⑱です．

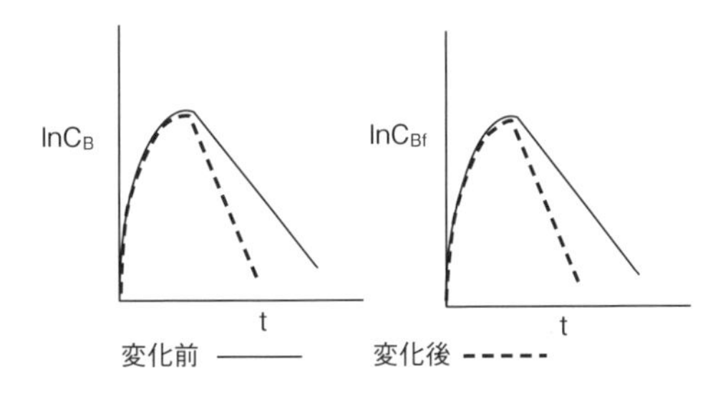

図 A4⑱　単回経口投与：CL_{intH} が増大した場合

両推理のうち，どちらが正しいかは，血中総濃度のみでは決定できません．fuB の増大の可能性はあるのか，*R* 体の血漿たん白結合に対するフェニルブタゾンによる阻害のデータがあるかを文献で探すことが必要です．

また，*R* 体の代謝がフェニルブタゾンによって促進されるかのデータを文献で検索することになります．このように，文献検索のターゲットは絞ることができます．

実際に測定されている非結合形 *R* 体血中濃度推移を図 A4⑲に示します．AUC_{pof} は変化していないことがみられます．すなわち，fuB の増大のみが引き起こされていることがわかります．

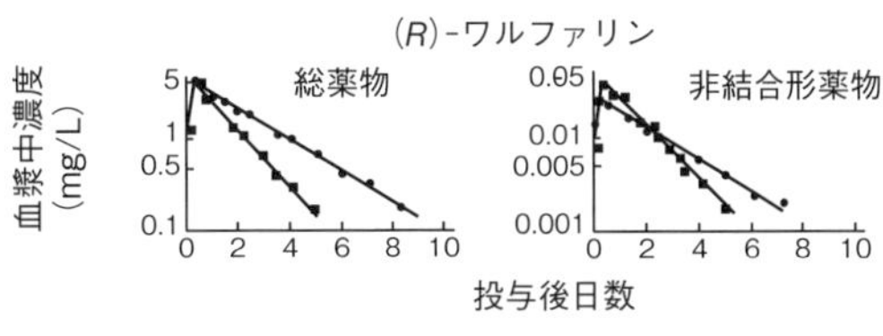

図 A4⑲　ラセミ体ワルファリン投与後の (*R*)-ワルファリンの血中濃度に対するフェニルブタゾンの影響
(Banfield C, O'Reilly R, Chan E, Rowland M, Phenylbutazone-warfarin interaction in man: further stereochemical and metabolic considerations. *Br J Clin Pharmacol* 1983；**16**：669-675)

次に *S* 体を考えます．投与直後のピーク濃度がほとんど変化していません．V_d ($= V_B$) は変化しなかったことが推定されます．

R 体とは逆に，k_{el} の低下が認められます．

$$k_{el} = fuB \cdot \frac{CL_{intH}}{V_B}$$

V_B は変化していませんでした．ですから，k_{el} を低下させる可能性は，fuB の低下，CL_{intH} の低下となります．fuB の増大は血漿たん白へのワルファリンの結合に対する阻害効果があれば生じますが，fuB の低下は相互作用としては考えにくいところです．逆に増大の可能性のほうが考えられます．CL_{intH} の低下は，フェニルブタゾンによる CYP2C9の阻害作用があれば生じます．k_{el} が低下していますので，CL_{intH} は必ず生じており，仮に fuB の増大があるとするならば，CL_{intH} の低下はそれ以上の割合で低下していると推定できます．

AUC_{po} は増大しています．

$$AUC_{po} = F_a \cdot \frac{D}{(fuB \cdot CL_{intH})}$$

AUC_{po} の増大は，k_{el} の低下と同じ要因でもたらされていることがわかります．

ここで，fuB の増大，CL_{intH} の低下が同時に生じている，しかも，CL_{intH} の低下の割合が fuB の増大の割合より大きいとして，単回経口投与後の血中非結合形濃度時間推移を推定します．

非結合形ピーク濃度は V_{df} によってほぼ決定されます．

$$V_{df} = \frac{V_B}{fuB}$$

fuB の増大によって非結合形ピーク濃度は増大します．

AUC_{pof} については次式で表されます．

$$AUC_{pof} = F_a \cdot \frac{D}{CL_{intH}}$$

CL_{intH} の低下によって AUC_{pof} は増大します．

また，k_{elf} は k_{el} と同じ値であり，低下しています．

以上の考察をもとに表した推定血中濃度推移は図 A4⑳です．

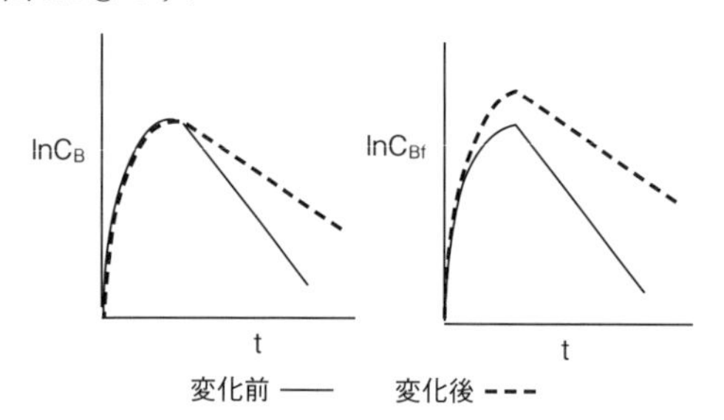

図 A4⑳　単回経口投与：fuB の増大，CL_{intH} の低下が同時に生じた場合

S 体の場合には，CL_{intH} の低下は必ず起こっているはずとの推理が成り立ちます．*S* 体の代謝がフェニルブタゾンによって阻害されるというデータを検索することができれば，この点の確証となります．

実際に測定されている非結合形 *S* 体血中濃度推移を図 A4㉑に示します．非結合形ピーク濃度が増加していることから，fuB の増大が考えられます．また，AUC_{pof} の増大によって，CL_{intH} の低下，すなわち，代謝阻害が推定できます．

インタビューフォームに医薬品の体内動態の変動についてのデータも記載されるようになってきました．臨床で医薬品を用いる条件での検討，データが増加してきたことは喜ばしいことです．ただし，それらデータに示された内容を十分くみとれないまま，考察不十分となっている場合が，一部あるようです．その内容を読み取ることも，重要なことです．

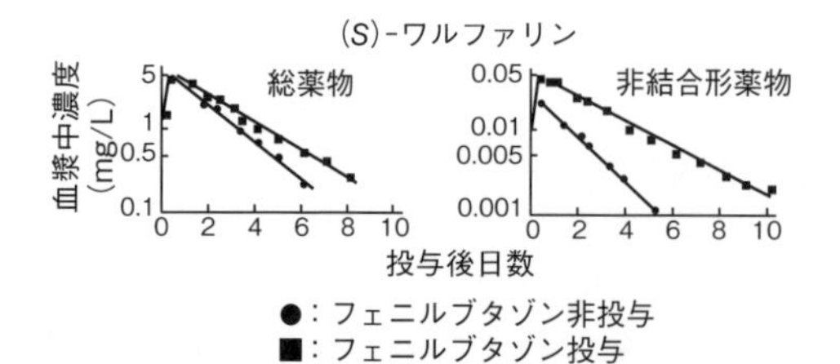

図 A4㉑　ラセミ体ワルファリン投与後の (*S*)-ワルファリンの血中濃度に対するフェニルブタゾンの影響

(Banfield C, O'Reilly R, Chan E, Rowland M, Phenylbutazone-warfarin interaction in man: further stereochemical and metabolic considerations. *Br J Clin Pharmacol* 1983；**16**：669-675)

演習 9　腎不全患者におけるタムスロシン血漿中濃度

タムスロシンは発売当初，腎不全患者に対し禁忌となっていました．その背景となった図を示します（図 A4㉒）．腎不全患者で単回経口投与後の血中薬物総濃度が増大しています．薬物の総濃度がただちに，非結合形濃度と同様と判断することは危険です．薬物動態の特徴づけを行って，非結合形濃度も同様に上昇すると推定できるのか，考察してみてください．

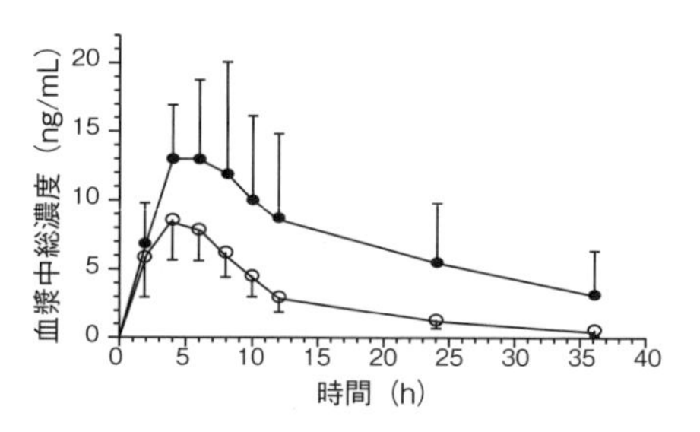

図 A4㉒　健常人（○）(n = 7) および腎不全患者（●）(n = 8) にタムスロシン 0.2mg 単回経口投与後の血中タムスロシン総濃度の時間推移

(Koiso K, Akaza H, Kikuchi K, Aoyagi K, Ohba S, Miyazaki M, Ito M, Sueyoshi T, Matsushima H, Kamimura H, Watanabe T, Higuchi S, Pharmacokinetics of tamsulosin hydrochloride in patients with renal impairment: effects of alpha 1-acid glycoprotein. *J Clin Pharmacol* 1996；**36**：1029-1038)

〈解〉

表は，タムスロシンの薬物動態パラメータを示しています．

タムスロシンの薬物動態パラメータ
（血漿中薬物総濃度値から算出）

F	A_e (%)	fuP	CL_{tot} (mL/min/kg)	V_d (L/kg)
1.0	13	0.01	0.62	0.20

B/P = 0.55

A_e (%) = 13 より，おもに肝代謝で消失する薬物です．

$$CL_{tot} = 0.62\ mL/min/kg = 37\ mL/min$$
(60 kg)

$$E_H' = 37/0.55/1600 = 0.04$$

消失能依存性の薬物です．

肝代謝型薬物ですので，CL_{po} は次式で表されます．

$$CL_{po} = fuB \cdot \frac{CL_{intH}}{F_a}$$

$fuP = 0.01$，binding sensitive です．しかも，血漿中でのおもな結合たん白は α_1-酸性糖たん白であることが明らかにされています．

図 A4㉒からは AUC_{po} の大きさしかわかりませんので，AUC_{pof} について推定します．

$$AUC_{po} = F_a \cdot \frac{D}{(fuB \cdot CL_{intH})}$$

$$AUC_{pof} = F_a \cdot \frac{D}{CL_{intH}}$$

AUC_{po} が上昇する理由は，fuB の低下，あるいは CL_{intH} の低下となります．しかし，AUC_{pof} は CL_{intH} の低下のみによって増加します．この考察から，腎機能が低下した患者で CL_{intH} が低下するのであれば AUC_{pof} は上昇し，fuB が低下するのであれば，薬物総濃度は上昇しますが非結合形濃度は上昇せず，変化しないことが推定できます．

腎不全の患者では，α_1-酸性糖たん白濃度が上昇することは，よく観察されることです．そのため，腎不全患者ではタムスロシンの fuB の低下が示される可能性はあることになります．一方，腎機能低下の条件で CL_{intH} の低下の可能性は，薬物によっては引き起こされることが報告されています．これも，可能性は否定できません．

図 A4㉓は，腎不全患者でのタムスロシンの非結合形濃度を示したものです．この図からわかるように，CL_{intH} の低下は腎不全の患者では認められないこと，fuB の低下によって総濃度は上昇したことがわかります．ですから，血中の総濃度の変化という情報のみから使用禁忌という結論が出されることは避けなければなりません．血中濃度データは臨床効果，作用を決定するデータとはなりません．副次的なデータです．臨床的な効果，副作用のデータなしに血中濃度のみから用法，用量，使用上の注意が決定されることは避けなければならないと思います．しかし，多くの条件での臨床上の効果，作用データが十分収集できるとは限りませんので，臨床上の効果，作用のデータは不十分であっても，注意事項として記載しておくことは必要かもしれません．しかし，このスタンスを多用しますと，薬物が意味もなく使用に制限が加わる傾向が出てくることになります．binding sensitive な薬物は，最低，非結合形濃度のデータの収集，あるいは非結合形濃度の考察を行うことは，タムスロシンのような誤りを今後避けるために必要なことと考えます．

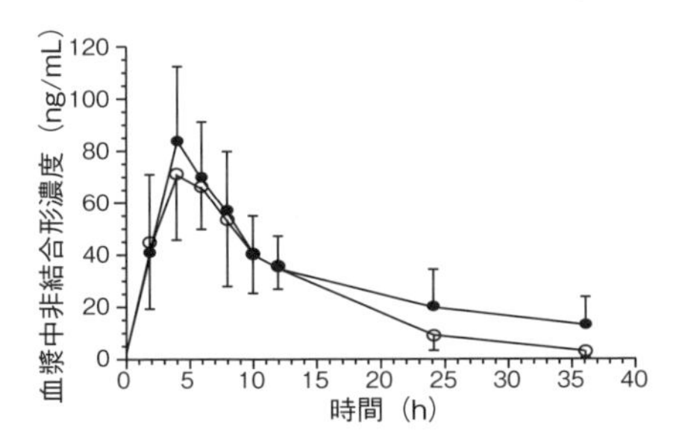

図 A4㉓　健常人（○）（n＝7）および腎不全患者（●）（n＝8）にタムスロシン 0.2mg 単回経口投与後の血中タムスロシン非結合形濃度の時間推移

(Koiso K, Akaza H, Kikuchi K, Aoyagi K, Ohba S, Miyazaki M, Ito M, Sueyoshi T, Matsushima H, Kamimura H, Watanabe T, Higuchi S, Pharmacokinetics of tamsulosin hydrochloride in patients with renal impairment: effects of alpha 1-acid glycoprotein. *J Clin Pharmacol* 1996；**36**：1029-1038)

演習 10　臭化水素酸エレトリプタンの肝疾患患者における血漿中濃度

肝疾患患者，高齢者，腎疾患患者に対し薬物を投与した後の血中薬物総濃度が測定されるようにはなってきました．しかし，十分ではないように思います．測定されている点では，好感がもてるのですが，測定値からのみの解析がなされ，不十分さが認められる場合もあります．

肝疾患患者を対象とした検討結果を図 A4㉔に示します．機能正常者と比較し，大きな差異は認められず，その結果，特別な用法，用量の設定は必

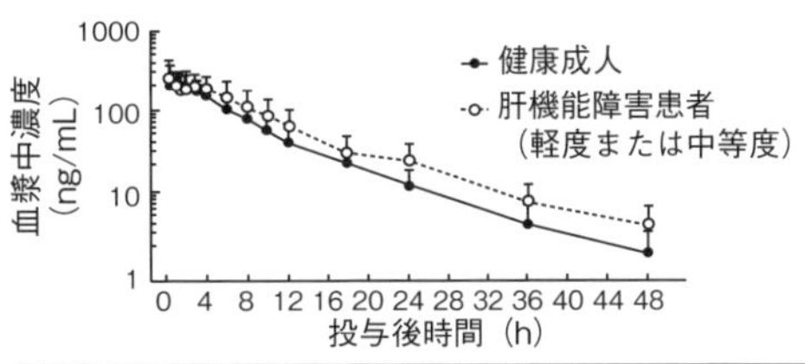

	例数	k_{el} (h^{-1})	fuP (%)	CL/F (L/h)
健康成人	10	0.111	12	48.2
肝機能障害患者	10[a]	0.094	14.9	35.8

a) Child Pugh 分類A：6例　B：4例

図 A4㉔　肝機能障害患者における血漿中エレトリプタン濃度推移：80 mg 経口投与

要ないと結論づけています．この結論が正しいかどうか，推理してください．

〈解〉

表にエレトリプタンの薬物動態パラメータを示します．

エレトリプタンの薬物動態パラメータ

（血漿中薬物総濃度値から算出）

F	A_e (%)	fuP	CL_{tot} (L/h)	V_{dss} (L)
0.364	9	0.13	33.4	119

（インタビューフォーム）B/P = 1.0

A_e (%) = 9 より，肝代謝型の薬物です．

$$CL_{tot} = CL_H$$

$$E_H' = \frac{CL_H/(B/P)}{Q_H} = \frac{(507\ \text{mL/min}/1)}{(1600\ \text{mL/min})} = 0.32$$

消失能依存性薬物と評価できます．

$$CL_H = fuB \cdot CL_{intH} \qquad CL_{Hf} = CL_{intH}$$

肝代謝型薬物ですので，CL_{po} は次式で表現できます．

$$CL_{po} = fuB \cdot \frac{CL_{intH}}{F_a} \qquad CL_{pof} = \frac{CL_{intH}}{F_a}$$

V_{dss} = 119 L であることより，

$$V_d' = 119/1 = 119\ \text{L}$$

V_d は次式で表現できます．

$$V_d = \left(\frac{fuB}{fuT}\right) \cdot V_T \qquad V_{df} = \frac{V_T}{fuT}$$

$$k_{el} = \frac{CL_{tot}}{V_d} = fuT \cdot \frac{CL_{intH}}{V_T}$$

fuP = 0.13 であることより，binding sensitive な薬物です．

肝機能障害患者における薬物動態のデータを検討します．

$$\frac{CL}{F} = CL_{po} = fuB \cdot \frac{CL_{intH}}{F_a}$$

図 A4㉔から CL/F が 26%の低下となっていることがわかります．また，fuP が 24%上昇しています．そのため，F_a が変化していないとすると，CL/F の 26%低下，fuP 24%の上昇から，CL_{intH} は 40%低下していることとなります．CL_{pof} は 40%低下と推定できますので，AUC_{pof} は 1.7 倍の上昇となります．総濃度からは明確に見えない非結合形濃度の上昇が推定できます．

また，k_{el} が 15%低下していることより，fuT/V_T の低下は 30%となります．

$fuT/V_T = V_{df}$ ですので，半減期が長い薬物の投与直後の非結合形濃度を決定するパラメータです．これも，総濃度ではわずかな違いでしたが，30%の上昇となります．

この程度の差異が，実際の臨床上の有効性，安全性に影響を与えることになるかどうかは明らかではありません．血中総濃度から見た差異が 10〜26%程度と差が小さく，用法，用量の変更は考えなくてよいと結論づけていますが，非結合形濃度でみれば，その差異は大きく拡大されており，その点の考察を行い，もう少し注意を向けるべきではないかと考えます．ただし，この考察はあくまで考察であり，確認作業が必要かと思います．また，推定通りであったとしても，この薬物の効果，作用の増強にまで結びつくものではないかもしれません．あくまで，体内動態情報は臨床上の作用，効果の変化のサポートデータです．血中薬物濃度の変化のほうが効果・作用の変化より鋭敏に出ますので問題提起のスタートとしては重要です．しかし，この例のように見落としてしまうのであれば意味がありません．この演習は，血中薬物総濃度の生データのみでは見えない非結合形濃度の変化を推理する方法として試みてください．

A5　薬物動態パラメータ値の収集

A5・1　参　考　書

以上，F，A_e（%），CL_{tot}，V_d，fuB の5つのパラメータに，さらに加えて B/P が用意されている場合，私たちは薬物の基本的な動態の推定および疾患時や薬物併用時の動態の推定も可能となることを述べてきました．この5つ（あるいは6つ）のパラメータ値の入手先に関し述べてみたいと思います．

残念なことに，従来の我が国の文献やデータ集で，薬物動態の5つ（あるいは6つ）のパラメータ値が完備されたものは見当たりません．

日常，教育にあるいは臨床に用いている信頼のおける参考書としては，以下を挙げることができます．Goodman and Gilman's The Pharmacological Basis of Therapeutics, 13th Ed.", ed. by L.L. Brunton, R. Hilal-Dandan, B.C. Knollmann, McGraw-Hill, 2018.

A5・2　インタビューフォームの問題点

メーカは各医薬品に関し，インタビューフォームを出しています．しかし，少なくとも，これら5つのパラメータが完備されたものは少ないと思われます（A3・7項参照）．また，現在，医療機関においても，この5つ（あるいは6つ）のパラメータを強くメーカに要求していないのかもしれません．

インタビューフォームに共通した特徴を挙げると以下のようになります．

(i) 静脈内投与医薬品でない限り，薬物を静脈内投与した結果はほとんど示されていません．そのために，5つの体内動態パラメータを求める条件が失われています．しかし，その薬物が外国において開発されている場合は静脈内投与のデータが添えられている割合は大きくなります．また，我が国で開発された医薬品であっても，外国での使用経験がある場合には，外国人データとして添えられている場合があります．要は，日本人を対象とした静脈内投与データに基づく体内動態パラメータはほとんど存在しません．

(ii) 我が国のデータとして必ず示されているのが，用法に基づいて投与された場合の，AUC，C_{max}（最高血中濃度），t_{max}（C_{max} を示す時間）の値です．これは同一量薬物が投与された場合におおよそどのような血中濃度推移を示すかのイメージは与えますが，それ以上の情報ではありません．病態時にどのように変化するのか，併用時にどのように変化する可能性があるのか，投与設計はどう考えればよいのかという臨床において日常直面する課題に答えるための情報ではありません．

(iii) 薬物動態の総合的記載が欠けていると考えざるを得ない点が各所にみられます．例えば，たまたま，静注後の AUC の値は示しているにも関わらず，全身クリアランスについては該当資料なしと記載されているといった例や，尿中排泄比率と AUC は記載されているにも関わらず，腎クリアランスは該当資料なしとなっている場合などの例です．

(iv) 尿中排泄比率に関する資料で非常に多いのは，薬物の未変化体としての尿中排泄比率ではないことです．代謝物も含め尿中に回収された量が記載されている例が多い点はとくに注意が必要です．ほとんど肝臓で代謝されることを述べている次の項で，尿中排泄比率が 90%（代謝物も含んだ量です）で薬物はほぼ腎排泄によって消失すると記載されている例もあります．

A5・3　審査報告書・審査結果報告書，申請資料概要

独立行政法人医薬品医療機器総合機構（PMDA）は医療用医薬品の承認審査情報を公表しています（https://www.pmda.go.jp/PmdaSearch/iyakuSearch/）．

「審査報告書」および「審議結果報告書」は，当該医薬品の審査経過，評価結果などを取りまとめたもので，「審査報告書」にあっては独立行政法人医薬品医療機器総合機構が，「審議結果報告書」にあっては厚生労働省が作成したものです．「申請資料概要」は，申請資料の最終版を「承認取得者（企業）」が取りまとめたものです．同情報は「承認取得者（企業）」が作成し，承認後，3カ月以内を目途に掲載することとしています．これら資料には臨床薬物動態の情報が含まれます．

一般には添付文書，インタビューフォームが我が国の医療においては広く利用されていますが，すでに述べてきたように，臨床薬物動態の特徴を把握するため

の情報の掲載は，上記2つの文書の示す情報では非常に限られています．ただし，審査報告書・審査結果報告書にはさらに多くの情報が掲載されており，かなりの基本パラメータ値が収集できます．「申請資料概要」には審査報告書・審査結果報告書に記載されている内容よりさらに多くの情報を得ることができる場合があります．

すなわち，臨床薬物動態情報は，申請資料概要＞審査報告書・審査結果報告書＞インタビューフォーム＞添付文書と，情報が減少していく傾向が認められます．

A5・4　インターネットの利用

医療機関の薬剤師や医師が医薬品に関した情報を収集する手段として，メーカの学術部門に依頼するケースが非常に多いようです．しかし，残念ながら，薬物動態に関連した情報は，今まで述べました視点からすると，満足できる情報は示してくれないケースが多いように思います．ですから，独自に収集し，評価することが必要であると痛感しています．図書館が身近にない場合，従来は，文献の収集には非常に困難を伴っていましたが，最近，インターネットが急速に普及し，医薬情報も手軽に収集できる条件が整ってきました．従来の情報活動は急速にその形を変えようとしています．収集することにはもう専門家も専任も必要としなくなりつつあります．ぜひ，必要とする方が，気軽に端末からアクセスし，収集し，利用していただきたいと思います．言い換えると，収集した内容を評価するという本質的なものに頭と時間を集中させることができる条件が整いつつあるといって過言ではないと思います．

以上，薬物動態の基本的パラメータの示す内容およびそれらパラメータを用いた血中薬物濃度の変化の推定に関し概説しました．

F，A_e (%)，CL_{tot}，V_d，fuB の5つのパラメータに，さらに B/P が用意されている場合，薬物の基本的な動態および疾患時や薬物併用時の動態の推定も可能となります．

B. おもな疾病における薬物動態変化の推定の考え方

薬物は種々の疾患と病態をもつ患者に対して投与されます．各疾患時に薬物動態がどう変化するかについては，臨床薬理学，薬物動態学の教科書で各論的に述べられています．そのおもな内容は，クリアランス，分布容積，半減期などが各疾患時にどのように変化したかを文献に基づいてリストアップしている場合が多いように思われます．変化した結果や，また，それと相反する結果を含め個別にリストアップするのでは限りがなく，統一的な理解が進みません．

先にも述べましたが，血中薬物濃度を測定し，その値に基づいて血中濃度のシミュレーションや投与設計を行う場合には，その推定結果は測定値を決定している要因が変化しない間のみに通用し，病態の変化によって要因が変化すれば，当然変化後の新たな状況において血中薬物濃度の測定を行う必要がでてきます．このように，患者の薬物動態の変化はその都度，血中薬物濃度という指標を得ないと推定できないものなのでしょうか．

A 章で薬物動態をとらえるための 5 つのパラメータについて述べました．クリアランス，分布容積を決定する要因が薬物の特性によって異なること，さらに，総濃度を決定する変化と非結合形濃度を決定する変化が場合によっては異なることを学びました．変化を引き起こしうる要因が個々の疾患によって影響を受けるかどうかを知っておけば，各疾患時における薬物動態の変化の可能性は実際にその現象が起こる前から指摘できることになります．また，引き起こされた変化の原因となりうる要因を容易に挙げることができることになります．また，場合によっては患者ごとに相反する現象が観察されたとしても，その妥当性が判断できることになります．

患者の血中薬物濃度を測定し，解析して初めて患者の状態を知るという後手に回った対処ではなく，あらかじめ患者の病態の変化から，血中薬物濃度の変化を推定し，病態がそのように進行した場合の薬物の作用や副作用の発現の変化の方向の設定をあらかじめ行っておくことは重要です．その場合には，患者をモニターすべき項目もしぼり込んで設定できます．問題意識を明確にした患者のモニターを可能にし，その結果，モニターの幅を拡げ，モニターの有効性を高めることを可能にすると考えられます．このように，薬物動態的な観点からの患者モニター項目の設定は，薬物治療の推移を観察し評価する視点の幅を大きく拡げるものとなります．

以下，血中薬物濃度を決定する薬物動態の基本パラメータに影響を与える因子が，患者の病態との関連でどのように変化しうるのかについて，前章の内容の発展として述べます．

B1　肝疾患における薬物動態

肝疾患においては，肝血流量の低下，門脈大静脈シャント，肝細胞量の減少，胆汁うっ滞，高ビリルビン血症などが引き起こされますが，さらに二次的にはアルブミン合成の低下による低アルブミン血症が発現してきます．このような状況において，薬物動態に影響を与える要因を表 B1・1 にまとめることができます．

肝機能の病態を推定するために，臨床検査値として，総ビリルビン，総たん白，アルブミン，たん白分画，TTT，ZTT，ALP，γGTP，GOT，GPT，LDH，HBs 抗原などの測定を行いますが，これらの値と薬物の肝（固有）クリアランスとの間には一般的な関係は認められていません．そこで，個別に可能性を指摘しながら，患者を注意深くモニターしていくしかありません．

表 B1・1　肝疾患における薬物動態に影響を与える要因

肝血流速度の低下	Q_H の低下
肝実質細胞の変性	CL_{intH} の低下
血漿アルブミン濃度の低下	fuB の上昇
α_1-酸性糖たん白濃度の低下	fuB の上昇
腹水，浮腫などのサードスペースへの体液貯留	V_B の増大
胆汁うっ滞	CL_{intH} の低下
高ビリルビン血症	ビリルビンによる薬物のたん白結合の阻害
	fuB の上昇

B2　心疾患における薬物動態

心不全においては左室不全，心拍出量の減少，肺血管圧上昇，肺浮腫が認められます．心拍出量の減少は消化管血流量，肝血流量，腎血流量など薬物消失臓器への血流速度や潅流圧の低下や他の末梢組織への血流速度や潅流圧の低下をもたらします．各組織への血流速度や潅流圧の低下はその代償機構を賦活させ，細動脈収縮，ナトリウムと水の貯留をもたらします．体静脈うっ血は末梢浮腫を生じさせます．また，肺浮腫はガス交換を妨げ，低酸素血症を引き起こします．肝血流量の低下，低酸素血症は肝機能の低下，低アルブミン血症をもたらし，また，腎血流量の低下，低酸素血症は糸球体ろ過速度の低下，腎機能の低下をもたらします．

心筋梗塞では，血漿たん白の１つである α_1-酸性糖たん白の血漿中濃度が急速に高まります．

このような状況において，薬物動態に影響を与える要因は表 B2・1～3に示すようにまとめることができます．

表 B2·1　心疾患における薬物動態に影響を与える要因：バイオアベイラビリティに対する影響

末梢血流速度の低下	消化管や筋肉からの薬物吸収の速度や F_a の低下
肝初回通過効果への影響	
肝実質細胞の変性	CL_{intH} の低下
血漿アルブミン濃度の低下	fuB の上昇
α_1-酸性糖たん白濃度の上昇	fuB の低下

表 B2·2　心疾患における薬物動態に影響を与える要因：クリアランスに対する影響

肝クリアランス	
血流速度の低下	Q_H の低下
肝実質細胞の変性	CL_{intH} の低下
血漿アルブミン濃度の低下	fuB の上昇
α_1-酸性糖たん白濃度の上昇	fuB の低下
腎クリアランス	
血流速度の低下	Q_R の低下
腎機能の低下	CL_{intR} の低下
血漿アルブミン濃度の低下	fuB の上昇
α_1-酸性糖たん白濃度の上昇	fuB の低下

表 B2·3　心疾患における薬物動態に影響を与える要因：分布に対する影響

投与直後：	
心と脳以外の組織への血流速度の低下	V_d が大きい薬物の心や脳への相対的な分布の高まり
平衡状態：	
血漿アルブミン濃度の低下	fuB の上昇
α_1-酸性糖たん白濃度の上昇	fuB の低下
浮腫生成	V_B の上昇

B3　腎疾患における薬物動態

B3・1　薬物の腎クリアランスの決定因子

腎動脈中の非結合形薬物が糸球体においてろ過され尿細管に入ります．さらに，特殊輸送機構による血管から尿細管への能動分泌機構があり，一部の薬物は尿細管中に分泌されます．尿細管中で水は 99％再吸収されるので，薬物は 100 倍濃縮され，尿細管中の薬物濃度は血液中非結合形濃度に対し大きな濃度勾配を有します．薬物は pH 分配仮説に従った受動輸送によって行われるので，薬物再吸収率は薬物濃度に関係なく一定値（FR）を示します．一部の薬物は特殊輸送機構によって能動的に再吸収されます．結果として，尿細管中の薬物のうち，再吸収されなかった薬物が尿中に排泄されてきます．

a. 糸球体ろ過速度

糸球体において血液は限外ろ過類似の機構でろ過されます．血漿中に存在する非結合形薬物は同時にろ過されてきます．ですから，薬物の糸球体ろ過速度は，腎臓が有している糸球体ろ過速度（GFR）および血漿非結合形分率（fuB）によって決定されます．

$$\text{薬物の糸球体ろ過速度} = GFR \cdot C_{Bf} = GFR \cdot C_B \cdot fuB$$

b. 分泌速度

薬物の分泌速度は次式で表現されます．

$$\text{薬物の分泌速度} = CL_{RS} \cdot C_B$$

CL_{RS} は分泌クリアランスを表します．

分泌クリアランスは次式で表されます．

$$CL_{RS} = Q_R \cdot fuB \cdot \frac{CL_{intRS}}{(Q_R + fuB \cdot CL_{intRS})}$$

CL_{intRS} は分泌に関する固有クリアランスです．分泌は特殊輸送と受動輸送によって行われると原理的には考えられますが，先にも述べたように，薬物濃度は血中より尿細管中のほうが高められているので，受動輸送機構の関与は考えられません．基本的に能動輸送機構によると考えてよいと思われます．

そうすると，CL_{intRS} は次式で表現することができます．

$$CL_{intRS} = \frac{V_{maxRS}}{(K_{mRS} + C_{Bf})}$$

V_{maxRS}, K_{mRS}, C_{Bf} はそれぞれ，能動分泌の最大速度，薬物と輸送機構との親和性を表す定数（実際には親和性の逆数となっています）および血液中薬物の非結合形濃度を表します．多くの薬物は，治療に用いられる濃度域では分泌クリアランスは濃度に対し一定値を示すので，次式で表現されていることになります．

$$CL_{intRS} = \frac{V_{maxRS}}{K_{mRS}}$$

一方，$CL_{RS}/Q_R = E_{RS}$ と表現すると，E_{RS} の値から分泌速度を決定している律速過程の違いから，分泌クリアランスは次のように表されます．

$E_{RS} < 0.3$ のとき

$$CL_{RS} = fuB \cdot CL_{intRS}$$

$E_{RS} > 0.7$ のとき

$$CL_{RS} = Q_R$$

c. 再吸収率

尿細管からの薬物の再吸収は受動輸送と能動輸送によって行われますが，多くの薬物で主体を占めるのは受動輸送です．

受動輸送による再吸収過程において，膜透過過程が律速過程である場合には，分子形分率が再吸収率を決定します．ですから，薬物が弱電解質である場合には，分子形分率を決定する尿 pH が決定因子となります．この場合，尿流量が変化しても，再吸収率には影響を与えません．

膜透過過程が速やかで律速過程とはならず，尿細管内と血管内で薬物は速やかに平衡状態に達する場合には，尿 pH が決定因子とはなりません．また，この平衡状態は尿流量が大きくなると，尿細管のほうへ薬物の平衡をずらすので，結果として，薬物の再吸収率は低下します．この場合には，再吸収率は尿流量依存性を示すことになります．

d. クリアランス比

腎クリアランスは排泄に関与する 3 つの過程を考慮すると，次式で表すことができます（図 B3・1）．

$$\text{排泄速度} = CL_R \cdot C_B = (GFR \cdot fuB \cdot C_B + CL_{RS} \cdot C_B) \cdot (1 - FR)$$

FR は再吸収比率を表します．

$$腎排泄速度 = CL_R \cdot C_B$$
$$= 糸球体ろ過速度 + 分泌速度 - 再吸収速度$$
$$= (GFR \cdot C_{Bf} + CL_{RS} \cdot C_B)(1 - FR)$$
$$CL_R = (GFR \cdot fuB + CL_{RS})(1 - FR)$$

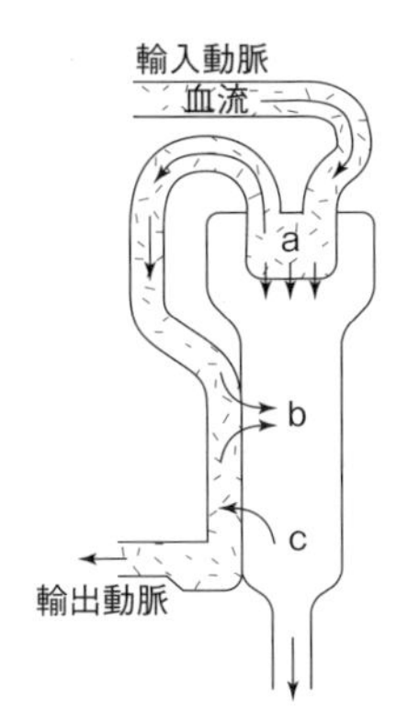

a 糸球体ろ過
b 能動分泌
c 再吸収

図 B3·1 薬物の腎排泄機構と腎クリアランス

$$CL_R = (GFR \cdot fuB + CL_{RS}) \cdot (1 - FR)$$
$$CL_{Rf} = (GFR \cdot fuB + CL_{RS}) \cdot \frac{(1 - FR)}{fuB}$$

CL_{Rf} と GFR の比（あるいは CL_R とGFR·fuBの比）を R とおきます．R をクリアランス比と呼びます．

$$R = \frac{CL_R}{(GFR \cdot fuB)}$$
$$= \left\{1 + \frac{CL_{RS}}{(GFR \cdot fuB)}\right\} \cdot (1 - FR)$$

R の値から薬物の腎排泄に関与している機構の一部が推定できます．

(i) R < 1.0 のとき

R の値を 1.0 の値より小さくする要因は再吸収のみですので，薬物の腎排泄に再吸収が関与していることが推定できます．ただし，分泌の関与の有無は R の値からだけでは推定ができません．

(ii) R > 1.0 のとき

R の値を 1.0 の値より大きくする要因は分泌のみですので，薬物の腎排泄に分泌が関与していることが推定できます．ただし，再吸収の関与の有無は R の値からだけでは推定ができません．

一般には $R = CL_R/GFR$ とおく場合も多いのですが，非結合形薬物のみが糸球体ろ過されるので，GFR を非結合形について補正した値を用いて比とするほうが薬物の血漿たん白結合に関係なく推定できるので確かです．

B3・2 クレアチニンクリアランス

a. クレアチニンクリアランス

糸球体における血漿のろ過速度（glomerular filtration rate；GFR）は腎機能の重要な指標です．GFR の測定のためのマーカー物質としては，① 全身クリアランスが腎クリアランスに相当する，すなわち，尿中排泄比率がほぼ 100％であること，② 尿排泄は糸球体ろ過のみで行われ分泌や再吸収の関与がほとんどないこと，③ 血漿たん白結合がない物質であること，の特徴を有していることが望まれます．

$$CL_{tot} = CL_R,\ CL_{RS} = 0,\ FR = 0,\ fuB = 1.0$$
$$CL_{tot} = CL_R$$
$$= (GFR \cdot fuB + CL_{RS}) \cdot (1 - FR)$$
$$= GFR$$

これらの条件を有するマーカー物質として，外因物質であるイヌリン，内因物質であるクレアチニンがよく用いられます．

クレアチニンは筋肉代謝によって生成される物質で，生成速度は筋肉量（lean body mass）に比例します．定常状態においては尿中排泄速度は生成速度に等しくなっており，血漿中クレアチニン濃度（S_{cr}）は一定値を示します．

$$消失速度 = CL_{cr} \cdot S_{cr} = 生成速度$$

クレアチニンは内因物質であるため，負荷する必要がないため便利ですが，一部能動分泌によって排泄されています．GFR < 10 ～ 15 mL/min/1.73 m^2 では能動分泌の関与が無視できなくなるため誤差が大きく，用いることはできません．

糸球体ろ過は薬物の尿中排泄の過程の 1 つであり，薬物によっては腎クリアランスに占める GFR の寄与は小さい場合もあります．一般に，薬物の腎クリアランスは GFR に比例することが認められています．GFR が糸球体のみならず，腎臓全体の機能を表していることを意味します．

b. クレアチニンクリアランスの測定

クレアチニンは一定の速度で血液中に放出され，血中濃度は定常状態を示しています．

$$消失速度 = 生成速度 = CL_{cr} \cdot S_{cr}$$

CL_{cr} を決定するためには，S_{cr} と消失速度あるいは生成速度を得ることが必要です．

具体的には直接測定法と間接測定法があります．

(i) 直接測定法

12 ～ 24 時間蓄尿し，その間のクレアチニン排泄量 A_e を測定するとともに，その間の血清クレアチニン濃度（S_{cr}）を測定します．尿の採取が正確に行われている限り，正確な値が得られます．

$$\frac{A_e}{T} = CL_{cr} \cdot S_{cr}$$

T は蓄尿時間を示します．

(ii) 間接測定法

定常状態の血清クレアチニン濃度（S_{cr}）の測定のみを行い，クレアチニンクリアランスを推定する方法です．クレアチニンの生成速度を年齢，性別，体重（筋量）の関数として組み込んだ Cockroft and Gault の関係式が一般的に広く用いられています．

クレアチニンクリアランスは 10 ～ 15 mL/min 以下の場合にはクレアチニンの能動分泌の寄与が無視しえなくなり，正確な値とはなりません．Mawer-Hull の式を用いると，低値の場合に，より正確な GFR に相当する値を推定できるとされています．

Cockroft and Gault 式

$$CL_{cr}\,(\text{mL/min})\,(男性) = (140 - \text{Age}) \cdot \frac{\text{LBW}}{(72 \cdot S_{cr})}$$

$$CL_{cr}\,(\text{mL/min})\,(女性) = 0.85 \cdot CL_{cr}\,(\text{mL/min})\,(男性)$$

Mawer-Hull 式

$$CL_{cr}\,(\text{mL/min})\,(男性) = \text{LBW} \cdot \frac{(145 - \text{Age})}{(70 \cdot S_{cr}) - 3} \cdot \frac{\text{LBW}}{70}$$

$$CL_{cr}\,(\text{mL/min})\,(女性) = 0.85 \cdot CL_{cr}\,(\text{mL/min})\,(男性)$$

用いられた記号は以下に示すものです．

LBW；除脂肪体重（理想体重）

Age；年齢（歳）

S_{cr}；血清クレアチニン濃度（mg/dL）

次式で計算します．脂肪太りの場合に，骨格筋を中心とする体重に補正する目的で用います．

$$\text{LBW}\,(\text{kg})\,(男性) = 50 + \frac{2.3 \cdot (\text{Height} - 150)}{2.5}$$

$$\text{LBW}\,(\text{kg})\,(女性) = 45 + \frac{2.3 \cdot (\text{Height} - 150)}{2.5}$$

Height；身長（cm）

これらの方法によるクレアチニンクリアランスは血清中のクレアチニンが定常状態にあることを条件にしています．ですから，腎機能が変化している期間あるいは変化した直後で，血清中のクレアチニンが定常状態に達していない場合には，見積り間違いを起こします．

B3・3　腎疾患における薬物動態

腎疾患においては，腎機能全般の機能低下が認められますが，その程度はクレアチニンクリアランス値で推定できます．さらに，アルブミンの尿中への漏出による低アルブミン血症がみられます．血液中に滞留した酸性代謝産物は酸性薬物の血漿たん白への結合を競合的に妨げる可能性があります．一方，アシドーシスによって血漿たん白の構造変化が引き起こされ，薬物とたん白の親和性が低下する場合があることも認められています．また，組織中薬物の非結合形分率が上昇する場合があります．腎機能低下によって体内に蓄積した代謝産物が薬物の組織結合を抑制している可能性があります．肝固有クリアランスが低下している場合が，一部の薬物では認められます．また，腎機能の低下は薬物の水溶性代謝物の蓄積をもたらします．代謝物が薬効を有している場合はこの点の考慮も必要です．薬物動態に影響を与える要因を表 B3・1 ～ 3 にまとめます．

a. 腎疾患時の薬物投与設計

(i) 従来の考え方

臨床で一般によく用いられている関係は以下のような条件を仮定して組み立てられています．

全身クリアランス CL_{tot} および腎クリアランス CL_R は次式で表されます．

$$CL_{tot} = CL_R + CL_{eR}$$

$$CL_R = f_e \cdot CL_{tot}$$

f_e；薬物の尿中排泄分率

腎外クリアランスは次式で表すことができます．

$$CL_{eR} = (1 - f_e) \cdot CL_{tot}$$

仮定 1：クレアチニンクリアランスからみた腎機能の比 KF は薬物の腎クリアランスの比に相当するとします．

$$KF = \frac{CL_{cr}\,(\text{ri})}{CL_{cr}\,(\text{nl})} = \frac{CL_R\,(\text{ri})}{CL_R\,(\text{nl})}$$

CL_{cr} (ri)；腎障害患者のクレアチニンクリアランス

CL_{cr} (nl)；正常腎機能を有する患者のクレアチニンクリアランス

CL_R (ri)；腎障害患者の薬物腎クリアランス

CL_R (nl)；正常腎機能を有する患者の薬物腎クリアランス

表 B3·1　腎疾患における薬物動態に影響を与える要因

腎機能の低下	Q_R，CL_{intR} の低下
血漿アルブミン濃度の低下	fuB の上昇
薬物の血漿たん白との結合低下	fuB の上昇
α_1-酸性糖たん白濃度の上昇	fuB の低下
組織中薬物結合の低下	fuT の上昇
腹水，浮腫などのサードスペースへの体液貯蔵	V_B の増大
肝消失能の低下	CL_{intH} の低下

表 B3·2　腎疾患における薬物動態に影響を与える要因：クリアランスに対する影響

腎クリアランス	
血流速度の低下	Q_R の低下
糸球体ろ過速度の低下	CL_{intR} の低下
血漿アルブミン濃度の低下	fuB の上昇
血漿アルブミンへの薬物の親和性の低下	fuB の上昇
α_1-酸性糖たん白濃度の上昇	fuB の低下
肝クリアランス	
肝消失能の低下	CL_{intH} の低下
血漿アルブミン濃度の低下	fuB の上昇
血漿アルブミンへの薬物の親和性の低下	fuB の上昇
α_1-酸性糖たん白濃度の上昇	fuB の低下

表 B3·3　腎疾患における薬物動態に影響を与える要因：分布に対する影響

血漿アルブミン濃度の低下	fuB の上昇
血漿アルブミンへの薬物の親和性の低下	fuB の上昇
α_1-酸性糖たん白濃度の上昇	fuB の低下
腹水，浮腫などのサードスペースへの体液貯留	V_B の増大
組織中薬物結合の低下	fuT の上昇

仮定 2：腎障害時には腎外（肝）クリアランスは変化しないとします．

$$
\begin{aligned}
CL_{tot}(ri) &= CL_R(ri) + CL_{eR}(nl)\\
&= KF \cdot CL_R(nl) + (1 - f_e) \cdot CL_{tot}(nl)\\
&= \{1 - f_e \cdot (1 - KF)\} \cdot CL_{tot}(nl)
\end{aligned}
$$

$$\frac{CL_{tot}(ri)}{CL_{tot}(nl)} = 1 - f_e \cdot (1 - KF)$$

腎不全時の全身クリアランスの値は腎機能が正常な状態での全身クリアランス値 $CL_{tot}(nl)$，尿中排泄の分率 f_e の値およびクレアチニンクリアランスの変化分率 KF から推定できます．

仮定 3：分布容積は一定であると仮定します．消失速度定数の比は次式で表されます．

$$\frac{k_{el}(ri)}{k_{el}(nl)} = 1 - f_e \cdot [1 - KF]$$

$k_{el}(ri)$；腎障害患者の薬物消失速度定数

$k_{el}(nl)$；正常腎機能を有する患者の薬物消失速度定数

このように推定した $CL_{tot}(ri)$，$k_{el}(ri)$ を用いて腎障害時の薬物投与設計を行います．当然ですが，f_e の値が大きいほど，すなわち全身クリアランスに占める腎クリアランスの割合が大きいほど KF の変化に対する全身クリアランスの変化は大きく，臨床的意義は大きくなります．

(ii)　腎障害時の投与設計関係式の適用範囲

以上の式の展開に用いた仮定やその他の仮定をまとめると次のようになります．

仮定 1 である，“腎クリアランスの変化がクレアチニンクリアランスの変化に比例する”，との概念は一般に成立すると考えられています．これは腎固有クリアランスや腎血流速度のみが非結合形濃度に基づく腎クリアランスの変動要因である薬物に限られます．腎障害時には薬物の血漿たん白結合に影響を与える要因も変化する可能性があります．そのため，上記の関係式をあてはめることができるのは，血漿たん白結合非依存性の薬物に限られることになります．

仮定 2 である，“腎障害時には肝クリアランスは変化しない”，ということは，必ずしもすべての薬物にあてはめることはできません．肝固有クリアランスが影響を受けない薬物に限られます．

仮定 3 である，“分布容積が腎障害時に変化しない”という点も，必ずしもすべての薬物にはあてはまりません．腎障害時には薬物の血漿たん白結合や組織たん白結合の変化の可能性があるので，血漿たん白結合非依存性の薬物でしかも分布容積が小さい薬物に限られることになります．しかも浮腫や腹水などの体液貯留が認められない条件であることも必要です．

また，薬物を経口投与する場合，腎障害時に薬物の吸収の低下傾向の可能性が指摘されています．その点の考慮も頭に入れておくことが必要です．

また，薬物の代謝物は一般的には親化合物より水溶性の特性が増しており，体内からの消失に腎臓がおもに関与する例が多いと思われます．代謝物が効果や副作用に関係する活性を有する場合，腎機能の障害時には代謝物のクリアランスが低下し，その結果，体内への蓄積傾向が示される可能性があります．薬物がおもに肝臓による代謝によって消失し，その肝クリアランスは腎機能の変化の影響を受けない場合にも，薬物の治療管理の面では活性代謝物の腎クリアランスの変化には十分注意を払う必要があります．

臓器機能障害患者における血中薬物濃度の測定値をもとにした用法・用量の妥当性の評価

新規医薬品の有効性，安全性の基本的なデータは治験によって収集され，評価されます．ただし，患者背景は狭い範囲に限定され，臓器機能障害患者，高齢者，乳幼児を対象にした検討は通常は行われていません．少数例のデータによって判断せざるを得ない状態です．

添付文書，インタビューフォームには少数例の臓器機能障害患者における血中薬物濃度の測定値が記載されています．それらデータを用いて，臓器機能障害を有する患者への医薬品の投与を判断することが必要です．

実例をもとに考察の流れを示します．

例 1

腎機能障害患者

シタグリプチンの薬物動態パラメータを表に示します．これらの値に基づく特徴づけをします．

シタグリプチンの薬物動態パラメータ
（血漿中薬物総濃度値から算出）

F	A_e(%)	fuB	CL_{tot}(mL/min)	V_d(L)
0.87	71	0.62	417	230

B/P ＝ 1.21

binding insensitive で，全身クリアランス中，おおよそ 70% を腎クリアランス，30% を腎外クリアランス（肝クリアランス）が占め，それぞれ，消失能依存性の特徴を有します．

腎機能障害別の薬物動態パラメータを表に示します（ジャヌビア錠，医薬品インタビューフォーム，改訂第 17 版（2014 年 1 月））．

	CL_{cr} (mL/min)	CL_{cr} からの CL_R の推定変化率	CL_R の実測値からの CL_R の変化率
正常	100	1	1
軽度	65	65/100 ＝ 0.65	0.71
中度	40	40/100 ＝ 0.40	0.37
重度	20	20/100 ＝ 0.20	0.18

まず，腎固有クリアランスはクレアチニンクリアランスに比例するという原理に従っているかを確認します．

腎固有クリアランスはクレアチニンクリアランスに比例するという原理にほぼ従っていることが確認できます．

次に腎外クリアランス（肝クリアランス）を検討します．

正常時の CL_R および尿中排泄比率 71%（表）から全身クリアランスを推定します．

$$CL_R = 339\ \mathrm{mL/min}$$

$$CL_{tot} = 339/0.71 = 477\ \mathrm{mL/min}$$

腎外クリアランスを X とおきます．

軽度（CL_{cr} ＝ 65 mL/min）の場合を考察します．AUC の実測値の変化率が 1.61，CL_R の実測値が 242 mL/min であることから，

$$\frac{(X+242)}{477} = \frac{1}{1.61} \quad X = 54\ \mathrm{mL/min}$$

同様に腎外クリアランスを推定します．

中度：CL_{cr} ＝ 40 mL/min

$$\frac{(X+126)}{477} = \frac{1}{2.26} \quad X = 85\ \mathrm{mL/min}$$

重度：CL_{cr} ＝ 20 mL/min

$$\frac{(X+60)}{477} = \frac{1}{3.77} \quad X = 69\ \mathrm{mL/min}$$

ほぼ腎外クリアランスは一定であると確認ができます．

例 2

アピキサバンの薬物動態パラメータを表に示します．binding sensitive です．

アピキサバンの薬物動態パラメータ
（血漿中薬物総濃度値から算出）

F	A_e(%)	fuB	CL_{tot}(mL/min)	V_{dss}(L)
0.68	27	0.07	58	25.9

B/P ＝ 0.92

$$CL_R = 58 \cdot 0.27 = 16\ \mathrm{mL/min}$$

$$E_R = 16/0.92/1200 = 0.01$$

$$CL_R = fuB \cdot CL_{intR}$$

$$CL_H = 58 - 16 = 42\ \mathrm{mL/min}$$

$$E_H = 42/0.92/1600 = 0.03$$

$$CL_H = fuB \cdot CL_{intH}$$

$$CL_{po} = \frac{fuB \cdot (CL_{intH} + CL_{intR})}{F_a}$$

$$V_d = 25.9/0.92 = 28\ \mathrm{L} \qquad V_d = V_d$$

$$k_{el} = \frac{fuB \cdot (CL_{intH} + CL_{intR})}{V_d}$$

全身クリアランス中，おおよそ 30% を腎クリアランス，70% を腎外クリアランス（肝クリアランス）が占め，それぞれ，消失能依存性の特徴を有

します．分布容積は変動しにくいと評価できます．

腎機能障害別の薬物動態パラメータを表に示します（エリキュース錠（アピキサバン錠），インタビューフォーム，2013年10月改訂（第3版））．

まず，腎固有クリアランスはクレアチニンクリアランスに比例するという原理に従っているかを確認します．

正常時：A_e(%)=30とします．CL_{intH}：07 CL_{intR}：0.3

fuBおよびCL_{intH}は一定と仮定します．

CL_{cr} = 65 mL/minのとき，

$CL_{intR} = 0.3 \cdot 0.65 = 0.2$

$CL_{po} = 0.7 + 0.2 = 0.9$

CL_{po}の推定値からのAUC推定変化比率 = 1/0.9 = 1.11

AUC測定値からの変化比率= 1.16

CL_{cr} = 40 mL/minのとき，

$CL_{intR} = 0.12$　$CL_{po} = 0.82$

CL_{po}の推定値からのAUC推定変化比率 = 1.22

AUC測定値からの変化比率= 1.29

CL_{cr} = 25 mL/minのとき，

$CL_{intR} = 0.08$　$CL_{po} = 0.78$

CL_{po}の推定値からのAUC推定変化比率 = 1.28

AUC測定値からの変化比率= 1.38

AUCの測定値の上昇比率は，CL_{cr}の低下率から推定される値とほぼ同程度であることが認められます．CL_{cr}の変化がAUCの変化を説明できていましたので，検討された腎機能障害患者では，fuBが一定，CL_{inth}も一定であったことが推定できます．

腎機能障害が起こっている場合，一般には，血漿アルブミン濃度の低下傾向が認められます．その場合，fuBの上昇の可能性があり，その場合は，血中総濃度の上昇は見かけ上，低めにみえていることが予想されるため，薬物総濃度で考えられる以上に薬物非結合形濃度のAUC値の上昇が考えられます．その場合は，一定と仮定したCL_{intH}の低下によると推定されます．その場合，CL_{cr}に比例した用量調節ではそれ以上の薬物非結合形濃度の上昇が考えられます．

このように，binding sensitiveな医薬品の場合，検討対象となった患者のfuBの測定あるいは薬物非結合形濃度が測定されていなければ，妥当な用量調節が困難であることがわかります．

肝機能障害別の薬物動態パラメータを表に示します（エリキュース錠（アピキサバン錠），インタビューフォーム，2013年10月改訂（第3版））．

正常時と中等度障害の比較において，AUCは1.09倍と変化の程度は非常に小さくなっています．

AUCを決定している因子は以下の通りです．

$$AUC_{po} = \frac{F_a \cdot D}{fuB \cdot (CL_{intH} + CL_{intR})}$$

肝機能障害によってAUCを大きくする因子にはCL_{intH}の低下が考えられます．一方，同時にfuBの上昇の可能性も考えられます．それら因子のうち，CL_{intH}の低下が薬物非結合形濃度の上昇を引き起こします．そのため，fuBの上昇の程度より大きな程度でのCL_{intH}の低下が推察されます．この点は，頭に入れておく必要があります．

単回経口投与時の薬物動態パラメータ $AUC_{0-\infty}$（ng·h/mL）（腎機能別）

	24時間CL_{cr} (mL/min)	調整済み幾何平均値	幾何平均値の比	点推定値（90%信頼区間）
正常	100	2749	—	—
軽度	65	3193	65/100	1.161（1.017～1.325）
中等度	40	3552	40/100	1.292（1.030～1.621）
重度	25	3788	25/100	1.378（1.038～1.829）

単回経口投与時の薬物動態パラメータ（肝機能別）

肝機能障害の程度	C_{max}[a] (ng/mL)	$AUC_{0-\infty}$[a] (ng·h/mL)	T_{max}[b] (h)	$T_{1/2}$[c] (h)	CLR[a] (mL/min)	%UR[c]
正常(n=16)	123(26)	1.054(35)	2.5 (1.00, 4.00)	14.8(10.2)	0.59(41)	12.8(4.6)
軽度(Child-Pugh A: n=8)	104(29)	1.083(30)	3.25(2.00, 4.00)	14.7(7.0)	0.89(29)	19.4(4.8)
中等度(Child-Pugh B: n=8)	115(25)	1.152(28)	3.00(2.00, 4.00)	17.1(16.8)	0.56(49)	13.8(5.5)

a 幾何平均値(変動係数%)，b 中央値(最小値，最大値)，c 算術平均値(標準偏差)，
C_{max}：最高血漿中濃度，$AUC_{0-\infty}$：無限大時間までの血漿中濃度－時間曲線下面積，T_{max}：最高血漿中濃度到達時間，
$T_{1/2}$：消失半減期，CLR：腎クリアランス，%UR：尿中回収率

C. 薬物の投与設計に必要な関係式

先に，薬物の動態パラメータ値をもとに血中薬物濃度の時間推移やその可能な変化を推定することを学びました．薬物動態に影響を与える可能性のある患者の状態を患者の生理的，病理的パラメータ値や病状から見つけ出せることが薬物治療をモニターし管理していく上で重要です．また，一方，薬物治療のモニターの中で，患者が抱えている薬物治療上の課題に薬物動態上の要因が関与している可能性があるのかについて推定できることが重要です．これらの2つの点は，薬物治療をフォローするための1つの視点，薬物動態学側面からの視点です．これは薬物の薬理学的な視点と合わせ薬物治療を有効に合理的に，かつ安全に遂行するための不可欠な両輪を形成しています．しかもそれらは区分できない要素であると考えられます．

薬物動態学的な側面からの薬物治療のモニターは従来，血中薬物濃度を利用したモニタリングによって行うものと考えられてきた面があります．血中薬物濃度を利用しなければならない薬物や状況は確かにありますが，そのような限定した状況のみに薬物動態学的な考え方や視点を用いることでは，薬物治療のモニタリングを全面的に展開することはできないと考えられます．血中濃度にたよらず，薬物動態学的概念を駆使できることが，よりグレードアップさせた薬物治療のモニタリングにはぜひ必要であると思われます．

しかし，一方，患者に対する薬物治療のモニタリングを血中薬物濃度を用いて厳密に行うことが必要な薬物とその状況があります．その場合には，的確に血中薬物濃度測定を行い，その結果を患者モニタリングに積極的に利用することが必要です．また，得られた血中濃度の速度論的な把握が必要となります．

この章では，確定されたあるいは推定された患者の薬物動態パラメータを用いて，投与速度と結果として得られる血中薬物濃度値との間の関係を速度論的な立場から解説することを目的にします．この場合もあくまで臨床的な適用を前提とし，精密な血中濃度解析や推定を目的にはしません．

A章で，血中薬物濃度の時間推移を表現する際に用いる概念としてコンパートメントモデルについて述べました．一般的には，血中薬物濃度の対数値の時間経過は見かけ上2つ以上の直線の和として表現ができる挙動をとる場合が多いと思われます．薬物の体内動態を正確に記述し特徴づけることが目的の場合には，コンパートメントの数やそのパラメータの厳密な推定は重要な要件となります．しかし，臨床において薬物治療のモニタリングや管理を行うことを目的に，その手段や情報として血中薬物濃度の時間推移を取り扱う場合には，あくまで臨床上の有効性や安全性を推定することに対応した血中薬物濃度の把握や表現でよいことになります．

臨床上のモニターの対象となる相は血中薬物濃度の対数値が時間に対し1本の直線上を推移する最終相（β相）の部分であることから，その部分だけの表現を行う目的には，1-コンパートメントモデルで十分です．この場合，取り扱いが非常に簡単となり，多くの場合，暗算で済ませられますし，計算を必要とする場合にも，紙の上での計算や電卓を使った簡単な計算で行うことができ，非常に便利です．また，臨床上の有用性はこれで十分であることになります．この章においても，ベッドサイドでただちに計算ができることを基本に，1-コンパートメントモデルに基づいて考察を進めます．また，血中薬物濃度測定値は，血漿中薬物総濃度がほとんどであり，また，投与設計は，血中濃度測定時の患者の状態が変化していないことを前提に計算，推定されることより，血漿中薬物総濃度を対象とした速度論を取り扱います．用いる記号も，全血液中薬物動態で用いてきた記号ではなく，あくまで速度論での取り扱いとして考察します．

C1　薬物投与後の血中薬物濃度を表現する関係式

C1・1　静脈内単回急速投与

血中薬物濃度の対数値を時間に対しプロットすると，直線的に減少します．血中薬物濃度を時間に対しプロットした場合には，双曲線的に減少します．

薬物を急速に投与した直後の血中薬物濃度 C_{p0} は次式で表されます．

$$C_{p0} = \frac{D}{V_d}$$

t 時間後の血中薬物濃度 C_{pt} は次式で表されます．

$$C_{pt} = C_{p0} \cdot e^{-k_{el} \cdot t}$$

D；投与量

V_d；分布容積

k_{el}；薬物消失速度定数

ここで，$e^{-k_{el} \cdot t}$ は t 時間経過後の血中薬物濃度の残存比率（C_{pt}/C_{p0}）を表していることがわかります．一定間隔内において，血中薬物濃度の減少率は一定であることが特徴です．ですから，ある時点での血中薬物濃度に係数 $e^{-k_{el} \cdot t}$ をかけることによって，それ以後 t 時間後の血中薬物濃度が推定できます（図 C1･1）．

また，臨床では薬物の消失の目安を半減期（$t_{1/2}$）でとらえることも多いようです．薬物濃度が 1/2 にまで低下するのに要する時間を指します．半減期は次式で表現されます．

$$t_{1/2} = \frac{0.693}{k_{el}}$$

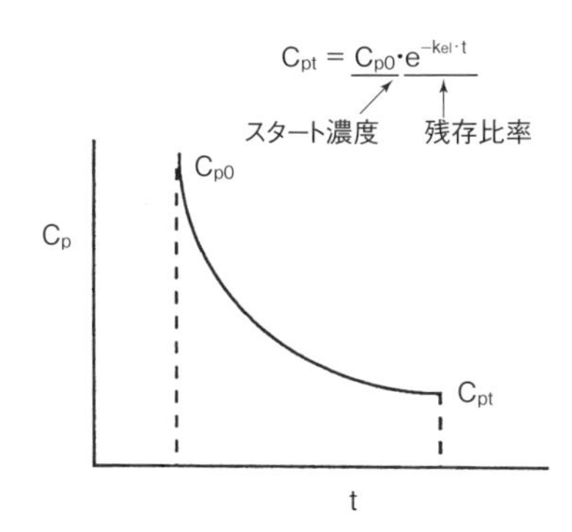

図 C1･1　一定時間経過後の薬物濃度

C1・2　静脈内連続（持続）定速投与

a. 定常状態における血中薬物濃度

薬物の体内量の変化速度（dA_b/dt）は体内に薬物が入る速度と体内から薬物が消失する速度の差として表現されます．

$$\frac{dA_b}{dt} = （入る速度）－（消失する速度）$$

体内に薬物が入る速度は，連続（持続）定速投与ですので，それを R_{inf} とおきます．また，体内から薬物が消失する速度は全身クリアランスを用いれば，$CL_{tot} \cdot C_p$ と表現できます．そのため，次式で表すことができます．

$$\frac{dA_b}{dt} = R_{inf} - CL_{tot} \cdot C_p$$

投与を開始した場合，右辺第 1 項の投与速度は一定ですが，第 2 項の消失速度は血中薬物濃度が高くなるほど次第に大きくなっていきます．そのため，ついに投与速度と消失速度は等しくなります．

その条件で体内薬物量の変化速度はゼロとなり，その結果，血中薬物濃度は一定となります．この状態を定常状態（steady state）といいます．

定常状態においては次式となります．

$$R_{inf} - CL_{tot} \cdot C_{pss} = 0$$

$$R_{inf} = CL_{tot} \cdot C_{pss}$$

定常状態時における血中薬物濃度 C_{pss} は次式で表されます．

$$C_{pss} = \frac{R_{inf}}{CL_{tot}}$$

定常状態時における血中薬物濃度は投与速度 R_{inf} と薬物の全身クリアランス CL_{tot} によって決定されることがわかります．全身クリアランスが一定であれば，投与速度と C_{pss} は比例関係にあります．一方，投与速度が一定の場合，C_{pss} と全身クリアランスは逆比例関係にあります．

b. 定常状態において薬物投与を中止した後の血中薬物濃度

投与中止直後の血中濃度は C_{pss} ですので，中止後 t1 時間後の血中薬物濃度 C_{pt1} は次式で表すことができます．

$$C_{pt1} = C_{pss} \cdot e^{-k_{el} \cdot t1}$$

ここで，C_{pss} は次式で表される値です．

$$C_{pss} = \frac{R_{inf}}{CL_{tot}}$$

c. 定常状態に到達する過程における血中薬物濃度

薬物体内量の変化速度を表す式を濃度に変換します．

$$V_d \cdot \left(\frac{dC_p}{dt} \right) = R_{inf} - CL_{tot} \cdot C_p$$

上式を時間に対し解くと，次式が得られます．

$$C_{pinf} = C_{pss} \cdot (1 - e^{-k_{el} \cdot t})$$

C_{pinf}；定速投与中の血中薬物濃度

定速投与を行っている場合の血中薬物濃度値は，定速投与の目標値（定常状態血中濃度；C_{pss}）に係数（$1 - e^{-k_{el} \cdot t}$）をかけることによって得ることができます．（$1 - e^{-k_{el} \cdot t}$）は定速投与開始後 t 時間後の定常状態血中濃度への到達度（C_{pinf}/C_{pss}）を表しています．到達度は k_{el} と t の相対的関係で決定されます．

経過時間を薬物の半減期 $t_{1/2}$ の倍数としてみると考えやすいことが多いと思われます．そこで時間 t を次式のようにおき，定速投与中の血中薬物濃度を半減期の関数に変換します．

$$t = n \cdot t_{1/2}$$

$t_{1/2}$；半減期（$= 0.693/k_{el}$）

$$C_{pinf} = C_{pss} \cdot [1 - (1/2)^n]$$

この式から，半減期の 4 ～ 5 倍以上の時間，定速投与を行っていると，到達度は 0.94 ～ 0.97 となり，血中薬物濃度はほぼ定常状態に達していることがわかります．定常状態に到達する時間は，投与速度に関係なく，薬物の消失速度定数のみで決まります（図 C1・2）．

$dA_b / dt = R_{inf} - CL_{tot} \cdot C_p$

投与中の血中薬物濃度：

$C_{pinf} = C_{pss} \cdot (1 - e^{-k_{el} \cdot t}) = C_{pss}[1 - (1/2)^n]$

定常状態値　　到達度

定常状態での血中薬物濃度：

$C_{pss} = R_{inf} / CL_{tot}$

投与速度　　クリアランス

C_{pss}

C_p

半減期の 4 ～ 5 倍

t

図 C1･2　静脈内連続定速投与（点滴投与）

d. 負荷量・維持量

負荷量（loading dose；D_L）とはただちに血中薬物濃度を定常状態時の値（C_{pss}），すなわち治療濃度に上げるための投与量です．

$$D_L = V_d \cdot C_{pss}$$

維持量（maintenance dose；D_M）とは定常状態を維持するために投与する薬物量（速度）です．C_{pss} を示している状態で薬物の投与を中止した場合，C_{pss} の血中濃度が t1 時間後に示す値 C_{pt1} は次式で表されます．

$$C_{pt1} = C_{pss} \cdot e^{-k_{el} \cdot t1}$$

血中薬物濃度を定常状態に維持するためには，t1 時間に減少した薬物濃度を補うように薬物を投与すればよいと考えます．低下した薬物濃度 ΔC_p は次式で表されます．

$$\Delta C_p = C_{pss} - C_{pss} \cdot e^{-k_{el} \cdot t1}$$
$$= C_{pss}\ (1 - e^{-k_{el} \cdot t1})$$

ΔC_p はちょうど C_{pss} を目指して R_{inf} の速度で定速投与を開始した後の，t1 時間後の血中濃度に相当しています．すなわち，定常状態時の血中濃度 C_{pss} を維持するためには，C_{pss} を得るための速度（R_{inf}）で定速投与を行えばよいことがわかります（図 C1・3）．

C1・3　限定薬物量の単回短時間定速投与

限られた薬物量 D を t_{in} 時間で投与するとします．t_{in} 時間で薬物投与は中断されます．定速投与を行っている過程での血中薬物濃度ですので，投与終了直後の血中薬物濃度 C_{ptin} は次式で表すことができます．

$$C_{ptin} = C_{pss} \cdot (1 - e^{-k_{el} \cdot t_{in}})$$

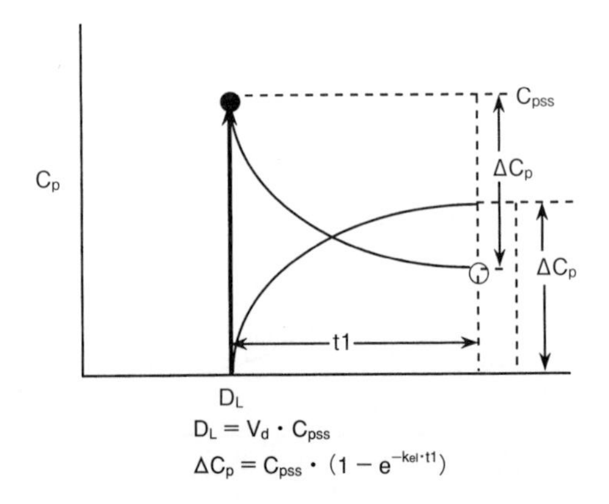

図 C1･3　連続定速投与における負荷量・維持量

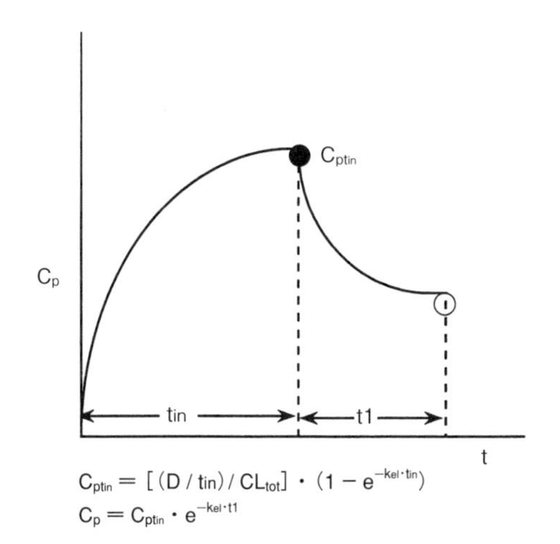

図 C1・4　限定薬物量の短時間定速投与

ここで，C_{pss} は次式で示される値で，D/t_{in} の投与速度で投与を継続した場合に得られる定常状態血中濃度に相当します．

$$C_{pss} = \frac{(D/t_{in})}{CL_{tot}}$$

D；投与量

t_{in}；投与時間

D/t_{in}；投与速度

薬物投与を中止した後，t1 時間後に示す値 C_p は次式で表されます（図 C1・4）．

$$C_p = C_{ptin} \cdot e^{-k_{el} \cdot t1}$$

C1・4　不連続繰り返し投与

a. モデルの選択

不連続繰り返し投与においては，定常状態において血中薬物濃度は一定の濃度範囲で最高濃度（C_{pmaxss}）と最低濃度（C_{pminss}）の間の上下を繰り返します．臨床上ほぼ同一として取り扱ってもよい程度に薬物濃度の振れが小さい場合には，薬物は連続定速投与されているとして取り扱えます．そこで，薬物の半減期と投与間隔の間の関係から，取り扱い方を 2 つに分けます（図 C1・5）．

$\tau \leqq \frac{1}{3} t_{1/2}$ の場合：

薬物濃度の振れが平均値の ± 10 % の範囲に入りますので，薬物は連続定速投与されているとして取り扱えます．

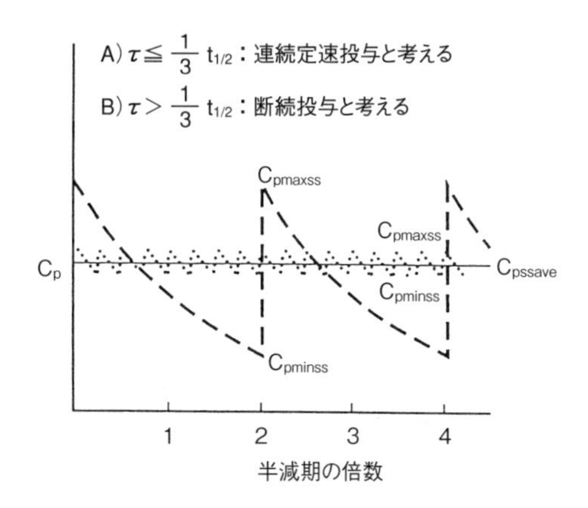

図 C1・5　不連続繰り返し投与時の血中薬物濃度を表現するためのモデルの選択

$\tau > \frac{1}{3} t_{1/2}$ の場合：

薬物は断続的に投与されているとして取り扱います．

b. 静脈内急速投与

(i)　$\tau \leqq \frac{1}{3} t_{1/2}$ の場合

薬物は連続定速投与されているとして取り扱います．

定常状態における血中薬物濃度

薬物は断続的に繰り返し投与されているので，その投与量 D と投与間隔 τ から，平均投与速度を次式で表します．

$$平均投与速度 = \frac{D}{\tau}$$

定常状態において，平均投与速度と平均消失速度が釣り合っていると考え，そのときの血中濃度が平均血中薬物濃度（C_{pssave}）であるとします．

$$\frac{D}{\tau} = CL_{tot} \cdot C_{pssave}$$

ですから，定常状態平均血中薬物濃度は次式で定義されます．

$$C_{pssave} = \frac{(D/\tau)}{CL_{tot}}$$

この条件では定常状態における最高（ピーク）濃度 C_{pmaxss}，最低（トラフ）濃度 C_{pminss} および平均濃度 C_{pssave} はすべてほぼ等しいとおくことができます．

$$C_{pmaxss} \fallingdotseq C_{pssave} \fallingdotseq C_{pminss}$$

定常状態に到達する過程における血中薬物濃度

連続定速投与されていると考えます．

$$C_p = C_{pssave} \cdot (1 - e^{-k_{el} \cdot t})$$

t は薬物の投与が開始された後の累積時間です．ただし，C_{pssave} は次式で表される定常状態における平均血中濃度です．

$$C_{pssave} = \frac{(D/\tau)}{CL_{tot}}$$

(ii)　$\tau > \frac{1}{3} t_{1/2}$ の場合

薬物は断続的に投与されているとして取り扱い，最高濃度，最低濃度を考慮します（図 C1・6）．

(1)　定常状態における血中薬物濃度

平均投与速度

まず，最高濃度と最低濃度の平均薬物濃度を維持するための投与速度を考えます．平均投与速度は次式で示されます．

$$\frac{D}{\tau} = CL_{tot} \cdot C_{pssave}$$

平均血中薬物濃度

平均投与速度に対応する平均血中薬物濃度とはどのような値であるかを考えます．

定常状態においては D は 1 投与間隔内において消失した量を補う量に相当します．

$$D = V_d \cdot (C_{pmaxss} - C_{pminss})$$

また，C_{pminss} は C_{pmaxss} の τ 時間後の値に相当するので，次式で表されます．

$$C_{pminss} = C_{pmaxss} \cdot e^{-k_{el} \cdot \tau}$$

上式より，τ は次式で表されます．

$$\tau = \frac{\ln\left(\frac{C_{pmaxss}}{C_{pminss}}\right)}{k_{el}}$$

以上より C_{pssave} は次式で表現されます．

$$C_{pssave} = \frac{C_{pmaxss} - C_{pminss}}{\ln\left(\frac{C_{pmaxss}}{C_{pminss}}\right)}$$

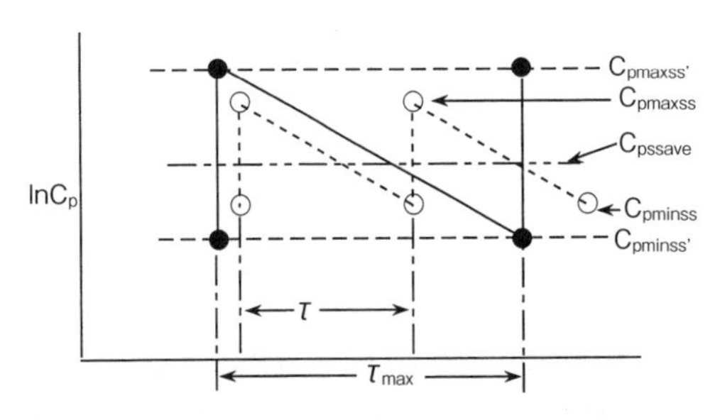

$\tau_{max} = \ln(C_{pssmax'} / C_{pssmin'}) / k_{el}$
$C_{pssave} = (C_{pssmax'} - C_{pssmin'}) / \ln(C_{pssmax'} / C_{pssmin'})$
$D/\tau = CL_{tot} \cdot C_{pssave}$

図 C1･6　繰り返し投与時における定常状態血中薬物濃度

最大投与間隔

定常状態において，治療域の最高値 C_{pmaxss}' と最低値 C_{pminss}' の間に血中薬物濃度をおさめるためのとりうる最大投与間隔 τ_{max} を考えます．C_{pmaxss}' が τ_{max} 時間後に到達する血中薬物濃度が C_{pminss}' であると考えられます．

$$C_{pminss}' = C_{pmaxss}' \cdot e^{-k_{el} \cdot \tau_{max}}$$

上式より τ_{max} が得られます．

$$\tau_{max} = \frac{\ln\left(\frac{C_{pmaxss}'}{C_{pminss}'}\right)}{k_{el}}$$

投与設計の計算の方法（図 C1・6）

〈ステップ 1〉

薬物の CL_{tot}，V_d の値より k_{el} を算出します．

$$k_{el} = \frac{CL_{tot}}{V_d}$$

〈ステップ 2〉

設定したい濃度域，あるいは文献の平均的な治療域により，超えてはいけない最高血中濃度，および低くなってはいけない最低血中濃度（C_{pmaxss}'，C_{pminss}'）を決定します．

〈ステップ 3〉

k_{el}，C_{pmaxss}'，C_{pminss}' を用いて，τ_{max} を算出します．

$$\tau_{max} = \frac{\ln\left(\frac{C_{pmaxss}'}{C_{pminss}'}\right)}{k_{el}}$$

〈ステップ 4〉

C_{pmaxss}'，C_{pminss}' を用いて C_{pssave} を算出します．

$$C_{pssave} = \frac{C_{pmaxss}' - C_{pminss}'}{\ln\left(\frac{C_{pmaxss}'}{C_{pminss}'}\right)}$$

〈ステップ 5〉

CL_{tot}，C_{pssave} を用いて平均投与速度（D'/τ）を算出します．

$$\frac{D'}{\tau} = CL_{tot} \cdot C_{pssave}$$

〈ステップ 6〉

τ_{max} より短い時間で，適当な τ を決定し，D' を算出します．

算出した D' をもとに，処方量 D を決定します．

〈ステップ 7〉

決定した D，τ を用いて，その投与設計に基づく C_{pmaxss}，C_{pminss} を計算し，投与設計の妥当性を確認します．

負荷量，維持量

1 回の投与により血中薬物濃度を定常状態時の血中

濃度（C_{pmaxss}）にまで上げるための投与量を負荷量と呼びます．負荷量 D_L は次式で表されます．

$$D_L = V_d \cdot C_{pmaxss}$$

定常状態を保つために投与する薬物量を維持量と呼びます．投与間隔 τ の間に消失した薬物量を次回の投与において補えば体内薬物量は維持されるので，維持量 D_M は投与間隔内での消失量として求めることができます（図 C1・7）．

$$D_M = D_L - D_L \cdot e^{-k_{el} \cdot \tau} = D_L \cdot (1 - e^{-k_{el} \cdot \tau})$$

(2) 定常状態に到達する過程における血中薬物濃度

等間隔投与

投与間隔を τ とします．

ある時点での血中薬物濃度はそれ以前に投与された薬物のいまだ残存している薬物濃度の総和であると考えることができます．

例えば，n 回目投与後 t1 時間後の血中薬物濃度のうち，第 1 回目に投与した薬物による濃度 $C_{pt1,1}$ は次式で表されます．ただし，t1 は τ より短い時間とします．

$$C_{pt1,1} = \left[\left(\frac{D}{V_d}\right) \cdot e^{-k_{el} \cdot (n-1)\tau}\right] \cdot e^{-k_{el} \cdot t1}$$

同様に第 2 回目，第 3 回目，…に投与した薬物による濃度 $C_{pt1,2}$，$C_{pt1,3}$，…は次式で与えられます．

$$C_{pt1,2} = \left[\left(\frac{D}{V_d}\right) \cdot e^{-k_{el} \cdot (n-2)\tau}\right] \cdot e^{-k_{el} \cdot t1}$$

$$C_{pt1,3} = \left[\left(\frac{D}{V_d}\right) \cdot e^{-k_{el} \cdot (n-3)\tau}\right] \cdot e^{-k_{el} \cdot t1}$$

$$\vdots$$

第 n 回目投与後 t1 時間後の血中薬物総濃度 C_{pt1} は次式で与えられます．

$$C_{pt1,n} = \left(\frac{D}{V_d}\right) \cdot [e^{-k_{el} \cdot (n-1)\tau} + e^{-k_{el} \cdot (n-2)\tau} + e^{-k_{el} \cdot (n-3)\tau} + \cdots + e^{-k_{el} \cdot \tau} + 1] \cdot e^{-k_{el} \cdot t1}$$

［ ］内は $e^{-k_{el} \cdot \tau}$ を公比とする等比数列となっています．［ ］内をまとめると次式となります．

$$C_{pt1,n} = \left(\frac{D}{V_d}\right) \cdot \left(\frac{1 - e^{-k_{el} \cdot n\tau}}{1 - e^{-k_{el} \cdot \tau}}\right) \cdot e^{-k_{el} \cdot t1}$$

第 n 回目投与直後の血中薬物最高濃度 $C_{pmax,n}$，およびその τ 時間後の血中薬物最低濃度 $C_{pmin,n}$ は次式となります．

$$C_{pmax,n} = \left(\frac{D}{V_d}\right) \cdot \left(\frac{1 - e^{-k_{el} \cdot n\tau}}{1 - e^{-k_{el} \cdot \tau}}\right)$$

$$C_{pmin,n} = C_{pmax,n} \cdot e^{-k_{el} \cdot \tau}$$

また，$C_{pmin,n}$ は次式でも与えられます．

$$C_{pmin,n} = C_{pmax,n} \cdot e^{-k_{el} \cdot \tau} = \left[\left(\frac{D}{V_d}\right) \cdot e^{-k_{el} \cdot \tau}\right] \cdot \left(\frac{1 - e^{-k_{el} \cdot n\tau}}{1 - e^{-k_{el} \cdot \tau}}\right) = C_{pmin,1} \cdot \left(\frac{1 - e^{-k_{el} \cdot n\tau}}{1 - e^{-k_{el} \cdot \tau}}\right)$$

すなわち，第 n 回目投与後の投与間隔内での血中薬物濃度は 1 回目投与後の同じ時点の血中濃度に係数［$(1 - e^{-k_{el} \cdot n\tau}) / (1 - e^{-k_{el} \cdot \tau})$］をかければよいことがわかります．

また，定常状態時の血中薬物濃度は，上で得られた関係式に n→∞の条件を代入することで得られます．

$$C_{pt1ss} = \left(\frac{D}{V_d}\right)\left(\frac{1}{1 - e^{-k_{el} \cdot \tau}}\right) \cdot e^{-k_{el} \cdot t1} = C_{pt1,1} \cdot \left(\frac{1}{1 - e^{-k_{el} \cdot \tau}}\right)$$

すなわち，定常状態における同一投与間隔内での血中薬物濃度は 1 回目投与後の同じ時点の血中濃度に係数［$1/(1 - e^{-k_{el} \cdot \tau})$］をかければよいことがわかります（図 C1・8，図 C1・9）．

蓄積係数

定常状態における投与後 t1 時間後の濃度 C_{pt1ss} と 1 回目投与後 t1 時間後の濃度との比は次式で示されます．

$$\frac{C_{pt1ss}}{\left(\frac{D}{V_d}\right) \cdot e^{-k_{el} \cdot t1}} = \frac{1}{(1 - e^{-k_{el} \cdot \tau})}$$

この比の値は繰り返し投与によって得られる定常状態血中濃度が 1 回投与時の値よりどれくらい高まるか

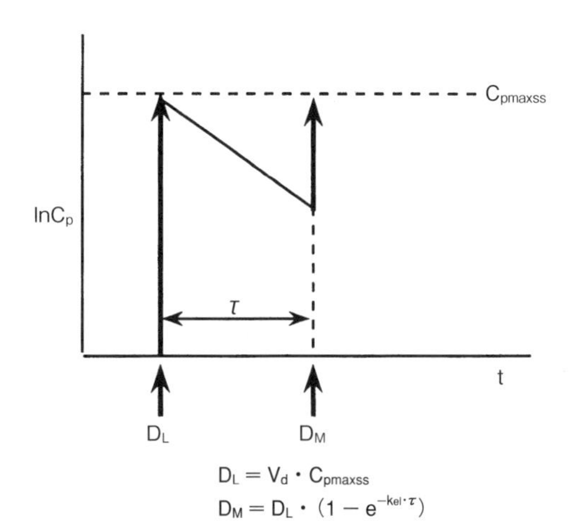

図 C1・7　繰り返し投与時における負荷量と維持量

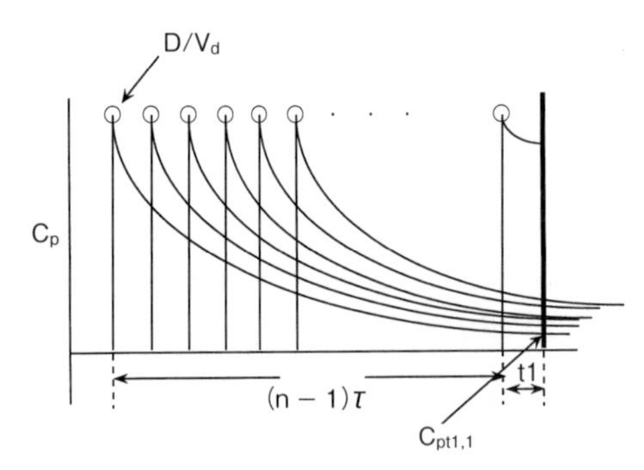

$$C_{pt1,1} = [(D/V_d)\cdot e^{-k_{el}\cdot(n-1)\tau}]\cdot e^{-k_{el}\cdot t1}$$
$$C_{pt1} = \{[(D/V_d)\cdot e^{-k_{el}\cdot n\tau}]/(1-e^{-k_{el}\cdot\tau})\}\cdot e^{-k_{el}\cdot t1}$$
$$C_{pt1ss} = (D/V_d)\cdot[1/(1-e^{-k_{el}\cdot\tau})]\cdot e^{-k_{el}\cdot t1}$$
$$= C_{pt1,1}[1/(1-e^{-k_{el}\cdot\tau})]$$

図 C1･8　繰り返し等間隔投与における血中薬物濃度推移の考え方

投与中の血中薬物濃度:

$$C_{pt1,n} = \underline{C_{pt1,1}}\ \underline{\{(1-e^{-k_{el}\cdot n\tau})/(1-e^{-k_{el}\cdot\tau})\}}$$

1回投与時の血中濃度　　蓄積係数(途中経過)

定常状態での血中薬物濃度:

$$C_{pt1ss} = \underline{C_{pt1,1}}\ \underline{\{1/(1-e^{-k_{el}\cdot\tau})\}}$$

1回投与時の血中濃度　　蓄積係数

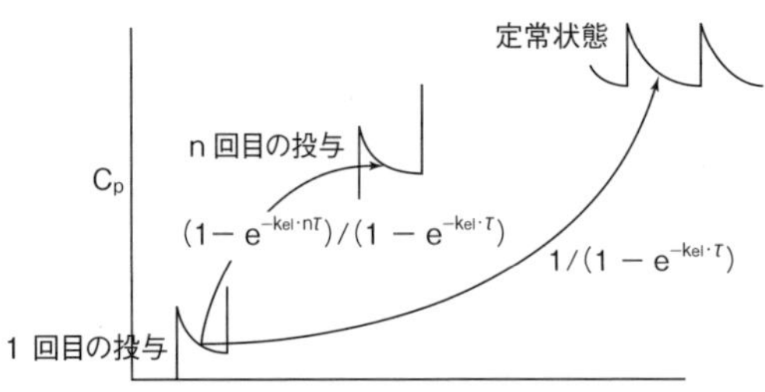

図 C1･9　繰り返し等間隔投与における血中薬物濃度と 1 回（初回）投与時の血中濃度との関係

を示す値であり，蓄積係数といいます．この関係を逆に使うと，1 回目の薬物投与後の血中濃度あるいは血中濃度を表す関係式に蓄積係数をかければ，定常状態時の血中濃度あるいは血中濃度を表す関係式が得られることになるので，非常に便利な係数です．

蓄積係数の大きさは薬物の消失速度定数 k_{el} と投与間隔 τ の間の関係によって決定されることが式からわかります．k_{el} を半減期に変換して，半減期，投与間隔と蓄積係数との関係を次式に示します．

$$蓄積係数 = \frac{1}{\left[1-\left(\frac{1}{2}\right)^{\varepsilon}\right]}$$

ここで，薬物の半減期と投与間隔の間の関係は次式で表しています．

$$\tau = \varepsilon\cdot t_{1/2}$$

$\varepsilon = 1$ のとき，すなわち薬物の半減期ごとに薬物を投与するとしますと，蓄積係数は 2 となります．ですから，$D_L = 2\cdot D$，$D_M = D$，$\tau = t_{1/2}$ とする薬物投与を行うと，投与開始時から定常状態を維持できます．また，血中薬物濃度は D の単回投与時の 2 倍の値となります．この用法・用量は抗菌剤においてよく用いられるものです．

不等間隔投与

不等投与間隔による何回かの薬物投与を 1 サイクルとして繰り返し投与を行うことを想定します．

例として同一薬物量を 1 サイクル内で不等間隔で 3 回投与が行われる場合を考えます（図 C1・10）．第 1 回目投与からは t1 時間後，第 2 回目投与からは t2 時間後であり，第 3 回目投与からは t3 時間後の血中薬物濃度 C_{p1} は次式で表すことができます．

$$C_{p1} = \left(\frac{D}{V_d}\right)\cdot[e^{-k_{el}\cdot t1} + e^{-k_{el}\cdot t2} + e^{-k_{el}\cdot t3}]$$

第 n サイクル目投与後上記と同様の時間における血中薬物濃度は第 1 サイクル目の関係式に係数をかけることによって次式で示されます．

$$C_{pn} = \left(\frac{D}{V_d}\right)\cdot[e^{-k_{el}\cdot t1} + e^{-k_{el}\cdot t2} + e^{-k_{el}\cdot t3}]\cdot\left(\frac{1-e^{-k_{el}\cdot n\tau}}{1-e^{-k_{el}\cdot\tau}}\right)$$

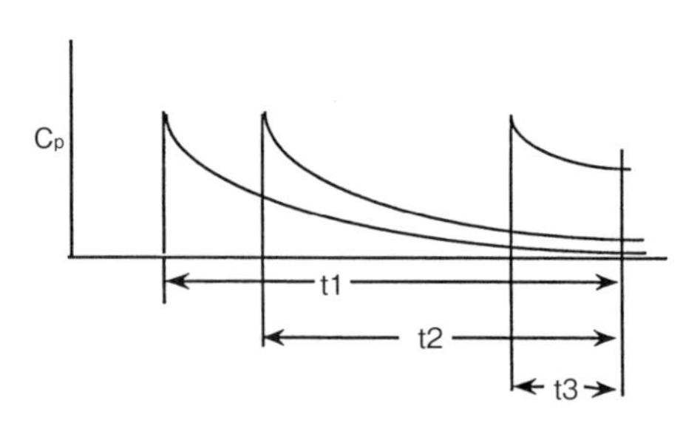

$$C_{p1} = \underline{(D/V_d)e^{-k_{el}\cdot t1}} + \underline{(D/V_d)e^{-k_{el}\cdot t2}} + \underline{(D/V_d)e^{-k_{el}\cdot t3}}$$

1回投与後の血中濃度

$$= (D/V_d)(e^{-k_{el}\cdot t1} + e^{-k_{el}\cdot t2} + e^{-k_{el}\cdot t3})$$

定常状態:

$$C_{pss} = (D/V_d)(e^{-k_{el}\cdot t1} + e^{-k_{el}\cdot t2} + e^{-k_{el}\cdot t3})\cdot\underline{[1/(1-e^{-k_{el}\cdot\tau})]}$$

蓄積係数

図 C1･10　繰り返し不等投与間隔における血中薬物濃度推移の考え方

負荷投与，維持投与の評価

カンジダ症に対するホスフルコナゾール静注液の用法・用量は,「通常，成人にはホスフルコナゾール 63.1～126.1 mg（フルコナゾールとして 50～100 mg）を維持用量として 1 日 1 回静脈内に投与する．ただし，初日，2 日目は維持用量の倍量として，ホスフルコナゾール 126.1～252.3 mg（フルコナゾールとして 100～200 mg）を投与する」と記載されています.

126.1 mg（フルコナゾールとして 100 mg）を維持用量として 1 日 1 回静脈内投与．初日，2 日目はホスフルコナゾール 252.3 mg（フルコナゾールとして 200 mg）を投与する，とする用法・用量下での薬物（フルコナゾール）の動きの概略を考えます.

フルコナゾール半減期 = 32 h

$k_{el} = 0.693/32 = 0.022\ h^{-1}$

定常状態時において，1 投与間隔内での投与量（維持量）と消失量は同じです．1 投与間隔（24 h）での消失量がフルコナゾール量として 100 mg であるので，維持量の投与直後の体内量（A_{b0ss}）を推定します.

$$A_{b24ss} = A_{b0ss} \cdot e^{-kel(24)}$$
$$= A_{b0ss} \cdot e^{-(0.022)(24)} = A_{b0ss} \cdot (0.59)$$
$$A_{bss0} - A_{b24ss} = A_{b0ss} - A_{b0ss} \cdot (0.59)$$
$$= (0.41) \cdot A_{b0ss} = 100\ mg$$
$$A_{b0ss} = 244\ mg$$

すなわち，規定された用法・用量においては，定常状態でフルコナゾールは体内に投与直後 244 mg，次回投与直前時には 144 mg が存在していることがわかります.

用法・用量に規定されている条件で，負荷時の推移を考えます.

1 回目の投与：

投与直後の体内薬物量

$$A_{b0,1} = 200\ mg$$

次回投与直前時の体内薬物量

$$A_{b24,1} = A_{b0,1} \cdot e^{-kel\ (24)} = (200) \cdot (0.59)$$
$$= 118\ mg$$

2 回目の投与：

投与直後の体内薬物量

$$A_{b0,2} = 118 + 200 = 318\ mg$$

次回投与直前時の体内薬物量

$$A_{b24,2} = (0.59) \cdot (318) = 188\ mg$$

3 回目の投与前値は定常状態時の投与直前値（144 mg）より多くなっています.

3 回目の投与：

投与直後の体内薬物量

$$A_{b0,3} = 188 + 100 = 288\ mg$$

次回投与直前時の体内薬物量

$$A_{b24,3} = (0.59) \cdot (288) = 170\ mg$$

4 回目の投与：

投与直後の体内薬物量

$$A_{b0,4} = 170 + 100 = 270\ mg$$

次回投与直前時の体内薬物量

$$A_{b24,4} = (0.59) \cdot (270) = 159\ mg$$

5 回目の投与：

投与直後の体内薬物量

$$A_{b0,5} = 159 + 100 = 259\ mg$$

次回投与直前時の体内薬物量

$$A_{b24,5} = (0.59) \cdot (259) = 153\ mg$$

6 回目の投与：

投与直後の体内薬物量

$$A_{b0,6} = 153 + 100 = 253\ mg$$

次回投与直前時の体内薬物量

$$A_{b24,6} = (0.59) \cdot (253) = 149\ mg$$

7 回目の投与：

投与直後の体内薬物量

$$A_{b0,7} = 149 + 100 = 249\ mg$$

次回投与直前時の体内薬物量

$$A_{b24,7} = (0.59) \cdot (249) = 147\ mg$$

このように，7 回終了後に，ほぼ，定常状態時に近い体内薬物量となっています.

規定されている用法・用量では，負荷量 2 回投与で，体内量は定常状態時より高くなり，定常状態時に到達するためには，投与開始時から半減期の 4～5 倍，すなわち，128 時間（5.3 日）から 160 時間（6.7 日）経過後と推定できます．負荷量を規定値の 77%（2 日目終了時の体内薬物量の比；144 mg/188 mg），すなわち 154 mg（おおよそ，150 mg）とすると，3 日目以降，定常状態に移行できたと推定されます．維持量は負荷量の 1/2 量であるべきと考え，投与間隔と半減期の関係を考慮することなく設定されると，このような変則的な推移を示すこととなります.

ここで，τ は1サイクルとしての時間間隔を示します．

定常状態における上記と同様の時間における血中薬物濃度は第1サイクル目の関係式に蓄積係数をかけることによって次式で表すことができます．

$$C_{pss}=\left(\frac{D}{V_d}\right)\cdot\left[e^{-k_{el}\cdot t1}+e^{-k_{el}\cdot t2}+e^{-k_{el}\cdot t3}\right]\cdot\left(\frac{1}{1-e^{-k_{el}\cdot\tau}}\right)$$

例えば1日3回，午前8時，12時，午後6時（18時）投与を繰り返すとします．検討したい時間の血中濃度を3回の薬物投与後の濃度としてとらえます．例えば午後9時（21時）の血中濃度を計算するとします．

その1サイクルでの血中薬物濃度 C_p は次式で表すことができます．

$$C_{p21,1}=\left(\frac{D}{V_d}\right)\cdot\left[e^{-k_{el}\cdot(21-8)}+e^{-k_{el}\cdot(21-12)}+e^{-k_{el}\cdot(21-18)}\right]$$

このサイクルが繰り返されて定常状態に到達するので，定常状態における午後9時（21時）の血中濃度 C_{p21ss} は $C_{p21,1}$ に蓄積係数をかけることによって得られます．

$$C_{p21ss}=\left(\frac{D}{V_d}\right)\cdot\left[e^{-k_{el}\cdot(21-8)}+e^{-k_{el}\cdot(21-12)}+e^{-k_{el}\cdot(21-18)}\right]\cdot\left(\frac{1}{1-e^{-k_{el}\cdot(24)}}\right)$$

また，例えば定常状態における午後2時（14時）の血中濃度 C_{p14ss} は次式で表すことができます．

$$C_{p14ss}=\left(\frac{D}{V_d}\right)\cdot\left[e^{-k_{el}\cdot(20)}+e^{-k_{el}\cdot(6)}+e^{-k_{el}\cdot(2)}\right]\cdot\left(\frac{1}{1-e^{-k_{el}\cdot(24)}}\right)$$

蓄積係数の算出に用いる τ には，24時間を用いることには注意すべきです．また，この考え方を用いる場合，1サイクル内で薬物投与回数と指数項の数を一致させるように式を立てることにも注意してください．

c．静脈内短時間点滴投与

(i) 投与過程の表現

原理的には，「限定薬物量の単回短時間定速投与」（C1･3項）の繰り返しとして取り扱うことになります．しかし，薬物の点滴投与時間中における薬物の体内からの消失が，全消失量に対して無視しうる量である場合には，急速投与したとして事実上取り扱えます．そこで，注入時間と半減期の関係から投与過程を考慮すべきかどうかを判断します（図C1・11）．

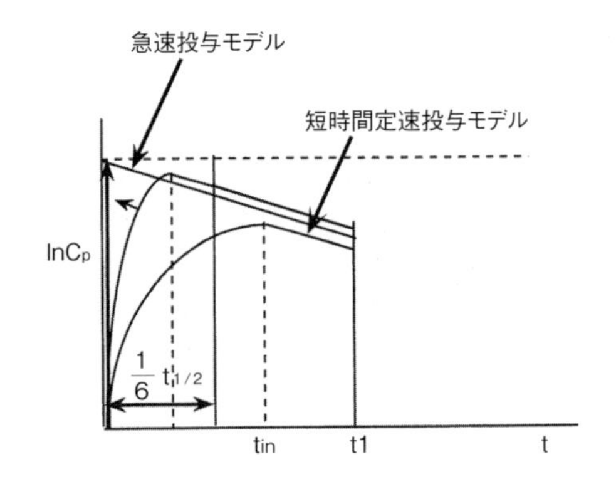

急速投与モデル
$C_{pt1}=(D/V_d)\cdot e^{-k_{el}\cdot(t1-t_{in})}$

短時間定速投与モデル
$C_{pt1}=(D/t_{in}/CL_{tot})\cdot(1-e^{-k_{el}\cdot t_{in}})\cdot e^{-k_{el}\cdot(t1-t_{in})}$

図C1･11　投与過程の表現のためのモデル選択

$t_{in}\leqq\frac{1}{6}t_{1/2}$ の場合：

急速投与モデル（bolus dose model）

投与時間中における薬物の体内からの消失が，全消失量に対して無視しうる場合（10％以下）であり，この場合，薬物全量を事実上，一度に急速投与したと考えます．

$t_{in}>\frac{1}{6}t_{1/2}$ の場合：

短時間定速投与モデル（short infusion model）

投与時間中における薬物の体内からの消失が，全消失量に対して無視できない場合です．この場合は，投与過程をモデルに入れる必要が出てきます．

(ii) $t_{in}\leqq\frac{1}{6}t_{1/2}$ の場合：急速投与モデル

(1) 1回投与

取り扱いに必要な式を以下に示します．

$$C_{p0}=\frac{D}{V_d}$$

$$C_{pt1}=C_{p0}\cdot e^{-k_{el}\cdot(t1-t_{in})}$$

C_{p0}；ピーク濃度

C_{pt1}；投与開始後t1時間後の血中濃度

(2) 繰り返し投与

定常状態平均血中薬物濃度は次式で表されます．

$$\frac{D}{\tau}=CL_{tot}\cdot C_{pssave}$$

$\frac{D}{\tau}$；平均投与速度

C_{pssave}；定常状態平均血中薬物濃度

等間隔投与

第 n 回目投与開始後 t1 時間後の血中薬物濃度 C_{pt1} は次式で与えられます.

$$C_{pt1,n} = \left(\frac{D}{V_d}\right) \cdot \left(\frac{1 - e^{-k_{el} \cdot n\tau}}{1 - e^{-k_{el} \cdot \tau}}\right) \cdot e^{-k_{el} \cdot (t1 - t_{in})}$$

定常状態における投与開始後 t1 時間後の血中薬物濃度 C_{pt1ss} は次式で与えられます.

$$C_{pt1ss} = \left(\frac{D}{V_d}\right) \cdot \left(\frac{1}{1 - e^{-k_{el} \cdot \tau}}\right) \cdot e^{-k_{el} \cdot (t1 - t_{in})}$$

不等間隔投与

1 サイクル 3 回投与を想定します. 第 1 回目投与開始後の t1 時間後, 第 2 回目投与開始後の t2 時間後であり, 第 3 回目投与開始後の t3 時間後の血中薬物濃度は次式で表されます.

$$C_{p1} = \left(\frac{D}{V_d}\right) \cdot \left[e^{-k_{el} \cdot (t1 - t_{in})} + e^{-k_{el} \cdot (t2 - t_{in})} + e^{-k_{el} \cdot (t3 - t_{in})}\right]$$

第 n サイクル目投与開始後上記と同様の時間における血中薬物濃度は次式で示されます.

$$C_{pn} = \left(\frac{D}{V_d}\right) \cdot \left[e^{-k_{el} \cdot (t1 - t_{in})} + e^{-k_{el} \cdot (t2 - t_{in})} + e^{-k_{el} \cdot (t3 - t_{in})}\right] \cdot \left(\frac{1 - e^{-k_{el} \cdot n\tau}}{1 - e^{-k_{el} \cdot \tau}}\right)$$

τ は 1 サイクルとしての時間間隔を示します.

定常状態における上記と同様の時間における血中薬物濃度は次式で示されます.

$$C_{pss} = \left(\frac{D}{V_d}\right) \cdot \left[e^{-k_{el} \cdot (t1 - t_{in})} + e^{-k_{el} \cdot (t2 - t_{in})} + e^{-k_{el} \cdot (t3 - t_{in})}\right] \cdot \left(\frac{1}{1 - e^{-k_{el} \cdot \tau}}\right)$$

(iii) $t_{in} > \frac{1}{6} t_{1/2}$ の場合：短時間定速投与モデル

(1) 1 回投与

取り扱いに必要な式を以下に示します.

$$C_{ptin} = C_{pss} \cdot (1 - e^{-k_{el} \cdot t_{in}})$$

$$C_{pss} = \frac{(D/t_{in})}{CL_{tot}}$$

C_{ptin}；ピーク濃度

$$C_{pt2} = C_{ptin} \cdot e^{-k_{el} \cdot (t2 - t_{in})} = \frac{(D/t_{in})}{CL_{tot}} \cdot (1 - e^{-k_{el} \cdot t_{in}}) \cdot e^{-k_{el} \cdot (t2 - t_{in})}$$

C_{pt2}；投与開始後 t2 時間後の血中濃度

(2) 繰り返し投与

等間隔投与

第 n 回目投与開始後 t2 時間後の血中濃度は次式で表されます.

$$C_{pt2,n} = \frac{(D/t_{in})}{CL_{tot}} \cdot (1 - e^{-k_{el} \cdot t_{in}}) \cdot e^{-k_{el} \cdot (t2 - t_{in})} \cdot \left(\frac{1 - e^{-k_{el} \cdot n\tau}}{1 - e^{-k_{el} \cdot \tau}}\right)$$

定常状態における投与開始後 t2 時間後の血中濃度は次式で表されます.

$$C_{pt2ss} = \frac{(D/t_{in})}{CL_{tot}} \cdot (1 - e^{-k_{el} \cdot t_{in}}) \cdot e^{-k_{el} \cdot (t2 - t_{in})} \cdot \left(\frac{1}{1 - e^{-k_{el} \cdot \tau}}\right)$$

不等間隔投与

1 サイクル 3 回投与を想定します. 1 回目投与開始後から t1 時間後, 2 回目投与開始後から t2 時間後であり, 3 回目投与開始後から t3 時間後の血中薬物濃度は次式で表されます.

$$C_{p1} = \frac{(D/t_{in})}{CL_{tot}} \cdot (1 - e^{-k_{el} \cdot t_{in}}) \cdot \left[e^{-k_{el} \cdot (t1 - t_{in})} + e^{-k_{el} \cdot (t2 - t_{in})} + e^{-k_{el} \cdot (t3 - t_{in})}\right]$$

第 n サイクル目投与後上記と同様の時間における血中薬物濃度は次式で示されます.

$$C_{pn} = \frac{(D/t_{in})}{CL_{tot}} \cdot (1 - e^{-k_{el} \cdot t_{in}}) \cdot \left[e^{-k_{el} \cdot (t1 - t_{in})} + e^{-k_{el} \cdot (t2 - t_{in})} + e^{-k_{el} \cdot (t3 - t_{in})}\right] \cdot \left(\frac{1 - e^{-k_{el} \cdot n\tau}}{1 - e^{-k_{el} \cdot \tau}}\right)$$

τ は 1 サイクルとしての時間間隔を示します.

定常状態における上記と同様の時間における血中薬物濃度は次式で示されます.

$$C_{pss} = \frac{(D/t_{in})}{CL_{tot}} \cdot (1 - e^{-k_{el} \cdot t_{in}}) \cdot \left[e^{-k_{el} \cdot (t1 - t_{in})} + e^{-k_{el} \cdot (t2 - t_{in})} + e^{-k_{el} \cdot (t3 - t_{in})}\right] \cdot \left(\frac{1}{1 - e^{-k_{el} \cdot \tau}}\right)$$

d. 血管外投与

薬物の動きを忠実に表現するならば, 吸収過程における吸収薬物量（血中薬物濃度）推移を表現することが必要になります. また, 投与した薬物量がすべて全身循環血中に到達するとは限らないので, D の代わりに F・D を用います.

まず, 投与間隔と薬物の半減期との関係を考慮します.

(i)　$\tau \leqq \frac{1}{3} t_{1/2}$ の場合

薬物濃度の振れが平均値の ± 10 % の範囲に入りますので，薬物は連続定速投与されていると想定して考えます．

(1) 定常状態における血中薬物濃度

平均投与速度と平均血中濃度の間の関係は次式で表されます．

$$F \cdot \frac{D}{\tau} = CL_{tot} \cdot C_{pssave}$$

$$C_{pssave} = \frac{F \cdot \frac{D}{\tau}}{CL_{tot}}$$

$F \cdot \frac{D}{\tau}$ ；平均投与速度

この条件では，次式が成り立ちます．

$$C_{pmaxss} \fallingdotseq C_{pssave} \fallingdotseq C_{pminss}$$

(2) 定常状態に到達する過程における血中薬物濃度

次式で表されます．

$$C_p = C_{pssave} \cdot (1 - e^{-k_{el} \cdot t})$$

$$C_{pssave} = \frac{F \cdot \frac{D}{\tau}}{CL_{tot}}$$

t は薬物投与開始後の時間を示します．

(ii)　$\tau > \frac{1}{3} t_{1/2}$ の場合

薬物は断続的に投与されているとして取り扱い，最高濃度，最低濃度を考慮します．

(1) 投与（吸収）過程の表現

血管外投与した場合，吸収過程は一次過程で表される場合が多いのですが，臨床目的で用いるモデルでは，投与（吸収）過程を k_a（吸収速度定数）というパラメータで表現するよりも，定速投与モデルを用います．一般には吸収が行われている時間の血中濃度を臨床上問題にすることはありません．投与（吸収）終了後のモニターの対象となる消失過程の血中濃度を誤差少なくとらえることができることが条件となります．吸収過程をできるだけ簡略に表現する方法として，薬物量を投与（吸収）時間（t_{in}）中定速で投与したと考えるモデルが使われます．t_{in} としては，薬物最高濃度を示す時間（t_{max}）をあてます．このモデルではパラメータを必要としないため，取り扱いが容易となります．

まず，投与（吸収）時間中における薬物の体内からの消失が，全消失量に対して無視しうる量であるかによってモデルを考えます．

$t_{max} \leqq \frac{1}{6} t_{1/2}$ の場合：急速投与モデル

投与（吸収）時間中における薬物の体内からの消失が，全消失量に対して無視しうる場合であり，この場合，薬物全量（F・D）を事実上，一度に急速投与したと考えます．

$t_{max} > \frac{1}{6} t_{1/2}$ の場合：短時間定速投与モデル

投与（吸収）時間中における薬物の体内からの消失が，全消失量に対して無視できない場合です．この場合は，吸収過程をモデルに入れる必要が出てきます．

(2) $t_{max} \leqq \frac{1}{6} t_{1/2}$ の場合：急速投与モデル

1 回投与

取り扱いに必要な式を以下に示します．

$$C_{p0} = F \cdot \frac{D}{V_d}$$

$$C_{pt1} = C_{p0} \cdot e^{-k_{el} \cdot (t1 - t_{max})}$$

C_{p0} ；ピーク濃度

C_{pt1} ；投与開始後 t1 時間後の血中濃度

繰り返し投与

定常状態平均血中薬物濃度は次式で表されます．

$$F \cdot \frac{D}{\tau} = CL_{tot} \cdot C_{pssave}$$

$F \cdot \frac{D}{\tau}$ ；平均投与速度

C_{pssave} ；定常状態平均血中薬物濃度

等間隔投与

第 n 回目投与後 t1 時間後の血中薬物濃度 C_{pt1n} は次式で与えられます．ただし，t1 は τ より短い時間とします．

$$C_{pt1,n} = \left(F \cdot \frac{D}{V_d}\right) \cdot \left(\frac{1 - e^{-k_{el} \cdot n\tau}}{1 - e^{-k_{el} \cdot \tau}}\right) \cdot e^{-k_{el} \cdot (t1 - t_{max})}$$

定常状態における投与後 t1 時間後の血中薬物濃度 C_{pt1ss} は次式で与えられます．

$$C_{pt1ss} = \left(F \cdot \frac{D}{V_d}\right) \cdot \left(\frac{1}{1 - e^{-k_{el} \cdot \tau}}\right) \cdot e^{-k_{el} \cdot (t1 - t_{max})}$$

不等間隔投与

1 サイクル 3 回投与を想定します．第 1 回目投与の t1 時間後，第 2 回目投与の t2 時間後であり，第 3 回目投与の t3 時間後の血中薬物濃度は次式で表されます．

$$C_{p1} = \left(F \cdot \frac{D}{V_d}\right) \cdot \left[e^{-k_{el} \cdot (t1 - t_{max})} + e^{-k_{el} \cdot (t2 - t_{max})} + e^{-k_{el} \cdot (t3 - t_{max})}\right]$$

第nサイクル目投与後上記と同様の時間における血中薬物濃度は次式で示されます．

$$C_{pn} = \left(F \cdot \frac{D}{V_d}\right) \cdot \left[e^{-k_{el} \cdot (t1 - t_{max})} + e^{-k_{el} \cdot (t2 - t_{max})} + e^{-k_{el} \cdot (t3 - t_{max})}\right] \cdot \left(\frac{1 - e^{-k_{el} \cdot n\tau}}{1 - e^{-k_{el} \cdot \tau}}\right)$$

τは1サイクルとしての時間間隔を示します．

定常状態における上記と同様の時間における血中薬物濃度は次式で示されます．

$$C_{pss} = \left(F \cdot \frac{D}{V_d}\right) \cdot \left[e^{-k_{el} \cdot (t1 - t_{max})} + e^{-k_{el} \cdot (t2 - t_{max})} + e^{-k_{el} \cdot (t3 - t_{max})}\right] \cdot \left(\frac{1}{1 - e^{-k_{el} \cdot \tau}}\right)$$

(3) $t_{max} > \frac{1}{6} t_{1/2}$ の場合：短時間定速投与モデル

1回投与

取り扱いに必要な式を以下に示します．

$$C_{ptin} = C_{pss} \cdot (1 - e^{-k_{el} \cdot t_{max}})$$

$C_{pt_{max}}$；ピーク濃度

$$C_{pt1} = C_{pt_{max}} \cdot e^{-k_{el} \cdot (t1 - t_{max})} = \frac{F \cdot \frac{D}{t_{max}}}{CL_{tot}} \cdot (1 - e^{-k_{el} \cdot t_{max}}) \cdot e^{-k_{el} \cdot (t1 - t_{max})}$$

C_{pt1}；投与後t1時間後の血中濃度

繰り返し投与

等間隔投与

第n回目投与後t1時間後の血中濃度は次式で表されます．

$$C_{pt1,n} = \frac{F \cdot \frac{D}{t_{max}}}{CL_{tot}} \cdot (1 - e^{-k_{el} \cdot t_{max}}) \cdot e^{-k_{el} \cdot (t1 - t_{max})} \cdot \left(\frac{1 - e^{-k_{el} \cdot n\tau}}{1 - e^{-k_{el} \cdot \tau}}\right)$$

定常状態における投与後t1時間後の血中濃度は次式で表されます．

$$C_{pt1ss} = \frac{F \cdot \frac{D}{t_{max}}}{CL_{tot}} \cdot (1 - e^{-k_{el} \cdot t_{max}}) \cdot e^{-k_{el} \cdot (t1 - t_{max})} \cdot \left(\frac{1}{1 - e^{-k_{el} \cdot \tau}}\right)$$

不等間隔投与

1サイクル3回投与を想定します．1回目投与後からt1時間後，2回目投与後からt2時間後であり，3回目投与後からt3時間後の血中薬物濃度は次式で表されます．

$$C_{p1} = \frac{F \cdot \frac{D}{t_{max}}}{CL_{tot}} \cdot (1 - e^{-k_{el} \cdot t_{max}}) \cdot \left[e^{-k_{el} \cdot (t1 - t_{max})} + e^{-k_{el} \cdot (t2 - t_{max})} + e^{-k_{el} \cdot (t3 - t_{max})}\right]$$

第nサイクル目投与後上記と同様の時間における血中薬物濃度は次式で示されます．

$$C_{pn} = \frac{F \cdot \frac{D}{t_{max}}}{CL_{tot}} \cdot (1 - e^{-k_{el} \cdot t_{max}}) \cdot \left[e^{-k_{el} \cdot (t1 - t_{max})} + e^{-k_{el} \cdot (t2 - t_{max})} + e^{-k_{el} \cdot (t3 - t_{max})}\right] \cdot \left(\frac{1 - e^{-k_{el} \cdot n\tau}}{1 - e^{-k_{el} \cdot \tau}}\right)$$

τは1サイクルとしての時間間隔を示します．

定常状態における上記と同様の時間における血中薬物濃度は次式で示されます．

$$C_{pss} = \frac{F \cdot \frac{D}{t_{max}}}{CL_{tot}} \cdot (1 - e^{-k_{el} \cdot t_{max}}) \cdot \left[e^{-k_{el} \cdot (t1 - t_{max})} + e^{-k_{el} \cdot (t2 - t_{max})} + e^{-k_{el} \cdot (t3 - t_{max})}\right] \cdot \left(\frac{1}{1 - e^{-k_{el} \cdot \tau}}\right)$$

半減期の変化を基礎にした投与設計の考え方

「半減期 $t_{1/2}$ が長くなった場合，そのままの投与量，投与間隔で投与を継続すると，血中薬物濃度は高くなる．…」という言質をよく見かけます．正しいでしょうか．

蓄積係数を見ますと，

$$蓄積係数 = 1/\left[1-(1/2)^{\varepsilon}\right]$$

$$\varepsilon = \frac{\tau}{t_{1/2}}，投与間隔 \tau$$

蓄積係数は確かに大きくなります．しかし，この推理には落とし穴があります．

詳しく考えてみましょう．

半減期の延長は，消失速度 k_{el} の低下によります．k_{el} は CL_{tot} と V_d の相対関係で決定されています．

$$k_{el} = \frac{CL_{tot}}{V_d}$$

すなわち，CL_{tot} の低下あるいは V_d の増大，あるいは CL_{tot}，V_d の両者の低下，ただし，変化率としては，CL_{tot} の低下率が大きい，などを挙げることができます．

定常状態時の平均血中濃度を考えます．

$$C_{pssave} = (D/\tau)/CL_{tot}$$

CL_{tot} の低下率に反比例して，C_{pssave} は上昇します．また，CL_{tot} のみが低下した場合，半減期は CL_{tot} の低下率に反比例して延長します．

一方，V_d が増大した場合，C_{pssave} は変化しません．しかし，半減期は V_d の増大率に比例して延長します．ですから，半減期の変化から C_{pssave} を推定することができません．

また，CL_{tot} と V_d の変化が同時に生じている場合は，上述した内容がそのままあてはまり，CL_{tot} の低下率に逆比例し C_{pssave} の増大が認められますが，V_d の変化には C_{pssave} は影響を受けません．一方，半減期の変化は CL_{tot} と V_d の変化の相対値となっているため，半減期の変化から C_{pssave} を推定することができません．

このように考えてきますと，定常状態平均血中薬物濃度の変化は CL_{tot} のみによって引き起こされ，半減期は，その点では，指標にできないことがわかります．投与設計上，重要な情報は CL_{tot} の変化です．半減期の変化には，一義的な意味を有しないため，投与設計のための指標としては用いることができません．

C2　クリアランスが薬物濃度依存性を示す薬物の投与設計に必要な関係式

おもに肝代謝によって消失する薬物が臨床用量で投与された場合に，その全身（肝）クリアランスが投与量（平均血中薬物濃度）に対し一定値を示さず，一定の関係で変化する場合があります．

薬物の代謝は酵素が関与する反応です．薬物の消失速度は酵素による反応速度です．次式で表すことができます（ミカエリス・メンテンの式；図 C2・1）．

$$\text{消失速度}=\text{代謝速度}=V_{max}\cdot\frac{C}{K_m+C}$$

V_{max} は最大代謝（消失）速度，K_m はミカエリス定数，C は薬物濃度です．一方，消失速度とクリアランスは次式によって表現されます．

$$\text{消失速度}=CL\cdot C$$

そのため，クリアランスは次式となります．

$$CL=\frac{V_{max}}{K_m+C}$$

この場合，クリアランスは濃度の関数となり，濃度が高いほどクリアランスは小さくなります．すなわち，代謝の飽和の現象を表現しています．

薬物が等間隔で血管外から繰り返し投与され，定常状態にあることを想定します．定常状態平均血中濃度を C_{pssave} とします．この条件では次式が成り立っています．

$$\text{平均投与速度}=\text{平均消失速度}$$

$$\text{平均投与速度}=F\cdot\frac{D}{\tau}$$

$$\text{平均消失速度}=V_{max}\cdot\frac{C_{pssave}}{K_m+C_{pssave}}$$

$$F\cdot\frac{D}{\tau}=V_{max}\cdot\frac{C_{pssave}}{K_m+C_{pssave}}$$

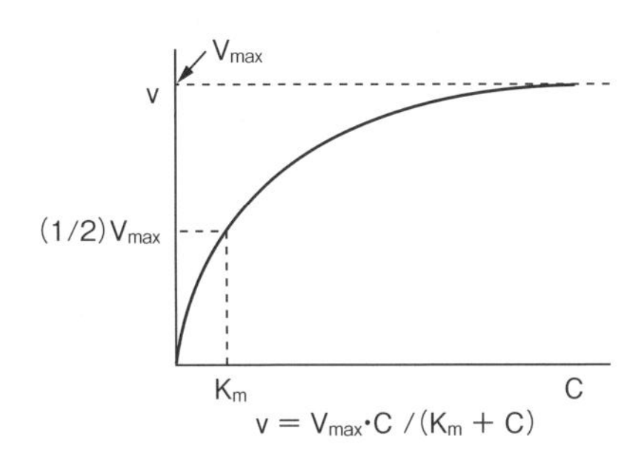

図 C2･1　代謝速度と薬物濃度の関係

図 C2・2 には C_{pssave} と F・D/ τ の関係を示しています．平均薬物濃度が平均投与速度に比例せず，投与速度を大きくするにつれ，平均血中濃度はそれ以上に急激に上昇することがみられます．このような特性を示す薬物の投与設計がとくに重要である理由はこの関係にあります．抗痙攣薬のフェニトインは治療域がせまく，しかもこのような動態を示す薬物です．

上式を変形すると次式が得られます．

$$F\cdot\frac{D}{\tau}=V_{max}-K_m\cdot\frac{\left(F\cdot\dfrac{D}{\tau}\right)}{C_{pssave}}$$

投与速度を 2 つ以上変化させ，得られる平均血中濃度をプロットし，体内動態パラメータ K_m および V_{max} を得ることができます（図 C2・3）．

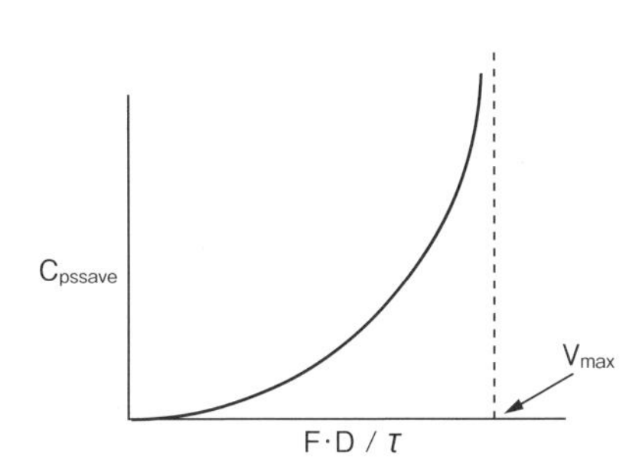

図 C2･2　平均投与速度と定常状態平均血中濃度

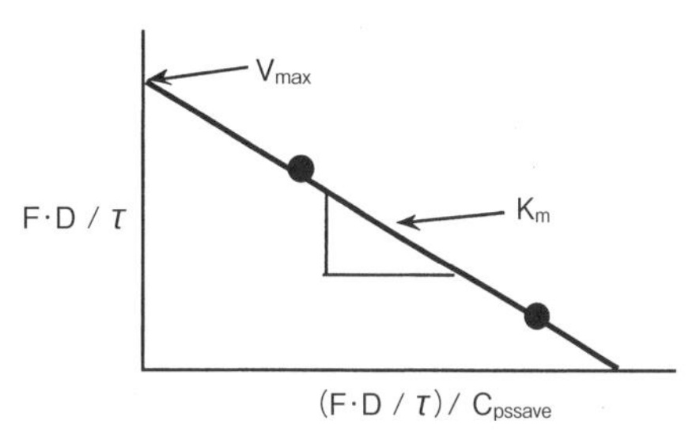

図 C2･3　K_m と V_{max} の算出

C3　薬物投与設計の考え方

対象とする患者の個々の用法・用量を決定する場合には，対象とする患者の薬物動態のパラメータを用いて薬物治療のモニターの対象となる相の血中濃度の値が望ましい値になるように設計することになります．先にも述べたように，そのほとんどは1-コンパートメントモデルに基づく取り扱いとなります．この章で取り扱った式もすべて1-コンパートメントモデルに基づいています．

1-コンパートメントモデルに基づいている場合，全身循環血中に薬物が入った後の薬物の推移は，全身クリアランスと分布容積の2つのパラメータで規定できます．血管外に薬物が投与された場合には，吸収過程の推移を示すためのパラメータが場合によっては必要になりますが，それも一定の速度で吸収が行われているとして取り扱うことによって，既知のパラメータとする便法をとることはすでに述べました．そのため，必要とするパラメータは最多2つ，全身クリアランスと分布容積，であることになります．その場合は，患者から血中薬物濃度値を2点得ることができれば，患者の薬物動態パラメータ値が確定します．ちなみに，吸収過程を一次過程と設定すると，1つ増えることになり，また，2-コンパートメントモデルで吸収の一次過程を採用すると，5つのパラメータが必要になります．そうしますと，最低5点の血中薬物濃度を必要とします．どうしてもやむを得ない場合は，患者によく説明し採血を行わなければなりませんが，先にも述べたように，血中薬物濃度値の厳密な表現のためだけに必要で，治療モニターのためにはもっと少数でよいのであれば，このようなことは絶対にできません．ですから，選択されたモデルについては，臨床上の意味，意義を厳格に評価する必要があります．

V_d，CL_{tot}，(F) がわかれば，血中濃度は推定できる
[1] まったく患者の情報がないとき：平均値（母集団パラメータ）を用いる
[2] 患者の臨床検査値，その他のプロフィールがわかっているとき：動態パラメータとそれら生理病態値との関係式から患者パラメータ値を推定する
[3] 血中薬物濃度が1点測定されている：動態パラメータの1つを平均値または生理病態値からの推定値をあて，血中濃度値を利用してもう1つの動態パラメータ値を推定する
[4] 血中薬物濃度が2点以上測定されている：血中濃度値を用いて患者の動態パラメータ値を推定する
[1] [2]：初期投与設計 [3] [4]：投与設計の妥当性，設計の変更，薬物治療の評価など

図 C3·1　投与設計法の考え方

1-コンパートメントモデルを前提に，臨床の状況に対応した投与設計の考え方を図C3・1に示しています．

[1] は対象とする患者に対し初めて薬物を投与しようとする場合です．当然，血中薬物濃度は得られていません．その場合には，必要とする2つのパラメータ，CL_{tot}，V_d は文献などにある平均のパラメータ値を用いることになります．標準的な用法・用量に相当することになります．

近年，患者を対象とした薬物動態研究が進展し，薬物動態パラメータの平均値とあわせ，変動要因も明らかにされ，パラメータと変動要因との間の関係式も示されるケースが多くなりつつあります．パラメータと変動要因との間の関係式を利用できれば，患者のより具体的な状況に対応した標準的な用法・用量が設定できることになります．[2]はそのような状況の場合です．ただし，関係式が得られた条件が，対象とする患者背景を含んでいるとの確認が必要となります．

上記 [1] または [2] により患者に対する薬物治療が開始されます．治療上，何らかの問題点が生じ，血中薬物濃度値の測定が必要と判断され，測定されたとします．測定点が1点の場合には，当然，患者のパラメータを推定するには情報不足です．2つのパラメータ値は推定できません．この場合，患者間の変動がより小さいと考えられるパラメータ，多くは V_d の値に，その平均値をあて，もう1つのパラメータ値を血中薬物濃度値から算出する方法をとります．当然，算出された値は真の値ではありませんが，患者情報としての血中薬物濃度が加味されている点では，[1] または [2] に比べれば信頼性のある値であると考えられます．

測定点が2点ある場合には，原理的には2つのパラメータは算出されます．上記 [1] [2] [3] に比べ信頼性の高い値です．しかし，血中薬物濃度の測定上の誤差，パラメータ算出上の誤差などを含むので，過大評価はできません．おおむねの傾向を示している程度の考え方で取り扱うことが重要です．いったん算出してしまうと何となく真実であると思いがちになってしまいますので，注意が必要です．とくに平均的な値に比べ大きく離れたパラメータ値が算出された場合は，投与設計にはより安全な値にシフトさせて行い，後で確認すべきです．

C4　ベイズ推定を用いた血中薬物濃度の推定

薬物の体内動態パラメータの推定には，体内動態を表現するモデルの関係式に測定値を代入することによって，定数であるパラメータ値を算出するという手順をとります．その場合，推定しようとするパラメータ(定数) の数と少なくとも同数の測定値を用いないと解析できません．この点は先のC3節で述べた通りです．

ベイズの推定法はこの条件を要求しません．測定値1点でもパラメータが2つ，3つ，4つであっても推定値が求められる方法です．この点が，臨床において関心がもたれている理由です．これが本当であれば，こんなに便利なものはありません．

以下，簡単にベイズ推定の概念のみを述べます．ある薬物がある患者に投与されることによって薬物動態パラメータが得られたとします．そのパラメータには2つの側面が含まれます．1つは，その薬物を服用した患者集団の一員である患者が示したパラメータであるという側面です．すでに患者集団としての平均値とそのばらつき度（分散）がわかっているとすると，当然，今回得られたパラメータ値はその分布の中の1つとして表現されているはずです．他方，得られたパラメータ値は，患者独自の背景のもとに表現された値であるとの側面も有しています．

得られたパラメータ値の取り扱いを両者の側面から考えます．患者群のばらつき度が相対的に小さく，すなわち，その値の信頼性が高い，他方，今回得られたパラメータ値の信頼性は検討したところ低いとすると，せっかく得られてはいますが，患者群の平均値に近い値としたほうがよさそうです．逆に，今回得られたパラメータ値は平均値からははずれた値になっていますが，その信頼性は平均値よりもはるかに高いという情報があれば，得られた値にしたい，しかし，平均値は無視できない，それでは得られた値に近い値を採用したほうがよさそうだということになります．このような判断（操作）によって最も妥当なパラメータ値を推定する方法がベイズ法です（図C4・1).

ベイズ法では，事前情報としてパラメータの平均値とその分散が必要です．そうしますと，新たに患者から得られた情報（追加情報;血中薬物濃度とその分散）とのバランスから，最も妥当とするパラメータ値が推定できます．この場合，新たな情報がない場合は，事前情報値そのものが推定値となります．また，事前情

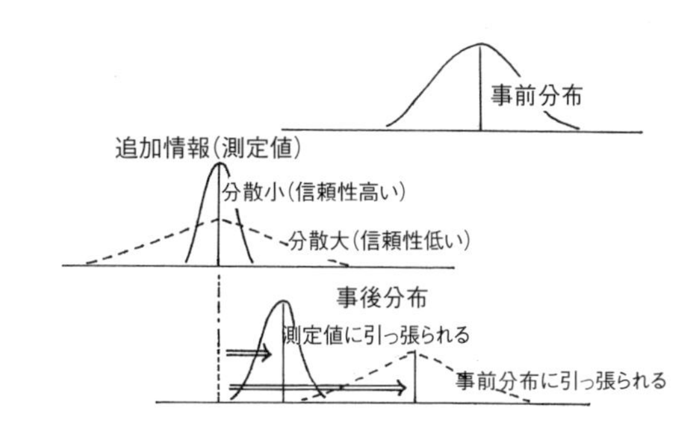

図C4·1　ベイズ推定に用いられる基本的概念

報としてパラメータ値が入っているので，血中濃度1点でも推定は行われます．

ここで注意する必要があるのは，推定（解析，算出）できているということと，得られた値が正しいかどうかは別であるということです．得られた推定値が信頼性のあるものであるとの評価を受けた場合にのみそれを使用する必要があります．血中薬物濃度が1点のみであることを条件に簡単なシミュレーションを行ってみました．1-コンパートメントモデルに従う薬物を繰り返し急速静脈内投与することを想定しました（図C4・2).

分布容積は1回目の投与直後の血中濃度値を用いたときのみ真値に近い値を推定しましたが，測定値をそれより遅い時期の値にすればするほど，推定値は事前情報で与えた平均値に近い値となりました．一方，全身クリアランスは定常状態に到達した時点での血中濃度を用いたときには真値に近い値を推定しましたが，定常状態に達していない時点での血中濃度では，推定値は事前情報で与えた平均値に近い値となりました．結局，分布容積は初回投与直後の血中濃度から，全身クリアランスは定常状態時の血中濃度から求められているということになりますが，これは，一般的に血中濃度1点から推定する方法とまったく同じです．しかも，求められない片方のパラメータは，C3節で述べたように，意識して平均値をあてると条件づけるわけですが，ベイズ法では，推定値としてその旨を知らせないまま平均値を示していたことになります．しかも，今度はその結果を受け取る側の問題です．このように示されたパラメータ値がその患者の真値であるかのよ

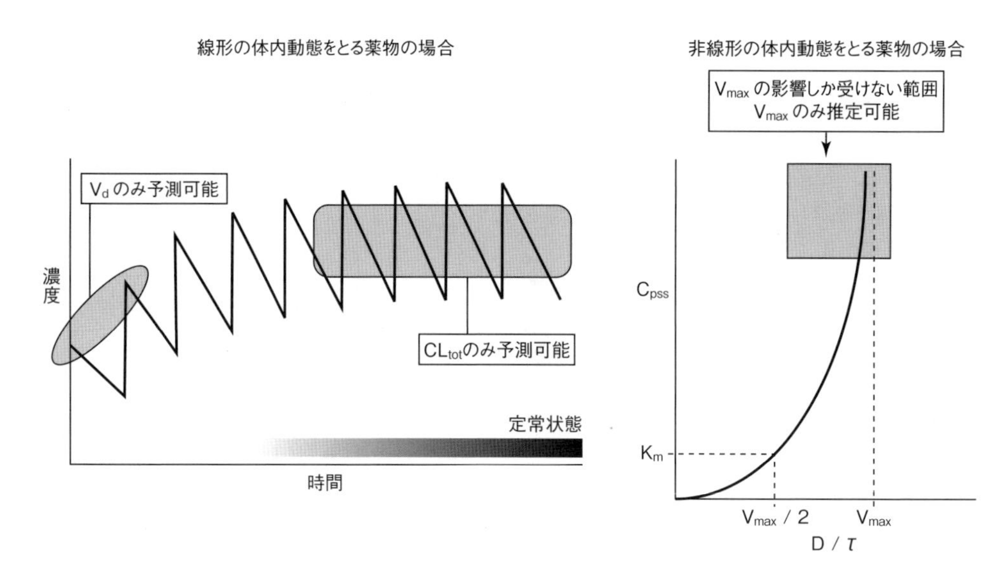

図 C4·2　血中濃度 1 点からのベイズ法によるパラメータ推定の特徴
(Tsuchiwata S, Mihara K, Yafune A, Ogata H, Evaluation of Bayesian estimation of pharmacokinetic parameters. *Ther Drug Monit* 2005；**27**：18-24)

うに取り扱いがちであるということです．測定されている相に注意して，推定されたパラメータ値の信頼性を注意深く判断すべきと考えられます．

2-コンパートメントモデルに従う薬物で急速静脈内投与が繰り返された場合を検討しました．決定しなければならないパラメータ数は 4 つになります．血中薬物濃度 1 点では，1-コンパートメントモデルでみられたような特定のパラメータ値が安定して推定できる相は認められませんでした．

投与量に対し薬物動態パラメータが一定でないフェニトインの場合の投与速度と定常状態平均血中薬物濃度との関係から，薬物動態パラメータである K_m（ミカエリス定数），V_{max}（最大消失速度）の推定の信頼性に関して同様に検討しました．図 C4・2 に示すように，血中濃度 1 点では，V_{max} 値は V_{max} に近い投与速度が示す血中濃度を用いたときのみ真値に近い値が推定されていました．しかし，K_m 値に関しては真値を示しうる条件は認められませんでした．

このように，それぞれの薬物動態パラメータが信頼性高く推定されるためには，どのような相の測定値が必要であるかは必然的に決まってきますが，その限界はベイズ法であってもまったく同様であることがわかります．推定が可能となる内容を有する情報を与えてこそ，信頼性の高い推定値が得られるという点に関してはベイズ法でも同じであることは強調されるべきです．

また，我が国において現在用いられているベイズ推定を組み込んだ薬物動態解析用のコンピュータプログラムでは，最も妥当とするパラメータ値を推定するようにできていますが，それは推定される分布の最も頻度の高い値（最尤値）を指します．最尤値であってもその背景の分布が非常に大きければ意味のないことになります．その点では，最尤値のみで議論することもベイズ法の観点からいえば片手落ちと考えられます．

図 C4・3 は初回投与後のピーク濃度あるいはトラフ濃度を測定値としてベイズ法で推定し得られたパラメータ値（分布容積と全身クリアランス）の分布を求め，その値から血中薬物濃度の 50％あるいは 95％が存在する推定区間を示しています．患者のパラメータの真値から推定される血中濃度推移，患者群の平均値に基づいて推定される血中濃度推移，患者の推定値（最尤値）に基づいて推定される血中濃度推移は，従来から行われているそれぞれ 1 点の推定だけを行ったものです．それに対し，ベイズ法は本来，ゾーンで示す 50％あるいは 95％が存在する推定区間をも情報として提供しており，最尤値のみからは信頼性が明確でない場合にも，これらの区間を示すことではっきりしてきます．このシミュレーションの結果では，初回投与後のピーク濃度を情報として用いた場合には，定常状態血中濃度の推定区間が非常に大きく，実用に耐えるような推定となっていないことを表しています．この分布の情報が示されないと，推定によって得られた値が最尤値にすぎず，分布をも考慮しないとその信頼性はわからないという視点を失わせ，あたかも真の解を 1 つ求めているとの誤解を与えることになります．

このように，ベイズ法を使えば解析が一応は進行し，

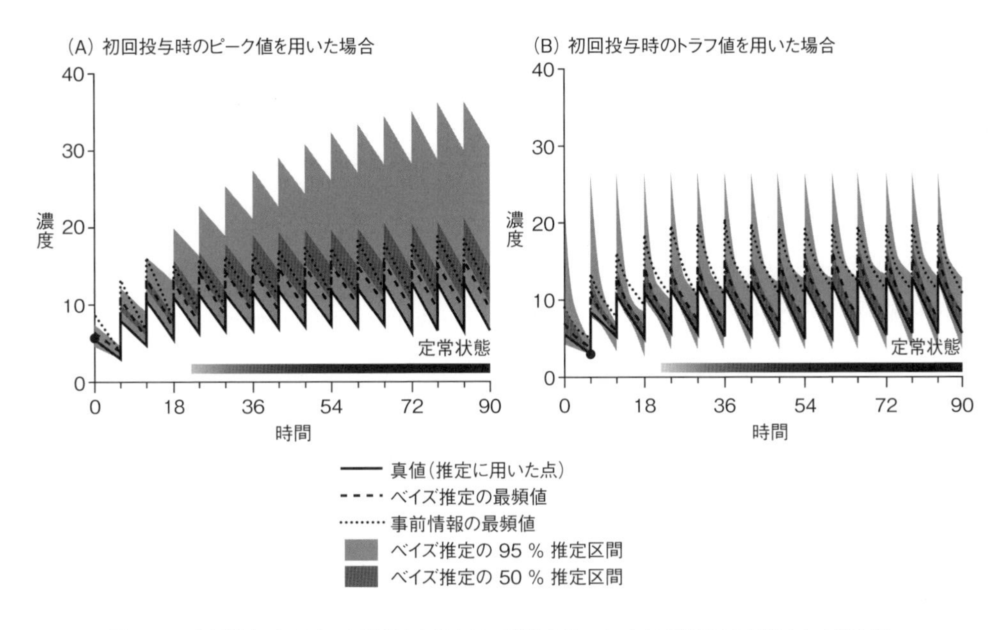

図 C4·3　初回投与時のピーク濃度またはトラフ濃度を用いたベイズ推定により得られた推定値
(Tsuchiwata S, Mihara K, Yafune A, Ogata H, Evaluation of Bayesian estimation of pharmacokinetic parameters. *Ther Drug Monit* 2005；**27**：18-24)

推定値が出されてくるということと，その推定値を信頼性が高いものとして取り扱うということとはまったく切り離すべきであることがわかります．しかも大事なのは，ベイズ法で信頼性のある値が推定されている条件は，実は，ベイズ法を用いなくても，暗算でも推定できるパラメータ値であるということです．

先に，計算によって推定されたパラメータ値の取り扱いについて，用心深く用いるべきであることを述べました．ベイズ法による推定では先にも述べたように，推定値は平均的なパラメータ値（事前情報）と新たに追加された情報（患者から得られた血中薬物濃度からの推定値）の中間に位置するパラメータ値が最も妥当な値として示される特徴をもっています．その点では，保守的です．推定値を用心深く取り扱うべきだとした行為を，ベイズ法では解析のアルゴリズムの中で行っていることになります．ですから，逆に，新たに追加されたデータ数がいくら多くなっても，それらの値のみから推定されるパラメータ推定値には一致せず，事前情報値の影響をどうしても受けます．

モデル選択を述べた A2 節で，臨床において治療をモニタリングする目的では 1-コンパートメントモデルで取り扱ってよい薬物について，2-コンパートメントモデルで取り扱うことに対する疑問を述べました．臨床では解析のためにあえて 4 点以上の血中濃度が測定されるといったことはありえないので，1 点でも解析を進行させるために，解析用プログラムにはベイズ法が組み込まれています．解析が中断なしに進行はしますが，推定されたパラメータ値が評価に耐えうるものになっているかについては疑問です．また，臨床的有用性についても疑問です．メーカは血中濃度の全体像を示すことに価値をおいていると考えられるので，臨床で薬物治療に応用する者が，その中から有用な情報のみを抜き取ることを行う必要があると考えられます．すべてを無批判に受け入れることはつつしむべきと思われます．

以上，原則的な視点から，ベイズ推定のもつ限界を述べました．しかし，最後に実用的な立場から述べておくことが必要です．先にも述べたように，定常状態での薬物濃度からは，全身クリアランスの推定値は，対象とする患者の情報を組み入れたものになっていますが，分布容積はほぼ集団としての平均値に固定されています．ですから，薬物の動態上の特徴から考え，本来，分布容積が変動しにくい薬物に関しては，血中濃度の変動はおもに全身クリアランスの変動によってもたらされていると考えられます．このような薬物の定常状態での血中濃度を用いた推定は，結果として，真値に近い推定値になっていることになります．本来，分布容積が変動しにくい特性を有する薬物とは，binding insensitive な薬物で，かつ分布容積が小さい薬物（$V_d = V_B$）であると考えられます．

血中濃度を測定して治療をモニタリングすることが推奨されている薬物の中では，アミノ配糖体系抗生物質，テオフィリン，バンコマイシン，メソトレキサート，プリミドンなどを挙げることができます．ベイズ推定がよく合うといわれている場合には，偶然，このような薬物を対象にしていたためではないかと思われます．さらに，半減期に比べ，投与間隔が短く，定常状態の血中濃度がほぼ平均値として取り扱える場合には，いよいよ全身クリアランスのみで血中濃度は決定されますので，そのような薬物の血中濃度の予測性も高いと考えられます．この場合の，推定された分布容積の値はあらかじめ入力した平均値にほぼ近い値となっていて，あてにならないことは頭に入れておくべきです．

文　献

1) Rowland M, Tozer, TN, “Clinical Pharmacokinetics: Concepts and Applications, 3rd Ed.” , A Lea & Febiger Book, Williams & Wilkins, Bltimore, 1995.
2) Winter ME, Koda-Kimble MA, “Basic clinical pharmacokinetics” , Applied Therapeutics, Vancouver, 1994.
3) 加藤隆一，“臨床薬物動態学－臨床薬理学・薬物療法の基礎として－改定第 2 版”，南江堂，東京，1998.
4) Speight TM, Holford NHG, “Avery's Drug treatment : a guide to the properties, choice, therapeutic use and economic value of drugs in disease management, 4th Ed.” , Adis International, 1997.
5) Krishna DR, Klotz U, “Clinical Pharmacokinetics: A Short Introduction” , Springer-Verlag, 1990.

第 II 部

D. TDM の実際

1970 年代，欧米諸国において，一部の医薬品について，投与量よりも血中薬物濃度が治療効果や副作用とよく相関することが明らかになりました．同時に血中薬物濃度測定法の進歩により微量の血液中の薬物濃度が，臨床レベルで測定することが可能になり，臨床薬物動態学が急速に進歩しました．我が国においても，1980 年代から，ジゴキシン，抗てんかん薬，テオフィリン，アミノ配糖体系抗生物質を中心に血中濃度が測定され，臨床応用されるようになりました．1990 年代に血中薬物濃度測定が診療報酬で認められ，現在は特定薬剤管理料として，血中薬物濃度測定から投与計画の一連の業務として認められています．

血中薬物濃度モニタリング（TDM）は，抗てんかん薬，抗生物質，ジゴキシン，テオフィリンおよび免疫抑制剤等広く行われています（表 D1·1）．TDM は，臨床薬物動態学を応用して，血中濃度測定から投与計画が一連の業務として行われることが重要です．

この章では，ジゴキシン，代表的な抗てんかん薬，テオフィリン，アミノ配糖体系抗生物質およびバンコマイシンについて，臨床薬物動態学を用いた投与計画について記述します．

表 D1·1　TDM の対象となる薬剤

抗てんかん薬	フェニトイン，フェノバルビタール，カルバマゼンピン，バルプロ酸，プリミドン，エトスクシミド，ゾニサミド，クロナゼパム，ニトラゼパム，クロバザム，ラモトリギン，トピラマート，レベチラセタム，ジアゼパム，ガバペンチン，ルフィナミド，スチリペントール，ペランパネル，ラコサミド
精神神経用剤	リチウム，ハロペリドール，ブロムペリドール
気管支拡張剤	テオフィリン
抗生物質	アミカシン，ゲンタマイシン，トブラマイシン，アルベカシン，バンコマイシン，テイコプラニン
強心配糖体	ジゴキシン
循環器官用剤	アミオダロン，ジソピラミド，キニジン，リドカイン，メキシレチン，プロカインアミド·*N*-アセチルプロカインアミド，アプリンジン，ピルシカイニド，フレカイニド，シベンゾリン
抗悪性腫瘍剤	メソトレキサート，イマチニブ，エベロリムス（アフィニトール）
抗炎症剤	サリチル酸系薬剤（アセトアミノフェン）
免疫抑制剤	シクロスポリン，タクロリムス，エベロリムス（サーティカン），ミコフェノール酸
抗真菌剤	ボリコナゾール

D1 ジゴキシン

ジゴキシンはうっ血性心不全や心房細動に用いられていますが，うっ血性心不全においては，アンジオテンシン変換酵素阻害薬（ACE 阻害薬）や β 遮断薬が基本的な薬剤になってきました．しかし，これらの薬剤を投与しても QOL の改善が認められない場合に，ジゴキシンが用いられます．うっ血性心不全においては，血中ジゴキシン濃度は治療効果および副作用とよく相関し，血中濃度モニタリングが必要な薬剤です．

D1・1 ジゴキシンの体内動態パラメータと体内動態の特徴づけ

(1) ジゴキシンの体内動態パラメータ値

（血漿中薬物総濃度値から算出）

F	A_e (%)	fuP	CL_{tot} (mL/min)	V_d (L)
75	60	0.75	188	420

B/P = 1.3

(2) 体内動態パラメータからみた薬物の特徴づけ

尿中排泄比率の値から腎クリアランスおよび腎外ク

リアランスをまず算出します．この場合，腎外クリアランスを肝クリアランスと見なします．

$$CL_R = 113\ \text{mL/min}$$

$$CL_{eR} = CL_H = 75\ \text{mL/min}$$

$$E_R = 113/1.3/1200 = 0.07$$

$$E_H = 75/1.3/1600 = 0.04$$

抽出比はともに 0.3 より小さな値を示します．そのため，次式で表すことができます．

$$CL_R = fuB \cdot CL_{intR}$$

$$CL_{Rf} = CL_{intR}$$

$$CL_H = fuB \cdot CL_{intH}$$

$$CL_{Hf} = CL_{intH}$$

$$CL_{po} = \frac{fuB \cdot CL_{intR} + fuB \cdot CL_{intH}}{F_a}$$

$$CL_{pof} = \frac{CL_{intR} + CL_{intH}}{F_a}$$

$$V_d = 420/1.3 = 323$$

V_d が 323 L と非常に大きな値を示すため，次式で表現することができます．

$$V_d = \frac{fuB}{fuT} \cdot V_T$$

$$V_{df} = \frac{V_T}{fuT}$$

また，fuP が 0.75 と 0.2 より大きいので，binding insensitive な性質を有しています．

これらの特徴より，binding insensitive な薬物 B と分類できます．

a. バイオアベイラビリティ

水に難溶であるため，固形製剤においては銘柄間で溶出速度が異なる結果，バイオアベイラビリティが異なることが欧米で報告されましたが，我が国の医薬品においては銘柄間の差は報告されていません．剤形間にはバイオアベイラビリティに違いがあるとされており，治療において投与する剤形を変更する場合には，バイオアベイラビリティの量を考慮した投与量の設定が必要となります．

うっ血性心不全患者では，消化管にも浮腫が生じており，経口投与後のジゴキシンのバイオアベイラビリティは低下することが認められています．

b. 全身クリアランス

腎抽出比，肝抽出比から，ともに消失能依存性の薬物であると推定できます．

$$CL_R = fuB \cdot CL_{intR}$$

$$CL_{Rf} = CL_{intR}$$

$$CL_H = fuB \cdot CL_{intH}$$

$$CL_{Hf} = CL_{intH}$$

$$CL_{po} = \frac{fuB \cdot CL_{intR} + fuB \cdot CL_{intH}}{F_a}$$

$$CL_{pof} = \frac{CL_{intR} + CL_{intH}}{F_a}$$

binding insesitive であることより，血漿たん白結合の変動には依存しない薬物です．静脈内投与あるいは経口投与後の定常状態平均血漿中薬物総濃度の変化は非結合形濃度の変化として取り扱える薬物です．

全身クリアランスの 6 割を腎クリアランスが占めること，また，腎クリアランスは腎固有クリアランスのみが変動因子であることが推定されます．実際にも，腎機能の指標であるクレアチニンクリアランスの関数として全身クリアランスを表すことができることが報告されています．

ジゴキシンはうっ血性心不全に対し適用されますが，その場合，腎血流速度，肝血流速度が低下しているため，腎固有クリアランス，肝固有クリアランスも低下していることが推定される結果が得られています．また，腎排泄において，一部能動分泌機構の関与が認められており，しかもそれは P 糖たん白が関与していると推定されています．そのため，併用された薬物のうち，P 糖たん白への親和性が高いベラパミルやキニジンなどによって全身クリアランスは低下することが認められています．

c. 分布容積

$$V_d = \frac{fuB}{fuT} \cdot V_T$$

$$V_{df} = \frac{V_T}{fuT}$$

血漿非結合形分率は 0.75 と 0.2 より大きいため，総濃度に基づく分布容積の変動要因としては無視できます．一方，$fuB = 0.58$，$V_d = 420/1.3 = 323.1$ L，$fuP/(B/P) = 0.75/1.3$，$V_T = 24$ L から推定される fuT の値は，0.04 であり，binding sensitive であると推定されます．fuT の変化は総濃度に基づく分布容積および非結合形濃度に基づく分布容積に影響を与えます．腎不全患者において，総濃度に基づく分布容積がクレアチニンクリアランスの関数となっていることが報告されていますが，これは腎機能の低下により濃度が高まった代謝産物の一部が組織中におけるジゴキシンの結合を競合的に阻害するためではないかと推定されています．非結合形濃度をも決定しますので，注意が必要です.

d. 消失半減期, 消失速度定数, 血中薬物濃度の時間推移

急速静脈内投与後のジゴキシンの血漿中薬物濃度の時間推移は2-コンパートメントモデルに従うことが認められています. ジゴキシンの効果は血漿中濃度に平行には変化せず, 末梢コンパートメント中の薬物濃度と効果が平行関係にあることが認められています. そのため, 血中薬物濃度が末梢コンパートメント中薬物濃度と平衡関係が成立し, 末梢コンパートメント中濃度が血漿中薬物濃度と平行に変化する相, 投与後ほぼ8時間以降での薬物濃度がモニターの対象とされ, 1-コンパートメントモデルで取り扱われます. そのため, β相での見かけの消失速度定数 (β) を消失速度定数として用います.

全身クリアランスだけでなく, 分布容積も変動しやすい要因を有した薬物ですので, 消失半減期や消失速度定数の見積りを行う際に分布容積にその平均値をあて, 血中濃度の変化をおもにクリアランスのみから推定しようとする方法をとる場合には, 対象とする患者の分布容積が平均値でよいかどうかによく注意を払う必要があります. 投与直後の血中濃度が用いられない限り, ベイズ法による推定では分布容積はほぼ平均値のままの値にして, 全身クリアランスの変動を中心に推定されます. ジゴキシンの特徴からすると分布容積も変化する可能性がありますので, パラメータの評価は対象とする患者の病態をも考慮して行う必要があります.

(緒 方)

D1・2 ジゴキシン投与にあたっての必要な知識

a. 慢性心不全について

心臓は血液を送り出すポンプとしての役割を果たしています. その心臓が, 臓器・組織が必要とする十分量の血液を送り出せない一連の症候群を心不全といいます. 現在, 心不全の概念は心臓にはじまる臓器の進行性機能障害, 心臓の構造と構成の変化 (リモデリング), 遺伝子発現の変化および各心筋細胞の機能変化を伴うダイナミックな症候群としてとらえる必要があると考えられています.

b. 慢性心不全の薬物治療におけるジゴキシンの位置づけについて

ジギタリスが慢性心不全の重要な治療薬として, 臨床に200年以上使用されてきました. しかし, ジゴキシンが慢性心不全の生命予後の改善に有効かどうかは証明されていませんでした. ジゴキシンの慢性心不全に関する生命予後の改善に関する前向き二重盲検臨床試験(Digitalis Investigation Group Trial;DIG試験)が, 1997年に世界中が注目する中で, 発表されました. ジゴキシンの慢性心不全における生命予後改善効果は, プラセボ群と比較して有意な差はなく, 認められませんでした[1] (図D1・1). しかし, 心不全の悪化による死亡や入院率は, プラセボ群と比較して有意に改善しており, 患者のQOLの改善には有効性を示しました[1] (図D1・2).

慢性心不全の薬物治療は, その生命予後改善効果が, ACE阻害薬であるエナラプリル[2]や心不全に禁忌であるβ遮断薬カルベジロール[3,4], さらに, スピロノラクトン[5]において, 前向き二重盲検臨床試験でその有効性が認められました. これらの結果, 1980年代には, 慢性心不全の第一選択薬は, ジゴキシンが使用されていましたが, 1990年代には, エナラプリルなどのACE阻害薬が第一選択薬に, また, 2000年には, β遮断薬が, ジゴキシンに先駆けて使用される

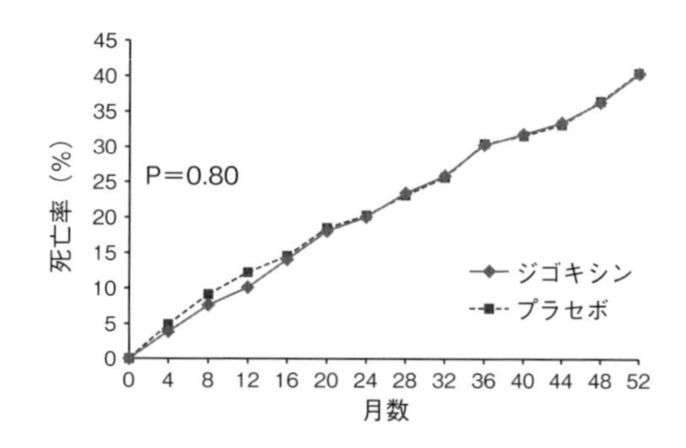

図D1・1 DIG試験：ジゴキシン群とプラセボ群の死亡率
(Digitalis Investigation Group1, The effect of digoxin on mortality and morbidity in patients with heart failure. *N Engl J Med* 1997 Feb 20 ; 336(8) : 525-533)

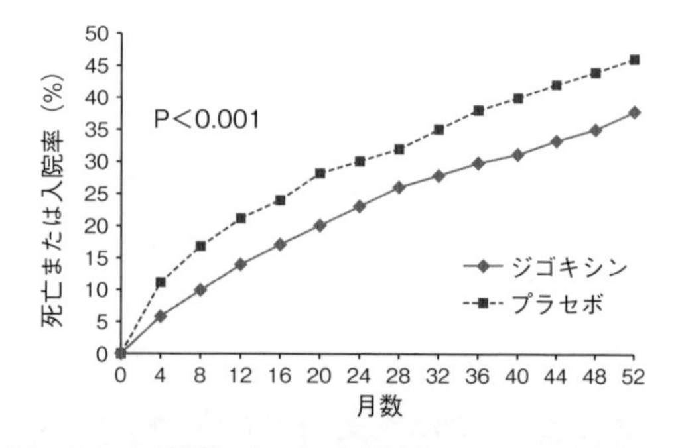

図D1・2 DIG試験：心不全の悪化による死亡または入院率
(Digitalis Investigation Group1, The effect of digoxin on mortality and morbidity in patients with heart failure. *N Engl J Med* 1997 Feb 20 ; 336(8) : 525-533)

ようになりました．また，重症な慢性心不全では，スピロノラクトンが積極的に使用されています．

我が国の慢性心不全の薬物治療ガイドラインもこれらの大規模二重盲検臨床試験を反映し，NYHA 分類と AHA/ACC の Stage 分類に基づいて作成されています[6]（表 D1･2）．慢性心不全の薬物治療におけるジゴキシンの位置づけは，基本的には ACE 阻害や β 遮断薬が投与されていても，QOL の改善が認められない患者に使用することになります．薬剤師は，ジゴキシンの TDM にのみ目を奪われるのではなく，慢性心不全の薬物治療を理解した上で，処方提案をすることが大切です．

c. 慢性心不全の薬物治療におけるジゴキシンの有効治療域について

従来，慢性心不全の薬物治療におけるジゴキシンの有効治療域は，0.5 ～ 2.0 ng/mL とされていました．しかし，慢性心不全患者における生存率とジゴキシン血中濃度との関係が詳細に検討され，プラセボ群と比較して有意に生存率の改善が認められた血中ジゴキシン濃度は，0.5 ～ 0.8 ng/mL の範囲でした．また，血中ジゴキシン濃度が，1.2 ng/mL 以上ではプラセボ群に比べて有意に生存率が低下しました[7]（図 D1・3）．このため，慢性心不全の薬物治療におけるジゴキシンの有効治療域は，0.5 ～ 1.0 ng/mL となっています．

表 D1・2　HFrEF における治療薬の推奨とエビデンスレベル

	推奨クラス	エビデンスレベル	Minds 推奨グレード	Minds エビデンス分類
ACE 阻害薬				
禁忌を除くすべての患者に対する投与（無症状の患者も含む）	I	A	A	I
ARB				
ACE 阻害薬に忍容性のない患者に対する投与	I	A	A	I
ACE 阻害薬との併用	IIb	B	C2	II
β 遮断薬				
有症状の患者に対する予後の改善を目的とした投与	I	A	A	I
無症状の左室収縮機能不全患者に対する投与	IIa	B	A	II
頻脈性心房細動を有する患者へのレートコントロールを目的とした投与	IIa	B	B	II
MRA				
ループ利尿薬，ACE 阻害薬がすでに投与されている NYHA 心機能分類 II 度以上，LVEF ＜ 35％の患者に対する投与	I	A	A	I
ループ利尿薬，サイアザイド系利尿薬				
うっ血に基づく症状を有する患者に対する投与	I	C	C1	III
バソプレシン V_2 受容体拮抗薬				
ループ利尿薬をはじめとする他の利尿薬で効果不十分な場合に，心不全における体液貯留に基づく症状の改善を目的として入院中に投与開始	IIa	B	B	II
炭酸脱水酵素阻害薬・浸透圧利尿薬など				
ループ利尿薬，サイアザイド系利尿薬，MRA 以外の利尿薬	IIb	C	C2	III
ジギタリス				
洞調律の患者に対する投与（血中濃度 0.8 ng/mL 以下に維持）	IIa	B	C1	II
頻脈性心房細動を有する患者に対するレートコントロールを目的とした投与	IIa	B	B	II
経口強心薬				
QOL の改善，経静脈的強心薬からの離脱を目的とした短期投与	IIa	B	C1	II
β 遮断薬導入時の投与	IIb	B	C1	II
無症状の患者に対する長期投与	III	C	D	III
アミオダロン				
重症心室不整脈とそれに基づく心停止の既往のある患者における投与	IIa	B	C1	II
硝酸イソソルビドとヒドララジンの併用				
ACE 阻害薬，あるいは ARB の代用としての投与	IIb	B	C2	II
その他				
カルシウム拮抗薬の，狭心症，高血圧を合併していない患者に対する投与	III	B	C2	II
Vaughan Williams 分類 I 群抗不整脈薬の長期経口投与	III	B	D	III
α 遮断薬の投与	III	B	D	II

（日本循環器学会 / 日本心不全学会，急性・慢性心不全診療ガイドライン（2017 年改訂版），2018 年 3 月発行，2018 年 6 月更新より改変）

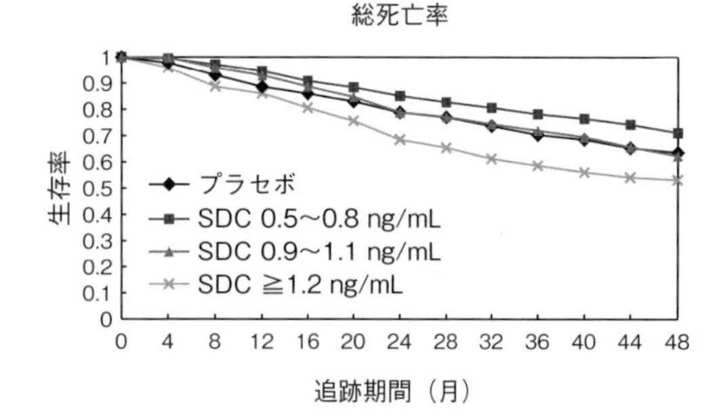

図 D1·3　心不全患者における血中ジゴキシン濃度（SDC）と生存率の関係
(Rathore SS, Curtis JP, Wang Y, Bristow MR, Krumholz HM, Association of serum digoxin concentration and outcomes in patients with heart failure. *JAMA* 2003 Feb 19；289(7)：871-878)

表 D1·3　ジゴキシンの感受性に影響する因子

感受性の増大	低カリウム血症 低マグネシウム血症 高カルシウム血症 心臓の器質的変化（心筋梗塞，弁膜症など） 右心不全 低酸素血症 甲状腺機能低下症
感受性の減少	高カリウム血症 甲状腺機能亢進症

D1・3　ジゴキシンの負荷投与における初期投与計画

症例 1

H.M.　74 歳　男性　162 cm　51 kg

急性うっ血性心不全で入院した．フロセミドの治療の開始と同時にジゴキシンの急速飽和治療を開始することになった．

〈入院時検査値および所見〉

Na 135 mEq/L，K 3.9 mEq/L，Cl 101 mEq/L，BUN 24 mg/dL，S_{cr} 1.3 mg/dL，CTR 54 %，下肢の浮腫（＋），チアノーゼ（＋），喘鳴（＋）

【問題点】ジゴキシン負荷量

ジゴキシンの投与量を算出するにあたって重要なことは，血中ジゴキシン濃度の目標値を設定することです．この目標値は，患者の状態や臨床検査値および文献報告と経験などから設定します．目標値が設定できれば，投与量の算出は簡単に行うことができます．

a. 血中ジゴキシン濃度の目標値

目標値は，通常，心不全の有効血中濃度の中央付近の 0.75 ng/mL に設定することになります．患者はジゴキシンの感受性を増大させる低カリウム血症や低マグネシウム血症などの血液電解質の異常や陳旧性心筋梗塞などの心臓の器質的変化（表 D1·3）がないため，目標とする血中ジゴキシン濃度（C_{pobj}）は 0.75 ng/mL にすることが勧められます．

b. ジゴキシン負荷量の算出

最初，患者の薬物動態値は不明なため，初期投与計画には一般的な動態値から推定することになります．一般に急性うっ血性心不全では全身に浮腫がみられ，腸管も浮腫をきたしていることが推定され，腸管からの吸収が不完全であると考えられるため，経験的にジゴキシンの静注投与が用いられます．

c. ジゴキシンの薬物動態

経口投与されたジゴキシンはおもに小腸上部で吸収され，骨格筋や心筋など体内に広く分布します．経口投与後の吸収は不完全で，剤形により差があります．血中濃度時間曲線は 2-コンパートメントモデルの挙動を示し，血中濃度と組織中の濃度が平衡になるには投与後 6 〜 8 時間を要します．また，脂肪組織には分布しません．このため採血は投与後 8 時間以降に，また投与計画には理想体重を用いなければなりません．体内薬物量の約 60 % が腎臓からの排泄によって消失し，そのためジゴキシンの消失速度はクレアチニンクリアランスとよく相関します．なお，たん白結合率は 20 〜 30 % で，血清アルブミンの変動は臨床上問題になりません．

● *point*　ジゴキシンの薬物動態

バイオアベイラビリティ（F）：

錠剤	0.6 〜 0.8
エリキシル剤	0.8 〜 0.9
カプセル剤	0.9 〜 1

分布容積（V_d）：3 〜 9 L/kg（平均 6 L/kg）
腎機能が低下するに従って小さくなる．
腎不全者の分布容積は平均 3 〜 4 L/kg である．

半減期（$t_{1/2}$）：

健常成人	1.6 日
腎不全	5 日

消失速度定数（k_{el}）：
クレアチニンクリアランス（CL_{cr}）との関係[8]

$$k_{el}\ (day^{-1}) = 0.151 + 0.00256 \cdot CL_{cr}\ (mL/min)$$

● *point*　負荷量（D_L）の計算

$$D_L = V_d \cdot \frac{C_{pobj}}{F}$$

C_{pobj}；目標血中濃度

本患者の負荷量は

$$D_L = 6\ (L/kg) \cdot 51\ (kg) \cdot \frac{0.75\,(ng/mL)}{1}$$
$$= 230\ \mu g$$
$$= 0.230\ mg \fallingdotseq 0.25\ mg$$

ゆえに，本患者にはジゴキシン 0.25 mg を 1 回で静注投与するか，0.125 mg を 8 時間あけて 2 回静注投与することが考えられます．しかし，ジゴキシン中毒を防止する上でも，ジゴキシン 0.125 mg を 2 回投与することが通常行われます．続いて投与終了後 6 〜 8 時間後に血中ジゴキシン濃度を測定して，維持量を決定します．

D1・4　ジゴキシンの維持投与法における初期投与計画

症例 2

A.A.　70 歳　男性　165 cm　58 kg

本態性高血圧に伴ううっ血性心不全のコントロールのために入院した．入院時，フロセミド 20 mg/ 日，エナラプリル 5 mg/ 日，アムロジピン 5 mg/ 日，カルベジロール 5 mg/ 日を朝食後服用していた．本態性高血圧は収縮期血圧 135 mmHg，拡張期血圧 90 mmHg にコントロールされている．入院時にうっ血性心不全の症状として，起座呼吸と静脈怒張および下肢の浮腫が認められたが，安静と上記の処方のフロセミド 40 mg/ 日への増量により，うっ血性心不全の症状は改善した．しかし，労作時に呼吸困難などの症状が残っており，ジゴキシンの投与が考慮された．

〈臨床検査値〉

Na 145 mEq/L (138-147)，K 3.9 mEq/L (3.6-4.8)，Cl 107 mEq/L（98-109），血清クレアチニン 1.0 mg/dL (0.7-1.2)，尿素窒素 16 mg/dL (7-20)，AST（GOT）15 IU/L（8-29），ALT（GPT）12 IU/L（4-31）

〈その他の所見〉心胸郭比 53%

【問題点】ジゴキシンの維持量

a.　血中ジゴキシン濃度の目標値

うっ血性心不全であり，血中ジゴキシン濃度は有効血中濃度（0.5 〜 1.0 ng/mL）の中央付近である 0.75 ng/mL に設定することになります．患者はジゴキシンの感受性を増大させる低カリウム血症や低マグネシウム血症などの血液電解質の異常や陳旧性心筋梗塞などの心臓の器質的変化（表 D1･3）がないため，目標とする血中ジゴキシン濃度は 0.75 ng/mL にすることが勧められます．

b.　クレアチニンクリアランス（CL_{cr}）の推定

患者の血清クレアチニン値からクレアチニンクリアランスを算出します．

● *point*　血清クレアチニン（S_{cr}；mg/dL）からクレアチニンクリアランス（CL_{cr}）の推定

（Cockcroft & Gault 法）

$$\text{男性の } CL_{cr}\ (mL/min) = \frac{(140 - \text{年齢}) \cdot \text{体重}}{(72 \cdot S_{cr})}$$

$$\text{女性の } CL_{cr}\ (mL/min) = (\text{男性の } CL_{cr}) \cdot 0.85$$

体重は理想体重を用います．

男性：

$$IBW\ (kg) = 50 + 2.3 \cdot \left(\frac{\text{身長 (cm)} - 152.4}{2.54}\right)$$

女性：

$$IBW\ (kg) = 45 + 2.3 \cdot \left(\frac{\text{身長 (cm)} - 152.4}{2.54}\right)$$

患者の理想体重を計算します．

$$IBW = 50 + 2.3 \cdot \left(\frac{165 - 152.4}{2.54}\right)$$
$$= 61.4\ kg$$

体重と理想体重の比は 0.94 であり，肥満ではないので，実測体重を用います．

よって，患者の CL_{cr} は

$$CL_{cr} = \frac{(140 - 70) \cdot 58}{(72 \cdot 1)} = 56.4\ mL/min$$

次に，このクレアチニンクリアランスから関係式を用いて，ジゴキシン消失速度定数を算出します．

c.　ジゴキシン消失速度定数（k_{el}）の推定

● *point*　クレアチニンクリアランスから消失速度定数（k_{el}）の推定

$$k_{el}\ (day^{-1}) = 0.151 + 0.00256 \cdot CL_{cr}\ (mL/min)$$

よって，患者の消失速度定数は

$$k_{el} = 0.151 + 0.00256 \cdot 56.4\ (mL/min)$$
$$= 0.295\ day^{-1}$$

d. ジゴキシンの維持量の算出

ジゴキシンの維持量の算出には，吸収に関しては，bolus dose model を用い，1-コンパートメントモデルの定常状態の最低血中濃度を算出する等式を用いて計算します．

● *point*　定常状態の最低血中濃度（C_{pminss}）の算出の等式

$$C_{pminss} = \frac{F \cdot D}{V_d} \cdot \frac{e^{-k_{el} \cdot \tau}}{1 - e^{-k_{el} \cdot \tau}}$$

ゆえに，投与量は

$$D = \frac{C_{pminss} \cdot V_d \cdot (1 - e^{-k_{el} \cdot \tau})}{F \cdot e^{-k_{el} \cdot \tau}}$$

(1) ジゴキシンの薬物動態値の設定

ジゴキシンの錠剤のバイオアベイラビリティを 0.6 として，患者は腎障害を認めないため，分布容積は平均値である 6 L/kg を用います．消失速度定数は患者のクレアチニンクリアランスから算出します．患者のクレアチニンクリアランスは 56.4 mL/min であるから，ジゴキシンの消失速度定数は 0.295 day^{-1} となり，半減期は 0.693/0.295 = 2.35 日です．投与間隔は通常 1 日にします．

(2) ジゴキシンの維持量

$$D = \frac{C_{pminss} \cdot V_d \cdot (1 - e^{-k_{el} \cdot \tau})}{F \cdot e^{-k_{el} \cdot \tau}}$$

であるから

$$D = \frac{0.75\,(ng/mL) \cdot 6\,(L/kg) \cdot 58\,(kg) \cdot (1 - e^{-0.295 \cdot 1})}{0.6 \cdot e^{-0.295 \cdot 1}}$$

$$= 149\ \mu g$$

$$\fallingdotseq 0.15\ mg$$

計算上は，ジゴキシン 1 日 1 回 0.15 mg を投与することになりますが，ジゴキシンは 1 錠中に 0.125 mg または 0.25 mg を含有しているため，実際の臨床では，ジゴキシン錠（0.125 mg）1 錠を 1 日 1 回投与することになります．

処方：ジゴキシン錠（0.125 mg）　1 錠 / 分 1　朝食後

そして，定常状態に達する 1 週間後に血中ジゴキシン濃度を測定して，効果と副作用を確認して投与量を調整しなければなりません．

【別　解】

ジゴキシンは分布容積が大きく，半減期が長いために，投与間隔での血中ジゴキシン濃度の振れ幅は少なくなります．このため，定常状態の平均血中濃度を算出する等式を用いることができます．

● *point*　定常状態の平均血中濃度の等式

$$C_{pssave} = \frac{\left(\frac{F \cdot D}{\tau}\right)}{CL_{tot}} = \frac{\left(\frac{F \cdot D}{\tau}\right)}{V_d \cdot k_{el}}$$

ジゴキシンの目標血中濃度を 0.75 ng/mL とし，薬物動態は前述の値を用いると，1 日当たりの投与量は

$$D = C_{pssave} \cdot V_d \cdot \frac{k_{el}}{F}$$

$$= 0.75\ (ng/mL) \cdot 6\ (L/kg) \cdot 58\ (kg) \cdot \frac{0.295\,(day^{-1})}{0.6}$$

$$= 128.3\ \mu g$$

$$\fallingdotseq 0.125\ mg$$

ジゴキシンの投与量は前述とほぼ同様の値を示します．

D1・5　ジゴキシンの定常状態に達する前の測定値からの投与計画

症例 3

M.S.　75 歳　女性　45 kg

胸の中央から左の腕まで広がる激しい痛みが出現し，ニトログリセリンの舌下投与でも痛みは改善せず，救急車にて来院した．急性心筋梗塞の診断にて PTCA を施行後，ヘパリン，ニトログリセリンの持続点滴を 2 日間行い，アスピリン，エナラプリル，アムロジピンの投与を受けていた．本患者は腎機能が低下（CL_{cr} = 25.4 mL/min）しており，2 週間目から，下肢の浮腫が出現し，労作時に息切れを訴えるようになった．

ジゴキシンの投与が検討され，ジゴキシン 0.25 mg/ 日の投与が開始され，3 日目の最低血中ジゴキシン濃度は 1.5 ng/mL であった．下肢の浮腫と労作時の息切れも少し改善してきている．

【問題点】

1. 急性心筋梗塞におけるジゴキシンの投与法について
2. ジゴキシンの投与量について
3. 腎障害

【問題点 1】急性心筋梗塞におけるジゴキシンの投与法について

急性心筋梗塞後のジゴキシンの投与は心筋の酸素消

費量が増大して，梗塞部位が拡大するため，また心臓の梗塞部位により不整脈の発生頻度が高くなるために，原則的には禁忌とされています．しかし心不全が重篤である場合や，心筋梗塞後2～3週間で心不全の症状がある場合はジゴキシンを投与します．ジゴキシンは通常の投与量の1/3～1/2の投与量から開始し，患者の症状や心電図で不整脈をチェックしながら，徐々に増量していきます．

【問題点2】ジゴキシンの投与量

患者は心筋梗塞であり，また腎機能が低下しているにも関わらず，通常のジゴキシンの維持量で開始されています．通常，腎機能正常者の半減期は1.6日であるので，定常状態に到達するのに，半減期の4～5倍の7日を要します．このため，まだ定常状態に達していないジゴキシン投与後3日目の血中ジゴキシン濃度が1.5 ng/mLで，有効治療域の中央やや上方に位置しています．この場合，現在の投与量であるジゴキシン0.25 mg/日を継続投与すれば，定常状態の血中ジゴキシン濃度がどのくらいになるのかを推測することは臨床上有用なことです．さらに下肢の浮腫や労作時の息切れが改善傾向にあり，この1.5 ng/mL以上の血中ジゴキシン濃度は副作用の危険性が増大するばかりで，現時点では有益性は少ないと考えられます．このため，ジゴキシンの投与量を治療効果が得られた血中濃度である0.5～1.0 ng/mLに維持されるように変更することが勧められます．

a. 定常状態の血中ジゴキシン濃度の推定

定常状態の血中ジゴキシン濃度の推定は投与後3日目の血中ジゴキシン濃度をもとに，投与後n回目の最低血中ジゴキシン濃度の等式を応用して，分布容積を算出します．ただしジゴキシンのバイオアベイラビリティを0.6と設定します．

(1) クレアチニンクリアランスから消失速度定数(k_{el})の推定

$$k_{el} = 0.151 + 0.00256 \cdot CL_{cr}\ (\mathrm{mL/min})$$
$$= 0.151 + 0.00256 \cdot 25.4$$
$$= 0.216\ \mathrm{day}^{-1}$$

(2) 分布容積(V_d)の算出

分布容積はジゴキシンを投与3日目の血中濃度より推定します．

投与n回目の最低血中濃度は($C_{pmin,n}$)は

$$C_{pmin,n} = \left(F \cdot \frac{D}{V_d}\right) \cdot e^{-k_{el} \cdot \tau} \cdot \frac{1 - e^{-k_{el} \cdot n \cdot \tau}}{1 - e^{-k_{el} \cdot \tau}}$$

によって算出されます．この等式を用いて分布容積を計算します（図D1･4）．

● *point* 分布容積の算出

$$V_d = \frac{F \cdot D \cdot e^{-k_{el} \cdot \tau} \cdot (1 - e^{-k_{el} \cdot n \cdot \tau})}{C_{pmin,n} \cdot (1 - e^{-k_{el} \cdot \tau})}$$

よって，患者の分布容積は

$$V_d = \frac{0.6 \cdot 250\ (\mu g) \cdot e^{-0.216 \cdot 1} \cdot (1 - e^{-0.216 \cdot 3 \cdot 1})}{1.5\ (\mu g/L) \cdot (1 - e^{-0.216 \cdot 1})}$$
$$= 197.8\ \mathrm{L}$$
$$= 4.4\ \mathrm{L/kg}$$

算出された分布容積が妥当であるかどうかを評価しなければなりません．ジゴキシンの分布容積は腎機能が低下するに従って小さくなる傾向があり，腎不全では3～4 L/kgの範囲になるとされています．今回算出された分布容積は平均6 L/kgより小さいですが，患者は腎機能が低下しており，ほぼ妥当と判断できます．この方法での算出は分布容積以外のすべての薬物動態値の誤差が分布容積にかかっています．

(3) ジゴキシン0.25 mg/日投与時の定常状態の最低血中濃度の推定

● *point* 定常状態の最低血中濃度の等式

$$C_{pminss} = \left(F \cdot \frac{D}{V_d}\right) \cdot \frac{e^{-k_{el} \cdot \tau}}{1 - e^{-k_{el} \cdot \tau}}$$

よって，患者の定常状態の最低血中ジゴキシン濃度は

$$C_{pminss} = \frac{0.6 \cdot 250\ (\mu g)}{197.8\ (L)} \cdot \frac{e^{-0.216 \cdot 1}}{1 - e^{-0.216 \cdot 1}}$$
$$= 3.2\ \mathrm{ng/mL}$$

ジゴキシン0.25 mg/日を継続すると，定常状態の血中濃度は中毒域に入ることが推定されます．

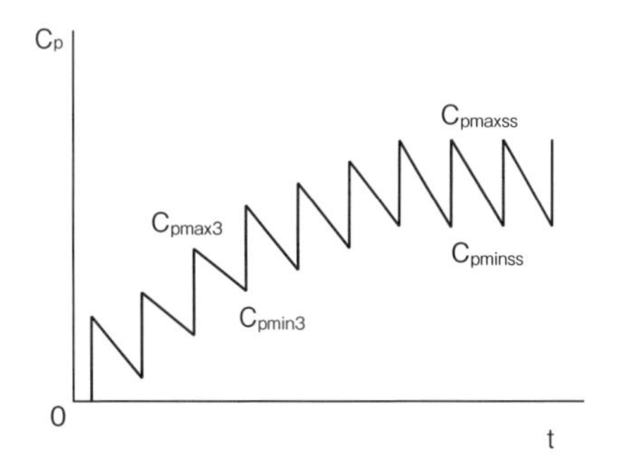

図D1･4 血中ジゴキシン濃度

(4) 定常状態に達するのに要する日数

患者の半減期は

$$\frac{0.693}{k_{el}} = \frac{0.693}{0.216} = 3.21 \text{ 日}$$

です．よって定常状態に達する日数は

(半減期)・4 = 3.21・4 = 12.84 日

つまり，約 13 日で定常状態に達します．

ゆえに，患者にジゴキシン 0.25 mg/日を継続投与すると，約 13 日で定常状態に達し，そのときの最低血中ジゴキシン濃度は 3.15 ng/mL になると推定され，定常状態での血中濃度は中毒域に位置すると考えられます．患者は急性心筋梗塞後であり，できるだけ有効な限り低濃度で維持すべきであるため，投与量の変更が示唆されます．

b. ジゴキシンの投与量の修正

今回，患者の治療効果が得られた血中ジゴキシン濃度 0.5 ～ 1.0 ng/mL になるように，投与量を変更することが望ましいと考えられます．さらに急性心筋梗塞であり，できるだけ少ない投与量で維持することが望まれます．このため目標とする血中ジゴキシン濃度は 0.75 ng/mL が望ましいと考えられます．

ジゴキシン 0.25 mg/日での定常状態の最低血中ジゴキシン濃度は 3.15 ng/mL ですから，血中ジゴキシン濃度を 0.75 ng/mL にする投与量は比例計算で算出することができます．

$$(\text{新たな投与量}) = (\text{目標とする血中濃度}) \cdot \frac{(\text{現在の投与量})}{(\text{現在測定した血中濃度})}$$

よって，患者の投与量は

$$(\text{新たな投与量}) = 0.75 \cdot \frac{0.25}{3.15} = 0.060 \text{ mg}$$

ゆえに，F = 0.6 の場合，ジゴキシン 0.06 mg を 1 日 1 回投与します．エリキシル剤 (0.05 mg/mL) で投与する場合，そのバイオアベイラビリティ (F = 0.8) を考慮して，投与液量を計算します．

つまり，

処方：ジゴキシンエリキシル　1.0 mL/ 分 1　朝食後

ジゴキシンの投与量を変更したならば，定常状態に達する 2 週間後に血中濃度を測定して，効果および副作用を確認して有効性を評価することが重要です．

D1・6　ジゴキシン中毒における投与計画

症例 4

K.K.　男性　70 歳　体重 65 kg

高血圧に伴ううっ血性心不全と診断され，外来通院していた．約 2 週間前から下肢に浮腫が出現し，2，3 日前からは起座呼吸の状態が続き，嘔気，嘔吐が出現したため，外来受診し，入院となった．

〈外来での投薬〉

ジゴキシン	0.25 mg
エナラプリル	5 mg
カルベジロール	2.5 mg
フロセミド	20 mg/ 分 1　朝食後
アムロジピン	5 mg

〈入院時検査〉

Na 134 mEq/L (138-147)，K 3.3 mEq/L (3.6-4.8)，Cl 95 mEq/L (98-109)，血清クレアチニン 1.5 mg/dL (0.7-1.2)，尿素窒素 35 mg/dL (7-20)，AST (GOT) 40 IU/L (8-29)，ALT (GPT) 35 IU/L (4-31)，血中ジゴキシン濃度 3.5 ng/mL (0.5-2.0)：朝 7 時に服用し，午後 4 時に採血を行った．

〈心電図 (ECG)〉 2°　A-V ブロック

〈その他〉静脈怒張，チアノーゼ，浮腫

【問題点】

1. ジゴキシン中毒
2. うっ血性心不全の悪化
3. 腎機能の低下

【問題点 1】ジゴキシン中毒

患者は嘔気と嘔吐が出現し，心電図上で 2 度の A-V ブロックが認められ，血中ジゴキシン濃度が 3.5 ng/mL と中毒域に位置しており，ジゴキシン中毒と診断されました．

[ジゴキシンの副作用]

ジゴキシンの副作用は非心臓性症状 (表 D1・4) とジゴキシン中毒症状である不整脈 (表 D1・5) に大別されます．非心臓性症状には胃腸症状，神経症状，視覚症状などですが，これらの症状は致命的ではなく，いずれもジゴキシンを中止することによって回復します．ジゴキシン治療上最も問題になるのは，ジゴキシンの中毒症状である不整脈の出現です．ジゴキシン中毒ではありとあらゆる不整脈が出現し，致命的で予後も不良で，死亡率が有意に高くなるとされています．ジゴキシン中毒は前兆として非心臓性症状が出現する

表 D1·4 ジゴキシンの副作用の非心臓性症状

胃腸症状	神経症状	その他
食欲不振	頭 痛	視力障害
嘔 気	嗜眠状態	黄色視症
嘔 吐	失見当識	White halos
下 痢	錯乱状態	皮膚発疹
腹 痛	せん妄	女性化乳房

表 D1·5 ジゴキシン中毒における不整脈の種類と発生頻度

不整脈の種類	発生頻度
心室性期外収縮	33%
心室性頻拍	8%
発作性房室接合部性頻拍	17%
房室接合部逸脱律動	12%
ブロックを伴う心房性頻拍	10%
第2度および第3度房室ブロック	18%
洞停止を伴う洞房ブロック	2%

ことはありますが，必ずしもこれらの症状が先行するとは限らず，無症候のまま突然不整脈が出現することもあり，これらの症状から予測することは困難です．また，不整脈の発生頻度は心室性期外収縮が最も多いのですが，心室性期外収縮を含めたその他の不整脈は心不全が悪化しても出現するため，病気の悪化かあるいはジゴキシン中毒かの鑑別は，臨床上困難な場合があります．このためジゴキシンを投与する際には必ず事前に心電図を記録することが大切です．ジゴキシン中毒の特徴的な不整脈はブロックを伴う心房性頻拍で，この不整脈が出現するとジゴキシン中毒を疑ってほぼ間違いありません．また，ジゴキシン中毒の発現は血中ジゴキシン濃度によく比例します．

【対 策】

ジゴキシンをただちに中止し，ジゴキシンの再開時期とこの時点の投与量を決定します．また，血清カリウム値が低いため，カリウムの補給を行います．

a. ジゴキシンの中止期間の推定

(1) 血中ジゴキシン濃度の再開後の目標値の設定

ジゴキシンの血中濃度の目標値を設定しなければ，血中ジゴキシン濃度をどの値まで低下させるかが決定されず，中止期間を推定することはできません．患者は，以前にうっ血性心不全がコントロールされていた時点で，血中濃度が測定されていれば，その値を目標値とします．

測定値がなければ，一般的な有効治療域を参考に目標値を設定します．心不全におけるジゴキシンの有効治療域は 0.5 ～ 1.0 ng/mL で，中毒域は 3.0 ng/mL 以上であり，1.2 ～ 3.0 ng/mL がオーバーラップレンジとされています．

● ***point*** **ジゴキシンの有効治療域と中毒域**

無効域		0.5 ng/mL 未満
治療域	心不全	0.5 ～ 1.0 ng/mL
	心不全以外	0.5 ～ 2.0 ng/mL
オーバーラップレンジ		1.2 ～ 3.0 ng/mL
中毒域		3.0 ng/mL 以上

うっ血性心不全では，有効治療域の中央付近である血中ジゴキシン濃度 0.75 ng/mL を目標とします．

● ***point*** **うっ血性心不全の一般的な目標血中ジゴキシン濃度**

0.75 ng/mL

(2) クレアチニンクリアランス（CL_{cr}）の推定

患者のジゴキシンの消失速度定数を推定するために，CL_{cr} を血清クレアチニン値（S_{cr}）より推定します．

● ***point*** **クレアチニンクリアランスの推定**

(Cockcroft & Gault 法)

男性の CL_{cr} (mL/min)

$$= \frac{(140 - 年齢) \cdot 体重\ (kg)}{72 \cdot S_{cr}\ (mg/dL)}$$

女性の CL_{cr} (mL/min)

$$= (男性の\ CL_{cr}) \cdot 0.85$$

よって，患者の CL_{cr} は

$$患者の\ CL_{cr} = \frac{(140 - 70) \cdot 65}{72 \cdot 1.5} = 42.1\ \text{mL/min}$$

(3) ジゴキシンの消失速度定数（k_{el}）の推定

ジゴキシンの消失はおもに腎臓からの排泄によって行われるため，ジゴキシンの消失速度定数は CL_{cr} とよく相関するとされており，CL_{cr} から推定することが可能です．

● ***point*** **ジゴキシンの消失速度定数の推定**

$$k_{el}\ (day^{-1}) = 0.151 + 0.00256 \cdot CL_{cr}\ (mL/min)$$

よって，患者の k_{el} は

$$患者の\ k_{el} = 0.151 + 0.00256 \cdot 42.1 = 0.259\ day^{-1}$$

(4) ジゴキシン中止後，血中ジゴキシン濃度が 0.75 ng/mL に減少するのに要する期間

● *point*　血中薬物濃度が C_{p0} から C_{p1} まで低下するのに要する時間（t）（図 D1・5）

$$t = \frac{\ln C_{p0} - \ln C_{p1}}{k_{el}}$$

よって，患者に投与を中止する期間は

$$t = \frac{\ln 3.5 - \ln 0.75}{0.259}$$

$$= 5.31 \text{ 日}$$

ゆえに，ジゴキシンを 5 ～ 6 日間中止すると血中ジゴキシン濃度は約 0.75 ng/mL になります．

【別　解】半減期（$t_{1/2}$）を用いて推定する方法

● *point*　消失速度定数と半減期の関係

$$t_{1/2} = \frac{0.693}{k_{el}}$$

よって，患者のジゴキシンの半減期（$t_{1/2}$）は

$$t_{1/2} = \frac{0.693}{0.259}$$

$$= 2.7 \text{ 日}$$

ゆえに，血中ジゴキシン濃度が半分になるのに要する日数は 2.7 日ですから，6 日間中止することにより約 0.75 ng/mL になることが推定されます．

ジゴキシン投与中止後 6 日目の血中ジゴキシン濃度は

$$C_{p1} = 3.5 \cdot e^{-(0.259 \cdot 6)}$$

$$= 0.74 \text{ ng/mL}$$

ゆえに，ジゴキシンの投与中止後 6 日目に血中ジゴキシン濃度が約 0.75 ng/mL になることが推測されます．

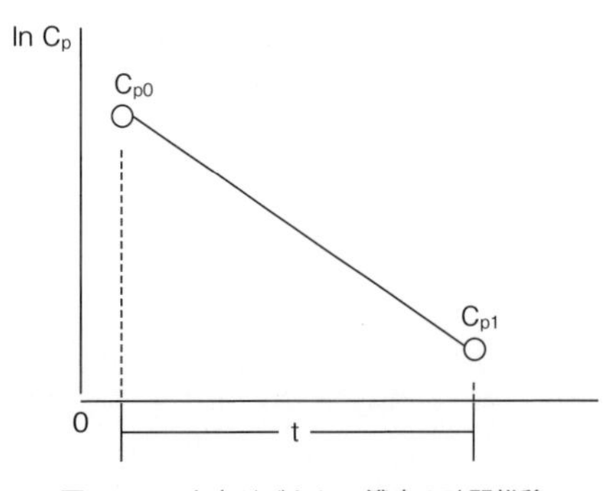

図 D1·5　血中ジゴキシン濃度の時間推移

b. ジゴキシンを再開するときの投与量

一般に心不全におけるジゴキシンの投与量は中毒時の約 1/4 の投与量で再開することが，経験的にいわれています．このことは，まったく根拠のないことではなく，中毒が出現した場合の血中ジゴキシン濃度は多くは 2 ～ 4 ng/mL であり，その投与量を 1/4 にすると血中ジゴキシン濃度は 0.5 ～ 1.0 ng/mL になります．このため，中毒時の投与量の 1/4 量で再開することは理論的にほぼ正しいと考えられます．

患者の場合も，投与量を 1/4 の量にすると血中ジゴキシン濃度は約 0.85 ng/mL になることが推測され，心不全における有効治療域に位置します．

しかし，再開後の目標を 0.75 ng/mL に設定したため，投与計画をたてなければなりません．ジゴキシンの投与量と血中濃度との関係は正の比例関係です．このため，ジゴキシンの再開後の投与量は血中濃度との比例計算で求めることができます．

● *point*　比例計算による投与量の算出

(新たな投与量)

$$= (\text{目標とする血中濃度}) \cdot \frac{(\text{現在の投与量})}{(\text{現在測定した血中濃度})}$$

よって

$$(\text{新たな投与量}) = 0.75 \cdot \frac{0.25}{3.5}$$

$$= 0.054 \text{ mg}$$

ジゴキシン錠として 0.05 mg を 1 日 1 回投与すればよいことになります．しかし，ジゴキシン 0.05 mg/日の投与量はエリキシル剤か散剤を用いなければなりません．ジゴキシンの散剤のバイオアベイラビリティは明らかでないため，用いることはあまり勧められません．

エリキシル剤は取り扱いにくい面がありますが，患者がエリキシル剤 (0.05 mg/mL) を服用できるならば，バイオアベイラビリティが明らかになっているエリキシル剤を投与します．また，年齢からエリキシル剤が取り扱いにくい面があるならば，錠剤を考慮すべきです．患者のジゴキシンの半減期が 2 日以上ですから，ジゴキシン錠（0.125 mg）1 錠/日を 1 日おきに投与すれば，ジゴキシン 0.05 mg を毎日投与した結果とほぼ同じ結果が得られます．バイオアベイラビリティが錠剤では 0.6，エリキシル剤では 0.8 であることを考慮し，ジゴキシンの投与量は決定します．

処方：
ジゴキシンエレキシル　1.0 mL/ 分 1　朝食後
処方：
ジゴキシン錠(0.125)　1 錠 / 分 1　朝食後
　隔日投与

c. モニタリング

(1) 血中ジゴキシン濃度は中止後約 6 日で目標の 0.75 ng/mL 付近になると推測できますから，中止後 5 日目に再度，血中ジゴキシン濃度を測定し，測定値が推定値とほぼ一致していれば，6 日目よりジゴキシンの投与を再開します．
＊中止後 5 日目の推定血中ジゴキシン濃度(C_{p4})は

$$C_{p4} = C_{p0} \cdot e^{-k_{el} \cdot t}$$
$$C_{p4} = 3.5 \cdot e^{-(0.259 \cdot 5)}$$
$$= 0.96 \text{ ng/mL}$$

付近となります．

(2) ジゴキシンの投与を再開した後，定常状態に達すると推定される日に血中ジゴキシン濃度を測定し，治療効果などをあわせて，投与計画を再度，検討します．

● *point*　定常状態に達する日数
　半減期（$t_{1/2}$）の 4 ～ 5 倍

よって
$$\text{定常状態に達する日数} = 2.68 \cdot 4 = 10.7 \text{ 日}$$

d. モニタリングにおける留意点

(1) 血液電解質の補正，チェック

血清カリウム値が低いため，カリウム剤の投与をあわせて行うべきです．とくにうっ血性心不全が悪化し，下肢に浮腫を認めており，当然フロセミドの増量が行われるために必ずカリウム剤を併用します．また，血清マグネシウム値は変動が少ないですが，報告によるとジゴキシン中毒を起こした患者では低マグネシウム血症が多く認められたとされており，一度チェックをすべきです．

(2) 心電図

心電図では 2 度の房室（A-V）ブロックがあり，ジゴキシンを中止後 4 日目に心電図をとり，房室（A-V）ブロックがないことを確認します．ジゴキシンを再開後，定常状態に達した 11 日目に心電図を確認することを勧めます．

(3) 薬物相互作用

ジゴキシンは P 糖たん白の基質であるため，ジゴキシンの血中濃度は P 糖たん白に影響を及ぼす薬剤により影響を受けると考えられます．ジゴキシンは種々の薬剤との相互作用が報告されています．ジゴキシンに他剤を併用したり，ジゴキシンまたは他剤を休薬する場合は，本剤の血中濃度の推移など注意することが大切です．ジゴキシンと相互作用を示す薬剤は最近の添付文章を確認する必要があります．

(4) その他

① ジゴキシン中毒の解消やうっ血性心不全の改善により循環動態も改善し，ジゴキシンクリアランスが上昇し，血中ジゴキシン濃度が低下することがあります．
② 水分摂取量や水排泄量，および心拍数や脈拍のチェックを行います．
③ その他のバイタルサインと全身状態のチェックを行います．

【問題点 2】心不全の治療

表 D1・2 の我が国の心不全重症度分類の薬物治療ガイドラインに基づく薬剤の選択を示します．心不全に対するジゴキシンの投与は，ACE 阻害剤，β 遮断薬や利尿剤を使用しても，なお臨床症状を示す患者を対象とします．

アムロジピンは心不全に対して少なくとも影響を及ぼさないカルシウム拮抗剤であると考えられます．とくに狭心症を伴う場合には有用です．

D1・7 ジゴキシンの負荷投与法を考慮しなければならない場合の投与計画

症例 5

Z.I.　75 歳　女性　50 kg

心房細動を伴ううっ血性心不全と診断され通院加療していた．2 週間前より労作時，動悸と息切れが出現していたが，安静にてそれらの症状は軽快した．2，3 日前より少し動いただけで，動悸と息切れが出現し，また，安静時でも脈拍が速く，ときどき結滞することがあったため，入院となった．

〈外来での投薬〉

ジゴキシン	0.25 mg
フロセミド	20 mg
エナラプリル	5 mg
カルベジロール	2.5 mg

アスピリン 100 mg/ 分1 朝食後
〈入院時検査〉
Na 141 mEq/L(138-147), K 4.2 mEq/L(3.6-4.8), Cl 102 mEq/L (98-109), 血清クレアチニン 0.8 mg/dL(0.7-1.2), 尿素窒素 12 mg/dL(7-20), AST (GOT) 23 IU/L (8-29), ALT (GPT) 15 IU/L (4-31), 血中ジゴキシン濃度 0.2 ng/mL (0.5-2.0)
〈心電図 (ECG)〉 Af, 心拍数 135
〈その他〉 下肢の浮腫, 脈拍数 108 (結滞 27)
〈入院時面談〉
1～2カ月前, 非常に調子がよく, ときどき薬を飲むことを忘れることがあった. 思い出しては飲んでいたが, ジゴキシンを飲んだ後, ムカムカしたり, 吐き気がしたりしたので, 飲むことを止めてしまった. しばらくは調子がよかった. 2週間前から調子が悪くなったので, ジゴキシンを飲もうとも思ったが, 何か怖い感じがして, 結局飲まなかった. 他の薬は思い出しては飲んでいた.

【問題点】

1. 心房細動
2. うっ血性心不全
3. コンプライアンス

【問題点 1】心房細動

15年前より心房細動と診断されて, 以前は薬物により除細動を試みていましたが, すぐに心房細動に戻るため, 現在は年齢を考慮して心拍数のコントロールを目的にジゴキシンを投与していました. 今回, 嘔気・嘔吐のためにジゴキシンを飲むのを止めてしまったために, 心拍数が上昇したと考えられます.

【対 策】

ジゴキシンの血中濃度がほぼ 0 ng/mL, 心拍数が 130 前後でそれほどの緊急性はないと判断しました. ジゴキシンは副作用の危険性が高い急速飽和を避けて, ジゴキシン維持量の約倍量を1日1回, 2～3日連続投与する亜急速飽和の方法をとった後, 維持量にもっていきます.

【問題点 2】うっ血性心不全

心房細動の悪化により, 心臓が十分機能しないために, 心不全が悪化したと判断しました.

【対 策】

うっ血性心不全に対してはフロセミドを増量して, またジゴキシンの陽性変力作用とあわせて, さらに心房細動に対しては, ジゴキシンの陰性変時作用によって, 心拍数がコントロールされて, 心臓機能が効率よくなると回復します.

a. ジゴキシンの亜急速飽和量の算出

患者面談から得た情報からすると, 患者は2週間前よりジゴキシンを服用していないと考えられますので, ジゴキシンは患者の体内には残っていません. このため, 血中濃度の測定値は 0.2 ng/mL でしたが, 血中ジゴキシン濃度を 0 ng/mL と考えて差し支えありません.

● ***point*** **免疫学的測定法の測定値の解釈**

ジゴキシンはステロイド骨格を有しているために, 内因性のステロイド骨格を有する物質と交差反応を示すことがある. モノクロナール抗体を用いた測定法になったので, 交差反応はほとんどないと考えられるが, 実際に, ある程度の誤差が生じる. とくに新生児において, 内因性物質の影響による血中ジゴキシン濃度が高値を示すことがある.

(1) ジゴキシンの目標血中濃度の設定

ジゴキシンの臨床使用はうっ血性心不全に対する陽性変力作用と上室性頻拍に対する陰性変時作用を目的としています. 一般的に, 陽性変力作用に比べて陰性変時作用では高い血中ジゴキシン濃度が必要とされます. このため心房細動のような上室性頻拍に対しては, ジゴキシンの有効治療域 (0.5～2.0 ng/mL) の上限である 1.5 ng/mL 以上を維持することが推奨されています.

● ***point*** **心房細動に対する一般的な目標血中ジゴキシン濃度**

1.5 ng/mL

(2) ジゴキシンの負荷量の算出

患者は心房細動なので, 血中ジゴキシン濃度の目標値を 1.5 ng/mL とします. ジゴキシンの負荷量 (D_L) は下記の等式で求めることができます.

● ***point*** **負荷量の算出**

$$D_L = C_{pobj} \cdot \frac{V_d}{F}$$

ここで, ジゴキシン錠のバイオアベイラビリティ (F) は一般的に 0.6～0.8, 分布容積は平均 6 L/kg,

半減期は1.6〜5日です.

ジゴキシンの初期の投与計画を立てるとき，ジゴキシンの血中濃度が測定されていなければ，文献に報告されているジゴキシンの薬物動態の平均値を用いることになります．負荷量を求めるときに必要なジゴキシン動態値はバイオアベイラビリティと分布容積です．バイオアベイラビリティは0.6，分布容積は6 L/kgを用います.

よって，患者の飽和量は

$$D_L = 0.0015\ (\mu g/L) \cdot 6\ (L/kg) \cdot \frac{50\ (kg)}{0.6}$$

$$= 0.75\ mg$$

ゆえに，ジゴキシン（0.25 mg）3錠/日を服用すればよいのですが，絶対に一度に服用させてはいけません．急速飽和の場合は心電図をモニターしながら，ジゴキシン1錠ずつを8時間ごとに服用させます．ただし，服用させる前に心電図をみて，心拍数やP-Q間隔の延長などを確認します．また最後の3錠目を服用し終わった8時間後に，血中ジゴキシン濃度を測定し，測定値に基づいて今後の投与計画を立てます.

亜急速飽和の場合はジゴキシン（0.25 mg）3錠を3日に分けて，1日1回1錠を3日間連続投与します．この場合も必ず投与前には心電図をモニターします．また，最後のジゴキシンの投与が終了した8時間以降に血中ジゴキシン濃度を測定して，ジゴキシンの維持量を決定します.

D2 ジソピラミド

ジソピラミドは Vaughan-Williams 分類のクラス Ia に属する抗不整脈薬で，上室性および心室性不整脈に有効です．ジソピラミドは薬物動態値が複雑で，投与計画は立てにくいのですが，血中濃度と効果がよく相関するため，薬物治療モニタリングが有用な薬剤です．

D2・1 ジソピラミドの体内動態パラメータと体内動態の特徴づけ

(1) ジソピラミドの体内動態パラメータ値

（血漿中薬物総濃度値から算出）

F	A_e (%)	fuP	CL_{tot} (mL/min)	V_d (L)
0.8	55	0.2 ～ 0.46	90	36

B/P = 1.1

(2) 体内動態パラメータからみた薬物の特徴づけ

尿中排泄比率の値から腎クリアランスおよび腎外クリアランスをまず算出します．この場合，腎外クリアランスを肝クリアランスと見なします．

$$CL_R = 50\ \mathrm{mL/min}$$
$$CL_{eR} = CL_H = 40\ \mathrm{mL/min}$$
$$E_R = 50/1.1/1200 = 0.04$$
$$E_H = 40/1.1/1600 = 0.02$$

腎抽出比，肝抽出比から，ともに消失能依存性の薬物であると推定できます．

$$CL_R = fuB \cdot CL_{intR}$$
$$CL_{Rf} = CL_{intR}$$
$$CL_H = fuB \cdot CL_{intH}$$
$$CL_{Hf} = CL_{intH}$$
$$CL_{po} = \frac{fuB \cdot CL_{intR} + fuB \cdot CL_{intH}}{F_a}$$
$$CL_{pof} = \frac{CL_{intR} + CL_{intH}}{F_a}$$
$$V_d = 36/1.1/33\ \mathrm{L}$$

33 L とほぼ体液量に相当する分布容積を有しており，変動しにくい薬物と推定できます．

血漿中では，おもに α_1-酸性糖たん白と結合し，その結合率は薬物の濃度依存性を示します．

fuP = 0.2 ～ 0.46 であることより，やや binding sensitive 的な特徴を示すと考えられます．

a. 全身クリアランス

腎抽出比，肝抽出比からともに，消失能依存性の薬物であると推定できます．

$$CL_R = fuB \cdot CL_{intR}$$
$$CL_{Rf} = CL_{intR}$$
$$CL_H = fuB \cdot CL_{intH}$$
$$CL_{Hf} = CL_{intH}$$
$$CL_{po} = \frac{fuB \cdot CL_{intR} + fuB \cdot CL_{intH}}{F_a}$$
$$CL_{pof} = \frac{CL_{intR} + CL_{intH}}{F_a}$$

ジソピラミドは血漿中の α_1-酸性糖たん白に結合することが認められており，しかも薬物の濃度によって非結合形分率は一定でないことが明らかにされています．結合の飽和性が治療濃度域でも認められています．そのため血漿非結合形分率は 0.2 から 0.5 の範囲と広い分布を示します．この値からはやや血漿たん白結合の変動に依存するクリアランスを示す薬物であることがわかります．しかし，非結合形濃度に基づく腎クリアランスおよび肝クリアランスともにそれぞれの固有クリアランスのみが変動要因で，非結合形分率は関与しません．静脈内投与あるいは経口投与後の定常状態平均血中薬物総濃度のみの値で判断しないよう注意が必要です．

全身クリアランスは腎クリアランスと肝クリアランスがほぼ半々を占めることから，それぞれの臓器の機能をモニターする必要がありますが，個々の臓器の不全の影響は全身クリアランスとしては受けにくい薬物と考えられます．

b. 分布容積

32.7 L（$= V_d/(B/P) = 36/1.1$）とほぼ体液量に相当する分布容積を有しており，その値からは，中間の値であり，変動を受けにくい薬物と推定できます．

c. 消失半減期，消失速度定数，血中薬物濃度の時間推移

分布容積は変化しにくいとの特徴を有していますので，消失半減期や消失速度定数の変化は全身クリアランスの変化を中心に考察できる薬物といえます．投与直後の血中濃度が用いられない限り，ベイズ法による

推定では分布容積はほぼ平均値のままの値にして，全身クリアランスの変動を中心に推定されます．ジソピラミドの特徴からすると，その推定値を用いても評価を誤る危険性は小さいように思われます．（緒 方）

D2・2 ジソピラミドの投与計画

症例 6

M.O. 45 歳 男性 65 kg

3 カ月前に心房細動の精査目的で入院していた．心房細動の原因は不明で，ジソピラミド 400 mg/分 4, 6 時間ごと投与でコントロールされ，退院となった．なお，入院中の血中ジソピラミド濃度は投与直前のトラフ値が 2.4 μg/mL であった．外来通院時，血中ジソピラミド濃度をモニタリングしていた．2 週間前の外来受診時，患者は正しく服用していると述べていたが，測定した血中ジソピラミド濃度は検出されなかった．しかし，心電図では心房細動は認められるものの，心拍数は 78 min^{-1} と安定していた．このため服薬状況は次回来院時に確認することとした．昨日の夕方から動悸が認められ，脈拍は 100 前後であったが，そのまま放置していた．起床時，依然として動悸は認められ，洗面やトイレなどでさらに動悸が悪化したため，緊急で外来受診した．至急で血中ジソピラミド濃度が測定されたが，前回と同様 0 μg/mL であった．心電図では心房細動が認められ，心拍数は 120 min^{-1} 前後であった．

〈外来面談〉

心房細動が落ちついてから，血中ジソピラミド濃度を示しながら，服薬状況について質問した．患者は高校の教師をしており，1 カ月前から口渇が気になり，授業中に話しにくくなった．ジソピラミドの服用を中止したところ，口渇がなくなり，授業が楽になった．ジソピラミドを中止しても動悸もなく順調であったため，飲むのを止めてしまった．入院中における服薬指導で，ジソピラミドによる口渇の説明は受けていた．

【問題点】

1. 心房細動の発作のコントロール
2. 副作用

【問題点 1】心房細動の発作のコントロール

前回入院時，原因は不明の心房細動と診断され，ジソピラミド 1 日 400 mg が投与され，心拍数がコントロールされていました．今回，心房細動を悪化させるような要因は見当たらず，ジソピラミドのノンコンプライアンスによって心房細動が悪化したと判断されました．

【対 策】

ジソピラミドのノンコンプライアンスがはっきりし，心拍数も 120 min^{-1} と頻拍であったため，ただちにジソピラミドの負荷量 200 mg を 1 回投与して，以後 6 時間ごとにジソピラミド 100 mg を投与し，様子をみることとしました．

【問題点 2】副作用

ジソピラミドは口渇，排尿障害，便秘など抗コリン作用に基づく副作用の発現の頻度は高いことが認められています．この抗コリン作用に基づく副作用と血中濃度との相関性は認められません．一方，重篤な副作用である催不整脈作用は不明な点が多いのですが，血中濃度とある程度相関するものと考えられます．しかし，有効治療域と中毒域との間の明瞭な境界は明らかになっていません．そのほか低血糖を示すことがあり，注意が必要です．

a. ジソピラミドの負荷量（D_L）の投与

除細動を目的としては，ジソピラミドは内服投与されません．この症例では心拍数のコントロールを目的として，治療効果が得られていたときの血中ジソピラミド濃度 2.4 μg/mL を目標血中濃度にすることになります．

(1) ジソピラミドの負荷量の算出

血中ジソピラミド濃度の目標値（C_{pobj}）は 2.4 μg/mL ですから，下記の等式で負荷量を算出することができます．ただし図 D2・1 に示すように経口投与の場合，吸収相が存在するため，算出した量を投与したときの実際の血中濃度は目標値より低くなるため，算出するときの目標値を 3 μg/mL に設定することが必要です．

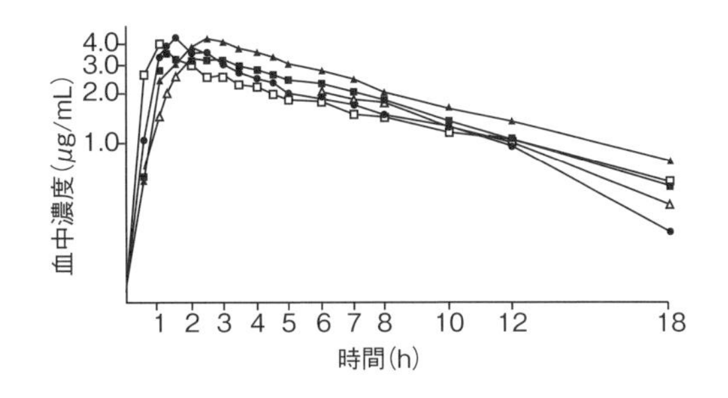

図 D2・1 血中ジソピラミド濃度の推移．健常成人 5 名にジソピラミド 300 ～ 350 mg 投与後の血中ジソピラミド濃度

● *point*　負荷量（D_L）の算出

$$D_L = C_{pobj} \cdot \frac{V_d}{F}$$

ジソピラミドはたん白結合率が血中濃度に依存します．例えば，血中ジソピラミド濃度が 0.5 μg/mL のとき，fuP は 0.29，血中ジソピラミド濃度が 1.5 μg/mL のとき，fuP は 0.47，さらに血中ジソピラミド濃度が 4 μg/mL のとき，fuP は 0.73 であると報告されています．通常，非結合形の薬物濃度が薬効と相関するとされており，血中の総ジソピラミド濃度だけでは判断ができない部分があると考えられますが，現在，非結合形濃度を測定することはルーチンで用いられていません．このため，血中総ジソピラミド濃度で判断しなければなりません．

● *point*　ジソピラミドの薬物動態

バイオアベイラビリティ：0.52 ～ 0.9（平均 0.85）
分布容積：0.51 ～ 1.21 L/kg（平均 0.8 L/kg）
半減期：4.8 ～ 9 時間（平均 6 ～ 8 時間）

よって

$$D_L = 3\ \text{(mg/L)} \cdot 0.8\ \text{(L/kg)} \cdot \frac{65\ \text{(kg)}}{0.8}$$

$$= 195\ \text{mg}$$

ゆえに，ジソピラミド 200 mg を投与すればよいことになります．半減期はほぼ 8 時間程度なので，維持量はジソピラミド 1 日 400 mg でコントロールすることとしました．

D3 テオフィリン

テオフィリンは喘息の特効薬として用いられていましたが，喘息の病態が気管支の炎症によることが明らかになり，ステロイド剤の吸入が治療の基本となりました．そのため第一選択薬ではなくなりました．しかし重積発作の緩解や中等度から重度の症例においては，いまだテオフィリンは治療上重要な位置を占めています．テオフィリンは血中濃度と効果および副作用がよく相関するため，安全で効果的に用いるには，血中濃度モニタリングが重要です．

D3・1 テオフィリンの体内動態パラメータと体内動態の特徴づけ

(1) テオフィリンの体内動態パラメータ値

（血漿中薬物総濃度値から算出）

F	A_e (%)	fuP	CL_{tot} (mL/min)	V_d (L)
0.96	10	0.5	50	35

B/P = 0.815

(2) 体内動態パラメータからみた薬物の特徴づけ

尿中排泄比率10％であることから全身クリアランスはほぼ腎外クリアランスに相当すると考えられます．この場合，腎外クリアランスを肝クリアランスと見なします．

$$CL_{eR} = CL_H = 45\ \mathrm{mL/min}$$

$$E_H = 45/0.815/1600 = 0.03$$

肝抽出比から，消失能依存性の薬物であると推定できます．

$$CL_H = fuB \cdot CL_{intH}$$

$$CL_{Hf} = CL_{intH}$$

$$CL_{po} = \frac{fuB \cdot CL_{intH}}{F_a}$$

$$CL_{pof} = \frac{CL_{intH}}{F_a}$$

$$V_d = 35/0.815 = 43\ \mathrm{L}$$

43 L であり，変動しにくい薬物と推定できます．

fuP = 0.5 であることより，binding insensitive 的な特徴を示すと考えられます．

a. 全身クリアランス

肝抽出比から，消失能依存性の薬物であると推定できます．

$$CL_H = fuB \cdot CL_{intH}$$

$$CL_{Hf} = CL_{intH}$$

$$CL_{po} = \frac{fuB \cdot CL_{intH}}{F_a}$$

$$CL_{pof} = \frac{CL_{intH}}{F_a}$$

fuP は 0.5 と大きく，静脈内投与あるいは経口投与後の定常状態平均血中薬物総濃度も薬物非結合形濃度も肝固有クリアランスのみで影響を受けます．テオフィリンは肝において CYP 1 A 2 および 3 A 4 によっておもに代謝されることが明らかになっており，それら代謝酵素の活性に影響を与える習慣，疾病や併用薬に注意が必要です．具体的には，喫煙によってクリアランスは 1.6 倍上昇し，うっ血性心不全，急性肺浮腫，重篤な閉塞性肺疾患，急性ウイルス性疾患，肝硬変などによってクリアランスは低下します．また，1 A 2 の阻害剤であるシプロフロキサシン，3 A 4 の阻害剤であるエリスロマイシン，両者に対し阻害作用を示すシメチジンによってクリアランスは低下し，また，3 A 4 に対する誘導剤であるフェノバルビタール，リファンピシリンによってクリアランスが上昇することが報告されています．

b. 分布容積

43 L と，その値からは中間の値であり，しかも非結合形分率も大きいことから，変動を受けにくい薬物と推定できます．

c. 消失半減期，消失速度定数，血中薬物濃度の時間推移

分布容積は変化しにくいとの特徴を有していますので，消失半減期や消失速度定数の変化は全身クリアランスの変化を中心に考察できる薬物といえます．投与直後の血中濃度が用いられない限り，ベイズ法による推定では分布容積はほぼ平均値のままの値にして，全身クリアランスの変動を中心に推定されます．テオフィリンの特徴からすると，その推定値を用いても評価を誤る危険性は小さいように思われます．（緒　方）

D3・2　テオフィリン中毒の投与計画

症例 7

A.E.　8歳　女性　体重 25 kg

気管支喘息と診断され通院している．処方薬はテオドール 350 mg/ 分 2，β刺激薬の吸入剤，クロモグリク酸の吸入剤であった．昨晩から 38℃台の発熱があり近医を受診した．風邪による発熱に対してメフェナム酸，気管支狭窄による喘鳴に対してアミノフィリン坐薬 50 mg が処方された．午後 5 時に喘鳴と呼吸苦が出現したため，アミノフィリン坐薬を挿入し，午後 6 時にテオドールを内服した．しかし喘鳴と呼吸苦が改善しないため，午後 9 時にアミノフィリン坐薬をさらに挿入したところ，午後 10 時頃から嘔気，嘔吐が出現した．また解熱しないため，救急救命センターを受診した．ただちに血中テオフィリン濃度が測定されたが，その測定値は 28.5 μg/mL であった．

【問題点】

1. テオフィリン中毒
2. 喘息のコントロール

【問題点 1】テオフィリン中毒

患者はテオドールとアミノフィリン坐薬が同成分であるとは知らずに用いました．それによって血中テオフィリン濃度が 28.5 μg/mL と中毒域に達し，このため嘔気と嘔吐などの中毒症状が出現したものと考えられました．

【対　応】

テオフィリンの中毒である嘔気と嘔吐は血中テオフィリン濃度の低下とともに改善します．とくに生命に別状がないため，経過観察とします．なお，喘息が悪化してもテオフィリンは用いてはなりません．他の薬剤（アドレナリン，副腎皮質ホルモン剤など）で治療します．

a. テオフィリンの中止期間の推定

(1) 血中テオフィリン濃度の目標値の設定

テオフィリンは血中濃度と治療効果および中毒症状がよく一致し，成人では 10 ～ 20 μg/mL，また小児では 5 ～ 20 μg/mL が有効治療域とされています．しかし，最近は安全性を考慮して有効治療域の上限を 15 μg/mL とすることが勧められています．

● *point*　テオフィリンの有効治療域

成人　10 ～ 20 μg/mL
小児　5 ～ 20 μg/mL

喘息がコントロールされていた時点での血中テオフィリン濃度の測定値があれば，その血中濃度を目標値にします．しかし，この症例での血中テオフィリン濃度のデータがないため，基本的には小児のテオフィリンの有効治療域である 5 ～ 20 μg/mL の中央付近である約 10 μg/mL を目標にします．

● *point*　小児の血中テオフィリン濃度の目標値

10 μg/mL

(2) テオフィリンの半減期（$t_{1/2}$）

テオフィリンの体内からの消失は，ほとんど肝臓における代謝によっています（腎臓からの未変化体の排泄は約 10% です）．テオフィリンの消失速度定数や半減期は肝臓の機能検査値から推定することはできません．このため文献などの報告値をもとに推定することになります．

● *point*　テオフィリンの半減期[10)]

患者の分類	平均半減期 (h)
新生児（< 24 日）	20 ～ 30
乳児（6 ～ 52 週） 小児（1 ～ 9 歳） 小児（9 ～ 12 歳） 小児（12 ～ 16 歳）	3 ～ 4
成人（> 16 歳，非喫煙） 成人（喫煙） 老人（非喫煙）	7 ～ 8（範囲 3 ～ 16） 3 ～ 4 10

なお，テオフィリンの代謝は他の薬剤による酵素誘導あるいは酵素阻害による影響を受けやすいので，現在の薬歴に注意する必要があります（表 D3・1）．

(3) 血中テオフィリン濃度が 10 μg/mL にまで減少するのに要する時間

患者のテオフィリンの半減期を文献値より約 4 時間とすると，消失速度定数は

$$k_{el} = \frac{0.693}{4}$$

$$= 0.173\ h^{-1}$$

表 D3·1 テオフィリンの薬物動態に影響する要因

	クリアランス減少（血中濃度上昇）	クリアランス増加（血中濃度降下）
年　齢	新生児（未熟児） 高齢者（60 歳以上）	小児（3 カ月から 16 歳）
食　事	低たん白食 高炭水化物食 メチルキサンチン含有食	炭水化物食
習　慣		喫煙
合併症	肝硬変 慢性うっ血性心不全 急性左室不全 肺水腫 慢性閉塞性肺疾患 肺炎 急性ウイルス性呼吸器感染 甲状腺機能低下症	膵嚢胞性線維症
併用薬物	抗生物質 　エリスロマイシン 　トリアセチルオレアンドマイシン 　ロキシスロマイシン 　クラリスロマイシン ニューキノロン剤 　エノキサシン　　オフロキサシン 　シプロフロキサシン　　パズフロキサシン 　トスフロキサシン　　プルリフロキサシン 　ノルフロキサシン その他 　プロプラノロール　　ハロタン 　シメチジン　　プロパフェノン 　アロプリノール　　アミオダロン 　インフルエンザワクチン　　ピペミド酸三水和物 　メキシレチン　　フルボキサミン 　チクロピジン　　フルコナゾール 　α-インターフェロン　　ジスルフィラム 　ベラパミル　　デフェラシロクス 　ジルチアゼム　　チアベンダゾール 　フロセミド　　チクロピジン 　ペントキシフィリン　　ベラパミル 　ピロキサジン　　ザフィルルカスト	抗生物質 　リファンピシリン β-受容体刺激剤 　イソプロテレノール 　クレンブテロール 　ツロブテロール 　テルブタリン 抗痙攣剤 　フェノバルビタール 　セコバルビタール 　ペントバルビタール 　フェニトイン 　カルバマゼピン その他 　スルフィンピラゾン 　ランソプラゾール 　リトナビル
体　重	肥満（理想体重の 130％以上）	

（注）最新の添付文書を確認すること．

● *point* 薬剤投与の中止期間（t）

$$t = \frac{\ln C_{p0} - \ln C_{p1}}{k_{el}}$$

C_{p0}；初期濃度，C_{p1}；目標濃度

よって，薬剤を中止する期間は

$$t = \frac{\ln 28 - \ln 10}{0.173}$$

$$= 6.1\ \mathrm{h}$$

ゆえに，テオフィリンを 6 時間中止すると血中テオフィリン濃度は約 10 μg/mL になります．このため，約 6 時間経過後，嘔気や嘔吐が消失したのを確認してテオフィリンの投与を開始します．

【別　解】半減期（$t_{1/2}$）を用いて推定する方法

患者の半減期を約 4 時間と見積もったので，血中テオフィリン濃度が 1/2 になるのに必要な時間は 4 時間で，4 ～ 8 時間の間に血中テオフィリン濃度が 10 μg/mL になることが予測されます．

4 時間で 14.25 μg/mL になり，さらに 8 時間では 7.13 μg/mL になります．よって，1/2 半減期で 70％残るために，14.25 × 0.7 = 9.98 μg/mL と約 10 μg/mL になります．ゆえにテオフィリンを中止後 6 時間で目標値に達することがわかります．

b. テオフィリンの再開時の投与量

以前に，血中テオフィリン濃度は測定されていませんでした．このためテオフィリン徐放顆粒 700 mg/日が投与されていたときの平均血中テオフィリン濃度を推定しなければなりません．

(1) テオフィリン徐放顆粒 700 mg/日の血中テオフィリン濃度の推定

● *point*　定常状態の平均血中テオフィリン濃度（C_{pssave}）

$$C_{pssave} = \frac{\left(\frac{F \cdot D}{\tau}\right)}{CL_{tot}}$$

患者のテオフィリンクリアランス（CL_{tot}）は約 1.4 mL/min/kg であるから，患者の平均血中テオフィリン濃度は

$$C_{pssave} = \frac{\left(\frac{700\ (mg)}{24\ (h)}\right)}{1.4\ (mL/min/kg) \cdot 25\ (kg)}$$

$$= 13.9\ \mu g/mL$$

であったことが推測されます．

(2) テオフィリンの維持量の算出

患者の血中テオフィリン濃度を有効治療域のどの位置に維持するかは，発作の回数あるいは状態など，患者ごとにより異なります．気管支喘息は気管の炎症により発症することが明らかになっており，副腎皮質ホルモンの吸入剤を中心に治療を考えることが勧められます．このため血中テオフィリン濃度は，一応 10～15 μg/mL に維持し，喘息発作をコントロールし，症状が落ち着いたら副腎皮質ホルモンの吸入剤を中心にした治療に切り換え，フローメーターによる喘息の管理を徹底すべきです．

● *point*　喘息とは

咳，喘鳴，胸部圧迫感，呼吸困難の増悪を特徴とし，通常可逆的だが重症にもなり，ときには死に至ることもある，気道の慢性の持続性・炎症性疾患である．

テオフィリン維持量の算出にはテオフィリンクリアランスの 1.4 mL/min/kg を用います．

● *point*　維持量（D_M）の算出

$$\frac{D_M}{\tau} = C_{pobj} \cdot \frac{CL_{tot}}{F}$$

① テオフィリンの目標血中濃度（C_{pobj}）を 10 μg/mL にする場合

$$\frac{D_M}{\tau}$$

$$= 10\ (\mu g/mL) \cdot 1.4\ (mL/min/kg) \cdot 25\ (kg) \cdot \frac{60\ (min)}{1}$$

$$= 21\ mg/h$$

$$= 504\ mg/day$$

$$\fallingdotseq 500\ mg/day$$

よって，テオフィリンの 1 日 500 mg の投与を開始すればよいと考えられます．

② テオフィリンの目標血中濃度（C_{pobj}）を 15 μg/mL にする場合

$$\frac{D_M}{\tau}$$

$$= 15\ (\mu g/mL) \cdot 1.4\ (mL/min/kg) \cdot 25\ (kg) \cdot \frac{60\ (min)}{1}$$

$$= 32\ mg/h$$

$$= 768\ mg/day$$

$$\fallingdotseq 750\ mg/day$$

よって，テオフィリンの 1 日 750 mg の投与を開始すればよいと考えます．

ゆえに，患者にはテオフィリンとして 1 日 500～750 mg を投与することとなります．患者はテオフィリン 1 日 700 mg を投与してコントロールされていたので，この投与量を再度投与することが勧められます．このため，中止後 6 時間目に内服でコントロールできるならば，テオフィリン徐放製剤 700 mg/日の投与を開始します．また内服が困難であるならば，アミノフィリンの静注を行います．アミノフィリンはテオフィリンを 80％含有していますから，アミノフィリンの投与量は

$$(\text{アミノフィリンの投与量}) = \frac{700}{0.8}$$

$$= 875\ mg$$

を 1 日で正確に点滴静注投与することになります．

D3・3　テオフィリンの負荷投与が必要な場合

症例 8

U.S.　28 歳　男性　64 kg

4 歳頃から気管支喘息と診断され，最近は年 3～4 回発作が認められた．発作時にはアミノフィリン 100 mg の 2 錠の内服と β 刺激薬の吸入剤にて対処していた．しかし，今朝より発作が出現し，前記の対処にて家で安静にしていたが，発作はおさまらず，午後 5 時に救命救急センターに来院した．

なお，アミノフィリンは朝6時頃に内服した．血中テオフィリン濃度は2.0 μg/mLであった．救命救急センターを受診時，血液検査等の異常は認められなかった．非喫煙者である．

【問題点】

1. 気管支喘息の発作
2. 気管支喘息の管理

【問題点1】気管支喘息の発作

救命救急センターを受診時，呼吸困難とチアノーゼが認められ，気管支喘息の重積発作と診断されました．

【対　策】

気管支喘息の重積発作に対して，アミノフィリンを静注投与し，改善しない場合は，ただちに副腎皮質ホルモン剤を静注投与します．

a. アミノフィリンの負荷量（D_L）の投与

気管支喘息の重積発作にアミノフィリンを静注投与するには，患者がテオフィリン製剤を服用しているかどうかを確認し，テオフィリン製剤を服用しているあるいは可能性があるならば，必ず血中テオフィリン濃度を測定し，その測定値に基づいて，アミノフィリンを投与します．アミノフィリンの静注は5%ぶどう糖100 mLに希釈して30分以上かけてできるだけゆっくりと行います．急速な静注は一過性に血中濃度が上昇して，痙攣や不整脈，てんかん発作を出現させ，不幸にして死に至らせる場合もあります（表D3・2）．

(1) テオフィリンの目標血中濃度

成人のテオフィリンの有効治療域は一般的に10～20 μg/mLであり，気管支喘息の重積発作の緩解における血中テオフィリン濃度の目標値は明確ではありませんが，初期には有効治療域の中央あたりを目標にします．

● *point* 成人の喘息の重積発作時の目標血中濃度 ― 15 μg/mL

(2) テオフィリンの負荷量（D_L）の算出

アミノフィリンはテオフィリンのエチレンジアミン塩であり，テオフィリンを80%含有しています．主薬が含有されている割合をSとします（S = 0.8）．

● *point* アミノフィリンのテオフィリン含有量 ――
（テオフィリンの含有量）
＝（アミノフィリンの投与量）・S

テオフィリンの投与前の血中テオフィリン濃度（C_{p0}）があるならば，負荷量を算出する際に，目標血中濃度（C_{pobj}）から引いて求めなければなりません（図D3・1）．

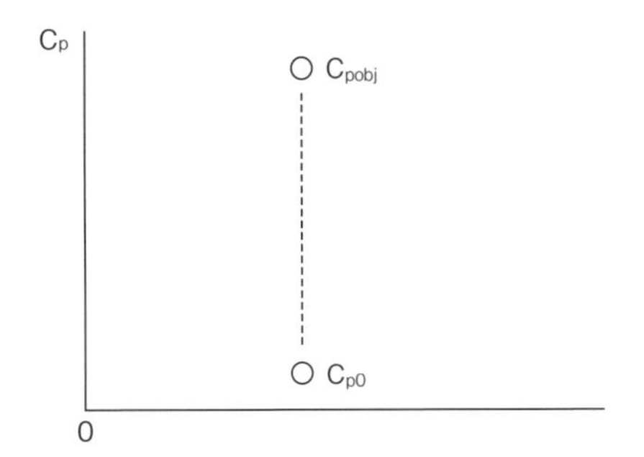

図D3・1 血中テオフィリン濃度

● *point* 負荷量（D_L）の算出

$$D_L = (C_{pobj} - C_{p0}) \cdot \frac{V_d}{F \cdot S}$$

成人において，バイオアベイラビリティはほぼ100%で，血漿たん白結合率は40～60%です．分布は脂肪組織を除き各組織に速やかに行われます．唾液，母乳，脳脊髄液にも移行します．また，胎盤は容易に通過します．分布容積は0.3～0.8 L/kgで，理想体重の30～70%で，平均0.5 L/kgと変動は少ないと考えられます．テオフィリンは肝臓の初回通過効果はほとんど受けませんが，投与されたテオフィリンの約90%以上が肝臓で代謝されます．未変化体としては約10%が腎臓から排泄されます．半減期は非喫煙者

表D3・2 テオフィリンの血中濃度と効果・副作用との関係

血中濃度 (μg/mL)	治療，中毒域	症状その他
60～	死　亡	全身痙攣または死亡
40～60	中毒域	すべての患者の中毒域 中枢神経症状，不整脈，痙攣
25～40	副作用	多くの患者で中毒域，心拍増加（120 min^{-1}），呼吸促迫，まれに不整脈，痙攣
20～25	軽度の副作用	一部の患者で有効治療域 副作用として嘔気，嘔吐などの消化器症状
10～20	有効治療域	大部分の患者の有効治療域
5～10	一部の患者の有効治療域	小児・一部の患者の有効治療域
0～5	無効域	大部分の患者で無効

では6～12時間で，平均7～8時間です．喫煙者では約4時間くらいに短縮します．

● *point* 成人のテオフィリンの薬物動態

バイオアベイラビリティ（F）：100％
分布容積（V_d）：0.3～0.8 L/kg（平均0.5 L/kg）
半減期（$t_{1/2}$）
　非喫煙者：6～12時間（平均7～8時間）
　喫煙者：3～6時間（平均4時間）
クリアランス（CL_{tot}）
　非喫煙者：0.45～0.85 mL/min/kg
　　（平均0.65 mL/min/kg）
　喫煙者：0.7～1.7 mL/min/kg
　　（平均1.2 mL/min/kg）

患者のテオフィリンの負荷量（D_L）は，分布容積（V_d）を0.5 L/kg，バイオアベイラビリティ（F）を1，アミノフィリンはテオフィリンを80％含有しているため，Sを0.8として求めます．

$$D_L = (15\ (\mu g/mL) - 2\ (\mu g/mL)) \cdot \frac{0.5\ (L/kg) \cdot 64\ (kg)}{1 \cdot 0.8}$$

$$= 520\ mg \fallingdotseq 500\ mg$$

アミノフィリン注射液（250 mg）2アンプルを5％ぶどう糖液100～250 mLに溶解し，1時間以上かけて投与します．なお，重積発作の症状が改善したら，点滴速度を落として，2時間くらいで終了するようにします．

D3・4 テオフィリンの維持量の投与計画

症例9

I.U. 55歳 男性 61 kg

第一級の公害認定患者で，重度の気管支喘息と診断された．現在，下記の薬剤により治療されている．プレドニゾロン15 mg/日ではよくコントロールされるが，プレドニゾロンを10 mg/日あるいは5 mg/日に減量すると発作がコントロールできない．しかし，プレドニゾロンの維持量として，できれば5 mg/日を用いたい．

〈現在の処方〉

プレドニゾロン　15 mg/分1　朝食後
テオフィリン（徐放錠）　400 mg
塩酸プロカテロール　100 μg/分2　朝夕食後
塩酸ブロムヘキシン　12 mg/分3　毎食後
プロピオン酸ベクロメタゾン吸入剤
（2パフ：100 μg/mL）　1日4回
臭化水素酸フェノテロール吸入剤　1日4回まで

血中テオフィリン濃度は10 μg/mLであった．

【問題点】

1. 副腎皮質ホルモンの投与量と投与方法
2. テオフィリンの投与量

【問題点1】副腎皮質ホルモンの投与量と投与方法

本患者は，喘息の重症度分類では重度に分類されます．副腎皮質ホルモンを長期にわたって服用することは副作用の問題で難しく，内服の副腎皮質ホルモンはできるだけ少量で維持することが勧められます．

【対　策】

喘息の概念が変わっており，現在は炎症所見と定義されています．患者における副腎皮質ホルモンの吸入剤による投与量は1日400 μgです．通常，重症では副腎皮質ホルモンの吸入剤による投与量として1日800～1200 μgが勧められています．まず1日800 μgに増量し，効果が不十分ならば，さらに1日1200 μgまで増量します．ここにおいても効果が不十分であるならば，さらに最大1日1600 μgに増量します．なお，治療効果が不十分ならば，副腎皮質ホルモンの吸入を最大投与量で維持し，テオフィリンの増量を試みることが考えられます．これらにより，治療効果が維持できたならば，内服している副腎皮質ホルモンを減量します．

【問題点2】テオフィリンの増量

副腎皮質ホルモンの吸入剤を増量してもコントロールできない場合は，テオフィリンを増量することになります．

● *point* 比例計算による投与量の算出

$$(\text{新たな投与量}) = (\text{目標とする血中濃度}) \cdot \frac{(\text{現在の投与量})}{(\text{現在測定した血中濃度})}$$

血中テオフィリン濃度の目標値はこのような場合は有効治療域の中央である15 μg/mL付近にすることがよいと考えます．

よって

$$(\text{新たな投与量}) = 15\ (\mu g/mL) \cdot \frac{400\ (mg)}{10\ (\mu g/mL)}$$

$$= 600\ mg$$

ゆえに，テオフィリンを1日600 mgに増量します．

D4　抗てんかん薬

D4・1　カルバマゼピン

D4・1・1　カルバマゼピンの体内動態パラメータと体内動態の特徴づけ

(1) カルバマゼピンの体内動態パラメータ値

（血漿中薬物総濃度値から算出）

F	A_e (%)	fuP	CL_{tot} (mL/min)	V_d (L)
0.8	1	0.2	41，90 *	84

B/P = 1.1
*繰り返し投与後の値

(2) 体内動態パラメータからみた薬物の特徴づけ

尿中排泄比率が 1% であることから，全身クリアランスは腎外クリアランスに相当すると考えられます．この場合，腎外クリアランスを肝クリアランスと見なします．

$$CL_{eR} = CL_H = 41\ \mathrm{mL/min}$$

$$E_H = 41/1.1/1600 = 0.02$$

肝抽出比が 0.3 以下であることから，消失能依存性の薬物であると推定できます．

$$CL_H = fuB \cdot CL_{intH}$$

$$CL_{Hf} = CL_{intH}$$

$$CL_{po} = \frac{fuB \cdot CL_{intH}}{F_a}$$

$$CL_{pof} = \frac{CL_{intH}}{F_a}$$

$$V_d = 84/1.1 = 76\ \mathrm{L}$$

76 L と大きな分布容積を有しており，次式で表現することができます．

$$V_d = \frac{fuB}{fuT} \cdot V_T$$

$$V_{df} = \frac{V_T}{fuT}$$

fuP は 0.2 であることより，血漿たん白結合の変化の影響も受けやすい binding sensitive な薬物と推定できます．

a. 全身クリアランス

肝抽出比から，消失能依存性の薬物であると推定できます．

$$CL_H = fuB \cdot CL_{intH}$$

$$CL_{Hf} = CL_{intH}$$

$$CL_{po} = \frac{fuB \cdot CL_{intH}}{F_a}$$

$$CL_{pof} = \frac{CL_{intH}}{F_a}$$

binding sensitive であることより，経口投与後の定常状態平均血中薬物総濃度は血漿中非結合形分率と肝固有クリアランスの変化の影響を受けますが，薬物非結合形濃度は肝固有クリアランスのみの影響を受けます．総濃度が測定されている場合は，測定値のみから判断することは避けるべき薬物です．例えば，非結合形分率が上昇している状況，血漿たん白結合における競合を引き起こす薬物の併用，血漿アルブミン濃度が低下している病状の場合，同一投与速度で投与されている場合，定常状態平均薬物総濃度は低めに測定されますが，非結合形濃度は変化していないことが推定されます．また，併用薬物が代謝阻害を示した場合に，同時に非結合形分率を上昇させると，総濃度では必ずしも上昇が認められない場合もあります．しかし，固

表 D4･1　抗てんかん薬の選択

	全汎性強直・間代発作	単純性部分発作	複雑性部分発作	欠神発作
第一選択薬	カルバマゼピン バルプロ酸 フェニトイン	カルバマゼピン フェニトイン バルプロ酸	カルバマゼピン フェニトイン バルプロ酸	エトスクシミド バルプロ酸
第二選択薬	プリミドン フェノバルビタール	プリミドン フェノバルビタール	プリミドン フェノバルビタール	クロナゼパム トリメタジオン

表 D4･2　抗てんかん薬の薬物動態の特性

薬物名	半減期	定常状態に達する時間	有効治療域 (μg/mL)
カルバマゼピン	8 ～ 12 時間	2 ～ 4 日	5 ～ 12
エトスクシミド	30 時間（小児） 60 時間（成人）	5 ～ 10 日	40 ～ 100
フェノバルビタール	2 ～ 4 日	8 ～ 16 日	15 ～ 30
フェニトイン	血中濃度に依存	約 7 日	10 ～ 20
プリミドン	3 ～ 12 時間	12 ～ 48 時間	5 ～ 15
バルプロ酸	10 ～ 16 時間	2 ～ 3 日	50 ～ 100

有クリアランスの低下の度合いに比例して非結合形濃度は上昇していることが推定されます.

カルバマゼピンは繰り返し投与を行っていると自己の代謝酵素を誘導するため，クリアランスが次第に大きくなります．投与開始後1～2週間でほぼ一定のクリアランスを示すようになりますので，投与開始直後から維持量で開始せず，維持量の1/2～1/3の投与量で開始し，約4週間で維持量にもっていくことが合理的とされています．おもに酸化代謝を受けて消失します．CYP 3 A 4がその消失におもに関与していることが明らかになっています．CYP 3 A 4の代謝阻害あるいは酵素誘導を示す薬物との併用が行われている場合には，肝固有クリアランスの低下あるいは上昇の可能性が考えられます．また，生成した主代謝物の10, 11-エポキシド体は活性を有しています.

b. 分布容積

76 L と大きな分布容積を有しており，次式で表現することができます.

$$V_d = \frac{fuB}{fuT} \cdot V_T$$

$$V_{df} = \frac{V_T}{fuT}$$

fuPは0.2であることより，binding sensitiveな薬物と推定できます．また，fuB(＝0.2/1.1)＝0.18，V_T＝24 L から推定されるfuTの値は0.06であり，binding sensitiveであると推定されます．fuBの変動は血液中薬物総濃度に基づく分布容積には影響を与えますが，非結合形濃度には影響を与えません．一方，fuTの変化は総濃度に基づく分布容積および非結合形濃度に基づく分布容積に影響を与えます．fuTの変化を引き起こす要因については明らかにされていませんが，これはfuBについてもbinding sensitiveである特徴から，血液中薬物総濃度による薬物動態解析から得られる分布容積におけるfuTの影響が覆い隠されているためである可能性もあります．急速負荷を必要とする場合には，fuBではなく，fuTに関する変化の有無の考察を行う必要があります.

c. 消失半減期，消失速度定数，血中薬物濃度の時間推移

全身クリアランス，分布容積ともに変動しやすい特徴を有しているので，両パラメータのそれぞれ平均値をあてることには注意が必要です．また，消失半減期や消失速度定数の変化を全身クリアランスの変化を中心に考察しがちですが，その点には注意が必要です．投与直後の血中濃度が用いられない限り，ベイズ法による推定では分布容積はほぼ平均値のままの値にして，全身クリアランスの変動を中心に推定されるので，パラメータの評価には注意が必要となります.

（緒　方）

D4・1・2　カルバマゼピンの初期・維持量の投与計画

症例 10

A.U.　17歳　女性　160 cm　53 kg

2歳のとき，熱性痙攣を起こしてフェノバルビタール（PB）の投与を受けた．しかし，以後熱性痙攣を起こさなかったため，PBの投与を中止してしまった．4歳のとき再度熱性痙攣があり，PBの投与を数カ月服用した．それ以後痙攣発作は認められなかった．今朝，椅子から立ち上がって歩き始めたところ，意識を失って崩れ落ちるように倒れた．約1分間ぐらい意識を失っていた．気がついて両親が椅子に座らせたところ，続いて崩れるように椅子から落ちて，強直・間代発作（大発作）とみられるような状態が約1～2分間続いた．ただちに救急車にて入院となった．入院してから再度同様の発作が認められた．脳波検査（EEG）では左の頭頂部に散在性の徐波が認められた．臨床検査は血液検査，血糖検査，電解質および髄液検査はいずれも正常であった．診断は全汎性強直・間代発作を伴う複雑性部分発作である.

【問題点】

1. 全汎性強直・間代発作を伴う複雑性部分発作の薬剤選択
2. 選択薬剤の維持量の投与計画

【問題点 1】全汎性強直・間代発作を伴う複雑性部分発作の薬剤選択

複雑性部分発作であるため，第一選択薬はカルバマゼピンになります(表 D4･1)．コントロール中に強直・間代発作（大発作）が出現した場合，ジアゼパム（1回5～10 mg）の静注投与を行います.

【問題点 2】カルバマゼピンの投与計画

部分発作の第一選択薬であるカルバマゼピンは代謝において自己酵素誘導を示すため，初期投与において維持量で開始すると，眼振や運動失調などが出現する危険性があります．そのために維持量の1/2～1/3

の投与量で開始し，1～2週間ごとに200～300 mgずつ増量し，約4週間で維持量にもっていくことが合理的とされています．

a. 目標血中濃度の設定

カルバマゼピンの有効治療域は4～12 μg/mLといわれていますが（表D4・2），9 μg/mLを超えると眼振や運動失調などの副作用が出現することがあり，一般的には有効治療域は4～10 μg/mLが勧められます．

● *point* カルバマゼピンの有効治療域

4～10 μg/mL

本患者は幼少期に熱性痙攣を経験していますが，それ以後15年間発作が認められておらず，まず有効治療域の中央付近を目標に血中濃度を維持するよう投与量を決定します．その後治療効果および副作用をみながら投与量を決定することが勧められます．

● *point* カルバマゼピンの初回投与における目標血中濃度

6 μg/mL

b. 維持量の算出

(1) カルバマゼピンの薬物動態値

カルバマゼピンは三環系抗うつ剤と似た構造を有し，部分発作や三叉神経痛などに広く使用されています．

経口投与されたカルバマゼピンの吸収はゆっくりと胃腸管から行われ，最高血中濃度に達する時間は2～24時間とばらつきが大きいのですが，平均6時間です．またバイオアベイラビリティは約70％以上であることが認められていますが，吸収がゆっくりであるため，個々に大きなばらつきがあります．臨床においては，バイオアベイラビリティとしては0.8の値が多く用いられています．

カルバマゼピンのたん白結合はアルブミンとα_1-酸性糖たん白に70～80％結合しており，非結合形分率は0.2～0.3です．

カルバマゼピンはほとんど肝臓で代謝され，未変化体として尿中に排泄されるのはわずか約2％です．長期投与を受けている患者のクリアランスは平均0.064 L/kg/hです．また他の抗てんかん薬が併用されていると代謝酵素誘導が起こり，代謝が促進され，クリアランスは約0.1 L/kg/hと大きくなります．

カルバマゼピンは代謝において自己酵素誘導を起こすため，単回投与における薬物動態値を用いて維持量を算出することは実際的ではありません．

半減期は，単回投与では30～35時間ですが，連続投与における半減期は約15時間です．

● *point* カルバマゼピンの薬物動態[9)]

バイオアベイラビリティ：0.8（≧0.7）
分布容積：平均1.4 L/kg/h（0.8～1.9 L/kg/h）
クリアランス：単回投与：平均0.064 L/kg/h
　連続投与：平均0.1 L/kg/h
　非結合形分率：0.2～0.3
半減期：単回投与：30～35時間
　単剤連続投与：平均15時間
　多剤連続投与：平均10時間

(2) 維持量の算出

患者の肝機能などにとくに問題がないため，カルバマゼピンの維持量（D_M）は一般的な薬物動態値を用いて算出します．

● *point* 維持量を算出する等式

$$D_M = CL_{tot} \cdot C_{pobj} \cdot \frac{\tau}{F}$$

本患者の維持量は

$$D_M = 0.064\ (\mathrm{L/kg/h}) \cdot 53\ (\mathrm{kg}) \cdot 6\ (\mathrm{mg/L}) \cdot \frac{24\ (\mathrm{h})}{0.8}$$

$$= 610.6\ \mathrm{mg} \fallingdotseq 600\ \mathrm{mg}$$

維持量は1日600 mgとなります．

(3) 初期投与量および投与計画

カルバマゼピンは代謝において自己酵素誘導が起こるため，初期投与量を維持量の1/3～1/2にして開始することにより，副作用を最小限に抑えることができます．よって初期投与量としては1日200～400 mgが考えられます．1日200 mgから開始することによって，投与初期の眠気や倦怠感などを防ぐことができます．

● *point* 初期投与量

維持量の1/3～1/2の投与量で開始

本患者の投与計画は，1日200 mgから開始し，1週間ごとに200 mgずつ増量します．維持量として1日600 mgの投与を，開始してから1～2週間後に血中濃度を測定します．測定値をもとに維持量を決定します．

D4・2 フェニトイン

D4・2・1 フェニトインの体内動態パラメータと体内動態の特徴づけ

(1) フェニトインの体内動態パラメータ値

(血漿中薬物総濃度値から算出)

F	A_e (%)	fuP	CL_{tot} (mL/min)	V_d (L)
0.8	4	0.1		56

B/P = 0.68, K_m = 5.4 mg/L, V_{max} = 415 mg/day

(2) 体内動態パラメータからみた薬物の特徴づけ

尿中排泄比率 4% であることから，全身クリアランスは腎外クリアランスに相当すると考えられます．この場合，腎外クリアランスを肝クリアランスと見なします．フェニトインの肝クリアランスは治療濃度域で一定ではなく，血漿中薬物濃度が高くなるほど小さくなる傾向を示し，代謝に飽和傾向が認められます．そのため，肝クリアランスはミカエリス定数 K_m と最大代謝速度 V_{max} で表現されます．治療濃度域付近ではそのクリアランスは 15 mL/min 付近の値です．

$$CL_{eR} = CL_H = 15 \text{ mL/min}$$

$$E_H = 15/0.68/1600 = 0.01$$

肝抽出比が 0.3 以下であることから，消失能依存性の薬物であると推定できます．

$$CL_H = fuB \cdot CL_{intH}$$

$$CL_{Hf} = CL_{intH}$$

$$CL_{po} = \frac{fuB \cdot CL_{intH}}{F_a}$$

$$CL_{pof} = \frac{CL_{intH}}{F_a}$$

$$V_d = 56/0.68 = 82 \text{ L}$$

82 L と大きな分布容積を有しており，次式で表現することができます．

$$V_d = \frac{fuB}{fuT} \cdot V_T$$

$$V_{df} = \frac{V_T}{fuT}$$

fuP は 0.1 であることより，血漿たん白結合の変化の影響も受けやすい binding sensitive な薬物と推定できます．

以上の特徴より，フェニトインは binding sensitive な薬物 B として分類することができます．

a. 全身クリアランス

肝抽出比から，消失能依存性の薬物であると推定できます．

$$CL_H = fuB \cdot CL_{intH}$$

$$CL_{Hf} = CL_{intH}$$

$$CL_{po} = \frac{fuB \cdot CL_{intH}}{F_a}$$

$$CL_{pof} = \frac{CL_{intH}}{F_a}$$

binding sensitive であることより，経口投与後の定常状態平均血中薬物総濃度は血漿中非結合形分率と肝固有クリアランスの変化の影響を受けますが，薬物非結合形濃度は肝固有クリアランスのみの影響を受けます．総濃度が測定されている場合は，測定値のみから判断することは避けるべき薬物です．例えば，非結合形分率が上昇している状況，血漿たん白結合における競合を引き起こす薬物の併用，血漿アルブミン濃度が低下している病状，腎障害などの場合，同一投与速度で投与されている場合において，定常状態平均薬物総濃度は低めに測定されますが，非結合形濃度は変化していないことが推定されます．また，併用薬物が代謝阻害を示した場合に，同時に非結合形分率を上昇させると，総濃度では必ずしも上昇が認められない場合もあります．しかし，固有クリアランスの低下の度合いに比例して非結合形濃度は上昇していることが推定されます．フェニトインはおもに CYP 2 C 9 による酸化代謝によって消失します．CYP 2 C 9 の代謝阻害や酵素誘導を引き起こす薬物との併用には注意が必要です．

b. 分布容積

82 L と大きな分布容積を有しており，次式で表現することができます．

$$V_d = \frac{fuB}{fuT} \cdot V_T$$

$$V_{df} = \frac{V_T}{fuT}$$

fuP は 0.1 であることより，血漿たん白結合の変化の影響も受けやすい binding sensitive な薬物と推定できます．一方，fuB = 0.15，V_T = 24 L から推定される fuT の値は 0.04 であり，binding sensitive であると推定されます．fuB の変動は血漿中薬物総濃度に基づく分布容積には影響を与えますが，非結合形濃度には影響を与えません．一方，fuT の変化は総濃度に基づく分布容積および非結合形濃度に基づく分布容積に影響を与えます．fuT の変化を引き起こす要因については明らかにされていませんが，これは fuB についても binding sensitive である特徴から，血漿中薬物総濃度による薬物動態解析から得られる分布容積におけるfuTの影響が覆い隠されているためである可能性もあります．急速負荷を必要とする場合には，fuBではなく，fuTに関する変化の有無の考察を行う必要があります．

c. 消失半減期，消失速度定数

血中薬物濃度の変化とともに全身クリアランスが変化するため，血中薬物濃度の時間推移は片対数プロットにおいて直線を示しません．また一方，全身クリアランスが小さく分布容積も小さいわけではないので，消失速度定数は小さく，投与間隔内では血中薬物濃度の低下度が小さいため，通常，投与間隔中の平均血中濃度で取り扱っても臨床上まったく問題のない薬物とされています．すると全身クリアランスのみが検討の対象となります．定常状態時の血中濃度からベイズ法によってK_m，V_{max}を推定することが行われる場合がありますが，K_mの推定値は平均値がそのまま推定値とされ，また，V_{max}の推定値は実際のV_{max}に近い投与速度での血中濃度の測定値が得られていない限り正しい推定値にならない傾向がありますので，注意が必要です．

（緒　方）

D4・2・2 フェニトインの負荷量：維持量の投与計画

症例 11

G.H.　35歳　男性　167 cm　65 kg

既往歴として全汎性強直・間代発作がある．12歳頃から発作もほとんど認められなくなり，15歳では完全に薬を飲むのも中止してしまった．それ以後，発作は認められなかった．職場で突然，強直・間代発作が約2分間認められ，救急車にて入院となった．入院後，数回の発作があり，その都度ジアゼパムの静注投与が行われ，発作はコントロールされた．フェニトインの負荷投与を行い，発作を予防したい．脳波検査（EEG）では左の頭頂部に散在性の徐波が認められた．臨床検査は血球計算，血中グルコース，血清電解質，血清生化学および髄液検査はいずれも正常であった．診断は全汎性強直・間代発作である．

【問題点】

1. 全汎性強直・間代発作におけるフェニトインの負荷量の算出と投与方法
2. フェニトインの維持量

【問題点 1】全汎性強直・間代発作におけるフェニトインの負荷量の算出と投与方法

てんかん重積発作では，早期にフェニトインの治療濃度を得るために急速静注投与が用いられます．

【問題点 2】フェニトインの維持量

フェニトインを急速静注飽和した後に，維持量を継続投与しなければなりません．患者の状態にもよりますが，できるだけ経口投与によって行います．フェニトインは治療に用いる投与量の範囲において，肝臓での代謝が投与量に比例しないという非線形性を示します．それが維持量の設定を難しくしています．

a. 目標血中濃度

フェニトインの有効治療域は一般的に10～20 μg/mLとされており（表D4・2），5 μg/mL以上で有効を示す症例も一部で認められます．血中濃度と相関する中枢神経系の副作用は一般的に20 μg/mL以上で眼振，30 μg/mL付近で運動失調や傾眠，30～40 μg/mLで意識障害などです．一部の患者では15 μg/mLから眼振などの副作用がみられます．一方，顆粒球減少症，歯肉肥厚などは血中濃度とは相関しません．

● *point* フェニトインの有効治療域
10～20 μg/mL

本患者は入院後，数回の発作が出現しており，発作予防のためにもフェニトインの急速静注投与が望ましいと考えられます．目標とする血中濃度は20 μg/mLとします．なお血中濃度と相関する中枢神経系の副作用は可逆性で血中濃度を下げることにより消失します．このため，本患者のような入院患者では発作の抑制を優先させるように目標値を設定します．

b. 負荷量の算出

(1) フェニトインの薬物動態値

フェニトインは全汎性痙攣発作（強直・間代発作）や部分発作などに広く使用されています（表D4・1）．とくに抗痙攣薬の中で，注射剤としてはフェニトインしかなく，重積発作に用いられます．経口投与されたフェニトインはゆっくりと吸収され，投与後3～12時間で最高血中濃度に達します．フェニトインの吸収はほぼ完全に行われます．代謝はほとんど肝臓で行われますが，その代謝容量には限界があり，フェニトインの代謝速度は血中濃度に依存して変化します．このため定常状態の平均血中濃度と平均投与速度の関係はミカエリス・メンテンの式に近似します．

● *point*　ミカエリス・メンテンの式

$$F \cdot \frac{D}{\tau} = V_{max} \cdot \frac{C_{pssave}}{K_m + C_{pssave}}$$

V_{max}；最大代謝速度，K_m；ミカエリス定数，
C_{pssave}；定常状態の平均血中濃度，τ；投与間隔

ミカエリス定数（K_m）は，平均 4 μg/mL（1 ～ 20 μg/mL）で患者個々に大きなばらつきがあります．ミカエリス定数が一般的には有効治療域より低い濃度にあるため，血中濃度が有効治療域にあっても，少量の投与量の変更で血中濃度は大きく変動します．最大代謝速度（V_{max}）は平均 7 mg/kg/day（5 ～ 15 mg/kg/day）です．

たん白結合率は約 90％と高く，おもにアルブミンと結合しています．フェニトインのクリアランスは血中濃度に依存し，血中濃度が高いほど小さくなります．そのためフェニトインの半減期は血中濃度に依存し，血中濃度が高いほど長くなります．

● *point*　フェニトインの薬物動態[9)]

バイオアベイラビリティ：1.0
分布容積：0.65 L/kg
クリアランス：血中濃度に依存する．
　ミカエリス定数：4 μg/mL（1 ～ 20 μg/mL）
　最大代謝速度：7 mg/kg/day（5 ～ 15 mg/kg/day）
半減期：血中濃度に依存する．
　　　　有効治療域では約 20 時間である．
たん白結合率：90％

（2） 負荷量の算出

本患者は肝機能も正常で，肝固有クリアランスを低下させる併用薬などもありません．また，非結合形分率を変動させる要因もありません．

● *point*　負荷量（D_L）の算出

$$D_L = V_d \cdot \frac{C_{pobj}}{F}$$

フェニトインのバイオアベイラビリティ（F）は 1，分布容積（V_d）は 0.65 L/kg，目標血中濃度（C_{pobj}）は 20 μg/mL です．

$$D_L = 0.65\ \text{(L/kg)} \cdot 65\ \text{(kg)} \cdot \frac{20\ \text{(mg/L)}}{1}$$

$$= 845\ \text{mg} \fallingdotseq 850\ \text{mg}$$

フェニトイン 850 mg を投与することとなります．

本患者が重積発作状態にあるので，この場合は静注投与が勧められます．ただし，心臓血管系の副作用を避けるためには分割投与が勧められます．このため，フェニトイン 500 mg を投与し，患者の副作用などを観察しながら少なくとも 2 時間以上あけて次の 350 mg を投与します．または最初に 350 mg，続いて 250 mg，さらに 250 mg を 2 時間以上の投与間隔をあけて投与します．

なお，静脈炎などを防ぐためにも，静注速度は 1 分間に 50 mg を超えないようにゆっくりと投与します．

c. 維持量の算出

負荷量を投与したら，24 時間後に血中濃度を測定し維持量の投与を開始します．

（1） 目標血中濃度

本患者の場合，てんかん発作を止めることが優先されるため，目標とする血中濃度は 20 μg/mL として，発作がコントロールされたならば，その時点で再度血中濃度を考慮します．

（2） 維持量の算出

ミカエリス・メンテンの式を用いて算出します．

$$F \cdot \frac{D}{\tau} = V_{max} \cdot \frac{C_{pssave}}{K_m + C_{pssave}}$$

$$= 7\ \text{(mg/kg/day)} \cdot 65\ \text{(kg)} \cdot \frac{20\ \text{(mg/L)}}{4\ \text{(mg/L)} + 20\ \text{(mg/L)}}$$

$$= 379.2\ \text{mg/day} \fallingdotseq 400\ \text{mg/day}$$

F = 1 ですので，負荷量に続いてフェニトイン 400 mg/日の投与を開始します．

処方：フェニトイン錠（100）　4 錠 / 分 2　朝夕食後

てんかん発作がコントロールされていて，かつ眼振や運動失調や傾眠などの副作用が認められなければ，維持量投与開始後 1 週間後に血中濃度を測定し，維持量を検討します．一方，発作がコントロールされず，副作用が認められたならば，その時点でただちに血中濃度を測定し，維持量を検討します．

D4・2・3 フェニトイン維持量の算出

症例 12

U.A. 25 歳 男性 165 cm 60 kg

強直・間代発作で，3 年以上フェニトイン錠（100 mg）1 錠を 1 日 2 回朝夕食後に服用している．1 ～ 2 カ月に 1 度ぐらい軽い強直・間代発作が出現している．この 4 カ月の間に服用後 5 ～ 6 時間に 2 回血中濃度を測定し，いずれも血中濃度は 5 μg/mL であった．臨床検査では異常は認められない．

【問題点】

1. 血中濃度の評価
2. 投与計画

【問題点 1】血中濃度の評価

フェニトインの有効治療域は，一般的に 10 ～ 20 μg/mL で，一部の患者では 5 μg/mL 以上でも治療効果が得られることがあります．しかし，本患者では非結合形濃度に影響を与える因子も認められず，発作も十分コントロールされておらず，一般的な有効治療域内に入るように投与量を増量します．

【問題点 2】投与計画

(1) 目標血中濃度

本患者は血中濃度が 5 μg/mL で，治療効果が十分に得られていませんが，このような症例では一度に有効治療域内の中央にもっていくのではなく，まず有効治療域の下限に目標血中濃度を設定することが合理的です．

(2) 維持量の再調整

新しい投与量を算出するにはミカエリス定数（K_m）と最大代謝速度（V_{max}）が算出されなければなりません．これらのパラメータを算出するには，2 点以上の異なる投与量における定常状態のそれぞれの測定値が必要です．今回は 1 つの投与量に対しての測定値しかないため，これらのパラメータのどちらかを固定して一方を算出することになります．通常は相対的に個体間変動が小さいミカエリス定数（K_m）を固定して，最大代謝速度（V_{max}）を求めて，維持量を再調整します．

● *point* 最大代謝速度（V_{max}）の算出

$$V_{max} = F \cdot D \cdot \frac{K_m + C_{pssave}}{C_{pssave} \cdot \tau}$$

本患者では投与後 5 ～ 6 時間で採血されており，その測定値はほぼ平均血中濃度として解釈して差し支えありません．また，ミカエリス定数（K_m）は平均値である 4 μg/mL を用います．このため，V_{max} は

$$V_{max} = 1 \cdot 200\ (\mathrm{mg}) \cdot \frac{4\ (\mathrm{mg/L}) + 5\ (\mathrm{mg/L})}{5\ (\mathrm{mg/L}) \cdot 1\ (\mathrm{day})}$$

$$= 360\ \mathrm{mg/day}$$

目標血中濃度（C_{pobj}）を 10 μg/mL にする投与量は

$$\frac{D}{\tau} = V_{max} \cdot \frac{C_{pobj}}{(K_m + C_{pobj}) \cdot F}$$

よって

$$= 360\ (\mathrm{mg/day}) \cdot \frac{10\ (\mathrm{mg/L})}{(4\ (\mathrm{mg/L}) + 10\ (\mathrm{mg/L})) \cdot 1}$$

$$= 257.1\ \mathrm{mg/day} \fallingdotseq 250\ \mathrm{mg/day}$$

ゆえに，フェニトインの投与量は 250 mg/day となります．

処方：

フェニトイン（100 mg） 2 錠

フェニトイン（25 mg） 2 錠 / 分 2 朝夕食後

ただし，ミカエリス定数（K_m）は，平均値である 4 μg/mL と仮定しているため，本患者は増量後 2 週間目に血中濃度を測定し，投与量の妥当性を確認しなければなりません．

症例 13

H.U. 25 歳 男性 165 cm 60 kg

2 週間前にフェニトイン 250 mg/ 日に増量した．服用後 6 時間の血中濃度の測定値は 9 μg/mL であった．2 日前に軽い強直・間代発作が出現した．再度投与計画を立てなさい．

a. 再投与計画

2 日前に軽い強直・間代発作が認められ，この時点で血中濃度はほぼ定常状態に達していたと推測できます．このため，有効治療域の下限ではコントロールできないと推測され，再度血中濃度を有効治療域の中央である 15 μg/mL を目標に増量します．

(1) 薬物動態値の算出

フェニトイン 200 mg/日のとき，血中濃度が 5 μg/mL

フェニトイン 250 mg/日のとき，血中濃度が 9 μg/mL

これらの異なる 2 つの投与量と測定値からミカエリス定数（K_m）と最大代謝速度（V_{max}）を求めます．下記の式に代入して求めます．

$$\frac{D}{\tau} = V_{max} \cdot \frac{C_{pssave}}{(K_m + C_{pssave}) \cdot F}$$

$$200\ (\mathrm{mg/day}) = V_{max} \cdot \frac{5\ (\mathrm{mg/L})}{(K_m + 5\ (\mathrm{mg/L})) \cdot 1}$$

$$250\ (\mathrm{mg/day}) = V_{max} \cdot \frac{9\ (\mathrm{mg/L})}{(K_m + 9\ (\mathrm{mg/L})) \cdot 1}$$

上記の 2 式から V_{max} と K_m を解くと

$$V_{max} = 363.6\ \mathrm{mg/日},\ K_m = 4.1\ \mu\mathrm{g/mL}$$

(2) 維持量の再調整

目標の血中濃度が 15 μg/mL であるから，ミカエリス・メンテンの式に各パラメータを代入すると

$$\frac{D}{\tau} = V_{max} \cdot \frac{C_{pobj}}{(K_m + C_{pobj}) \cdot F}$$

よって

$$= 363.6\ (\mathrm{mg/day}) \cdot \frac{15\ (\mathrm{mg/L})}{(4.1\ (\mathrm{mg/L}) + 15\ (\mathrm{mg/L})) \cdot 1}$$

$$= 285.5\ \mathrm{mg/day}$$

ゆえに，フェニトインの投与量は 275 mg/日または 300 mg/日が実際的な投与量です．それぞれ投与したときの血中濃度は下記の式で求めます．

$$C_{pssave} = \frac{\left(K_m \cdot F \cdot \frac{D}{\tau}\right)}{\left(V_{max} - F \cdot \frac{D}{\tau}\right)}$$

*1. 投与量 275 mg のとき，12.7 μg/mL

*2. 投与量 300 mg のとき，19.3 μg/mL

本患者は軽い発作であり，血中濃度を測定しながら，275 mg，300 mg と段階的に投与量を増加していくことが勧められます．

D4・2・4　フェニトインの負荷量を考慮しなければならない投与計画

症例 14

C.R.　35 歳　女性　158 cm　50 kg

交通事故による症候性てんかんと診断され，5 年前よりフェニトイン 200 mg/日を投与されていた．てんかん発作は交通事故で入院中に 2～3 回起きてから出現していない．このため，1 年前よりときどき薬を飲むのを忘れることがあり，最近 2～3 カ月はほとんど服薬していなかった．1 週間前に家で数秒の意識消失を伴う軽い四肢の痙攣が認められたために，フェニトイン 1 回分の 100 mg のみ夕食後に服用していた．外出中に強直・間代発作が出現し，救急車にて入院となった．入院時，重積発作状態で，ジアゼパムの静注にて発作は抑制されているが，フェニトインの負荷投与を行いたい．なお，入院時の血中濃度の測定値は 3 μg/mL であった．臨床検査値には異常は認められなかった．

【問題点】負荷量（D_L）の算出

症例 11 での負荷量の算出と同様に考えます．

(1) 目標血中濃度

現在重積発作をジアゼパムでコントロールされている状態であり，症例 11 と同様に迅速に有効治療域内に血中濃度を維持させせなければなりません．このため，入院中でもあり，目標血中濃度は 20 μg/mL とします．

(2) 初期濃度がある場合の負荷量の算出

負荷量の算出には，初期の血中濃度の測定値（C_{int}）が 3 μg/mL であり，目標血中濃度（C_{pobj}）である 20 μg/mL との差である 17 μg/mL に相当する負荷量を投与すればよいことになります．このため，負荷量を算出する式は下記に示されます．

● *point*　初期濃度がある場合の負荷量の算出

$$D_L = V_d \cdot \frac{C_{pobj} - C_{int}}{F}$$

よって，フェニトインの V_d が 0.65 L/kg であるから

$$D_L = 0.65\ (\mathrm{L/kg}) \cdot 50\ (\mathrm{kg}) \cdot \frac{20\ (\mathrm{mg/L}) - 3\ (\mathrm{mg/L})}{1}$$

$$= 552.5\ \mathrm{mg} \fallingdotseq 500\ \mathrm{mg}$$

ゆえに，フェニトイン 500 mg を静注投与します．

D4・2・5　低アルブミン血症患者における投与計画

症例 15

H.K.　60 歳　男性　身長 165 cm　体重 54 kg

ネフローゼ症候群患者であり，さらにてんかん発作のためにフェニトイン 300 mg/日を服用している．定常状態の血中濃度は 12 μg/mL で，眼振と眠気を訴えて来院した．血清アルブミン値は 2.0 mg/dL であった．その他臨床検査では異常は認められなかった．

【問題点】

1. 眼振と眠気の原因と血中濃度の評価
2. 低アルブミン血症時の投与計画

【問題点 1】眼振と眠気の原因と血中濃度の評価

フェニトインは血液中ではおもに血清アルブミンと約 90％結合しています．血清アルブミン値が正常の場合，フェニトインの非結合形分率は約 10％であり，血清アルブミン値が低くなると非結合形分率が増加し，血清中のフェニトイン濃度が有効治療域の下限に位置していても，薬効は維持されます．低アルブミン

血症のときには非結合形のフェニトイン濃度を測定する必要がありますが，この方法は一般的ではありません．実際，測定されるのは血清中の総フェニトイン濃度であるから，血清アルブミン値が正常な場合の血清フェニトイン濃度を推定することにより，眼振と眠気の原因と血中濃度の評価を行います．

● *point* 低アルブミン血症時血清中フェニトイン濃度から血清アルブミン値が正常な場合の血清フェニトイン濃度を推定する等式[9]——

$$Cp_{NB} = \frac{Cp_{AB}}{(1-\alpha)\cdot(P_{AL}/P_{NL}) + \alpha}$$

Cp_{NB}；血清アルブミン値が正常な場合の血清フェニトイン濃度

Cp_{AB}；低アルブミン血症時の血清フェニトイン濃度

α；正常の血清アルブミン値のときの非結合形分率

P_{AL}；患者の血清アルブミン値

P_{NL}；正常な血清アルブミン値（4.4 mg/dL）

よって

$$Cp_{NB} = \frac{12}{(1-0.1)\cdot\left(\frac{2}{4.4}\right) + 0.1}$$

$$= 24\ \mu g/mL$$

ゆえに，本患者の血清フェニトイン濃度は，血清アルブミンが正常であるときの，24 μg/mL と推定されます．明らかに中毒域に位置し，副作用が出現していることが裏づけられます．減量が勧められます．

【問題点 2】低アルブミン血症における投与計画

低アルブミン血症における投与計画は，血清アルブミン濃度が正常な場合の血清フェニトイン濃度を推定して行います．今，血清アルブミン濃度が正常な場合，血清フェニトイン濃度は 24 μg/mL であると推定されます．よって K_m を 4 μg/mL とすると

$$V_{max} = F\cdot\frac{D}{\tau}\cdot\frac{K_m + C_{pssave}}{C_{pssave}}$$

$$= 1\cdot\frac{300\ (mg)}{1\ (day)}\cdot\frac{4\,(mg/L) + 24\,(mg/L)}{24\,(mg/L)}$$

$$= 350\ mg/day$$

ゆえに，血清アルブミン濃度が正常な場合，血中濃度を有効治療域の中央付近（15 μg/mL）に位置させる投与量は

$$\frac{D}{\tau} = V_{max}\cdot\frac{C_{pobj}}{(K_m + C_{pobj})\cdot F}$$

$$= 351\ (mg/day)\cdot\frac{15\,(mg/L)}{(4\,(mg/L) + 15\,(mg/L))\cdot 1}$$

$$= 277\ mg/day \fallingdotseq 275\ mg/day$$

実際的な投与量であるフェニトイン 275 mg/日を投与します．

D4・3 バルプロ酸

D4・3・1 バルプロ酸の体内動態パラメータと体内動態の特徴づけ

(1) バルプロ酸の体内動態パラメータ値

（血漿中薬物総濃度値から算出）

F	A_e (%)	fuP	CL_{tot} (mL/min)	V_d (L)
1.0	1	0.1	8.3	10

B/P = 0.64

(2) 体内動態パラメータからみた薬物の特徴づけ

尿中排泄比率 1% であることから全身クリアランスは腎外クリアランスに相当すると考えられます．この場合，腎外クリアランスを肝クリアランスと見なします．

$$CL_{eR} = CL_H = 8.3\ mL/min$$

$$E_H = 8.3/0.64/1600 = 0.008$$

肝抽出比から，消失能依存性の薬物であると推定できます．

$$CL_H = fuB\cdot CL_{intH}$$

$$CL_{Hf} = CL_{intH}$$

$$CL_{po} = \frac{fuB\cdot CL_{intH}}{F_a}$$

$$CL_{pof} = \frac{CL_{intH}}{F_a}$$

分布容積は

$$V_d = 10/0.64 = 16\ L$$

この値より

$$V_d = V_p$$

$$V_{df} = \frac{V_p}{fuB}$$

fuP は 0.1 であることより，binding sensitive であると推定されます．

以上の特徴より，バルプロ酸は binding sensitive な薬物 A であると分類できます．

a. 全身クリアランス

肝抽出比から，消失能依存性の薬物であると推定できます．

$$CL_H = fuB \cdot CL_{intH}$$
$$CL_{Hf} = CL_{intH}$$
$$CL_{po} = \frac{fuB \cdot CL_{intH}}{F_a}$$
$$CL_{pof} = \frac{CL_{intH}}{F_a}$$

また，binding sensitive であることより，経口投与後の定常状態平均血中薬物総濃度は血漿中非結合形分率と肝固有クリアランスの変化の影響を受けますが，薬物非結合形濃度は肝固有クリアランスのみの影響を受けます．総濃度が測定されている場合は，測定値のみから判断することは避けるべき薬物です．例えば非結合形分率が上昇している状況，例えば血漿たん白結合における競合を引き起こす薬物の併用や，血漿アルブミン濃度が低下している病状の場合，同一投与速度で投与されている場合，定常状態平均薬物総濃度は低めに測定されますが，非結合形濃度は変化していないことが推定されます．また併用薬物が代謝阻害を示した場合に，同時に非結合形分率を上昇させると，総濃度では必ずしも上昇が認められない場合もあります．しかし，固有クリアランスの低下の度合いに比例して非結合形濃度は上昇していることが推定されます．またバルプロ酸の治療濃度域の上限付近では血漿たん白の非結合形分率が上昇する傾向のあることが認められています．血漿たん白結合の飽和傾向によると考えられます．投与量を増加させると非結合形分率が大きくなり，定常状態の血漿中薬物総濃度は頭打ち的な傾向を示すことになりますが，非結合形濃度は投与量に比例しています．ですからこの場合も薬物総濃度だけで判断することは危険です．

b. 分布容積

16 L とほぼ細胞外液に相当する分布容積を有しており，次式で表現することができます．

$$V_d = V_p$$
$$V_{df} = \frac{V_p}{fuB}$$

fuP は 0.1 であることより，binding sensitive であると推定されます．fuB の変動は血漿中薬物総濃度に基づく分布容積には影響を与えません．しかし，非結合形濃度には影響を与えます．

c. 消失半減期，消失速度定数，血中薬物濃度の時間推移

薬物半減期や消失速度定数を推定する場合，仮定として V_d を平均値におくことはかまいませんが，負荷投与を考察する場合には，非結合形分率が変化している状況にないか注意すべきです．また，治療域上限付近では，非結合形分率が大きくなり，消失速度定数が低濃度域の場合に比較し，大きな値を示す傾向にあることが推定されますので，注意が必要です．投与直後の血中濃度が用いられない限り，ベイズ法による推定では分布容積はほぼ平均値のままの値にして，全身クリアランスの変動を中心に推定されますが，バルプロ酸の特徴からすると，その推定値を用いても評価を誤る危険性は小さいように思われます．ただし，総濃度に基づく分布容積は変動しにくくても，臨床上重要な非結合形濃度を決定する分布容積は fuB の変動の影響を強く受けますので，十分患者の状況を観察する必要があります．パラメータの評価には注意が必要な薬物です．（緒　方）

D4・3・2　バルプロ酸の投与計画

症例 16

K.M.　9歳　女性　120 cm　35 kg

1日に2～3回「ぼー」として無反応のときが約15秒間続くことがあると母親の訴えにより外来受診した．知能などの発達遅延はなく，身体的にも正常であった．EEG では 3s のスパイクが認められ，典型的な欠神発作と診断された．生理学検査や生化学検査はいずれも正常であった．

【問題点】

1. 欠神発作に対する薬剤選択
2. 薬剤選択に伴う投与計画

【問題点 1】欠神発作に対する薬剤選択

欠神発作に有効な薬剤は，バルプロ酸とエトスクシミドです（表 D4・1）．両薬剤ともに比較的安全な薬剤ですが，小児においては全身倦怠感や傾眠傾向などの中枢神経抑制が弱いバルプロ酸が第一選択薬となります．

【問題点 2】バルプロ酸の投与計画

バルプロ酸は種々のてんかん発作に有効です．その薬理作用は十分明らかになっていませんが，広く臨床に使用されています．バルプロ酸は薬物相互作用が多

く，他の薬剤を併用する際には注意が必要です．バルプロ酸の有効治療域は 50 ～ 100 μg/mL で，しばしば部分発作では 100 μg/mL 以上の血中濃度が必要な場合があります（表 D4・2）．血中濃度と相関した副作用は中枢神経抑制で，100 μg/mL を超えると鎮静作用や傾眠が認められます．肝臓の酵素の上昇やアミラーゼの上昇と血中濃度の関係は不明です．もっと頻度の高い副作用は嘔気や嘔吐や下痢などの胃腸障害です．

● *point* バルプロ酸の有効治療域

50 ～ 100 μg/mL

(1) バルプロ酸の薬物動態

バルプロ酸は速やかに，しかも完全に吸収されます．空腹時に投与したバルプロ酸は 3 時間で最高血中濃度に達します．一方，食後に投与した場合には 6 ～ 8 時間で最高血中濃度に達し，最高血中濃度に達する時間は遅延します．しかし，空腹時と食後に投与した場合も血中濃度－時間曲線下面積（AUC）は同等であると評価されています．バルプロ酸の徐放剤は空腹時に投与した場合，約 5 時間で最高血中濃度に達し，普通錠と AUC は同様の値を示します．また，バルプロ酸の散剤は空腹時に投与した場合，錠剤と同様の AUC を示し，バイオアベイラビリティは同等であると考えられます．このため，バルプロ酸はすべての剤形においてバイオアベイラビリティは 100％と考えられます．

バルプロ酸の代謝はおもに肝臓で行われ，経口投与された約 90％が肝臓で代謝され，腎臓から排泄されるのは 5％以下です．バルプロ酸のクリアランスは成人で 6 ～ 10 mL/kg/h で，平均 8 mL/kg/h です．また，小児や他の抗てんかん剤（フェニトインやフェノバルビタール，カルバマゼピンなど）の投与を受けている患者のクリアランスは 10 ～ 13 mL/kg/h と大きくなります．バルプロ酸の血中濃度が約 50 μg/mL を超えると血清アルブミンとの結合が飽和することが確かめられています．通常コントロールされている最低血中濃度（トラフ濃度）が 50 μg/mL 以下であるため，臨床では問題は少ないと思われます．しかし，投与後 3 ～ 6 時間の血中濃度を測定したならば，その解釈には注意が必要です．また，フェニトインと同様に重篤な腎臓障害などによる低アルブミン血症では，非結合形分率が大きくなります．

バルプロ酸の半減期は 4 ～ 17 時間と大きな幅がありますが，通常，成人は 8 ～ 12 時間，小児は 6 ～ 8 時間です．また，バルプロ酸と他の抗てんかん剤（フェニトインやフェノバルビタール，カルバマゼピンなど）を併用すると半減期は短くなります．バルプロ酸は投与間隔での血中濃度の振れ幅が大きいため，モニタリングに血中濃度を用いるために採血時間を一定にするなど注意が必要です．

● *point* バルプロ酸の薬物動態[9)]

バイオアベイラビリティ：

錠剤，水剤，散剤，徐放剤 1.0

分布容積：0.14 L/kg（0.1 ～ 0.5 L/kg）

クリアランス：

小児	10 ～ 13 mL/kg/h
成人	8 mL/kg/h（6 ～ 10 mL/kg/h）

半減期：

小児	6 ～ 8 時間
成人	8 ～ 12 時間

(2) バルプロ酸の投与計画

血中濃度が 50 μg/mL まではたん白結合に飽和は認められません．通常バルプロ酸の血中濃度の評価を最低血中濃度で行うので，最低血中濃度を投与計画に用いる場合は，1-コンパートメントモデルを臨床に用いることができます．なお，血中濃度を 50 μg/mL 以上用いて投与計画を行う場合は，たん白結合の飽和によって予測値よりも実測値が低値を示す可能性がありますが，それは総濃度であって，非結合形濃度は予測値通りと考えられます．ただし，総濃度が低い理由が，たん白結合の飽和によるのか，全身クリアランスの上昇，バイオアベイラビリティの低下によるのかは，よく考察，観察しないと判断できません．

バルプロ酸は初期投与量として 15 mg/kg/day が用いられます．バルプロ酸は半減期が短いため，維持量投与してもほぼ 1 ～ 2 日で定常状態に達します．このため，負荷量を投与する必要はありません．

本患者において，目標血中濃度を平均血中濃度で 75 μg/mL とし，クリアランスを 13 mL/kg/h とすると

● *point* 平均血中濃度（C_{pssave}）と投与量（D/τ）関係式

$$\frac{D}{\tau} = CL_{tot} \cdot \frac{C_{pssave}}{F}$$

よって

$$\frac{D}{\tau} = 13\ (\mathrm{mL/kg/h}) \cdot 35\ (\mathrm{kg}) \cdot 24\ (\mathrm{h}) \cdot \frac{75\ (\mathrm{mg/L})}{1}$$

$$= 819\ \mathrm{mg/day} \fallingdotseq 800\ \mathrm{mg/day}$$

ゆえに，本患者のバルプロ酸の投与量は 800 mg/日となります．本患者は小児でもあるので 1 日 2 回投与で開始します．

k_{el} は

$$k_{el} = \frac{0.693}{t_{1/2}}$$

小児の半減期が平均 7 時間であるから

$$k_{el} = 0.693/7\ (\mathrm{h})$$

$$k_{el} = 0.099\ \mathrm{h}^{-1}$$

定常状態の最低血中濃度は

$$C_{pminss} = \left(F \cdot \frac{D}{V_d}\right) \cdot \frac{e^{-k_{el} \cdot \tau}}{1 - e^{-k_{el} \cdot \tau}}$$

$$= \left(1 \cdot \frac{400\ (\mathrm{mg})}{0.14\ (\mathrm{L/kg}) \cdot 35}\right) \cdot \frac{e^{-0.099 \cdot 12}}{1 - e^{-0.099 \cdot 12}}$$

$$= 35.8\ \mu\mathrm{g/mL}$$

D4・3・3　バルプロ酸の再投与計画

症例 17

K.S.　9 歳　女性　120 cm　35 kg

バルプロ酸 1 日 500 mg を朝夕食後に投与し，1 週間後の最低血中濃度が 20 μg/mL で，意識消失発作はコントロールされていない．傾眠や胃腸障害は認められない．最低血中濃度が 40 μg/mL になるように投与計画を立てなさい．

【問題点】バルプロ酸の投与計画

バルプロ酸は 15 mg/kg/day から開始し，維持量として約 30 mg/kg/day を投与することが多くの患者に対し用いられています．血中濃度が 50 μg/mL まではたん白結合は飽和しないため，投与量と血中の薬物総濃度は正の比例関係にあります．また，50 μg/mL 以上においても総濃度は比例せず，やや低下傾向が認められますが，非結合形濃度は投与量と比例しているので，総濃度の測定値のみで判断しないことが必要です．

● ***point*　比例計算による投与量の算出**

(新たな投与量)

$$= (\text{目標とする血中濃度}) \cdot \frac{(\text{現在の投与量})}{(\text{現在測定した血中濃度})}$$

バルプロ酸の新しい投与量は

$$(\text{新たな投与量}) = 40\ (\mathrm{mg/L}) \cdot \frac{500\ (\mathrm{mg/day})}{20\ (\mathrm{mg/L})}$$

$$= 1000\ \mathrm{mg/day}$$

D4・3・4　バルプロ酸の相互作用

症例 18

A.A.　35 歳　男性　168 cm　60 kg

フェノバルビタール 90 mg/日の投与を受けている．フェノバルビタールの血中濃度は 23 μg/mL であり，痙攣発作は十分コントロールされておらず，バルプロ酸 1200 mg/日を追加したい．どのようなことに気をつけなければならないか．

(1) バルプロ酸とフェノバルビタールの相互作用

バルプロ酸は他の多くの薬物と相互作用を示すことが明らかになっています．とくに同じ薬効を示すフェノバルビタール，カルバマゼピン，フェニトインの薬物動態が著しく影響を受けます．バルプロ酸はフェノバルビタールの代謝を抑制し，フェノバルビタールの血中濃度が上昇します．このため，フェノバルビタールにバルプロ酸を追加すると，フェノバルビタールの血中濃度が上昇し，眠気などの副作用が生じる可能性があります．

D5 アミノ配糖体系抗生物質

アミノ配糖体系抗生物質は緑膿菌をはじめとする弱毒性グラム陰性桿菌に対する代表的な薬剤です．アミノ配糖体系抗生物質は抗菌力には優れた薬剤ですが，重篤な副作用である腎毒性と聴覚毒性を有します．アミノ配糖体系抗生物質としてはゲンタマイシン，トブラマイシン，アミカシンおよびアルベカシンが広く臨床に使用されています．これらの薬物動態は分布容積やクリアランスや半減期のいずれも大きな違いはありません．なお，アルベカシンは，抗MRSA薬として用いられます．

D5・1 アミノ配糖体系抗生物質の体内動態パラメータと体内動態の特徴づけ

(1) アミノ配糖体系抗生物質の体内動態パラメータ値

ゲンタマイシンの体内動態パラメータ

（血漿中薬物総濃度値から算出）

F	A_e (%)	fuP	CL_{tot} (mL/min)	V_d (L)
	＞90	＞0.9	95	17.5

B/P = 0.55

トブラマイシンの体内動態パラメータ

（血漿中薬物総濃度値から算出）

F	A_e (%)	fuP	CL_{tot} (mL/min)	V_d (L)
	＞90	＞0.9	95	17.5

アミカシンの体内動態パラメータ

（血漿中薬物総濃度値から算出）

F	A_e (%)	fuP	CL_{tot} (mL/min)	V_d (L)
	＞90	＞0.9	95	17.5

上記3薬物とも類似した体内動態パラメータ値をもっています．トブラマイシン，アミカシンのB/P値もゲンタマイシンと同値と仮定して考察します．

(2) 体内動態パラメータからみた薬物の特徴づけ

尿中排泄比率が90％以上であることから，全身クリアランスは腎クリアランスに相当すると考えられます．

$$CL_{tot} = CL_R = 95\ mL/min$$

$$E_R = 95/0.55/1200 = 0.14$$

腎抽出比から，消失能依存性の薬物であると推定できます．

$$CL_R = fuB \cdot CL_{intR}$$

$$CL_{Rf} = CL_{intR}$$

$$V_d = 17.5/0.55 = 32\ L$$

32 Lと中間の値を示すため，次式で表現することができます．

$$V_d = V_d$$

$$V_{df} = V_{df}$$

fuPは0.9以上であることより，binding insensitiveな薬物です．

以上の特徴からすると，アミノ配糖体系抗生物質はbinding insensitiveな薬物Aと分類できます．

a. バイオアベイラビリティ

経口投与した場合，ほとんど消化管からは吸収されません．全身作用を期待する場合，静脈内投与あるいは筋肉内投与を行います．

b. 全身クリアランス

腎抽出比から，消失能依存性の薬物であると推定できます．

$$CL_R = fuB \cdot CL_{intR}$$

$$CL_{Rf} = CL_{intR}$$

また，薬物総濃度はほぼ薬物非結合形濃度であり，血漿たん白結合の変化の影響は受けないと推定できます．腎固有クリアランスのみが変動要因となります．実際にも，腎機能の指標であるクレアチニンクリアランスの関数として全身クリアランスを表すことができることが，報告されています．

c. 分布容積

32 Lと中間の値を示し，変動しにくい特性を有することが推察されます．

d. 消失半減期，消失速度定数，血中薬物濃度の時間推移

急速静脈内投与後のアミノ配糖体系抗生物質の血漿中薬物濃度の時間推移は2-コンパートメントモデルに従うことが認められています．すべての組織中の薬物濃度が血漿中薬物濃度と平行に移動するのは，投与後約1～2時間以降，血漿中薬物濃度の対数値が時

間に対し，直線的に減少していく相であるので，血中濃度によるモニターは点滴投与 1 ～ 1.5 時間後をピーク濃度として測定します．

アミノ配糖体系抗生物質の効果は濃度依存性を示すとされ，投与直後の濃度をできるだけ高くとることが必要な薬物と考えられます．また治療濃度域以下に濃度を低下させた場合にも，効果がしばらく持続することが認められる薬物です（post-antibiotic effect；PAE）．一方，トラフ濃度を高く維持すると速やかに腎毒性を発現することから，投与ごとのトラフ濃度はできるだけ低下させることが推奨されています．しかし腎毒性は総投与量の関数にもなっていることが報告されています．アミノ配糖体系抗生物質の血中濃度推移は 2-コンパートメントモデルで表現できることを先に述べましたが，感度の高い測定法で測定した場合には，3-コンパートメントモデルに従っていることが明らかになっています．しかも，γ 相に対応する血中濃度の上昇が腎毒性と関連のあることが認められており，投与ごとにトラフ濃度を下げても γ 相の濃度の蓄積を抑制できないことが，腎毒性発現が総投与量の関数となっている理由と考えられます．

分布容積の変化は示しにくい特性を有しているため，ピーク濃度以降の消失速度定数はおもに全身クリアランスの変化によって変動すると推定できます．全身クリアランスはおもにクレアチニンクリアランスの変化によって変化しますので，消失速度定数，半減期もクレアチニンクリアランスの関数として表現されています．クレアチニンクリアランスが低下した場合，平均血中薬物濃度を維持するためには，平均投与速度を小さく調節することが必要です．投与間隔を維持し 1 回投与量を下げる方法と，1 回投与量を維持し投与間隔を延長する方法が考えられますが，アミノ配糖体系抗生物質の抗菌活性の特徴からすると後者が望ましいと考えられます．投与直後のピーク濃度付近の濃度が用いられない限り，ベイズ法による推定では分布容積はほぼ平均値のままの値にして，全身クリアランスの変動を中心に推定されます．アミノ配糖体の特徴からすると，その推定値を用いても評価を誤る危険性は小さいように思われます．ただし細胞外液容量の変化が推定できる病状では別です．（緒　方）

D5・2　アミノ配糖体系抗生物質の特性

a. アミノ配糖体系抗生物質の薬物動態

アミノ配糖体系抗生物質は極性が高く，水にはよく溶けますが，油にはほとんど溶けないため，経口投与では胃腸管からまったく吸収されません．このため，静注か筋注にて投与しなければなりません．

アミノ配糖体系抗生物質は脂肪組織にはほとんど分布せずに，おもに細胞外液に分布しています．この分布容積の平均は 0.25 L/kg です．アミノ配糖体系抗生物質はたん白結合をほとんどせずに，また，代謝も受けずに未変化体のままで大部分が腎臓より排泄されます．アミノ配糖体系抗生物質のクリアランスは患者のクレアチニンクリアランスとほぼ等しいとされています．このため，半減期は腎機能の低下とともに延長します．腎機能が正常な成人の半減期は約 2 時間で，腎不全では 150 時間位まで延長します．

● ***point***　アミノ配糖体系抗生物質の薬物動態

バイオアベイラビリティ：ほとんど吸収されない
分布容積：平均 0.25 L/kg（0.1 ～ 0.5 L/kg）
クリアランス：クレアチニンクリアランスに等しい
半減期：
　腎機能正常　平均 2 時間（1.5 ～ 3 時間）
　腎不全患者　60 時間

● ***point***　アミノ配糖体系抗生物質の薬物動態の特徴

1. 胃腸管よりほとんど吸収されない
2. 胆汁中へはほとんど排泄されない
3. 体内では代謝されず，腎臓から大部分が排泄される
4. たん白結合率が低い
5. 組織間液にはよく分布する
6. 脂肪組織には分布しない

● ***point***　理想体重の算出

アミノ配糖体系抗生物質は脂肪組織には分布しないため，肥満患者の投与計画は理想体重（IBW）を用いる．また，クレアチニンクリアランスを血清クレアチニンから推定する場合にも，患者の理想体重を用いる．

男性：

$$\text{IBW (kg)} = 50 + 2.3 \cdot \left(\frac{\text{身長 (cm)} - 152.4}{2.54} \right)$$

女性：

$$\text{IBW (kg)} = 45 + 2.3 \cdot \left(\frac{\text{身長 (cm)} - 152.4}{2.54} \right)$$

b. アミノ配糖体系抗生物質の血中濃度の解析

アミノ配糖体系抗生物質は現在，筋注投与はほとんど行われず，静注投与が一般的に用いられます．アミ

ノ配糖体系抗生物質の筋注後の血中濃度時間曲線は投与後1時間で最高血中濃度に達し，以後，血中薬物濃度の対数値は時間に対し一相性の指数関数で消失し，1-コンパートメントモデルで近似的に表現できます．一方，静注後の血中濃度時間曲線は静注投与する時間に影響され，ゲンタマイシンとトブラマイシンは静注投与1時間で血中濃度時間曲線が筋注投与後の血中濃度時間曲線とよく一致し，1-コンパートメントモデルで近似的に表現できます．また，アミカシンでは静注投与1.5時間で，筋注投与の血中濃度と時間曲線がよく一致し，1-コンパートメントモデルで近似的に表現できます．

c．アミノ配糖体系抗生物質の初期投与量と投与方法

アミノ配糖体系抗生物質は，従来，1日2～3回に分割投与をしていましたが，PK/PD理論により，アミノ配糖体系抗生物質は，濃度依存性殺菌作用を示すことは明確になりました（図D5･1）．このため，アミノ配糖体系抗生物質は，1日1回の投与が推奨されています．それに伴い，初期投与量は増量されています．ただし，投与間隔は，患者個々の腎機能にあわせて調整する必要があります．

アミノ配糖体系抗生物質の従来の初期投与量と投与方法と1日1回の投与量と投与法を下記に示します．

1．ゲンタマイシン・トブラマイシンの初期投与量と1日の投与回数
　従来の投与法　1回2 mg/kg　1日2～3回
　1日1回投与法　1回5～7 mg/kg　1日1回
2．アミカシンの初期投与量と1日の投与回数
　従来の投与法　1回7.5 mg/kg　1日2～3回
　1日1回投与法　1回15～20 mg/kg　1日1回
3．アルベカシンの初期投与量と1日の投与回数
　従来の投与法　1回75～100 mg　1日2回
　1日1回投与法　1回150～200 mg/kg　1日1回

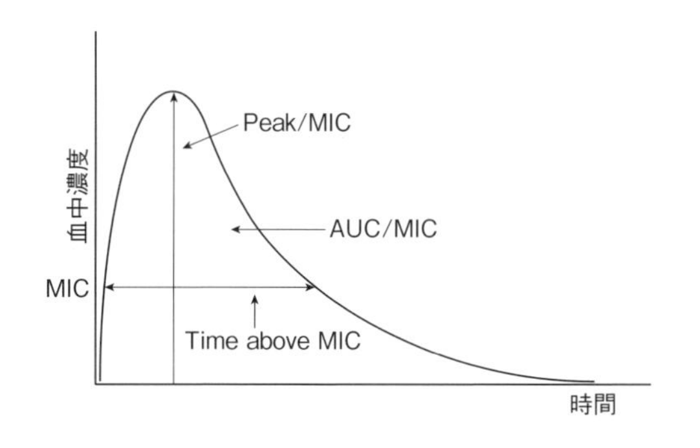

抗菌効果	PK/PD パラメータ	抗菌薬
濃度依存性殺菌作用と長い持続効果	Peak/MIC AUC/MIC	キノロン, ケトライド, アミノグリコシド
時間持続性殺菌作用と少ない持続効果	Time above MIC	カルバペネム, セフェム, ペニシリン, モノバクタム, フルシトシン
時間持続性殺菌作用と長い持続効果	AUC/MIC	クラリスロマイシン, アジスロマイシン, バンコマイシン, テトラサイクリンなど

図D5･1　PK/PDパラメータ

d．アミノ配糖体系抗生物質の有効治療域

アミノ配糖体系抗生物質の有効治療域は，1日1回投与によりピーク濃度が一過性に高くなりますが，1日2～3回投与に比べて，腎毒性や第8脳神経障害（聴力障害）などの副作用は同等とされています．ただし，聴力障害は，4 μg/mLを超える高いトラフ濃度が10日以上持続することと関連があるとされています．

アミノ配糖体系抗生物質の従来の投与方法と1日1回の投与法における有効治療域を下記に示します．

1．ゲンタマイシン・トブラマイシンの有効治療域
　従来の投与法　トラフ値：2 μg/mL以下
　　　　　　　　ピーク値：5～10 μg/mL
　1日1回投与法　トラフ値：検出限界以下
　　　　　　　　ピーク値：20 μg/mL
2．アミカシンの有効治療域
　従来の投与法　トラフ値：10 μg/mL以下
　　　　　　　　ピーク値：20～30 μg/mL
　1日1回投与法　トラフ値：検出限界以下
　　　　　　　　ピーク値：60 μg/mL
3．アルベカシンの有効治療域
　従来の投与法　トラフ値：2 μg/mL以下
　　　　　　　　ピーク値：7～12 μg/mL
　1日1回投与法　トラフ値：2 μg/mL以下
　　　　　　　　ピーク値：9～20 μg/mL

● *point*　**アミノ配糖体系抗生物質の静注投与時間** ―

	静注時間
ゲンタマイシン	1時間
トブラマイシン	1時間
アミカシン	1.5時間
アルベカシン	1時間

このため，実際臨床の場でアミノ配糖体系抗生物質の血中濃度をモニタリングするには，血中濃度の測定に影響を及ぼす静注投与時間を一定に保つことが重要です．できればインフュージョンポンプなどを使用することが勧められます．

e. アミノ配糖体系抗生物質の採血時間

アミノ配糖体系抗生物質の採血時間はピーク値とトラフ値の2点が必要です．上記に示す静注投与時間で投与されるならば，トラフ値は静注投与直前，ピーク値は静注投与直後に（投与している上肢または下肢の反対側の静脈から）採血を行います．

● *point*　採血時間

ピーク値：投与直後
トラフ値：投与直前

ただし，インフュージョンポンプが使用できない場合，静注投与速度が速ければ，静注投与終了後の血中濃度対数値－時間曲線は二相性になり，投与直後の血中濃度は α 相をとらえることとなります．一方，静注投与速度が遅くなると，投与直後の血中濃度は低くなります．

f. アミノ配糖体系抗生物質の副作用

1. 聴器毒性
2. 腎毒性
3. 神経節ブロック
4. 過敏症：発疹，掻痒感，悪寒，熱感，発熱など
5. 血液障害：顆粒球減少症，再生不良性貧血など
6. 肝障害：GOT，GOPの上昇など
7. その他：低カルシウム血症，多発性神経根炎，頭痛，しびれ感，頻脈，嘔吐，下痢，胸部圧迫感，全身倦怠，気分不快感など

● *point*　アミノ配糖体系抗生物質の腎毒性の比較

抗生物質	腎への影響
ストレプトマイシン	＋
カナマイシン	＋＋
ゲンタマイシン	＋＋
トブラマイシン	＋＋
アミカシン	＋

● *point*　アミノ配糖体系抗生物質の聴器毒性の比較

抗生物質	前庭機能障害	聴力障害
ストレプトマイシン	＋＋＋	＋
カナマイシン	＋	＋＋＋
ゲンタマイシン	＋＋	＋
トブラマイシン	＋＋	＋
アミカシン	＋	＋＋

g. アミノ配糖体系抗生物質およびバンコマイシンの投与計画に用いる等式

アミノ配糖体系抗生物質とバンコマイシンの投与設計は，Sawchuk-Zaske法[10]が臨床に応用をしやすいので，本書では，Sawchuk-Zaske法（図D5･2）を基本として書いています．

Sawchuk-Zaske法では，点滴投与終了直後の血中濃度を C_{pmaxss}'，点滴投与終了後t' 時間の血中濃度を C_{pmaxss} で表しています．アミノ配糖体系抗生物質では，点滴投与終了直後の血中濃度で投与設計しますので，C_{pmaxss}' と C_{pmaxss} は同じになります．このため，アミノ配糖体系抗生物質およびバンコマイシンの血中薬物濃度モニタリングは，点滴投与時間と採血時間を正確に実施することが重要な鍵となります．

アミノ配糖体系抗生物質の投与計画に必要な等式を図D5･3に示します．一般的には，初期投与設計においては，明らかになっている臨床薬物動態の平均値を用いて投与量や投与間隔を算出します．そして，アミノ配糖体系抗生物質の投与が開始された後は，その実測値（C_{pmaxss} と C_{pminss}）を用いて投与設計を行います．

1. 消失速度定数：k_{el}（h^{-1}）

$$k_{el} = \frac{\ln(C_{pmaxss}/C_{pminss})}{(\tau - t_{in} - t')}$$

2. 分布容積：V_d（L）

$$V_d = \frac{(D/t_{in})(1 - e^{-k_{el} \cdot t_{in}})}{k_{el}(C_{pmaxss}' - C_{pminss} \cdot e^{-k_{el} \cdot t_{in}})}$$

$$※\ C_{pmaxss}' = \frac{C_{pmaxss}}{e^{-k_{el} \cdot t'}}$$

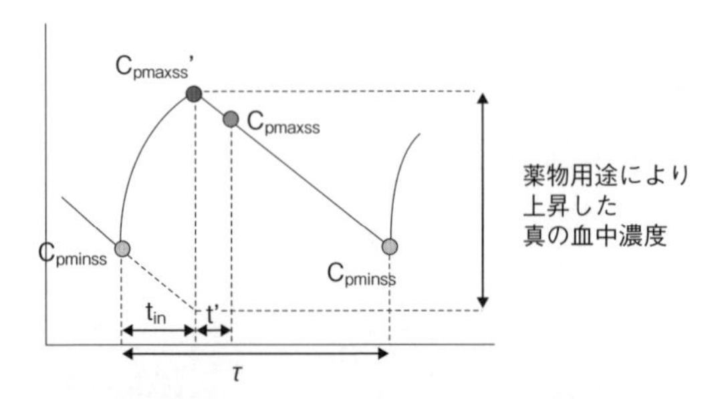

図D5･2　Sawchuk-Zaske法

① 現在の投与方法および血中濃度より k_{el} を求める

$$k_{el} = \frac{\ln\ (C_{pmaxss}/C_{pminss})}{(\tau - t_{in})} \cdots \text{Sawchuk-Zaske 法より}$$

② 目標血中濃度を設定し，投与間隔（τ）を決定する

$$\tau = \frac{\ln\ (C_{pmaxss}/C_{pminss})}{k_{el}} + t_{in}$$

③ 投与速度・投与量の設定

まず，CL を求める

$$CL_{tot} = k_{el} \cdot V_d$$

$$V_d = \frac{(D/t_{in})\ (1 - e^{-k_{el} \cdot t_{in}})}{k_{el}\ (C_{pmaxss} - C_{pminss} \cdot e^{-k_{el} \cdot t_{in}})}$$

…Sawchuk-Zaske 法より

$$D/t_{in} = \frac{C_{pmaxss} \cdot CL\ (1 - e^{-k_{el} \cdot \tau})}{(1 - e^{-k_{el} \cdot t_{in}})}$$

④ 決定した投与量で予測される血中濃度の確認

$$C_{pmaxss} = \frac{\frac{(D/t_{in})}{CL}\ (1 - e^{-k_{el} \cdot t_{in}})}{(1 - e^{-k_{el} \cdot \tau})}$$

$$C_{pminss} = C_{pmaxss} \cdot e^{-k_{el} \cdot (\tau - t_{in})}$$

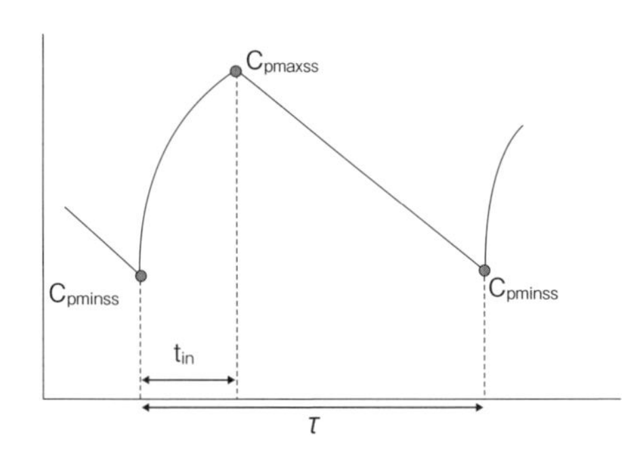

図 D5･3　アミノグリコシドの投与設計

図 D5･3 には，その実測値（C_{pmaxss} と C_{pminss}）から，排泄速度定数（k_{el}），投与間隔（τ），投与量（D）などを算出することができます．

D5・3　ゲンタマイシンの投与計画

症例 19-1

N.S.　35 歳　男性　170 cm　60 kg

胃潰瘍の手術後，肺炎を併発して，喀痰にて緑膿菌が検出され，38℃台の発熱が続いている．血清クレアチニン値は 1 mg/dL，BUN 値は 14 mg/dL である．ゲンタマイシンの初期投与計画はどのようにすればよいか．

〈臨床検査値〉白血球 14000，CRP 7.5

【問題点】ゲンタマイシンの初期投与計画

アミノ配糖体系抗生物質は極性が高いために組織内にはほとんど移行しません．このため，一般に肺組織には移行しにくいので，有効治療域の上限を目標に投与計画を立てます．

a.　ゲンタマイシンの目標血中濃度

ゲンタマイシンも肺組織には移行しにくいために，肺炎では有効治療域の上限にピーク値を設定します．

● *point*　ゲンタマイシンの目標血中濃度
（1 日 1 回投与法）
ピーク値：20 μg/mL
トラフ値：検出限界以下

b.　ゲンタマイシンの投与計画

アミノ配糖体系抗生物質の投与計画はピーク値とトラフ値を設定するために，投与量と投与間隔を考慮しなければなりません．投与量と投与間隔を算定するために必要なパラメータを算出します．

(1)　クレアチニンクリアランス（CL_{cr}）の算出

Cockcroft & Gault 法を用いて，下記の式を用いて算出します．

$$\text{男性の } CL_{cr} = \frac{(140 - \text{年齢}) \cdot \text{体重 (kg)}}{72 \cdot S_{cr}\ \text{(mg/dL)}}$$

患者の理想体重を見積もります．

$$IBW = 50 + 2.3 \cdot \frac{(170 - 152.4)}{2.54}$$

$$= 65.9\ \text{kg}$$

患者の体重は 60 kg であることから，この患者は肥満ではないので，クレアチニンクリアランスの推定には，実測体重である 60 kg を用います．

$$\text{患者の } CL_{cr} = \frac{(140 - 35) \cdot 60}{72 \cdot 1}$$

$$= 87.5\ \text{mg/mL}$$

(2)　ゲンタマイシンクリアランスの算出

アミノ配糖体系抗生物質はほとんどが腎臓から排泄され，アミノ配糖体系抗生物質の全身クリアランスはクレアチニンクリアランスと等しくなります．

よって，本患者のゲンタマイシン全身クリアランスはクレアチニンクリアランスに等しくなります．

患者の CL_{tot} (L/h)

$$= 87.5\ \text{(mL/min)} \cdot \frac{60\ \text{(min)}}{1000\ \text{(mL)}}$$

$$= 5.25\ \text{L/h}$$

(3) ゲンタマイシンの消失速度定数（k_{el}）と半減期（$t_{1/2}$）の算出

● *point*　全身クリアランス（CL_{tot}）と消失速度定数（k_{el}）の関係

$$k_{el} = \frac{CL_{tot}}{V_d}$$

分布容積は通常，細胞外液量に相当しますが，本患者は浮腫などの分布容積を大きくする要因がないので，分布容積は平均値である 0.25 L/kg を用います．

$$k_{el} = \frac{5.25\ (\mathrm{L/h})}{0.25\ (\mathrm{L/kg}) \cdot 60\ (\mathrm{kg})}$$

$$= 0.350\ \mathrm{h^{-1}}$$

● *point*　消失速度定数（k_{el}）と半減期（$t_{1/2}$）の関係

$$t_{1/2} = \frac{0.693}{k_{el}}$$

よって，本患者の半減期は

$$t_{1/2} = \frac{0.693}{0.350\ (\mathrm{h^{-1}})}$$

$$= 1.98\ \mathrm{h}$$

$$\fallingdotseq 2.0\ \mathrm{h}$$

(4) ゲンタマイシンの投与間隔（τ）の算出

本患者の半減期は 2.0 時間ですから，健常成人の半減期とほぼ同等なので，1 日 1 回投与できると考えます．

(5) ゲンタマイシンの初期投与量（D）の算出

本患者は，肥満が認められず，また，ゲンタマイシンの半減期も 2 時間と推定されますので，実際の体重を用いて初期投与設計を行うことができます．ゲンタマイシンの初期投与量は，5～7 mg/kg であり，本患者は，喀痰から緑膿菌が検出されているため，初期投与量の 6 mg/kg を用います．

本患者におけるゲンタマイシンの投与量（D）は，

$$D = 6\ \mathrm{mg/kg} \cdot 60\ \mathrm{kg}$$

$$= 360\ \mathrm{mg}$$

ゲンタマイシン 360 mg を 1 日 1 回，1 時間で点滴投与をした場合の最高・最低血中濃度の推定

$$C_{pmaxss} = \frac{(D/t_{in})}{CL_{tot}} \cdot \frac{1 - e^{-k_{el} \cdot t_{in}}}{1 - e^{-k_{el} \cdot \tau}}$$

$$= \frac{\left(\dfrac{360\ (\mathrm{mg})}{1\ (\mathrm{h})}\right)}{5.25\ (\mathrm{L/h})} \cdot \frac{1 - e^{-0.350 \cdot 1}}{1 - e^{-0.350 \cdot 24}}$$

$$= 20.3\ \mu\mathrm{g/mL}$$

$$C_{pminss} = C_{pmaxss} \cdot e^{-k_{el} \cdot (\tau - t_{in})}$$

$$= 20.3\ (\mu\mathrm{g/mL}) \cdot e^{-0.350 \cdot (24-1)}$$

$$= 0.006\ \mu\mathrm{g/mL}$$

よって，本患者はゲンタマイシン 360 mg を 1 日 1 回投与にすることにより，定常状態のゲンタマイシンのピーク値が 20.3 μg/mL，トラフ値がほぼ検出限界以下になることが予測されます．

D5・4　血中ゲンタマイシン濃度の測定値に基づく投与計画

症例 19-2

N.S.

ゲンタマイシン投与開始 3 回目の投与直前と点滴投与終了直後の血中濃度はそれぞれトラフ値が 0.1 μg/mL 以下，ピーク値が 17.5 μg/mL であった．解熱傾向であるが，胸のレントゲンなどの改善が認められなかった．適正な再投与計画を立てなさい．

(1) 血中ゲンタマイシン濃度の評価

本患者が解熱傾向にあり，CRP が改善していれば本投与量の継続が勧められます．しかし，臨床症状に改善が認められないこと，また，ピーク値が有効治療域に達してないことより，増量が示唆されます．ただし，トラフ値が 0.1 以下でありますが，トラフ値を 0.1 μg/mL として計算します．

(2) ゲンタマイシンの消失速度定数と半減期の測定値からの算出

投与開始後 3 回の投与が行われ，60 時間以上経過していることから，本患者の血中濃度は定常状態（$t_{1/2} \times 5 = 2 \cdot 5 = 10\ \mathrm{h}$）に達しています．トラフ値（$C_{pminss}$）とピーク値（$C_{pmaxss}$）を用いて消失速度定数と半減期を算出すると

$$k_{el} = \frac{\ln C_{pmaxss} - \ln C_{pminss}}{\tau - t_{in}}$$

よって

$$k_{el} = \frac{\ln 17.5 - \ln 0.1}{24 - 1}$$

$$= 0.225\ \mathrm{h^{-1}}$$

$$t_{1/2} = \frac{0.693}{k_{el}}\ \text{より}$$

$$t_{1/2} = 3.1\ \mathrm{h}$$

(3) ゲンタマイシンの分布容積およびクリアランスの算出

測定値から分布容積およびクリアランスを算出することは，本患者が臨床薬物動態的にどのような範囲にあるかが推定できます．

$$C_{pmaxss} = \frac{(D/t_{in})}{CL_{tot}} \cdot \frac{1 - e^{-k_{el} \cdot t_{in}}}{1 - e^{-k_{el} \cdot \tau}}$$

上式より

$$CL_{tot} = \frac{(D/t_{in})}{C_{pmaxss}} \cdot \frac{1 - e^{-k_{el} \cdot t_{in}}}{1 - e^{-k_{el} \cdot \tau}}$$

$$= \frac{\left(\frac{360\ (mg)}{1\ (h)}\right)}{17.5\ (\mu g/mL)} \cdot \frac{1 - e^{-0.225 \cdot 1}}{1 - e^{-0.225 \cdot 24}}$$

$$= 4.2\ L/h$$

ちなみにV_dを計算します．

$$V_d = \frac{CL_{tot}}{k_{el}}$$

$$= \frac{4.2\ (L/h)}{0.225\ (h^{-1})}$$

$$= 18.7\ L = 0.31\ L/kg$$

V_dが0.31 L/kgになり，60 kgの患者としては妥当な値です．

(4) ゲンタマイシンの測定値に基づく投与設計

本患者は，十分に治療効果が得られていないので，ゲンタマイシンのピーク値の有効治療域である20 μg/mLを目標に，ゲンタマイシンの投与量を増量することになります．測定値から本患者の臨床薬物動態が明確になっていますので，新たなゲンタマイシンの投与量は，比例計算で算出できます．

1) ゲンタマイシンのピーク値からの投与量の算出

$$(新たな投与量) = (目標とする血中濃度) \cdot \frac{(現在の投与量)}{(測定したピーク値)}$$

よって，患者の投与量は

$$(新たな投与量) = 20 \cdot \frac{360}{17.5}$$

$$= 411.4\ mg \fallingdotseq 410\ mg$$

2) ゲンタマイシンの最高・最低血中濃度の推定

ここで，念のために，ゲンタマイシン410 mg，1日1回投与における最高･最低血中濃度を算定します．

$$C_{pmaxss} = \frac{(D/t_{in})}{CL_{tot}} \cdot \frac{1 - e^{-k_{el} \cdot t_{in}}}{1 - e^{-k_{el} \cdot \tau}}$$

$$= \frac{\left(\frac{410\ (mg)}{1\ (h)}\right)}{4.2\ (\mu g/mL)} \cdot \frac{1 - e^{-0.225 \cdot 1}}{1 - e^{-0.225 \cdot 24}}$$

$$= 19.8\ \mu g/mL$$

$$C_{pminss} = C_{pmaxss} \cdot e^{-k_{el} \cdot (\tau - t_{in})}$$

$$= 17.3\ (\mu g/mL) \cdot e^{-0.225 \cdot (24-1)}$$

$$= 0.09\ \mu g/mL$$

ゲンタマイシン410 mg，1日1回投与における予測されるピーク値が19.8 μg/mL，トラフ値が0.09 μg/mLとなります．

D5・5 トブラマイシンでの腎機能低下患者における投与計画

症例 20-1

K.H.　48歳　女性　156 cm　65 kg

肝膿瘍による敗血症と診断され，動脈血培養により緑膿菌が検出された．この2日間38～39℃台の発熱が続いている．血清クレアチニン値が1.8 mg/dL，BUN値が45 mg/dL，CRPが10.5であり，検出された緑膿菌はトブラマイシン，アミカシンに感受性を示した．トブラマイシンの初期投与計画をどのようにするか．

【問題点】トブラマイシンの初期投与計画

敗血症は重症感染症であり，有効治療域を上回るようにピーク値を設定します．

a. トブラマイシンの目標血中濃度

● *point*　トブラマイシンの目標血中濃度

ピーク値：20 μg/mL

トラフ値：検出限界以下

b. トブラマイシンの投与計画

ゲンタマイシンと同様にピーク値とトラフ値を設定するために，投与量と投与間隔を考慮しなければなりません．本患者は血清クレアチニン値が1.8 mg/dLと腎機能の悪化が示唆されるために，投与間隔に気をつけなければなりません．投与間隔はピーク値を20 μg/mLとすると1半減期で10 μg/mL，2半減期で5 μg/mL，3半減期で2.5 μg/mL，4半減期で1.25 μg/mL，5半減期で0.75 μg/mLですから，4～5半減期以上を設定します．

以下，トブラマイシンの初期投与量を算定するために必要なパラメータを算出します．

(1) 理想体重（IBW）の算出

クレアチニンクリアランスを血清クレアチニン値から推定する場合，体重は理想体重を用います．

女性の IBW

$$= 45 + 2.3 \cdot \left(\frac{身長(\mathrm{cm}) - 152.4}{2.54} \right)$$

$$= 45 + 2.3 \cdot \left(\frac{156 - 152.4}{2.54} \right)$$

$$= 48.3\ \mathrm{kg}$$

患者の体重と IBW の比は 1.35 であり，1.2 を超えているので，肥満として取り扱います.

(2) クレアチニンクリアランス（CL_{cr}）の算出

Cockcroft & Gault 法を用いて，下記の式を用いて算出します.

女性の CL_{cr}

$$= 0.85 \cdot \frac{(140 - 年齢) \cdot 体重(\mathrm{kg})}{72 \cdot S_{cr}(\mathrm{mg/dL})}$$

よって，本患者の CL_{cr} の推定には，体重として理想体重を用います.

患者の CL_{cr}

$$= 0.85 \cdot \frac{(140 - 48) \cdot 48.3}{72 \cdot 1.8}$$

$$= 29.1\ \mathrm{mL/min}$$

クレアチニンクリアランスが小さい場合には，いつから腎機能が悪くなったかをチェックします．すでにクレアチニン値が定常状態になっていることを確認しなければなりません.

(3) トブラマイシンクリアランスの算出

アミノ配糖体系抗生物質はほとんどが腎臓から排泄され，アミノ配糖体系抗生物質のクリアランスはクレアチニンクリアランスと等しくなります.

患者の CL_{tot} (L/h)

$$= 29.2\ (\mathrm{mL}) \cdot \frac{60\ (\mathrm{min})}{1000\ (\mathrm{mL})}$$

$$= 1.75\ \mathrm{L/h}$$

(4) トブラマイシンの消失速度定数（k_{el}）と半減期（$t_{1/2}$）の算出

● *point* クリアランス（CL_{tot}）と消失速度定数（k_{el}）の関係

$$k_{el} = \frac{CL_{tot}}{V_d}$$

分布容積（V_d）は腎機能の悪化に伴って変化しないので，平均 0.25 L/kg を用います．アミノ配糖体系抗生物質は脂肪組織には分布しないため，サードスペース（浮腫や腹水など）がない場合には，肥満気味の患者の体重には理想体重を用います.

$$k_{el} = \frac{1.75\ (\mathrm{L/h})}{0.25\ (\mathrm{L/kg}) \cdot 48.3\ (\mathrm{kg})}$$

$$= 0.145\ \mathrm{h}^{-1}$$

● *point* 消失速度定数（k_{el}）と半減期（$t_{1/2}$）の関係

$$t_{1/2} = \frac{0.693}{k_{el}}$$

よって，本患者の半減期は

$$t_{1/2} = \frac{0.693}{0.145\ (\mathrm{h}^{-1})}$$

$$= 4.8\ \mathrm{h}$$

(5) トブラマイシンの投与間隔（τ）の算出

本患者の半減期は計算では 4.8 時間ですが，約 5 時間と予測されますので，ピーク値を 20 μg/mL と設定すると，5 倍の半減期，すなわち投与後 24 時間でトラフ値は 1.25 μg/mL と予測されます．よって，トブラマイシンの投与間隔は，1 日 1 回で投与することが可能であることが推測できます.

(6) トブラマイシン 1 日 1 回投与における初期投与量（D）の算出

● *point* 間欠点滴静注投与の定常状態の血中濃度

$$C_{pmaxss} = \frac{(D/t_{in})}{CL_{tot}} \cdot \frac{1 - e^{-k_{el} \cdot t_{in}}}{1 - e^{-k_{el} \cdot \tau}}$$

$$C_{pminss} = C_{pmaxss} \cdot e^{-k_{el} \cdot (\tau - t_{in})}$$

よって，トブラマイシンの投与量は下記の式で算出されます.

$$D = C_{pmaxss} \cdot t_{in} \cdot CL_{tot} \cdot \frac{1 - e^{-k_{el} \cdot \tau}}{1 - e^{-k_{el} \cdot t_{in}}}$$

$$D = 20\ (\mathrm{mg/L}) \cdot 1\ (\mathrm{h}) \cdot 1.75\ (\mathrm{L/h}) \cdot \frac{1 - e^{-0.145 \cdot 12}}{1 - e^{-0.145 \cdot 1}}$$

$$= 251.3\ \mathrm{mg} \fallingdotseq 250\ \mathrm{mg}$$

ゆえに，トブラマイシン 250 mg を 1 日 1 回投与することになります.

トブラマイシン 250 mg，1 日 1 回投与時の定常状態の最高・最低血中濃度の推定

$$C_{pmaxss} = \frac{(D/t_{in})}{CL_{tot}} \cdot \frac{1 - e^{-k_{el} \cdot t_{in}}}{1 - e^{-k_{el} \cdot \tau}}$$

$$= \frac{\left(\frac{250\ (\mathrm{mg})}{1\ (\mathrm{h})} \right)}{1.75\ (\mathrm{L/h})} \cdot \frac{1 - e^{-0.145 \cdot 1}}{1 - e^{-0.145 \cdot 24}}$$

$$= 19.9\ \mu\mathrm{g/mL}$$

$$C_{pminss} = C_{pmaxss} \cdot e^{-k_{el} \cdot (\tau - t_{in})}$$

$= 19.9\ (\mu g/mL) \cdot e^{-0.145 \cdot 23}$

$= 0.71\ \mu g/mL$

以上の結果より，トブラマイシン 250 mg，1日1回投与における定常状態のピーク値 19.9 μg/mL，トラフ値が 0.71 μg/mL になることが予測されます．

D5・6　血中トブラマイシン濃度の測定値に基づく投与計画

症例 20-2

K.H.

トブラマイシン1回 250 mg，24時間ごとの投与が開始された．投与開始5回目の投与直前と点滴投与終了直後の血中濃度はそれぞれトラフ値が 0.5 μg/mL，ピーク値が 17.0 μg/mL であった．解熱傾向にあるが，白血球数や CRP はほとんど低下していない．適正な再投与計画を立てたい．

(1) 血中トブラマイシン濃度の評価

本患者は解熱傾向にありますが，白血球数や CRP が改善していません．このため当初の目標通りに，トブラマイシンのピーク値 20 μg/mL を少し超えるように，トラフ値 2 μg/mL 未満に設定することが勧められます．

(2) トブラマイシンの消失速度定数と半減期の算出

本患者の推定される半減期が約5時間であることより，投与開始後1日でほぼ定常状態に達していると考えられます．測定された血中濃度は定常状態に達しているから，血中トブラマイシン濃度の測定値であるトラフ値（C_{pminss}）とピーク値（C_{pmaxss}）を用いて，本患者の消失速度定数を算出します．

本患者の消失速度定数（k_{el}）は

$$k_{el} = \frac{\ln C_{pmaxss} - \ln C_{pminss}}{\tau - t_{in}}$$

の式により算出することができます．

よって

$$k_{el} = \frac{\ln 17.0 - \ln 0.5}{24 - 1}$$

$$= 0.153\ h^{-1}$$

そして，本患者の半減期（$t_{1/2}$）は

$$t_{1/2} = \frac{0.693}{k_{el}}$$

$$= 4.5\ h$$

と算出することができます．

本患者の半減期は，初期投与設計時に推定した 4.8 時間とよく一致しています．

(3) トブラマイシンの分布容積およびクリアランスの算出

$$C_{pmaxss} = \frac{(D/t_{in})}{CL_{tot}} \cdot \frac{1 - e^{-k_{el} \cdot t_{in}}}{1 - e^{-k_{el} \cdot \tau}}$$

上式より

$$CL_{tot} = \frac{(D/t_{in})}{C_{pmaxss}} \cdot \frac{1 - e^{-k_{el} \cdot t_{in}}}{1 - e^{-k_{el} \cdot \tau}}$$

$$= \frac{\left(\frac{250\ (mg)}{1\ (h)}\right)}{17.5\ (\mu g/mL)} \cdot \frac{1 - e^{-0.153 \cdot 1}}{1 - e^{-0.153 \cdot 24}}$$

$$= 2.08\ L/h$$

ちなみに V_d を計算すると

$$V_d = \frac{CL_{tot}}{k_{el}} = \frac{2.08\ (L/h)}{0.153\ (h^{-1})}$$

$$= 13.6\ L$$

IBW = 48.3 kg の患者に対し，ほぼ妥当な値です．

(4) トブラマイシンの投与量の算出

$$D = C_{pmaxss} \cdot t_{in} \cdot CL_{tot} \cdot \frac{1 - e^{-k_{el} \cdot \tau}}{1 - e^{-k_{el} \cdot t_{in}}}$$

$$D = 21\ (\mu g/mL) \cdot 1\ (h) \cdot 2.08\ (L/h) \cdot \frac{1 - e^{-0.153 \cdot 24}}{1 - e^{-0.153 \cdot 1}}$$

$$= 300.1\ mg \fallingdotseq 300\ mg$$

トブラマイシン 300 mg を1日1回に増量することになります．

トブラマイシン 300 mg を1日1回投与時の定常状態の最高・最低血中濃度の推定

$$C_{pmaxss} = \frac{(D/t_{in})}{CL_{tot}} \cdot \frac{1 - e^{-k_{el} \cdot t_{in}}}{1 - e^{-k_{el} \cdot \tau}}$$

$$= \frac{\left(\frac{300\ (mg)}{1\ (h)}\right)}{2.08\ (L/kg)} \cdot \frac{1 - e^{-0.153 \cdot 1}}{1 - e^{-0.153 \cdot 24}}$$

$$= 21.0\ \mu g/mL$$

$$C_{pminss} = C_{pmaxss} \cdot e^{-k_{el} \cdot (\tau - t_{in})}$$

$$= 21.0\ (\mu g/mL) \cdot e^{-0.153 \cdot (24-1)}$$

$$= 0.62\ \mu g/mL$$

D5・7　アミカシンの投与計画

症例 21-1

H.T.　50 歳　男性　168 cm　60 kg

胆石の手術後，緑膿菌による敗血症を併発して，発熱が続いている．細菌感受性試験ではゲンタマイシンとトブラマイシン耐性で，アミカシンに感受性を示した．血清クレアチニン値は 1.0 mg/dL，BUN は 16 mg/dL，CRP は 13.5，クレアチニンクリアランスは 70 mL/min であった．アミカシンの初期投与計画はどのようにするか．

【問題点】アミカシンの初期投与計画

敗血症は重症感染症であり，できるだけ早期にピーク値に達するように有効治療域のピーク値を設定します．

a.　アミカシンの目標血中濃度

ピーク値：60 μg/mL

トラフ値：検出限界以下

b.　アミカシンの投与計画

ゲンタマイシンと同様にピーク値とトラフ値を設定するために，投与量と投与間隔を考慮しなければなりません．また，本患者は，敗血症を併発しており，早期に，血中アミカシン濃度を有効治療域のピーク値に達しなければなりません．本患者はクレアチニンクリアランスが測定されており，これを用いて投与計画を立てます．

以下，トブラマイシンの初期投与量を算定するために必要なパラメータを算出します．

(1)　アミカシンのクリアランスの算出

他のアミノ配糖体系抗生剤と同様に，アミカシンはほとんどが腎から排泄され，アミカシンのクリアランスはクレアチニンクリアランスとほぼ等しいとして取り扱います．

$$\text{患者の}\ CL_{tot}\ (L/h) = 70\ (mL/min) \cdot \frac{60\ (min)}{1000\ (mL)}$$

$$= 4.2\ L/h$$

(2)　アミカシンの消失速度定数（k_{el}）と半減期（$t_{1/2}$）の算出

● *point*　クリアランス（CL_{tot}）と消失速度定数（k_{el}）の関係

$$k_{el} = \frac{CL_{tot}}{V_d}$$

よって，本患者の消失速度定数（k_{el}）は分布容積（V_d）の平均 0.25 L/kg を用います．患者の理想体重を見積もります．

$$IBW = 50 + 2.3 \cdot \frac{168 - 152.4}{2.54}$$

$$= 64.1\ kg$$

患者の体重と IBW の比は 0.94 であり，肥満ではないので，実測値の体重 60 kg を用います．

$$k_{el} = \frac{4.2\ (L/h)}{0.25\ (L/kg)} \cdot 60\ (kg)$$

$$= 0.28\ h^{-1}$$

● *point*　消失速度定数（k_{el}）と半減期（$t_{1/2}$）の関係

$$t_{1/2} = \frac{0.693}{k_{el}}$$

よって，本患者の半減期は

$$t_{1/2} = \frac{0.693}{0.28}$$

$$= 2.5\ h$$

(3)　アミカシンの投与間隔（τ）の算出

ピーク濃度を 60 μg/mL 付近からトラフ値が検出限界以下（計算上，1 μg/mL に設定）5 μg/mL になる時間は 5 半減期が必要です．本患者の半減期は 2.5 時間ですから，本患者の投与間隔（τ）は

$$\tau = 2.5 \cdot 5 = 12.5\ h$$

ゆえに，本患者の半減期は計算では 2.5 時間です．定常状態には 1 日で達し，ピーク値を 60 μg/mL と設定すると，投与後 24 時間でトラフ値は 0.05 μg/mL と予測されます．よって，アミカシンの投与間隔は，1 日 1 回で投与することが可能であることが推測できます．

(4)　アミカシンの 1 日 1 回の初期投与量の算出

点滴投与時間が 1.5 時間，半減期が 2～5 時間であることから，短時間定速投与モデルにあてはめることができます．

● *point*　間欠静注投与の定常状態の血中濃度

$$C_{pmaxss} = \frac{(D/t_{in})}{CL_{tot}} \cdot \frac{1 - e^{-k_{el} \cdot t_{in}}}{1 - e^{-k_{el} \cdot \tau}}$$

$$C_{pminss} = C_{pmaxss} \cdot e^{-k_{el} \cdot (\tau - t_{in})}$$

よって，アミカシンの投与量は下記の式で算出されます．

$$D = C_{pmaxss} \cdot t_{in} \cdot CL_{tot} \cdot \frac{1 - e^{-k_{el} \cdot \tau}}{1 - e^{-k_{el} \cdot t_{in}}}$$

$$D = 60\ (\mu g/mL) \cdot 1.5\ (h) \cdot 4.2\ (L/h) \cdot \frac{1 - e^{-0.28 \cdot 24}}{1 - e^{-0.28 \cdot 1.5}}$$

$$= 1100.9\ mg \fallingdotseq 1100\ mg$$

アミカシン1回1100 mgを1日1回投与することになります．

そのときのアミカシンの最高・最低血中濃度を推定します．

$$C_{pmaxss} = \frac{(D/t_{in})}{CL_{tot}} \cdot \frac{1 - e^{-k_{el} \cdot t_{in}}}{1 - e^{-k_{el} \cdot \tau}}$$

$$= \frac{\left(\frac{1100\ (mg)}{1.5\ (h)}\right)}{4.2\ (L/h)} \cdot \frac{1 - e^{-0.28 \cdot 1.5}}{(1 - e^{-0.28 \cdot 24})}$$

$$= 60.0\ \mu g/mL$$

$$C_{pminss} = C_{pmaxss} \cdot e^{-k_{el} \cdot (\tau - t_{in})}$$

$$= 60.0\ (\mu g/mL) \cdot e^{-0.28 \cdot (24-1.5)}$$

$$= 0.1\ \mu g/mL$$

以上の結果より，アミカシン1100 mgを1日1回投与で，ピーク値が60 μg/mL，トラフ値が0.1 μg/mLとなり，ともにほぼ目標値に位置することが推測できます．

D5・8　血中アミカシン濃度の測定値に基づく投与計画

症例21-2

H.T.

アミカシン1日1回1100 mgの1.5時間点滴投与が開始された．アミカシン投与開始5回目の投与直前と点滴投与終了直後の血中濃度はそれぞれトラフ値が2.5 μg/mL，ピーク値が75.0 μg/mLであった．発熱は37℃前後に落ち着いてきており，CRPも4.5と低下した．血清クレアチニン値は1.2 mg/dLであり，尿量などに変化は認められない．適正な再投与計画を立てなさい．

(1) アミカシンの血中濃度の評価

初期の投与計画で得られたピーク値およびトラフ値はともに予測値より高い値を示しています．血清クレアチニンが若干上昇していますが，血中濃度が高い値を示したことに影響しているとは考えられません．ピーク値が有効治療域を超えており，症状も落ち着いてきているので，ピーク値を有効治療域に入るように，さらにトラフ値は有効治療域以下に下げるように投与計画を立てることが勧められます．

(2) アミカシンの消失速度定数と半減期の算出

本患者の血中濃度はアミカシンの投与を開始してから，半減期の5倍（2.5 h × 5 = 12.5 h）以上である88時間を経過しており，定常状態に達しています．血中アミカシン濃度の測定値であるトラフ値（C_{pminss}）とピーク値（C_{pmaxss}）を用いて消失速度定数と半減期を算出すると

$$k_{el} = \frac{\ln C_{pmaxss} - \ln C_{pminss}}{\tau - t_{in}}$$

より本患者の消失速度定数（k_{el}）を算出することができます．

よって

$$k_{el} = \frac{\ln 75.0 - \ln 2.5}{24 - 1.5}$$

$$= 0.151\ h^{-1}$$

そして，本患者のアミカシンの半減期（$t_{1/2}$）は

$$t_{1/2} = \frac{0.693}{k_{el}}\text{より}$$

$$t_{1/2} = 4.6\ h$$

本患者の半減期は，4.6時間で，本患者のクレアチニンクリアランスから推定した値よりも2倍延長していました．そのため，投与時間や採血時間など検討しましたが，問題はなく，この測定値に基づいて投与計画を立てることとします．

(3) アミカシンの分布容積およびクリアランスの算出

$$C_{pmaxss} = \frac{(D/t_{in})}{CL_{tot}} \cdot \frac{1 - e^{-k_{el} \cdot t_{in}}}{1 - e^{-k_{el} \cdot \tau}}$$

上式より

$$CL_{tot} = \frac{(D/t_{in})}{C_{pmaxss}} \cdot \frac{1 - e^{-k_{el} \cdot t_{in}}}{1 - e^{-k_{el} \cdot \tau}}$$

$$= \frac{\left(\frac{1100\ (mg)}{1.5\ (h)}\right)}{75.0\ (\mu g/mL)} \cdot \frac{1 - e^{-0.151 \cdot 1.5}}{1 - e^{-0.151 \cdot 24}}$$

$$= 2.04\ L/h$$

ちなみにV_dを計算すると

$$V_d = \frac{CL_{tot}}{k_{el}} = \frac{2.04\ (L/h)}{0.151\ (h^{-1})}$$

$$= 13.5\ L$$

体重60 kgの患者に対し，妥当な値です．

(4) アミカシンの投与量の算出

本患者のアミカシンの半減期は4.6時間と若干の延長が認められます．血中濃度のピーク値が安全なトラフ値に低下するまでに必要な期間は5半減期（4.6・5 = 23 h）以上です．このため，投与間隔は1日で計算します．

アミカシンの投与量（D）は下記の式を用いて算出します.

$$D = C_{pmaxss} \cdot t_{in} \cdot CL_{tot} \cdot \frac{1 - e^{-k_{el} \cdot \tau}}{1 - e^{-k_{el} \cdot t_{in}}}$$

$$D = 60\ (\mu g/mL) \cdot 1.5\ (h) \cdot 2.04\ (L/h) \cdot \frac{1 - e^{-0.151 \cdot 24}}{1 - e^{-0.151 \cdot 1.5}}$$

$$= 881.7\ mg \fallingdotseq 800\ mg$$

本患者の血中アミカシン濃度から算出された投与量は，881.7 mg/日でしたが，半減期が予測より延長していることや解熱傾向にあり，安全を見積もって，アミカシンの投与量は 800 mg/日とします.

アミカシン 800 mg を 1 日 1 回投与時の定常状態の最高・最低血中濃度の推定

$$C_{pmaxss} = \frac{(D/t_{in})}{CL_{tot}} \cdot \frac{1 - e^{-k_{el} \cdot t_{in}}}{1 - e^{-k_{el} \cdot \tau}}$$

$$= \frac{\left(\frac{800\ (mg)}{1.5\ (h)}\right)}{2.04\ (L/h)} \cdot \frac{1 - e^{-0.151 \cdot 1.5}}{1 - e^{-0.151 \cdot 24}}$$

$$= 54.4\ \mu g/mL$$

$$C_{pminss} = C_{pmaxss} \cdot e^{-k_{el} \cdot (\tau - t_{in})}$$

$$= 54.4\ (\mu g/mL) \cdot e^{-0.151\ (24-1.5)}$$

$$= 1.82\ \mu g/mL$$

アミカシンの投与量 800 mg，1 日 1 回投与におけるピーク値は，54.4 μg/mL，トラフ値は，1.82 μg/mL で，ピーク値が有効治療域より若干低値ですが，現状では，問題ないと思われます.

以上のことにより，本患者にはアミカシン 800 mg を 1 日 1 回，1.5 時間点滴静注投与が勧められます.

D6 バンコマイシン

バンコマイシンは *Staphylococci*, *Streptococci*, *Enterococcus* などのグラム陽性菌に活性を有する抗生物質です．また，近年院内感染の原因菌として問題になっているメチシリン耐性黄色ブドウ球菌（MRSA）による重症感染症治療の第一選択薬として，広く臨床に使用されています．しかし，バンコマイシンはアミノ配糖体系抗生物質と同様に腎毒性と聴器毒性などの副作用があります．

バンコマイシンの血中濃度と治療効果および副作用の関係はアミノ配糖体系抗生物質に比べて明確ではありませんが，腎毒性と聴器毒性はピーク値が 80 μg/mL 以上を持続した場合に認められたとの報告があります．一方，バンコマイシンの細菌に対する最小阻止濃度（MIC）はほとんどのグラム陽性菌に対して 5 μg/mL 以下で阻止されることが明らかになっています．バンコマイシンは経口投与した場合，ほとんど吸収されず，偽膜性大腸炎の適応以外には静注投与されます．

バンコマイシンの有効治療域は，1～2 時間点滴静注投与後 1 時間値が 25～40 μg/mL，トラフ値が 5～10 μg/mL とされ，これらの値に血中濃度が位置するように投与量と投与間隔を調整することがよいとされています．

D6・1 バンコマイシンの体内動態パラメータと体内動態の特徴づけ

(1) バンコマイシンの体内動態パラメータ値

（血漿中薬物総濃度値から算出）

F	A_e (%)	fuP	CL_{tot} (mL/min)	V_d (L)
	97	0.45	75	24

(2) 体内動態パラメータからみた薬物の特徴づけ

尿中排泄比率が 97％であることから，全身クリアランスは腎クリアランスに相当すると考えられます．

$$CL_{tot} = CL_R = 75 \text{ mL/min}$$

$$E_R = 75/600 = 0.13$$

腎抽出比が 0.3 以下であることから，消失能依存性の薬物であると推定できます．

$$CL_R = fuB \cdot CL_{intR}$$

$$CL_{Rf} = CL_{intR}$$

B/P ＞ 0.5 を適用すると，

$$V_d < 24/0.5 = 48 \text{ L}$$

中間型か V_B であると推定できます．

fuP が 0.45 より，binding insensitive な薬物と推定できます．

a. バイオアベイラビリティ

経口投与した場合，ほとんど消化管からは吸収されません．全身作用を期待する場合，静脈内投与を行います．

b. 全身クリアランス

腎抽出比から，消失能依存性の薬物であると推定できます．

$$CL_R = fuB \cdot CL_{intR}$$

$$CL_{Rf} = CL_{intR}$$

また，血漿非結合形分率は 0.45 であることより，血漿たん白結合の変化の影響は受けないと推定できます．腎固有クリアランスのみが変動要因となります．実際にも，腎機能の指標であるクレアチニンクリアランスの関数として全身クリアランスを表すことができることが報告されています．

c. 分布容積

中間型か V_B であると推定されます．

d. 消失半減期，消失速度定数，血中薬物濃度の時間推移

急速静脈内投与後のバンコマイシンの血漿中薬物濃度の時間推移は，2-コンパートメントモデルに従うことが認められています．すべての組織中の薬物濃度が血漿中薬物濃度と平行して変化するのは，投与後約 2 時間以降，血漿中薬物濃度の対数値が時間に対し直線的に減少していく相であるので，血中濃度によるモニターは点滴投与終了後 1～2 時間目の濃度をピーク濃度として測定します．

バンコマイシンの効果は時間依存性を示すとされ，有効血中濃度以上を維持することが必要な薬物と考えられます．そのため，平均血中濃度を 15 μg/mL 近くに維持するとともに，トラフ濃度を 10～20 μg/mL 以上に維持することも必要であると考えられま

す．開発当初は腎毒性の発現がトラフ濃度との関係で指摘され，トラフ濃度を 5 ～ 10 μg/mL 以下に下げることが推奨されましたが，その後，品質の改善によってその可能性は非常に小さくなったとされています．

V_Bの変化が推定されない条件では，ピーク濃度以降の消失速度定数はおもに全身クリアランスの変化によって変動すると推定できます．全身クリアランスはおもにクレアチニンクリアランスの変化によって変化しますので，消失速度定数，半減期もクレアチニンクリアランスの関数として表現されています．クレアチニンクリアランスが低下した場合，平均血中薬物濃度を維持するためには，平均投与速度を小さく調節することが必要です．投与間隔を維持し 1 回投与量を下げる方法と，1 回投与量を維持し投与間隔を延長する方法が考えられますが，バンコマイシンの抗菌活性の特徴からすると前者が望ましいと考えられます．

投与直後のピーク濃度付近の濃度が用いられない限り，1-コンパートメントモデルを用いたベイズ法による推定では，分布容積はほぼ平均値のままの値にして，全身クリアランスの変動を中心に推定されます．バンコマイシンの特徴からすると，その推定値を用いても評価を誤る危険性は小さいように思われます．

（緒　方）

● *point*　バンコマイシンの有効治療域と中毒域

有効治療域：	投与後 1 時間値	25 ～ 40 μg/mL
	トラフ値	10 ～ 20 μg/mL
中毒域：	投与後 1 時間値	50 ～ 60 μg/mL
	トラフ値	＞ 20 μg/mL

D6・2　バンコマイシンの特性

a. バンコマイシンの薬物動態

バンコマイシンはほとんど胃腸管からは吸収されません．このため，経口投与が適応となるのは偽膜性大腸炎時のみです．バンコマイシンの静注投与後の血中濃度時間曲線は，2 または 3-コンパートメントモデルに近似します．バンコマイシンのクリアランスはクレアチニンクリアランスとよく相関し，その約 65％とされます．体重は実際の体重を用います．分布容積は 0.5 ～ 1 L/kg で，平均 0.7 L/kg です．半減期は腎機能正常者では 6 ～ 10 時間で，腎機能の悪化に伴って半減期は延長します．腎不全患者では 7 ～ 10 日に延長します．

b. バンコマイシンのモニタリングの条件

バンコマイシンは静注投与速度が速いとレッドネック症候群*1 を起こす場合があることが知られており，静注投与時間は 60 分以上*2 かけなければなりません．通常，静注投与時間は 1 ～ 2 時間で行われますが，この投与法後の血中濃度時間曲線は 2 または 3-コンパートメントモデルによく近似します．しかし，臨床効果のモニタリングの視点からは，分布相を避けて投与終了後 1 時間以降，薬物が血液と組織間で平衡が成り立った消失相で行います．この時間帯で採血が行われたならば，1-コンパートメントモデルで血中濃度を解析することができます．通常，バンコマイシンのモニタリングは静注投与時間を 1 ～ 2 時間で一定に行い，採血はピーク値を投与終了後 1 ～ 2 時間，そしてトラフ値を次回投与直前に行い，1-コンパートメントモデルで解析し，投与計画を立案します．できる限り，臨床では輸液ポンプかシリンジポンプを用いて，正確に 1 ～ 2 時間で静注投与し，投与後 1 時間後（消失相）に採血しなければ，正確に測定値を解釈することはできません．

＊1　レッドネック症候群：レッドマン症候群とも呼ばれ，ヒスタミン遊離に伴うアレルギー反応である．紅潮や頻脈が生じ，顔・首・上体幹部・背中・腕などに紅斑型薬疹が現れ，その他に血圧低下・血管性浮腫など，さまざまな症状が認められる．

＊2　バンコマイシンの投与速度：7.5 ～ 15 mg/min 以下の速度で投与することが望ましい．

● *point*　バンコマイシンの測定の条件

点滴速度一定：	輸液ポンプまたはシリンジポンプ
点滴時間：	1 ～ 2 時間
採血時間：	次回投与直前と投与終了後 1 時間

c. バンコマイシンの初期投与計画

バンコマイシンの初期投与計画は各動態値の平均パラメータを用いて行うこととなります．添付文書に患者の腎機能を考慮に入れた初期投与計画の指針が示されており，これを用いることができます．

d. 腎機能障害時のバンコマイシンの初期投与計画

クレアチニンクリアランス CL_{Cr}（mL/min）	投与量と投与間隔
CL_{Cr} ＞ 50	1 回 15 ～ 20 mg/kg 1 日 2 回（～ 3 回）
30＜CL_{Cr}＜50	1 回 15 ～ 20 mg/kg 1 日 1 回
20＜CL_{Cr}＜30	1 回 15 ～ 20 mg/kg

2日に1回

$CL_{Cr} < 20$　1回15～20 mg/kg

3～7日に1回

この用法は，平均血中濃度の維持とともに，ピーク濃度，トラフ濃度も維持する方法となっています．しかし，バンコマイシンの細菌学的特性からすると，投与間隔を固定し，1回投与量を調節するほうが理に適っていると考えられます．添付文書では，一方で投与量のノモグラムを紹介しており，このノモグラムは投与間隔を固定した場合の投与量の決定を目的としています．このように投与計画の上では，添付文書は矛盾した2つの考え方を同時に採用しています．

e. バンコマイシンの投与計画に用いる等式

バンコマイシンの投与計画に必要な等式を図D6·1に示します．一般的には，バンコマイシンの初期投与設計は，明らかになっている臨床薬物動態の平均値を用いて投与量や投与間隔を算出します．そして，バンコマイシンの投与が開始された後は，その実測値（C_{pmaxss}とC_{pminss}）を用いて投与設計を行います．図D6·1には，その実測値（C_{pmaxss}とC_{pminss}）から，排泄速度定数（k_{el}），投与間隔（τ），投与量（D）などを算出することができます．

バンコマイシンは，組織に分布するのに時間がかかり，点滴静注投与終了後の血中濃度－時間曲線が2相性を示すために，点滴静注投与終了直後（C_{pmaxss}'）の採血は避けて，点滴静注投与終了後1時間（C_{pmaxss}）に採血することが大切です．

① 現在の投与方法および血中濃度よりk_{el}を求める

$$k_{el} = \frac{\ln(C_{pmaxss}/C_{pminss})}{\tau - t_{in} - t'}$$ …Sawchuk-Zaske法より

② 目標血中濃度を設定し，投与間隔（τ）を決定する

$$\tau = \frac{\ln(C_{pmaxss}/C_{pminss})}{k_{el}} + t_{in} + t'$$

③ 投与速度・投与量の設定

まず，CLを求める

$$CL = k_{el} \cdot V_d$$

$$V_d = \frac{(D/t_{in})(1 - e^{-k_{el} \cdot t_{in}})}{k_{el}(C_{pmaxss}' - C_{pminss} \cdot e^{-k_{el} \cdot t_{in}})}$$

…Sawchuk-Zaske法より

$$D/t_{in} = \frac{C_{pmaxss} \cdot CL(1 - e^{-k_{el} \cdot \tau})}{(1 - e^{-k_{el} \cdot t_{in}}) \cdot e^{-k_{el} \cdot t'}}$$

※ $$C_{pmaxss}' = \frac{C_{pmaxss}}{e^{-k_{el} \cdot t'}}$$

④ 決定した投与量で予測される血中濃度の確認

$$C_{pmaxss} = \frac{(D/t_{in})}{CL} \cdot \frac{(1 - e^{-k_{el} \cdot t_{in}}) \cdot e^{-k_{el} \cdot t'}}{(1 - e^{-k_{el} \cdot \tau})}$$

$$C_{pminss} = C_{pmaxss} \cdot e^{-k_{el} \cdot (\tau - t_{in} - t')}$$

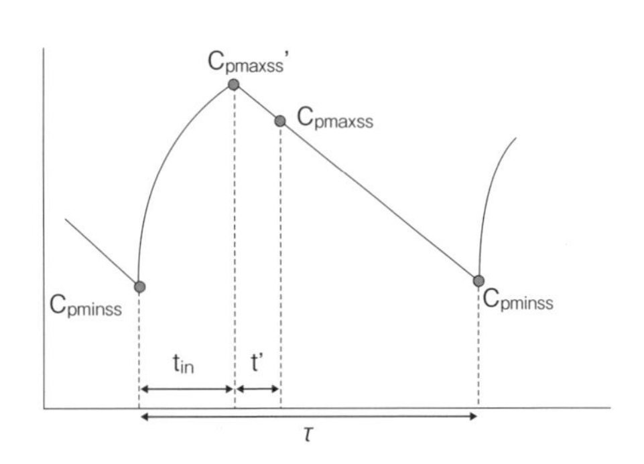

図D6·1　バンコマイシンの投与設計

D6・3　バンコマイシンの投与計画

症例22

A.U.　71歳　男性　160 cm　54 kg

胃癌と診断されて，胃幽門側2/3切除術後，喀痰からMRSAが検出され，38℃台の発熱が続いている．血清クレアチニンが1.5 mg/dL，BUNが27 mg/dLである．バンコマイシンの初期投与計画を立てなさい．

a. 定常状態の最高・最低血中濃度を維持し，投与間隔を考える

(1) 目標血中濃度の設定

ピーク値（投与後1時間）：30 μg/mL

トラフ値：　10 μg/mL付近

(2) 患者のクレアチニンクリアランスの算出

まず，体重を評価します．

男性のIBW

$$= 50 + 2.3 \cdot \frac{身長(cm) - 152.4}{2.54}$$

$$= 56.9\ kg$$

患者の体重とIBWの比は0.95であり，肥満ではないので体重を用います．

男性のCL_{cr} (mL/min)

$$= \frac{(140 - 年齢) \cdot 体重(kg)}{72 \cdot S_{cr}(mg/dL)}$$

$$CL_{cr}(mL/min) = \frac{(140 - 71) \cdot 54}{72 \cdot 1.5}$$

$$= 34.5\ mL/min$$

(3) バンコマイシンクリアランスの算出

バンコマイシンはほとんどが腎臓から排泄され，バ

ンコマイシンのクリアランスはクレアチニンクリアランスの約65%です.

● *point* バンコマイシンクリアランスとクレアチニンクリアランスの関係

バンコマイシンクリアランス$= CL_{cr} \cdot 0.65$

患者のCL_{tot} (L/h)

$$= 34.5\ (\mathrm{mL/min}) \cdot 0.65 \cdot \frac{60\ (\mathrm{min})}{1000\ (\mathrm{mL})}$$

$$= 1.35\ \mathrm{L/h}$$

(4) バンコマイシンの消失速度定数 (k_{el}) と半減期 ($t_{1/2}$) の算出

● *point* バンコマイシンクリアランス (CL_{tot}) と消失速度定数 (k_{el}) の関係

$$k_{el} = \frac{CL_{tot}}{V_d}$$

よって,本患者の消失速度定数(k_{el})は分布容積(V_d)の平均0.7 L/kgを用いて

$$k_{el} = \frac{1.35}{0.7 \cdot 54}$$

$$= 0.036\ \mathrm{h}^{-1}$$

● *point* 消失速度定数(k_{el})と半減期($t_{1/2}$)の関係

$$t_{1/2} = \frac{0.693}{k_{el}}$$

よって,本患者の半減期は

$$t_{1/2} = \frac{0.693}{0.036}$$

$$= 19.3\ \mathrm{h}$$

(5) バンコマイシンの投与間隔 (τ) の算出

目標血中濃度のピーク値を30 μg/mL,トラフ値を10 μg/mLに設定したので,これらの値を得るために,必要な投与間隔は半減期の1.5～2倍です.本患者の半減期は19.3時間ですから,投与間隔は29～39時間と推定されます.

本患者の投与間隔 (τ) は

$$\tau = 19.3 \cdot (1.5 \sim 2)$$

$$= 29 \sim 39\ \mathrm{h}$$

ゆえに,本患者の実際可能な投与間隔 (τ) は2日 (48 h) となります.

(6) バンコマイシンの投与量 (D) の算出

$t_{in} = 1.5$ h, $t_{1/2} = 19.3$ hであることから,急速投与モデルに簡略化できます.

● *point* 間欠急速静注投与の定常状態の血中濃度

$$C_{pmaxss} = \frac{D}{V_d} \cdot \frac{e^{-k_{el} \cdot (t_{in} + t')}}{1 - e^{-k_{el} \cdot \tau}}$$

$$C_{pminss} = C_{pmaxss} \cdot e^{-k_{el} \cdot (\tau - t_{in} - t')}$$

よって,バンコマイシンの投与量は下記の式で算出されます.

$$D = C_{pmaxss} \cdot V_d \cdot \frac{1 - e^{-k_{el} \cdot \tau}}{e^{-k_{el} \cdot (t_{in} + t')}}$$

$$D = 30\ (\mu\mathrm{g/mL}) \cdot 37.8\ (\mathrm{L}) \cdot \frac{1 - e^{-0.036 \cdot 48}}{e^{-0.036 \cdot 2.5}}$$

$$= 1019.9\ \mathrm{mg} \fallingdotseq 1000\ \mathrm{mg}$$

バンコマイシン1回1000 mgを2日おきに投与することになります.

バンコマイシン1000 mgを2日に1回の定常状態の最高・最低血中濃度を推定します.

$$C_{pmaxss} = \frac{D}{V_d} \cdot \frac{e^{-k_{el} \cdot (t_{in} + t')}}{1 - e^{-k_{el} \cdot \tau}}$$

$$= \frac{1000\ (\mathrm{mg})}{37.8\ (\mathrm{L})} \cdot \frac{e^{-0.036 \cdot 2.5}}{1 - e^{-0.036 \cdot 48}}$$

$$= 29.4\ \mu\mathrm{g/mL}$$

$$C_{pminss} = C_{pmaxss} \cdot e^{-kel \cdot (\tau - t_{in} - t')}$$

$$= 29.4\ (\mu\mathrm{g/mL}) \cdot e^{-0.036 \cdot (48 - 1.5 - 1)}$$

$$= 5.7\ \mu\mathrm{g/mL}$$

ピーク値,トラフ値ともに有効治療域に位置しています.

b. 投与間隔を1日に固定し,平均血中濃度を維持する

(1) 目標平均血中濃度の設定

$$C_{pssave} = 15\ \mu\mathrm{g/mL}$$

(2) 患者の薬物動態値の推定

$CL_{cr} = 34.5$ mL/min

$CL_{tot} = 1.35$ L/h

$V_d = 37.8$ L

$k_{el} = 0.036\ \mathrm{h}^{-1}$

$t_{1/2} = 19.3$ h

(3) バンコマイシンの平均投与速度の算出

$$\frac{D}{\tau} = CL_{tot} \cdot C_{pssave}$$

$$患者の\frac{D}{\tau} = 1.35\ (\mathrm{L/h}) \cdot 15\ (\mathrm{mg/L})$$

$$= 20.25\ \mathrm{mg/h}$$

(4) 投与量 (D) の設定

投与間隔（τ）を1日とする場合

$$D = 486\ \mathrm{mg}$$

バンコマイシン500 mgを1日1回投与する場合の，定常状態の最高・最低血中濃度の推定

$$C_{pmaxss} = \frac{D}{V_d} \cdot \frac{e^{-k_{el} \cdot (t_{in} + t')}}{1 - e^{-k_{el} \cdot \tau}}$$

$$= \frac{500\ (\mathrm{mg})}{37.8\ (\mathrm{L})} \cdot \frac{e^{-0.036 \cdot 2.5}}{1 - e^{-0.036 \cdot 24}}$$

$$= 20.8\ \mu g/mL$$

$$C_{pminss} = 20.8\ \mu g/mL \cdot e^{-0.036 \cdot (24 - 1.5 - 1)}$$

$$= 9.6\ \mu g/mL$$

この定常状態の最高・最低血中濃度を固定する方法に比べ，平均血中濃度は同じですが，最高濃度が低くなり，最低濃度が高くなります．

症例23

H.M.　50歳　男性　175 cm　70 kg

MRSA感染症のため，塩酸バンコマイシン1000 mgを12時間ごとに，1日朝・夕2回点滴投与されている．血清クレアチニン値は1 mg/dLである．投与開始後5日目の血中濃度は投与直前が6.2 μg/mL，1.5時間点滴終了1時間後の血中濃度は17.5 μg/mLであった．発熱，CRPは改善されていない．バンコマイシンの増量が示唆される．

c. バンコマイシンの消失速度定数と半減期の算出

本患者は血清クレアチニン値が1 mg/dLで，ほぼ腎機能は正常と推測できるので，バンコマイシンの投与後5日目の採血は，定常状態に達していると推定されます．このためトラフ値(C_{pminss})とピーク値(C_{pmaxss})を用いて消失速度定数を算出すると

$$k_{el} = \frac{\ln\ (C_{pmaxss}/C_{pminss})}{(\tau - t_{in} - t')}$$

よって

$$k_{el} = \frac{\ln\ (17.5/6.2)}{(12 - 1 - 1.5)}$$

$$= 0.109\ h^{-1}$$

そして，バンコマイシンの半減期は

$$t_{1/2} = \frac{0.693}{k_{el}}$$

$$t_{1/2} = 6.4\ h$$

d. バンコマイシンの分布容積の算出

$$V_d = \frac{(D/t_{in})\ (1 - e^{-k_{el} \cdot t_{in}})}{k_{el}\ (C_{pmaxss}/e^{-k_{el}} - C_{pminss} \cdot e^{-k_{el} \cdot t_{in}})}$$

$$= \frac{(1000/1.5) \cdot (1 - e^{-0.109 \cdot 1.5})}{0.109\ (17.5/e^{-0.109} - 6.2e^{-0.109 \cdot 1.5})}$$

$$= 62.4\ L$$

$$= 0.89\ L/kg$$

バンコマイシンの分布容積は，0.5～1.0 L/kgで，平均0.7 L/kgと一般的になっています．今回の計算値は，ほぼ平均値と考えられ妥当です．

e. バンコマイシンの投与量の算出

バンコマイシンの投与量を算定するには，目標血中濃度を設定する必要があります．本患者は，現在治療効果が得られていませんので，トラフ値を10 μg/mL，ピーク値を35 μg/mL付近に設定することがよいと考えられます．

● *point*　バンコマイシンの有効治療域

有効治療域：投与後1時間値	25～40 μg/mL
トラフ値	10～20 μg/mL

目標血中バンコマイシン濃度が決まれば，次に投与間隔を算出します．

よって，

$$\tau = \frac{\ln\ (C_{pmaxss}/C_{pminss})}{k_{el}} + t_{in} + t'$$

$$= \frac{\ln\ (35/10)}{0.109} + 1 + 1.5$$

$$= 14.0\ h$$

$$\fallingdotseq 12.0\ h$$

目標血中バンコマイシン濃度に基づく投与間隔は，14時間と算出されましたが，臨床的にはこの投与法は実践的ではなく，投与間隔は12時間ごとを選択します．

よって，投与間隔12時間ごとでのバンコマイシンの投与量を算出します．

$$D = \frac{C_{pmaxss} \cdot V_d\ (1 - e^{-k_{el} \cdot \tau})}{e^{-k_{el} \cdot (t_{in} + t')}}$$

$$= \frac{35 \cdot 64.2 \cdot (1 - e^{-0.109 \cdot 12})}{e^{-0.109 \cdot (1.5 + 1)}}$$

$$= 2092.7\ mg$$

$$\fallingdotseq 2000\ mg$$

よって，本患者はバンコマイシン2000 mgを1日2回，12時間ごとに投与することになります．このときの定常状態の最高・最低血中バンコマイシン濃度を

推定します.

$$C_{pmaxss} = \frac{D}{V_d} \cdot \frac{e^{-k_{el} \cdot (t_{in} + t')}}{1 - e^{-k_{el} \cdot \tau}}$$

$$= \frac{2000}{62.4} \cdot \frac{e^{-0.109 \cdot (1.5 + 1)}}{1 - e^{-0.109 \cdot 12}}$$

$$= 33.5 \ \mu g/mL$$

$$C_{pminss} = C_{pmaxss} \cdot e^{-k_{el} (\tau - t_{in} - t')}$$

$$= 11.9 \ \mu g/mL$$

定常状態の最高・最低血中バンコマイシン濃度は,トラフ値とピーク値ともに有効治療域の範囲に位置しています.

本患者の再投与設計において,トラフ値とピーク値が,初期投与量での測定値の2倍になり,そして,投与量も2倍になっています.つまり,適切に投与されたか,採血時間は適切であったか,算出された臨床薬物動態値あるいは投与間隔が適切か,が確認できれば,比例計算できることを示しています.

D7 その他

TDMの実際として，代表的な薬剤について血中薬物濃度の測定に基づく投与計画について記載しました．しかし，実際の薬物治療は日進月歩です．現在，TDMの対象となる薬剤の有効治療域を表D7・1に示しました．ただし，薬剤の有効治療域に関しては，施設により若干異なりますので，注意してください．

表D7·1　各薬剤の有効治療域

（平成26年9月現在）

一般名	有効治療域
《抗てんかん剤》	
フェニトイン	10～20 μg/mL
フェノバルビタール	10～30 μg/mL
カルバマゼピン	4～10 μg/mL
バルプロ酸	50～100 μg/mL
エトスクシミド	40～100 μg/mL
クロナゼパム	30～60 ng/mL
ゾニサミド	10～40 μg/mL
プリミドン	5～10 μg/mL
クロバザム	—
N-デスメチルクロバザム	—
ジアゼパム	200～600 ng/mL
N-デスメチルジアゼパム	—
《気管支拡張剤》	
テオフィリン	10～20 μg/mL (apnea：5～10 μg/mL)
《循環器用剤》	
ジゴキシン	0.5～2 ng/mL
ジソピラミド	2～5 μg/mL
リドカイン	2～6 μg/mL
アミオダロン	500～1000 ng/mL
デスエチルアミオダロン	—
フレカイニド	200～1000 ng/mL
プロカインアミド	4～8 μg/mL
N-アセチルプロカインアミド	プロカインアミドとの合計 10～30 μg/mL
アプリンジン	0.25～1.25 μg/mL
コハク酸シベンゾリン	70～200 ng/mL（トラフ）
塩酸ピルジカニド	0.2～1.0 μg/mL
《抗生物質製剤》	
アミカシン	《1日複数回投与》 直前値：10 μg/mL以下 直後値：20～30 μg/mL 《1日1回投与》 直前値：検出限界以下 直後値：60 μg/mL
ゲンタマイシン	《1日複数回投与》 直前値：2 μg/mL以下 直後値：5～10 μg/mL 《1日1回投与》 直前値：検出限界以下 直後値：20 μg/mL
トブラマイシン	《1日複数回投与》 直前値：2 μg/mL以下 直後値：5～10 μg/mL 《1日1回投与》 直前値：検出限界以下 直後値：20 μg/mL
アルベカシン	《1日複数回投与》 直前値：2 μg/mL以下 直後値：5～10 μg/mL 《1日1回投与》 直前値：2 μg/ｍL 直後値：9～20 μg/ｍL
バンコマイシン	直前値：10～20 μg/mL 1時間値：25～40 μg/mL
テイコプラニン	直前値：5～10 μg/mL以上
《免疫抑制剤》	
シクロスポリン	50～200 ng/mL (疾患や移植後の日数により目標値の違いがあり)
タクロリムス	5～10 ng/mL (疾患や移植後の日数により目標値の違いがあり)
《抗悪性腫瘍剤》	
メトトレキサート	24時間；10 μmol/L以下 48時間；1 μmol/L以下 72時間；0.1 μmol/L以下 96時間；0.05 μmol/L以下
《抗炎症剤》	
サリチル酸	150～300 μg/mL
《精神神経科用剤》	
炭酸リチウム	0.6～1.2 mEq/L
ハロペリドール	3～17 ng/mL
ブロムペリドール	15 ng/mL以下

血中薬物濃度モニタリングは，臨床において薬物治療の重要な役割を担っていることは変わりがないですが，我が国において，十分浸透していないのも事実です．その根底には，薬剤師が薬物治療の主体的役割を担ってないことが問題です．1990 年から，世界の薬剤師はファーマシューティカルケアの理念に基づいて，薬物治療の専門家として，チーム医療に重要な役割を担っています．

先進諸国の薬学部・薬科大学では，ファーマシューティカルケアの理念に基づいて総合的に教育が行われ，薬物治療の専門家として社会に送り出されます．一方，我が国の薬学部・薬科大学は，薬学部 6 年制になったにも関わらず，「よき研究者を育てれば，よき薬剤師が育つ」という旧態依然とした考え方のままで教育が行われ，薬物治療の専門家の育成が十分ではありません．また，我が国の病院薬剤師や薬局薬剤師においても，旧態依然の調剤中心の業務が行われていますが，今こそ，チーム医療における薬物治療の専門家として役割を担うべきだと思います．

最後に，若干この章でも示したように，ジゴキシンの血中薬物濃度モニタリングを行うためには，慢性心不全の薬物治療を理解していなければならないし，抗生物質の血中薬物濃度モニタリングを行うためには，感染症の薬物治療を理解していなければなりません．

薬剤師は，血中薬物濃度モニタリングを行うためには，その前に薬物治療に精通していなければなりません．つまり，薬物治療の専門家である薬剤師を育成するためには，大学教育から社会人教育まで一貫して，ファーマシューティカルケアの理念に基づく教育体制が必要です．

文　献

1) Digitalis Investigation Group, The Effect of Digoxin on Mortality and Morbidity in Patients with Heart Failure. *N Engl J Med* 1997 Feb 20；**336**（**8**）：525-533.
2) The CONSEMSUS Trial Study Group, Effects of enalapril on mortality in severe congestive heart failure. Results of the Cooperative North Scandinavian Enalapril Survival Study（CONSENSUS）. *N Engl J Med* 1987 Jun 4；**316**（**23**）：1429-1435.
3) Packer M, Bristow MR, Cohn JN, Colucci WS, Fowler MB, Gilbert EM, Shusterman NH；U.S. Carvedilol Heart Failure Study Group, The effect of carvedilol on morbidity and mortality in patients with chronic heart failure. *N Engl J Med* 1996 May 23；**334**（**21**）：1349-1355.
4) Packer M, Coats AJ, Fowler MB, Katus HA, Krum H, Mohacsi P, Rouleau JL, Tendera M, Castaigne A, Roecker EB, Schultz MK, DeMets DL；Carvedilol Prospective Randomized Cumulative Survival Study Group, Effect of carvedilol on survival in severe chronic heart failure. *N Engl J Med* 2001 May 31；**344**（**22**）：1651-1658.
5) Pitt B, Zannad F, Remme WJ, Cody R, Castaigne A, Perez A, Palensky J, Wittes J, The effect of spironolactone on morbidity and mortality in patients with severe heart failure. Randomized Aldactone Evaluation Study Investigators. *N Engl J Med* 1999；**341**：709-717.
6) 慢性心不全治療ガイドライン（2010 年改訂版）.
7) Rathore SS, Curtis JP, Wang Y, Bristow MR, Krumholz HM, Association of serum digoxin concentration and outcomes in patients with heart failure. *JAMA* 2003；**289**：871-878.
8) Masuhara K, Shinozaki K, Nozaki H, Sasaki Y, Kashiwada K, Kida H, Sato A, Sakaki T, Arai S, Someya K, Clinical Evaluation of Digoxin Dosage Regimen：Application of Pharmacokinetics and Digoxin Stat Assay by Radioimmunoassay. *YAKUGAKU ZASSHI* 1981；**101**：82-85.
9) Winter ME, “Basic Phamacokinetics（Fifth Editions）”, LWW, Philadelphia, 2010.
10) Sawchuk RJ, Zaske DE, Pharmacokinetics of dosing regimens which utilize multiple intravenous infusions：gentamicin in burn patients. *J Pharmacokinet Biopharm*, 1976；**4**：183-195.
11) Young LY, Koda-Kimble MA, “Applied Therapeutics：The Clinical Use of Drugs（Sixth Editions）”, Applied Therapeutics Inc., Vancouver, 1995.
12) 石崎高志，“循環器疾患の薬物療法：臨床薬理学の理念に基づくその計画と実践へのアプローチ”，南江堂，東京，1986.
13) 増原慶壮，大沢友二，“臨床薬剤師のための感染症入門”，ライフメディコム，東京，1998.

第 III 部

E. PK / PD 解析

治療の目的は患者の疾病を治癒させることです．薬物治療はその過程の一部を担うものです．臨床では正しい診断の後に適した薬物を選択し，薬物の投与が始まります．投与された薬物は血液を経由して作用部位に到達し，薬理効果を発現することにより疾病の治療となります．一般に体内における薬物濃度の時間推移を表すものがファーマコキネティクス pharmacokinetics（PK；薬物動態学）であり，作用部位での薬物濃度と薬物治療効果（効果）の関係を表すものがファーマコダイナミクス pharmacodynamics（PD；薬力学）です．PK と PD を同時に考え，両者を統合して解析（PK/PD 解析）し，PK/PD 解析を用いることにより，薬物投与による効果の時間推移を再現よく理解することができます（図 E1・1）．さらに PK/PD 解析をすることにより，目的とした効果を引き出す最適な投与量，投与間隔が明らかとなります．薬物は量（投与量）で体内に投与されますが，適正な薬物の量から最適な効果を得ることが必要です．しかし，量と効果の間には全

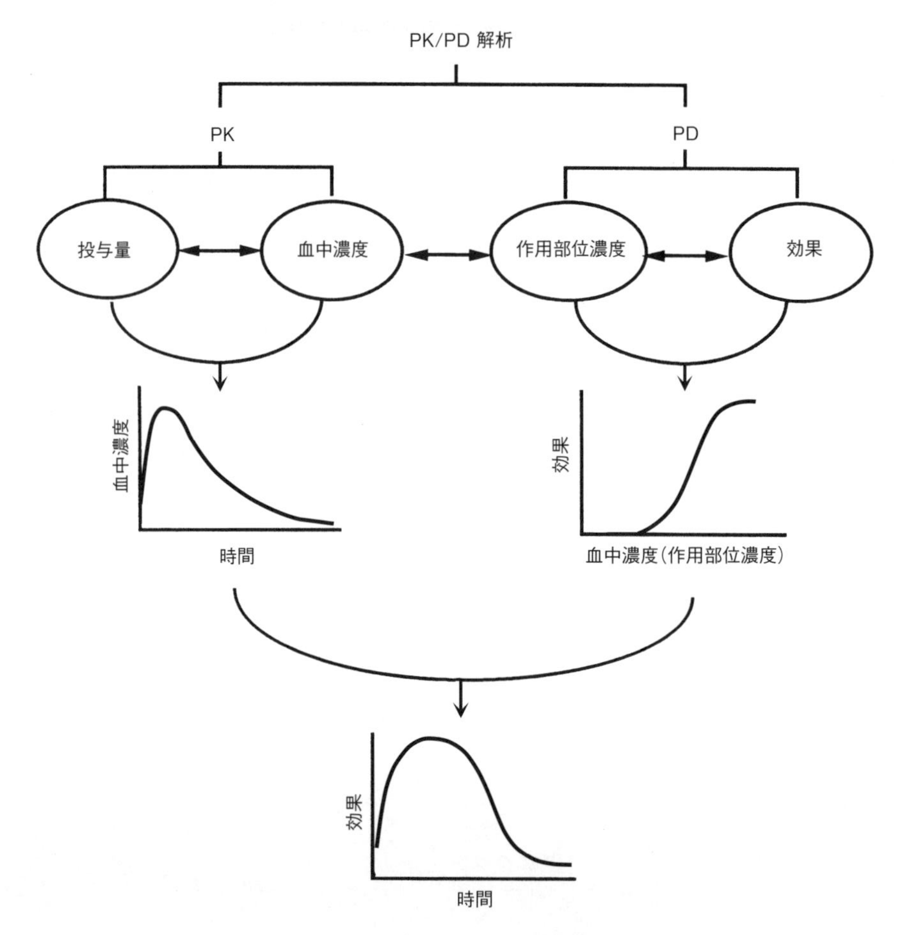

図 E1･1　PK/PD 解析により効果の時間推移を明確にする．

身循環血中薬物濃度（血中濃度）と作用部位薬物濃度（作用部位濃度）の関係を含め，何段階もの過程が存在します．例えば薬物投与を錠剤服用に置き換えれば，投与された錠剤は崩壊し，主薬の溶解，吸収，初回通過効果，循環，分布，作用部位での透過，レセプター結合そして効果発現，また同時に代謝，排泄が行われるという非常に多くの過程が存在します．これらの複雑な過程の中で，薬物の体内動態，引き続き起こる効果を時間の関数として表し，薬物投与から効果の時間推移を予測できれば，薬物の適正使用に有用な手段となります．PK/PD 解析を理解するためには，数学的な解釈が必要となります．薬物の投与量，投与間隔（投与速度）が入力となり，最終的な効果が出力となります．生体反応は単純に数式化できるものではありませんが，薬物治療における「さじ加減」，すなわち経験的な投与量，投与間隔から，投与量と効果の相関関係をより明確にした投与設計を立てることにより，薬物治療を効率よく効果的に行うことが可能となります．薬物動態に関しては前述されていますので，ここでは PD の視点から，PK/PD 解析において具体的にとらえなければならない指標およびパラメータを解説します．

図 E1・2 に治療が行われているときの血中濃度時間曲線，血中濃度効果曲線，効果時間曲線を示します．A，B，C の順に投与量を増量すると，血中濃度時間曲線は高くかつ長くなります．このときの効果推移に注目すると，血中濃度が増大すると血中濃度効果関係に対応して効果が大きくなり，効果の時間推移が血中濃度に直接連動しています．投与量が少なく血中濃度（細線）が低い場合（A），効果（太線）は少し上昇してすぐになくなります．投与量を多くすると，血中濃度（細線）は大きく（C）なり，効果（太線）も対応して大きくかつ長くなります．この現象は血中濃度効果曲線（中線）が A，B，C すべて一定であることによります．このような場合は効果が容易に予測できます．しかし，実際の臨床では，血中濃度は投与量，相互作用，代謝の遺伝的欠損などにより変動します．さらに血中濃度と効果の関係も，作用部位薬物量，相互作用，遺伝的応答性の欠損などにより変動します．この章を読むことにより，PK と PD を統合して考えて効果の時間推移をとらえ，薬物治療の適正化を行うことができるようになることを目的とします．

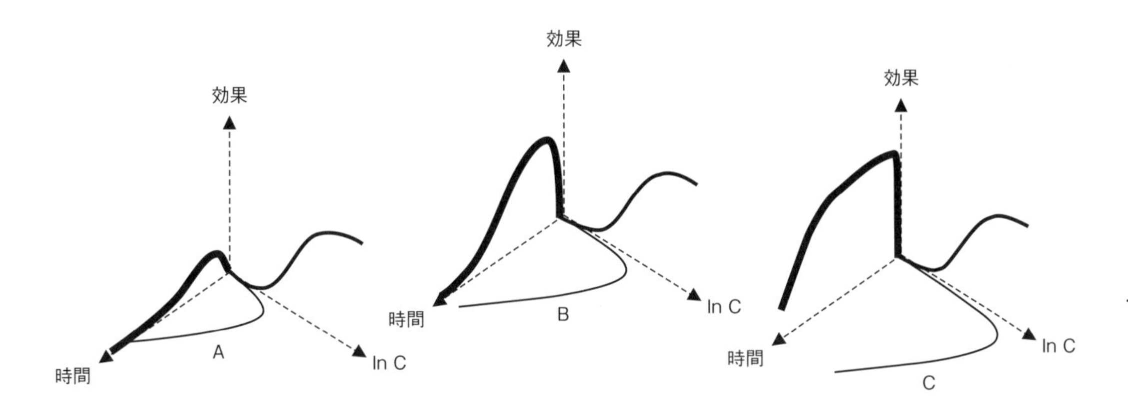

図 E1・2　血中濃度時間曲線，血中濃度効果曲線および効果時間曲線の関係

E1 導入編

E1・1 ファーマコダイナミクスとは

ファーマコダイナミクス[1]（PD；薬力学）とは，作用部位の薬物による直接的な効果を扱い，作用部位での薬物量（濃度）と薬物の薬理効果の関係，すなわち作用部位薬物濃度による生体反応を説明するものです．一般的にグラフとして表す場合は，x 軸に濃度（用量），y 軸に効果（作用）をプロットします（図 E1･1）．

PD＝f（ce，E）

ce；作用部位濃度，E；効果

近年，間接反応モデルが提案されています[2]．間接反応モデルは生体反応（効果）が生理活性物質により引き起こされる場合，作用部位の薬物がその生理反応を間接的に促進または阻害することを速度論的に説明するものです．

PD＝f（ce，R，t）

ce；作用部位濃度，R；反応，t；時間

E1・2 ファーマコキネティクスとは

ファーマコキネティクス[1]（PK；薬物動態学，薬物速度論）とは，狭義の意味において薬物が体内でどのように時間的に変化するかを説明するもので，生体内の薬物の量的，質的な変位，変換の速度過程を追究し，薬物濃度および量の時間推移の測定，記述，予測および法則性の検討を行うことと定義されています[3]．PK は投与量，吸収，分布，代謝，排泄のすべてが関わった血中濃度の時間推移を速度論的に説明するものです．一般的にグラフとして表す場合は，x 軸に時間，y 軸に血中濃度をプロットします（図 E1・1）．

PK＝f（c，t）

c；血中濃度，t；時間

E1・3 PK / PD 解析とは

PK/PD 解析（PK/PD モデリング[4]）は，薬物投与後の血中濃度と時間の関係，作用部位濃度と効果の関係を統合して解析し，効果の時間推移を記述することです．統合する場合に血中濃度と作用部位濃度の関係を明らかにする必要があります．両者の関係は，一般に 3 つの場合に仮定されます．1 つは両濃度を平衡状態として等しいと仮定する場合，1 つは血中濃度と作用部位濃度の時間的ずれを考慮する場合，そして血中濃度と作用部位濃度を明確に区別して扱う場合があります．PK/PD 解析は，PK と PD を各々数値的にとらえ，薬物濃度を仲介として両者を統合し，薬物治療経過を時間的に明確にする手段です．実際に PK/PD 解析は，薬物投与から効果の時間推移を科学的に検証し，モデルを組み立て，薬物治療における有効性，安全性を構築するための 1 つの手段となります．一般的にグラフとして表す場合は，x 軸に時間，y 軸に効果をプロットします（図 E1・1）．

PK/PD モデル＝f（E（R），t）

E（R）；効果（反応），t；時間

E 1・4 モデリング＆シミュレーション（M&S）

PK/PD 解析により構築したモデルは，臨床において適正な投与計画を提案します．PK/PD モデルにさまざまな要因を加えてシミュレーションすることにより，あらゆる臨床状態を想定して治療推移を予測することができます．近年，医薬品開発において FDA により M&S が推奨され実践されています[5]．

E2 基　礎　編

E2・1　ファーマコダイナミクス（PD；薬力学）

PD は作用部位での薬物の濃度と効果の関係を示します．これからの説明ではとくに断らない限り，非結合形血中薬物濃度から作用部位濃度と血中濃度が平衡状態であると仮定し，血中濃度を作用部位濃度として扱います．グラフでは，血中濃度（x 軸）に対する効果（y 軸）をプロットします．一般的な効果と血中濃度の関係をプロットすると図 E2・1 となります．観察ポイントを関数にあてはめ（最大効果モデル）曲線を描きます（図 E2・2）．このグラフにおいて血中濃度を低濃度から高濃度へ少し大きくすると，急に効果が立ち上がるため（レセプター理論などの現象）（図 E2・2），血中濃度を対数目盛りでプロットすると S 字の曲線を示します（図 E2・3）．これが薬理学において用量反応曲線として利用されているものです．

薬物の効果について，血中の薬物が直接効果を発現するモデル（直接反応モデル）と，血中の薬物が生体反応（効果）を間接的に促進・阻害するモデル[2]（間接反応モデル）の 2 つを以下に説明します．

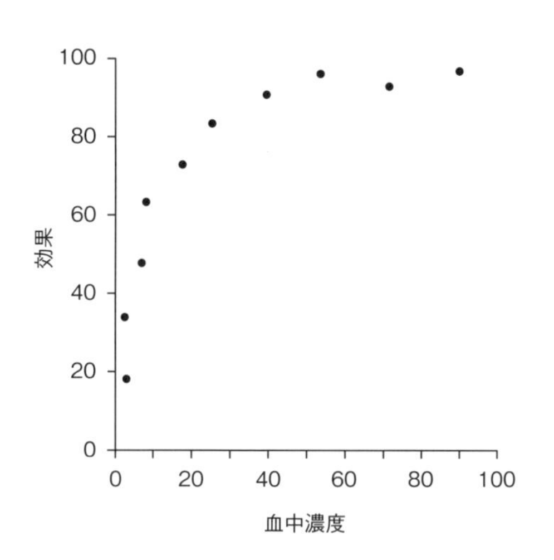

図 E2·1　薬物濃度を変えたときの効果を観察する．

E2・1・1　直接反応モデル（経験的な効果モデル）

直接反応モデルは，薬物が作用部位のレセプターなどに結合して効果が直接発現するモデルです．すなわち薬物の血中濃度により，直接的に効果が発現，変動するモデルです．直接反応モデルは，血中濃度と薬理効果の関係を経験的に起こる現象としてプロットし，そのプロットに関数をあてはめてモデルとして表します．

a.　最大効果モデル（E_{max} モデル）

レセプター理論では多くの薬物について血中濃度と効果の関係を説明することができます[6]．レセプター理論により効果の推移を表現する方法について説明します．

薬物-レセプター結合体は効果（E；Effect）を引き起こす原因になります．E はレセプターに結合してい

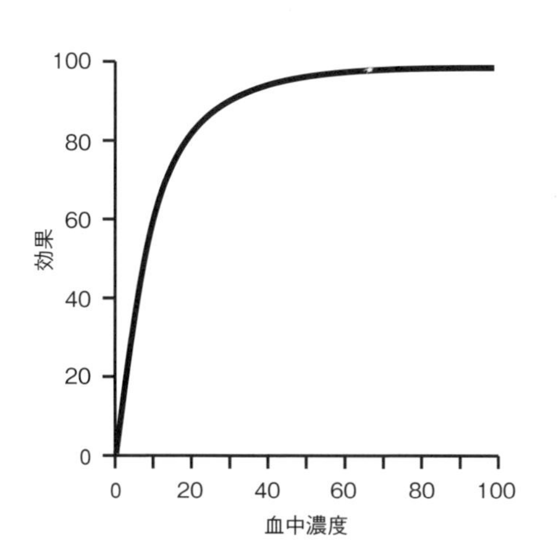

図 E2·2　作用部位濃度効果曲線．効果は血中濃度が増大すると急激に大きくなり一定となる．

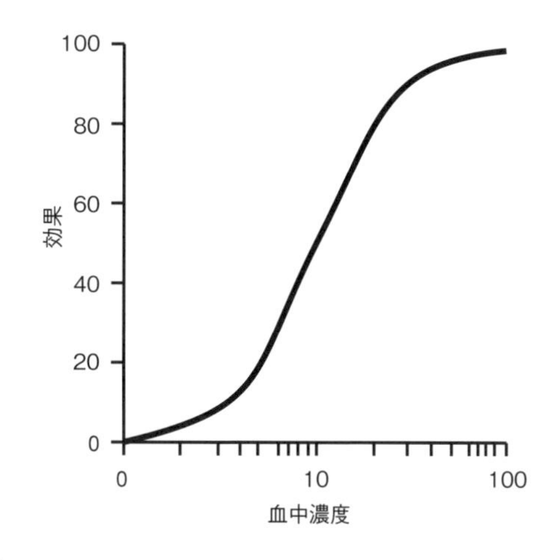

図 E2·3　血中濃度効果曲線．血中濃度を対数目盛りでプロットする．

る薬物濃度［DR］の関数とおくことができます．そこで，薬物-レセプター結合体濃度は効果と直線的な関係（α；比例定数）にあると仮定すると

$$E = f([DR]) = \alpha [DR]$$

と表せます．

一方，レセプターの近くで薬物濃度が平衡状態であるとすると，薬物-レセプター結合体濃度［DR］，薬物濃度［D］，薬物と結合していないフリーのレセプター濃度［R］は質量作用の法則から解離定数kを用いて下式のように表すことができます．

$$[DR] \overset{k}{\longleftrightarrow} [R] + [D]$$

$$k = \frac{[R][D]}{[DR]} \quad \cdots (1)$$

kは薬物とレセプターの解離定数ですが，言い換えると薬物とレセプターの親和性を示す指標となります．すなわち［DR］が［R］［D］に比べ大きいときにkは小さくなります．平衡状態における系においてkが小さいほどレセプターと結合している薬物が多くなり，薬物とレセプターの親和性が大きいことになります．

さらに，レセプターの総濃度［Rt］は，［R］と［DR］の和となり，［Rt］＝［R］＋［DR］と表されます．レセプターすべてに薬物が結合した場合に効果は最大となりますので，その場合の薬物濃度は［Rt］とおくことができます．最大効果E_{max}は，$E_{max} = \alpha [Rt]$と表されることからEとE_{max}の比を求めると

$$\frac{E}{E_{max}} = \frac{\alpha [DR]}{\alpha [Rt]} = \frac{[DR]}{[R] + [DR]}$$

となります．この式を，(1)式を使って整理すると［DR］＝［R］［D］/kから

$$\frac{E}{E_{max}} = \frac{[R][D]}{k[R] + [R][D]} = \frac{[D]}{k + [D]}$$

となります．Eについて整理すると

$$E = \frac{E_{max} \cdot [D]}{k + [D]}$$

と表すことができます．

ここでE_{max}の1/2の効果を表す薬物濃度EC_{50}を考えますと

$$\frac{1}{2} = \frac{EC_{50}}{k + EC_{50}}$$

から

$$k = EC_{50}$$

となります．EC_{50}がより大きい場合には，ある一定の効果を発現する薬物濃度はより高いことが必要になります．また，k（$k = EC_{50}$）が大きいということは，(1)式より効果発現の指標である［DR］が［R］［D］に比べて少ないことを意味します．すなわち薬物がレセプターに結合する能力が低いことになります．

以上よりレセプター理論から一般的な最大効果モデルを理解することができます．

$$E = \frac{E_{max} \cdot [D]}{EC_{50} + [D]}$$

この場合は，レセプターと薬物はモル数として1対1の関係で結合していることが前提となります．E_{max}モデルは血中濃度と作用部位濃度を平衡とした場合（効果のモデルを扱うとき，そのときに使われている濃度がどこの，どのような濃度であるかを常に考えておく必要があります．血中濃度と作用部位濃度が平衡になる時間と効果発現までの時間を比較することにより，血中濃度が作用部位濃度として扱えるかどうかを決定します），血中濃度Cを用いて

$$E = \frac{E_{max} \cdot C}{EC_{50} + C}$$

と表すことができます．

通常薬物が存在していないとき（C＝0）にもともともっている効果（生理反応）が存在する場合があり，薬物による効果を考えるとき，そのときの効果E_0（投与前の効果）に薬物により引き起こされる効果を加えます．

$$E = E_0 + \frac{E_{max} \cdot C}{EC_{50} + C}$$

薬物がE_0の効果を抑制（inhibition）・減少させる場合はE_0から差し引きます．このとき最大阻害効果をI_{max}，I_{max}の1/2の効果を表す薬物濃度IC_{50}を用いると

$$E = E_0 - \frac{I_{max} \cdot C}{IC_{50} + C}$$

と表すことができます．

上式の効果は血中濃度の関数で表され，E_{max}，I_{max}，EC_{50}，IC_{50}は定数となります．効果と血中濃度を扱う上でE_{max}，I_{max}，EC_{50}，IC_{50}は重要なパラメータです．効果は効果そのものを絶対値（心拍数，血圧，VASスケール値，DSST値，酵素量，生化学物質量など）で表す場合と，効果が基準値（薬物がないときの効果状態E_0）から何パーセント増加した，あるいは何パーセント減少した変化率として，%で相対的に表す場合があります．効果の変化を相対的に%で扱うと理解しやすいため，多くの報告で利用されています．E_{max}は最大効果を表し，効果と同様に絶対的または相対的に表します．E_{max}の上限が明らかで，そのと

きの E_{max} を相対的に表した場合は100％となります．EC_{50} は最大効果 E_{max} の1/2の効果（50％）を示すときの血中濃度を表します．E_0 は薬物投与前の効果（生理的値を指標とする場合にはその基準値または0％）を表します（図E2・4）．図E2・4は濃度を対数値にとって表しています．とくに血中濃度の上昇に伴い効果を阻害する場合，最大阻害効果 I_{max} の1/2の効果を示す血中濃度を IC_{50} と表します（図E2・5）．EC_{50}（IC_{50}）は同効薬を比較するときには重要なパラメータとなります．

薬物とレセプターの結合を効果に置き換えた場合，EC_{50}（IC_{50}）は薬物とレセプターの親和性を表す重要なパラメータです．例えば，ミダゾラムの EC_{50} はジアゼパムの1/6を示します（図E2・6）．すなわち，ミダゾラムはジアゼパムの1/6の投与量で効果50％を発現することができ，効果の強い薬物であることが理解できます[7]．薬物の強さは一般的に薬物の投与量，すなわち錠剤のmg数を比べることで間接的に明らかになります．図E2・7に示すように，病態の変化により EC_{50} が大きくなると，今までの薬物の投与量では効果が低下していることになります．EC_{50}（IC_{50}）は薬物の強さの比較のほかに，薬物に対する生体側の感受性が変化した場合にも重要な指標となります．同じ薬物を投与しても，病態の変化（肝硬変など）によりレセプターの感受性が変化し，IC_{50} が増大することが報告されています[8]．また高齢者はベンゾジアゼピン系薬物の感受性が成人と異なります．24～28歳の成人の EC_{50} は72 mg/L，67～81歳の高齢者は44 mg/Lを示し，高齢者において EC_{50} は小さくなり，薬物に対する感受性が高くなっていることが報告されています[9]．一方，抗高血圧薬ベラパミルでは，成人に比べ高齢者では EC_{50} が大きくなることが報告されています[10]．

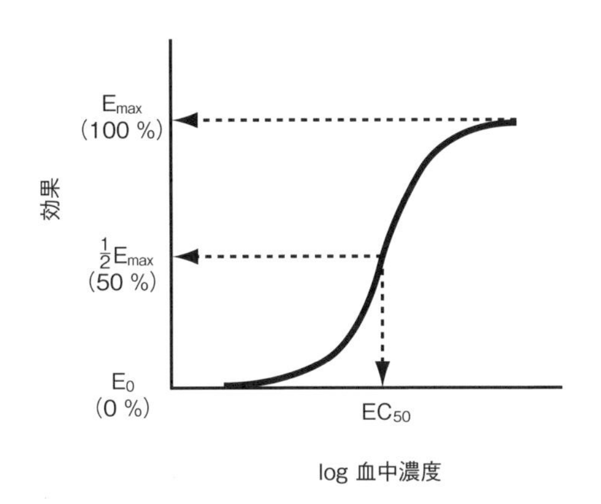

図E2·4　E_{max} モデル：効果促進モデルと EC_{50}

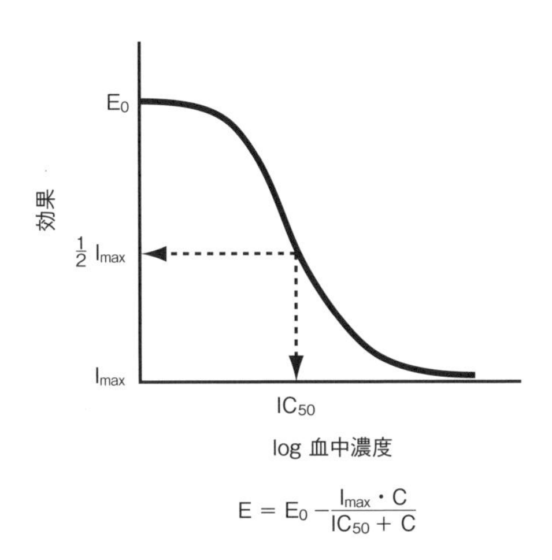

図E2·5　E_{max} モデル：効果阻害モデルと IC_{50}

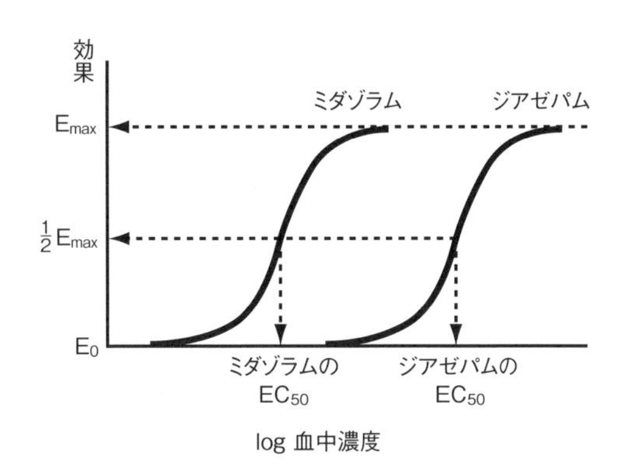

図E2·6　薬物の強さを表す EC_{50}

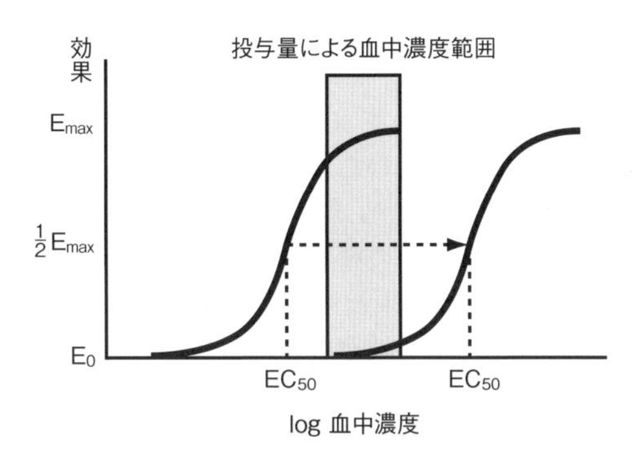

図E2·7　EC_{50} の増大（薬物感受性の低下）による効果の減少

b. シグモイド型最大効果モデル（シグモイド E_{max} モデル）

シグモイド E_{max} モデルは次の式で表します.

$$E = E_0 + \frac{E_{max} \cdot C^{\gamma}}{EC_{50}{}^{\gamma} + C^{\gamma}}$$

γ（gamma）はヒル係数（Hill factor）と表現されています．γは効果に対する薬物濃度の影響を表し，γが大きいと，わずかな薬物濃度変化で EC_{50} 付近の効果が大きく変化します．γの値は1つのレセプターにγ個の薬物が結合すると説明されますが，生理学的な意味よりは経験的にS字曲線の立ち上がりを表すパラメータとして理解されています．$\gamma = 0.5$ から5までのグラフを図E2・8に示します．このグラフを実際に利用する場合は，低濃度付近の立ち上がりがとくに急激で，濃度変化に対応する効果の予測が困難です．そこで横軸を対数目盛りにした場合を図E2・9に示します．γが大きくなるに従い，EC_{50} における傾きは大きくなり，EC_{50} 付近の小さな濃度変化でも効果の変化は大きく起こります．治療上γの大きさは重要となります．治療効果が効果100％を示す濃度以上で行われる場合は問題ありませんが，副作用が効果100％を示す濃度より少し高い濃度で起こる場合，安全のため投与量，薬物濃度を下げると，γの値が大きい場合には濃度が低下した以上に効果が急激に低下することになります．したがって，γは効果を扱う上で，重要なパラメータの1つです．

シグモイド E_{max} モデルの応用例として抗ヒスタミン剤（$\gamma = 0.8 \sim 1.89$）[11]，抗菌剤（$\gamma = 5 \sim 6$）[12] などがあります．利尿剤はシグモイド E_{max} モデルで利尿効果を評価できますが，その場合血中濃度ではなく，尿中Na濃度を利用します（$\gamma = 0.7 \sim 2.9$）[13]．このように効果の特徴を最もよく表すことができるものがあれば，その指標を血中濃度の代わりに用いることができます.

シグモイド E_{max} モデルを用いる場合，血中濃度と効果の関係をプロットし，非線形最小二乗法を用いて E_{max}，EC_{50} およびγを求めます．このとき血中濃度は通常変動誤差を含むため，効果なし（0％）から効果80％以上の範囲を確認できる薬物濃度効果関係からモデルパラメータの算出を行う必要があります．0～60％の範囲の効果と濃度の関係から求められた E_{max}，EC_{50} およびγの値は，真の値に比べ，不正確に求められる場合があります[14]（図E2・10）．その場合は最適なPDモデルを調べる必要があります.

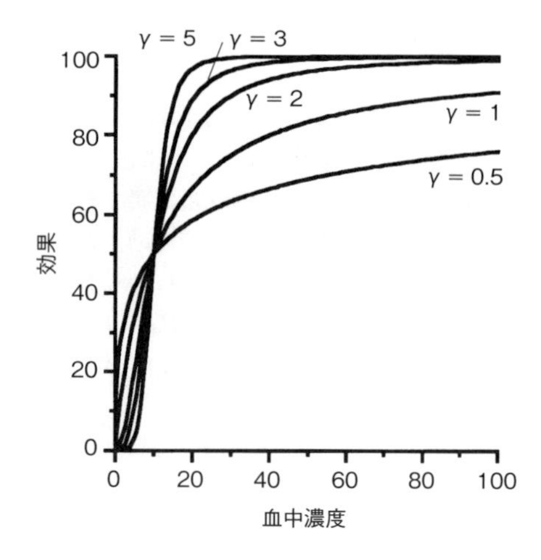

図E2·8　γの値とシグモイド E_{max} モデルの関係

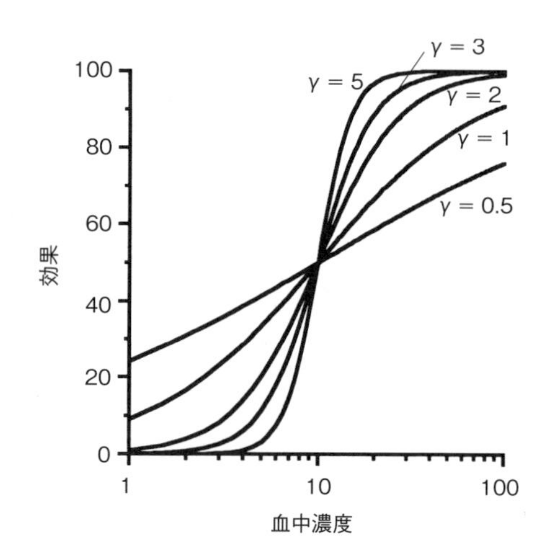

図E2·9　γの値とシグモイド E_{max} モデルの関係．血中濃度を対数で目盛ると EC_{50} 付近が直線になる.

c. 対数線形モデル

効果をできるだけ単純に解釈する場合，図E2・11に示すように最大効果モデルの限定した効果の範囲において，血中濃度と効果の関係を直線に表すことができます．最大効果（E_{max}）の20～80％までの効果を示す部分において，血中濃度の対数値と効果は直線関係に近似することができます.

対数線形モデルは

$$E = E_0 + \gamma \log C$$

と表すことができます（図E2・12）.

プロプラノロールでは，血漿中濃度と心拍数の減少率との関係において，血漿中濃度の30～150 ng/mLの範囲を対数目盛りにすると，血漿中濃度の対数値と効果の関係は直線に近似されます[15]．ペントバルビ

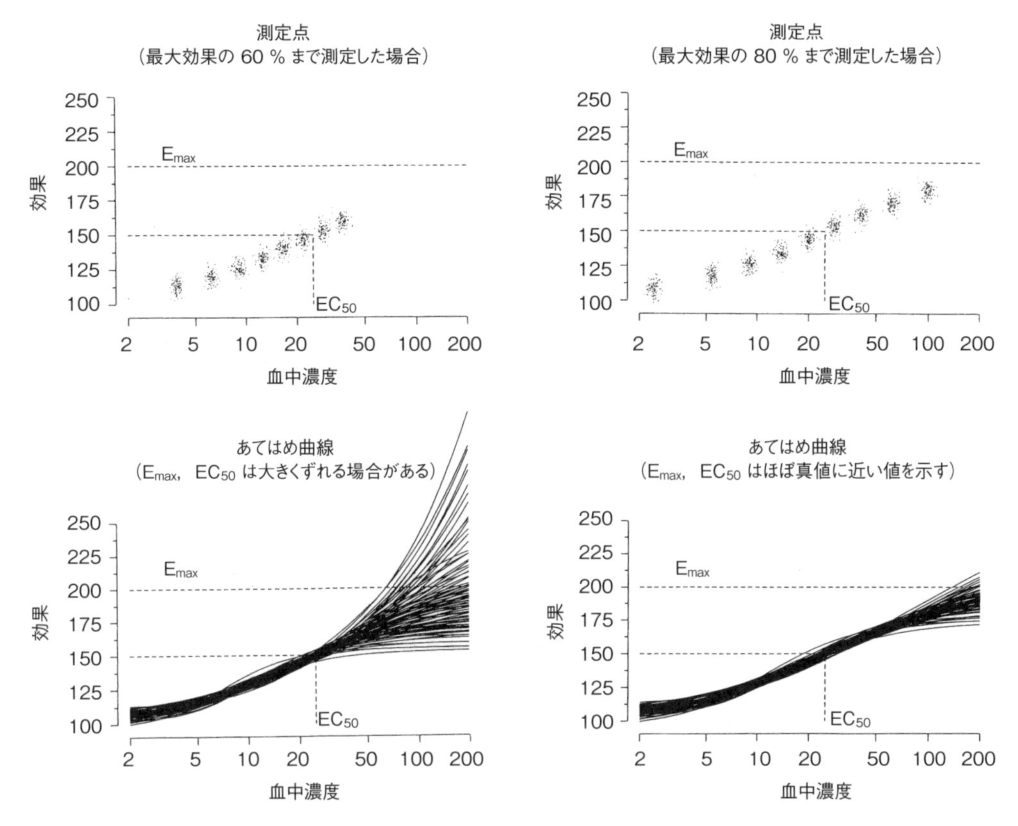

図 E2·10　最小二乗法によりシグモイド E_{max} モデルをあてはめた曲線（効果は絶対誤差 15%，血中濃度は相対誤差 5%により 1000 データ生成）

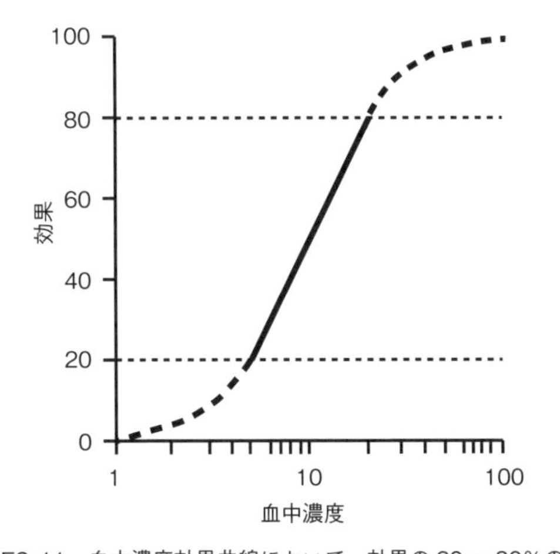

図 E2·11　血中濃度効果曲線において，効果の 20 ～ 80%の範囲では直線として扱える．

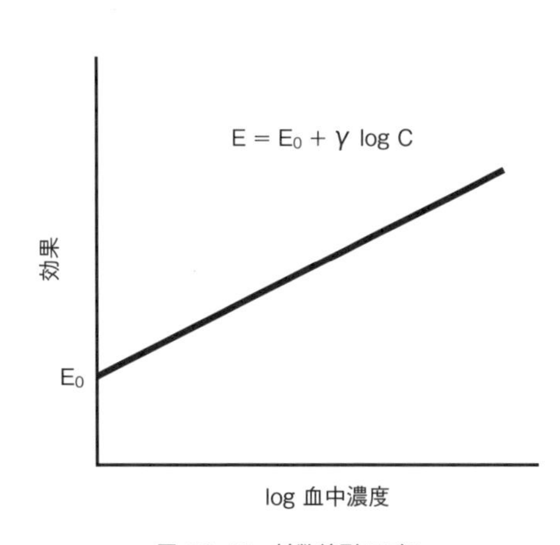

図 E2·12　対数線形モデル

タールの投与量と麻酔効果の関係[16]，コカイン濃度と多幸感の関係[17]，ニトロプルシドナトリウムの投与速度と血圧の関係[18]，抗ヒスタミン剤の定常状態における谷値の血中濃度と効果の関係[19]などは，対数線形モデルで解析されています．

d. 線形モデル

線形モデルは血中濃度と効果の関係が直線関係に近似できる場合に用います（図 E2・13）．

$$E = E_0 + \alpha \cdot C$$

この式は E_{max} モデルからも導くことができます．

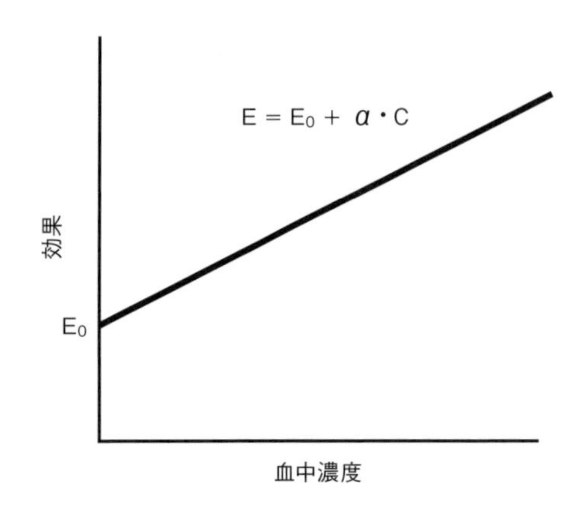

図 E2·13　線形モデル

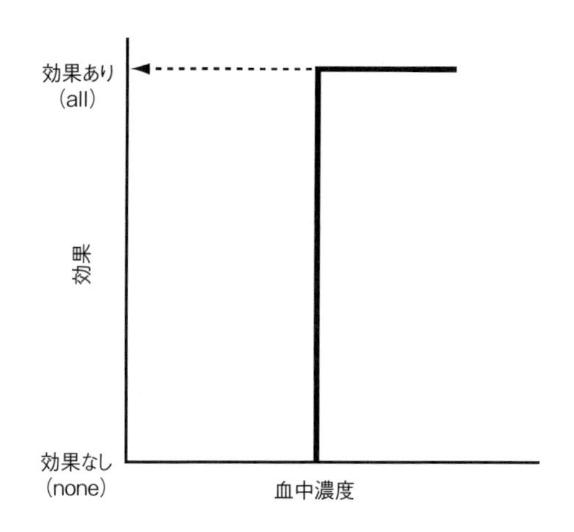

図 E2·14　固定効果モデル

血中濃度が EC_{50} に比べ十分に小さいとき，分母の部分は EC_{50} に近似されることから E_{max} モデル式は

$$E = E_0 + \frac{E_{max}}{EC_{50}} \cdot C$$

となり，傾き（E_{max}/EC_{50}）の直線と表すことができます．

線形モデルの例を説明します．キニジンの QT 間隔と血漿中濃度の関係は線形モデルで表すことができ，QT 間隔の延長における血中濃度効果直線の傾きは，静脈内投与で 20 ms/(mg/L)，経口投与で 34 ms/(mg/L) と報告されています[20]．テオフィリンは効果の指標として FEV-1（%）を用いると，その効果と血中濃度の関係は対数線形モデルで表せます[21,22]が，治療濃度域内ではほぼ線形モデルで効果を表すことができ，血中濃度効果直線の傾きは，単回投与で 0.2%/(μg/mL)，連続投与で 0.5%/(μg/mL) と報告されています[23]．クラス III の抗不整脈薬のドフェチリドは，効果を心拍数により変化する電気的心室収縮時間 QTc を用いることにより，血漿中濃度との関係を線形モデルで近似することができます．その血漿中濃度効果直線の傾きは 0.03 (sec/(ng/mL)) とゆるやかで，最大耐量の予測が可能となります[24]．

e. 固定効果モデル

効果がある血中濃度を超えると発現し，ある血中濃度以下では消失する場合を固定効果モデルとして表します（図 E2・14）．

$E = 1$, 100%，効果あり（$C \geqq C_{threshold}$）

$E = 0$, 　0%，効果なし（$C < C_{threshold}$）

C；血中濃度

$C_{threshold}$；効果発現血中濃度

抗菌剤はシグモイド E_{max} モデルで表すことができます[11]が，そのときの γ は 5〜6 と大きいため，固定効果モデルを利用することができることになります．

f. モデルに依存しない方法

効果は通常血中濃度の高低を指標とし，有効濃度には範囲があります．その際に血中濃度を記述するためにはモデルが必要となります．一方，効果の変動を表すものに，AUC などのモデルに依存しないパラメータを用いることができます[25]．この場合，ある量的なパラメータ，例えば AUC が，C_{max}，t_{max} に比べて効果に依存することが明確になっていることが必要です．副作用について AUC などの量的な特徴を指標として用いる場合があります．シスプラチンの腎毒性[26]，抗がん剤の血液毒性[27]について応用されています．AUC を効果に組み込む場合，効果をシグモイド E_{max} モデルを用いて表すと，血中濃度の代わりに AUCt を効果の変動の原因とします（図 E2・15）．投与後の AUC による評価として，抗がん剤アムルビシンの副作用の指標である好中球減少効果の解析が報告されています[28]（図 E2・16）．

$$\text{好中球減少効果} = \frac{E_{max} \times AUC^{\gamma}}{EC_{50}{}^{\gamma} + AUC^{\gamma}}$$

AUC；アムルビシン投与後の血中濃度時間曲線下面積

E_{max}；最大減少効果%

EC_{50}；306 h*μg/L

γ；8.4

抗生物質の投与設計と臨床効果の関係について原因菌のMICが測定され，モデルに依存しない解析が行われています．この指標として，MIC以上の濃度を示す時間$T_{>MIC}$，MICで標準化したC_{max}，AUCであるC_{max}/MIC，AUC/MIC，が用いられています（図E2・17）．抗菌薬を分類すると，血中薬物濃度の推移の観点から，時間依存の薬剤と濃度依存の薬剤に分かれます．時間依存的作用を示す抗菌薬にβラクタム系，マクロライド系などの抗菌薬があり，濃度依存性の作用を示すものにアミノ配糖体系，ニューキノロン系抗菌薬があります．時間依存性薬剤の指標としては$T_{>MIC}$，濃度依存性薬剤の指標としてはC_{max}/MIC，AUC/MICとされています．治療効果に関わるこれらのパラメータ値は，βラクタム系，マクロライド系は$T_{>MIC}$が投与間隔の40～70％にすべきと報告され，アミノ配糖体系はC_{max}/MICを8以上に，ニューキノロン系はC_{max}/MICを10以上に，グラム陽性菌の場合AUC/MICを40以上に，グラム陰性菌は，AUC/MICを100～125にすると治療効果が良好に得られると報告されています[29]．メロペネムはMICを超えた濃度で治療を行い，その治療効果は$T_{>MIC}$の時間に左右されます．そこで，メロペネムの母集団薬物動態解析から腎機能とMICの大きさにより$T_{>MIC}$の予測をモンテカルロシミュレーションにより求めた報告があります[30]．この場合，例えば，MICが2μg/mLのとき，1回1g点滴を行うと腎機能により59％（70 mL/min ≦ CLCR），79％（50 ≦ CLCR < 70 mL/min），91％（30 ≦ CLCR < 50 mL/min）の時間$T_{>MIC}$を保てることになります．このように，投与量と薬物動態パラメータおよびMICが明らかになると，$T_{>MIC}$が算出することができ，適正な投与量と投与間隔を求めることができます．抗生物質の投与計画には薬物動態パラメータが大きく影響することから，例えば民族差を母集団薬物動態解析により明らかにすることは有用と考えられています[31]．さらに医師へ抗生物質のPK/PD解析による投与計画について教育することが治療効果向上に欠かせないと考えられています[32]．

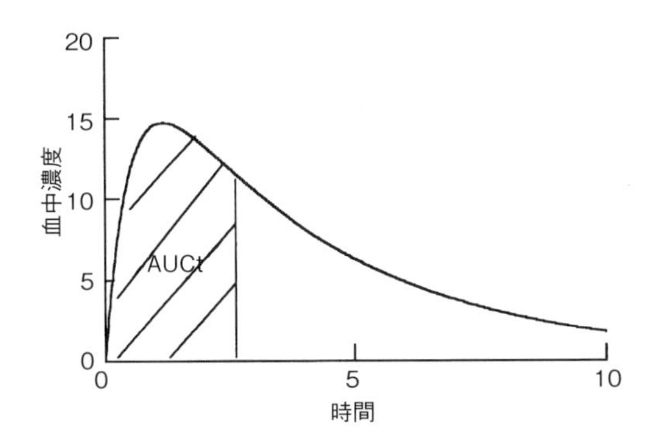

図E2·15　モデル非依存のパラメータAUCtを用いるモデル

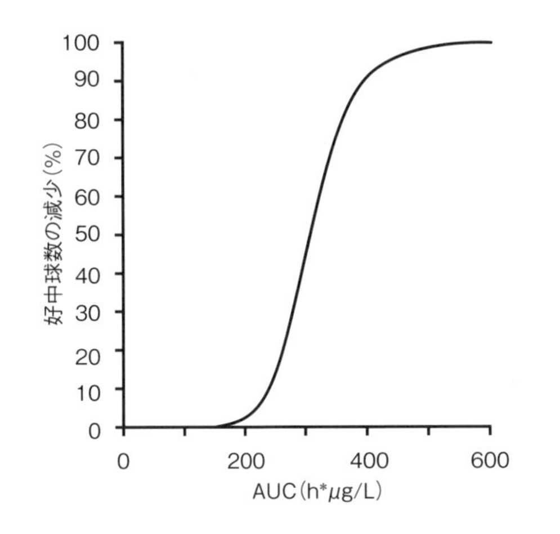

図E2·16　AUC－効果曲線

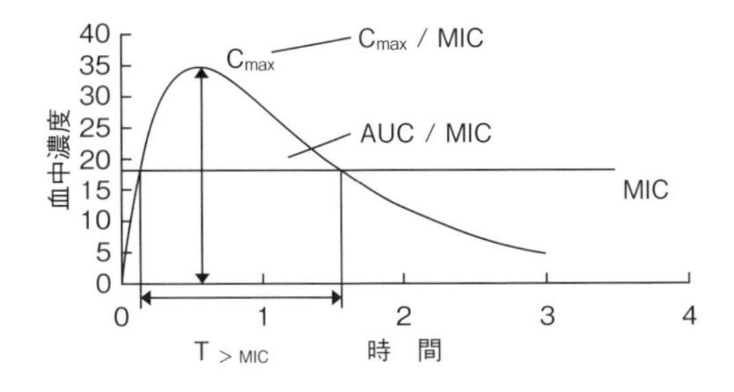

図E2·17　血中濃度時間曲線とモデルに依存しないパラメータ（緒方宏泰編著，"医薬品開発における臨床薬物動態試験の理論と実践"，丸善，2004，p. 200）

E2・1・2　間接反応モデル

間接反応モデルは，身体の中の生理反応（反応，効果）が生体内の酵素・生理活性物質などにより引き起こされている（変動している）ときに，その生理活性物質の生成・消失過程に対して薬物が阻害・促進し，反応を二次的に発現・変動させる場合に応用されています[2]．

すなわち間接とは，投与された薬物により効果が現れるのではなく，薬物が生体内酵素反応の促進・阻害，生理活性物質の上昇・下降を起こすことにより，間接的に主作用の反応を発現・変化させることです．

間接反応モデルの例としてワルファリンについて説明します．ワルファリンの効果をプロトロンビン活性阻害とした場合，ワルファリンはプロトロンビン合成を阻害して，その結果プロトロンビン活性が低下し，抗凝固効果が現れます．すなわちワルファリンそのものが効果を示すのではなく，プロトロンビン活性阻害が効果となります．その効果をワルファリンが間接的にコントロールすることになります．ワルファリン投与後のプロトロンビン活性阻害の時間推移を図 E2・18 に示します．プロトロンビン活性の推移は，直接モデルに比べゆるやかに間接的に変化します．ワルファリンの血中濃度推移（図 E2・19）に比べ，プロトロンビン活性阻害効果のピーク時間は t_{max} の 5 倍以上日数の単位で遅れます．このように間接反応モデルは，効果と血中濃度のずれが特徴となります．実際にモデルを用いる場合，血中濃度の推移（血中濃度と時間の関数）を次に起こる生理反応の関数の中へ組み込みます．生理反応系の変化により発現する効果の前後の反応速度過程を，薬物濃度が阻害 (a) または促進 (b) する 4 つのモデルで説明します[2,33]（図 E2・20）．

a. 生理反応を阻害するモデル

① k_{in} を阻害するモデル

$$\frac{dR}{dt} = k_{in} \cdot \left(1 - \frac{C}{IC_{50} + C}\right) - k_{out} \cdot R$$

R；生理反応

k_{in}；生理反応（生理活性物質）の変化速度を増大させる速度定数（ゼロ次）

k_{out}；生理反応（生理活性物質）の変化速度を減少させる速度定数（一次）

このモデルは，赤血球中のソルビトール濃度（生理反応）を増大させるアルドース還元酵素阻害モデルに利用されています．

② k_{out} を阻害するモデル

$$\frac{dR}{dt} = k_{in} - k_{out} \cdot \left(1 - \frac{C}{IC_{50} + C}\right) \cdot R$$

このモデルは，重症筋無力症患者において，アセチルコリン上昇により筋肉収縮力（生理反応）を増強させる，ピリドスチグミンのコリンエステラーゼ阻害モデルに利用されています．

b. 生理反応を促進するモデル

③ k_{in} を促進するモデル

$$\frac{dR}{dt} = k_{in} \cdot \left(1 + \frac{E_{max} \cdot C}{EC_{50} + C}\right) - k_{out} \cdot R$$

EC_{50}；50％最大効果濃度

このモデルは，気管支平滑筋の cAMP を上昇させることによる気管支拡張作用（生理反応）をもつテルブタリンの気管支拡張促進モデルに応用されています．

④ k_{out} を促進するモデル

$$\frac{dR}{dt} = k_{in} - k_{out} \cdot \left(1 + \frac{E_{max} \cdot C}{EC_{50} + C}\right) \cdot R$$

このモデルは，テルブタリンの血漿カリウム低下作用（生理反応）における血漿カリウム流出速度促進モデルとして応用されています．

間接反応モデル式について説明を加えます．上式の

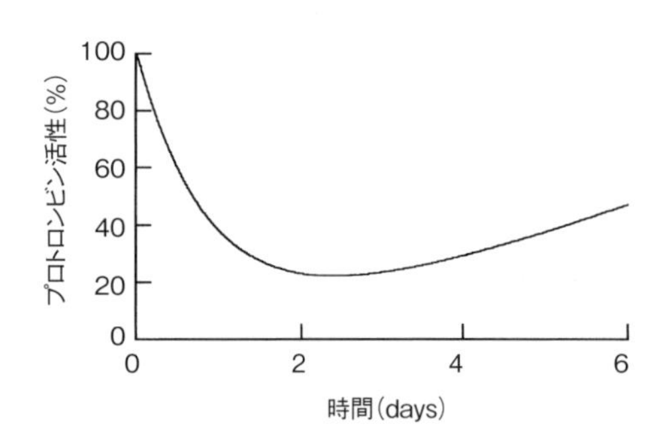

図 E2·18　ワルファリン単回投与後の効果推移

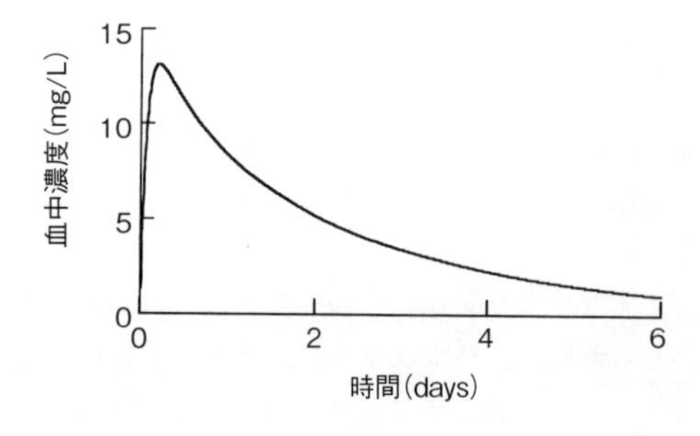

図 E2·19　ワルファリン単回投与後の血中濃度推移

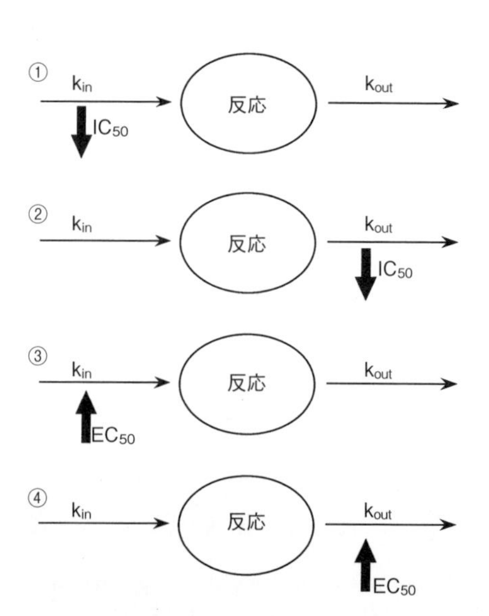

図 E2·20　間接反応モデル

dR/dt は生理反応の変化速度を表します．時間と血中濃度の動きがもとになり，生理反応が変動します．これらのモデルでは k_{in} には R がかけてありません．すなわち k_{in} の部分は血中濃度によって時間的に変化する場合（①，③）と定数（②，④）の場合があります．k_{in} の項は，dR/dt にとってゼロ次速度過程の定数となっている部分です．一般的にある物質ができるとき，急激に物質ができるのではなく，基質濃度が一定に供給され，一定の速度（ゼロ次速度過程）で物質ができることになります．k_{out} の項には R がかけてあり，dR/dt にとっては一次速度過程で表されています．ある物質が分解，消失する場合は一次速度過程で説明します．例えば分解において，物質が大量にあるときは多くの分解物質ができ，少ないときは少ない分解物質ができます．血液中の薬物濃度なども一次速度過程で消失しています．阻害モデル①の $[1-\{C/(IC_{50}+C)\}]$ の項は，IC_{50} の大きさに関わらず，血中濃度が限りなく大きくなると 0（完全阻害）となり，血中濃度が限りなく小さくなると 1 になります．同様に促進モデル③の $[1+\{E_{max}\cdot C/(EC_{50}+C)\}]$ の項は，EC_{50} の大きさに関わらず，血中濃度が限りなく大きくなると $(1+E_{max})$ となり，血中濃度が限りなく小さくなると 1（薬物の影響＝0）になります．間接反応モデルでは，k_{in} と k_{out} の大きさとその大小の関係が効果発現までの時間および効果の程度を示すことから，k_{in}，k_{out}，EC_{50} および IC_{50} は重要なパラメータとなります．

E2・2 PK/PD 解析（PK/PD モデリング）

PK/PD 解析を行う目的は，薬理効果を発現する作用部位での薬物濃度と血中濃度の関係を明確にし，血中濃度と効果の時間変化を同時に調べ，薬物投与から効果の時間推移を予測し，より適正な治療に役立てることです．そのためには PK および PD パラメータの相互関係とそれぞれの影響の程度を理解することが重要です．医薬品開発を航海している船にたとえると PK/PD モデリングはその舵にあたる重要な部分と説明されています [34]（図 E2・21）．

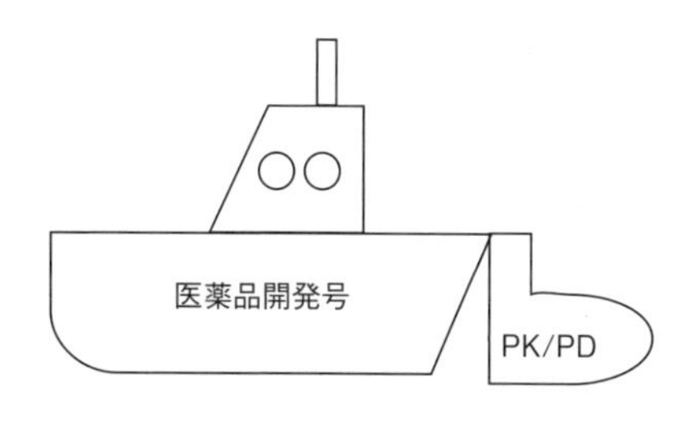

図 E2·21　PK/PD モデリングは医薬品の開発の方向性を決定する重要な舵である [34]．

実際には，作用部位濃度は測定することが困難であるため，血中濃度を利用せざるを得ません．作用部位濃度は血中の非結合型薬物濃度に対応すると考えられていますが，一般的には非結合形分率が一定であるとの仮定のもとに，血中薬物総濃度は作用部位濃度の変動に対応すると考えています．

PK/PD 解析を行う場合，PK は必ず一次速度論で扱いますが，PD は多くの場合ゼロ次速度論 [35] で扱います．すなわち効果の y 軸は対数目盛りではありません．PD を一次速度論で扱う場合（図 E2・22）も一部報告されています [36]．速度論の扱いは，効果を何によってとらえるか [37,38]（biomarkers，sarrogate markers，clinical outcomes）により，その効果の特徴とその時間推移から適した速度論を決定し，PK と PD のモデルの統合を行います．

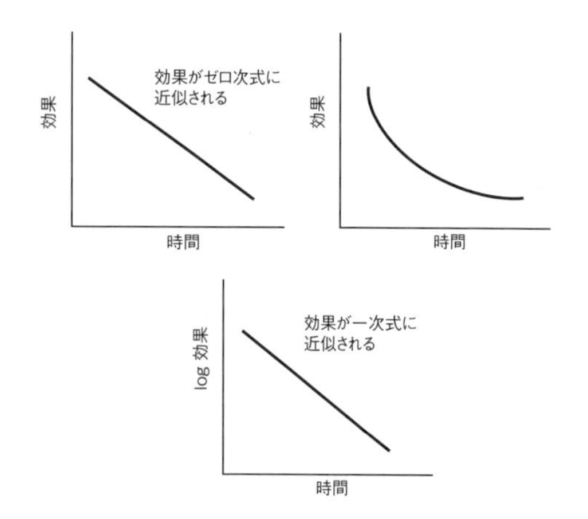

図 E2·22　薬効の速度論

最も単純な PK と PD の統合方法として，薬物投与後における PK に直接的に PD が対応する場合について説明します．薬物投与後の血中濃度時間曲線は，1-コンパートメント一次吸収モデルとし，分布容積＝10，クリアランス＝6，$k_a=1.2$，の場合の投与量＝1，10，100，1000 における血中濃度時間曲線を図 E2・23 に示します．投与量を増大させると，C_{max} は上昇し，T_{max} は一定，消失する傾きは一定となります．このときの投与した薬物の効果器における効果と濃度の関係は，シグモイド E_{max} モデルを仮定し，$E_{max}=100$，$EC_{50}=0.1$，$\gamma=1$ とした効果作用部位濃度曲線とします（図 E2・24）．作用部位濃度と血中濃度は瞬時に平衡になり，効果は速やかに発現すると仮定します．図 E2・23 の血中濃度推移が投与量によりどのような

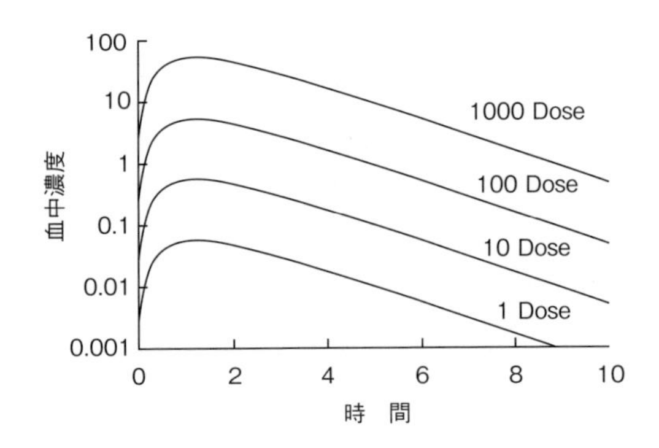

図 E2·23　血中濃度時間曲線
（緒方宏泰編著，"医薬品開発における臨床薬物動態試験の理論と実践"，丸善，2004，p. 203）

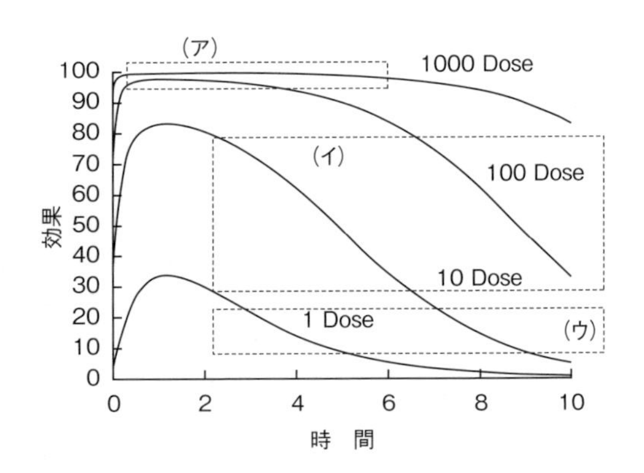

図 E2·25　効果時間曲線
（緒方宏泰編著，"医薬品開発における臨床薬物動態試験の理論と実践"，丸善，2004，p. 203）

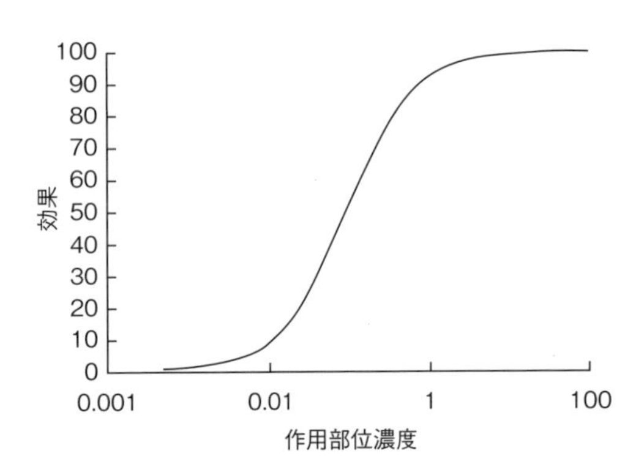

図 E2·24　効果作用部位濃度曲線
（緒方宏泰編著，"医薬品開発における臨床薬物動態試験の理論と実践"，丸善，2004，p. 203）

効果の推移を示すかをシミュレーションしてみます（図 E2・25）．投与量 1 では効果があまり発現せず，投与量 10 では血中濃度と対応するように，投与量 1000 ではほぼ 100 の効果を持続します．さらにここで考えなければならないことは，効果の薬物濃度に対する感受性 EC_{50} を 0.1 としていることです．EC_{50} の 0.1 の濃度と血中濃度推移の濃度を比べてみると，投与量 1 では C_{max} においても 0.1 に達していません．そのときの効果は最大で 33 です．一方投与量 1000 では血中濃度が大幅に 0.1 を超え，効果は 100 を持続します．逆に投与量ではなく薬物の感受性を変動させても同じことになります．投与量を 1000 と固定して，EC_{50} を 0.1，1，10，100 と変化させてもまったく同じ図 E2・25 が描けます．投与している薬物濃度が効果の感受性（EC_{50}）から 1000 倍高い場合は，効果の変化は血中濃度の細かい変化に対応せず，薬物を投与してしまえば効果が発現し，消失すれば効果がなくなるという単純な関係となります．このような場合はあえて PK/PD 解析をせずとも効果の解析が容易に行えます．このような薬物は投与量と効果の関係を統計的に解析することが可能となり，このような薬物が多く市販されています．

効果時間曲線（図 E2・25）の特徴を説明します．E_{max} の効果で一定となっている状態の時間があります（ア）．効果が時間経過に従って減少する場合はゼロ次速度過程のように直線で減少する時間があります（イ）．効果が小さくなると，効果の減少は一次速度過程のように消失します（ウ）．例えば効果の減少を比較的みやすい時間は，（イ）の状態で直線で効果が消失するため，ある程度の消失までは容易に予測できます．このときの注意として，減少する時間は PK のような半減期では表現しません．すなわち 40％の効果が半減する 20％の効果になるまでの時間が 4 時間かかったとすると，20％の効果が半減する 10％の効果までになる時間は，4 時間ではなく 2 時間となります．

PK/PD モデリングにおける直接反応モデル，間接反応モデル，薬効コンパートメントモデルについて説明します．

E2・2・1　直接反応モデル（リンクモデル）

直接反応モデルは，血中濃度が効果を引き起こす直接の原因となり，血中濃度推移を効果における直接のインプット関数として用います．このとき血中濃度と作用部位濃度は瞬時に平衡となり，薬物が作用部位に移行するとただちに効果が発現されると仮定します．

直接反応モデルの PD のパラメータによる変動の大きさを一般的に理解するために，図 E2・26 に示すモデル式および血中濃度推移（図 E2・27）を用い，効果の時間推移について EC_{50} および γ を変えたときの効果時間曲線を図 E2·28, 図 E2·29 に示します．$\gamma=$

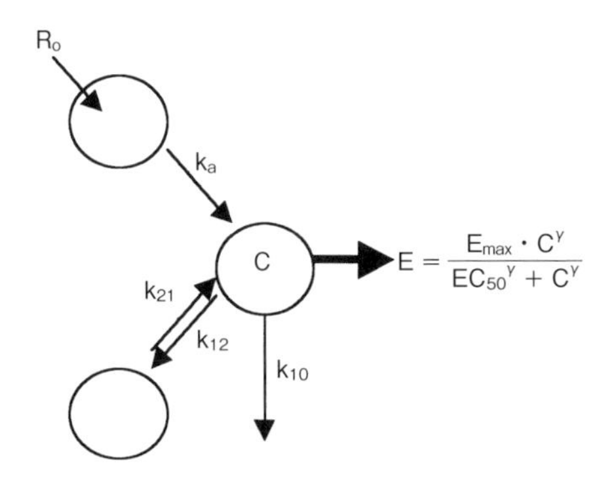

図 E2·26　直接反応モデル（リンクモデル）

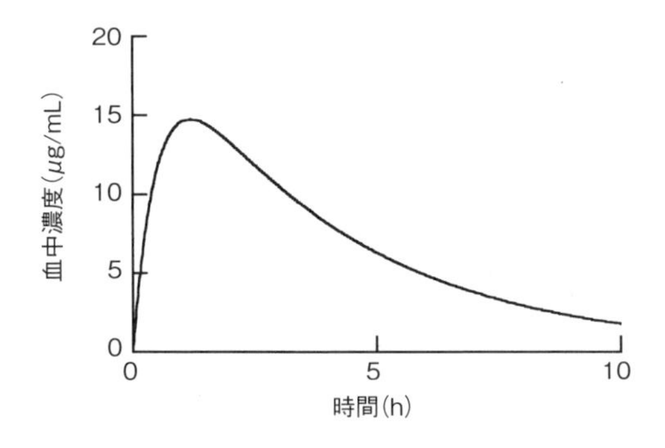

図 E2·27　血中濃度時間推移

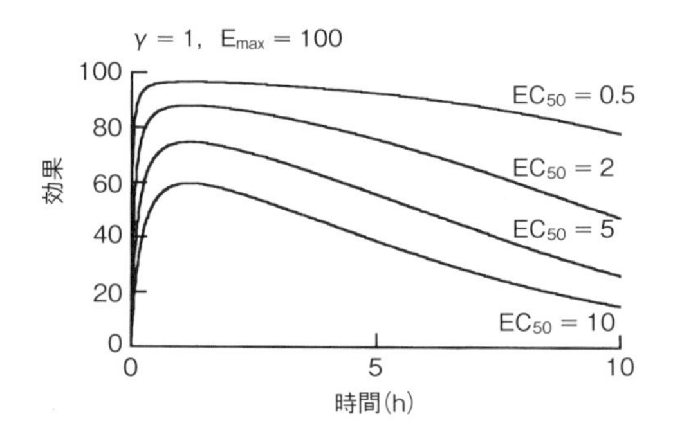

図 E2·28　EC_{50}と血中濃度推移により効果の推移が決定される．

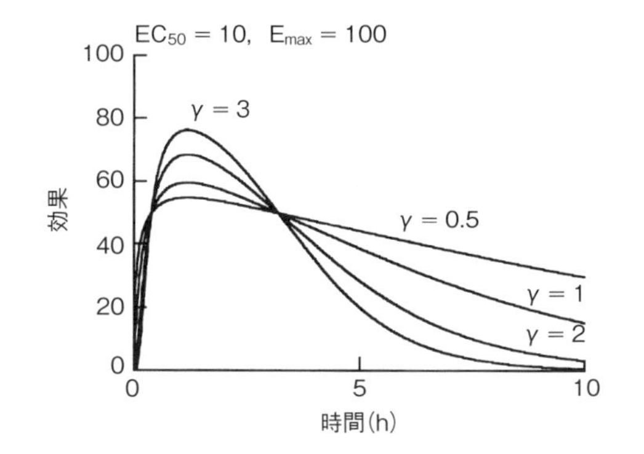

図 E2·29　γと血中濃度推移により効果の推移が決定される．

1のときEC_{50}が大きくなるに従い，すなわち効果発現に高い濃度が必要な薬物であるに従い，例示した血中濃度推移では効果の発現が小さくなります．またEC_{50}が小さい薬物ほど例示した血中濃度推移では効果が強く現れ，効果の時間推移は100％近くを持続します．次に$EC_{50}=10$としてγが大きくなると，例示した血中濃度推移の時間範囲では効果が大きく変動し，逆にγが小さいときはあまり変動しません．このようにEC_{50}とγは薬物動態パラメータと同様に効果の時間推移を再現する薬物固有の重要なパラメータです．

効果の変動に影響する血中濃度の変動についてさらに理解を深めるために，E_{max}モデルにおいて投与量を変えてシミュレーションしてみます．効果はE_{max}モデルにより規定されると仮定します（図 E2・30）．すなわち効果が100％のときに最大効果が発現されます．作用部位での薬物濃度は血中濃度（C）と平衡であるとします．効果はEC_{50}により決まります．E_{max}モデル式に，一次吸収過程を含む1-コンパートメントモデルの血中濃度（図 E2・31）を代入すると効果の時間推移は図 E2・32となります．EC_{50}の値と血中濃度の関係が基本となり，効果と時間の関係が明確になります．1-コンパートメントモデルの場合は，作用時間と投与量はほぼ比例関係にあり，効果の予測が比較的容易に行えます（図 E2・32）．すなわち投与量を増すと，効果の持続時間も比例して増大することが，広い濃度範囲と広い投与量範囲で認められています．

レセプター占有率を効果の指標に用いた場合を説明します（レセプター占有理論はE_{max}モデルと同様に考えることができます．E＝レセプター占有率，$E_{max}=100\%$，$EC_{50}=k_d$とした場合と対応しています）．レセプター占有理論を用いた，定常状態における PK/PD モデリングについては，詳細に報告されています[39]．例えばβ遮断薬の点眼薬投与後の血中濃度は，経口投与に比べ数十分の一しか示しませんが，

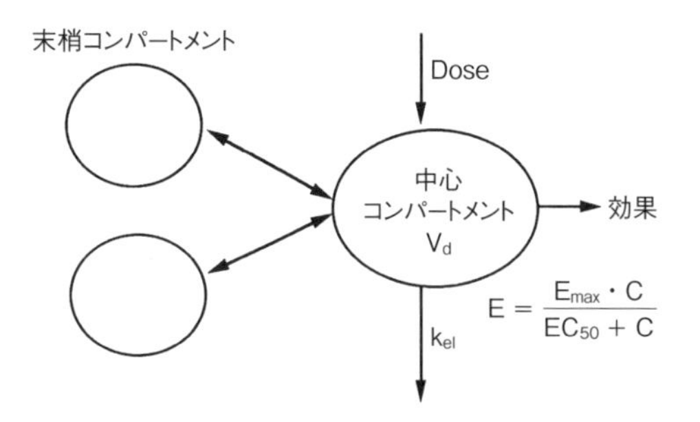

図 E2·30　効果をE_{max}モデルとして扱う直接反応モデル

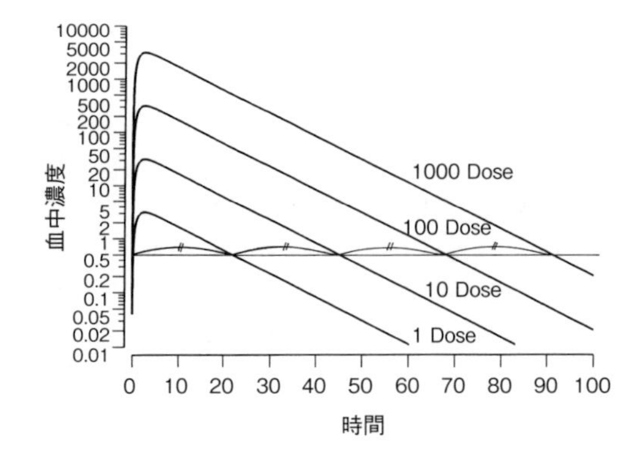

図 E2·31　1-コンパートメントモデルにおける血中濃度時間曲線．血中濃度 0.5 付近では投与量と血中濃度持続時間は比例している．

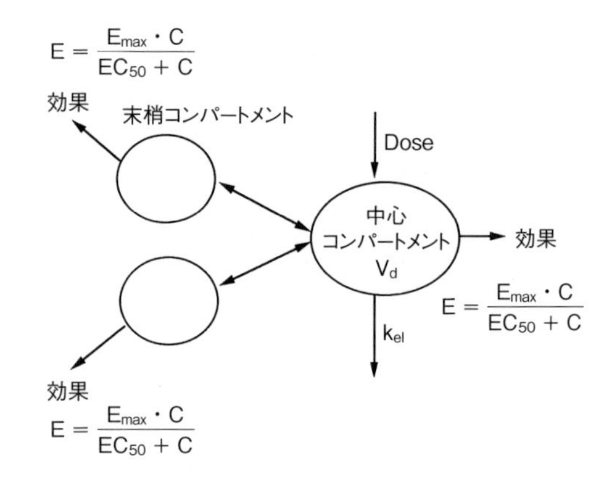

図 E2·33　効果発現部位と直接反応モデル．どこのコンパートメントから効果の説明ができるか明確にする必要がある．

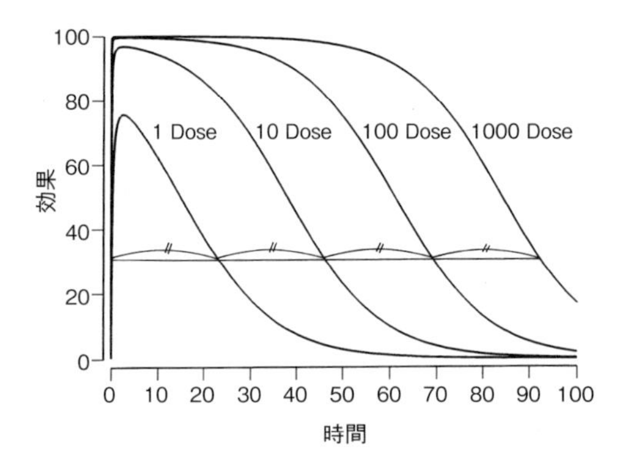

図 E2·32　1-コンパートメントモデルにおける効果時間曲線（EC_{50} = 1）．効果 30％付近の効果持続時間は投与量に比例している．

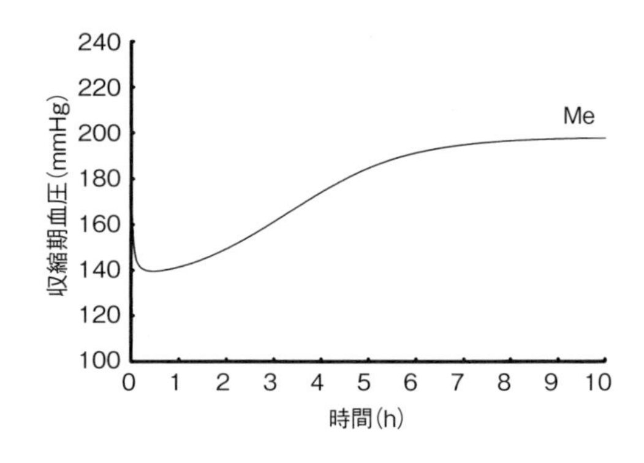

図 E2·34　効果時間曲線

その低い血中濃度においても，k_d の値からレセプター占有率は経口投与の 70％程度を示します．このことは，副作用の面では血中濃度からでは予測もつかないことが起こることになります [39]．

以上の説明は，効果の発現が中心コンパートメントの血中濃度変化により影響することを示しましたが，末梢コンパートメントから薬効が発現する場合も同様に，末梢コンパートメントの薬物の変動に注意をすることが必要となります．PK が複数のコンパートメントをもつ場合は，PD の変動を大きくする理由の 1 つとなります．複数コンパートメントで PK を扱う場合，どこのコンパートメントで効果が発現するかは重要です（図 E2・33）．フェノテロールは末梢コンパートメント I からのシグモイド E_{max} モデルで心拍数の変動を説明されています [40]．ジゴキシンの効果（QT_2 Index）についても，末梢コンパートメント II から解説されています [41]．

直接反応モデルの一例として，PK を 1-コンパートメント一次吸収モデル，PD を E_{max} モデルとして，効果の時間推移を説明してみます．健康成人（$n = 6$）にオクスプレノロールを投与し，運動負荷後（8 回，0，15，30，90，150，210，270，330 min）の収縮期血圧低下の平均変化曲線 Me を図 E2・34 に示します [42]．収縮期血圧変化のモデル式を次に示します．

$$E = E_0 - \frac{(E_0 - E_{max}) \cdot C}{EC_{50} + C}$$

E；収縮期血圧

E_0；運動負荷後の収縮期血圧，198 mmHg

E_{max}；最大低下収縮期血圧，132 mmHg

EC_{50}；（$E_0 - E_{max}$）の 1/2 の効果を示す血中濃度，112 ng/mL

C；血中濃度

オクスプレノロールを投与している場合，運動負荷による血圧の上昇が抑制されます．すなわち，運動負荷により血圧が 200 mmHg 上昇しますが，オクスプレノロールを服用していると，140 mmHg までしか上昇しません．この血圧上昇抑制のモデルは E_{max} モデルで表され，そのときの平均血中濃度時間曲線 Mc を図

E2・35に示します．このように効果時間曲線と血中濃度時間曲線はE_{max}モデルにより直接対応しています．さらにパラメータの理解を深めるために，個々の例について調べてみます．被験者A，Bの効果時間曲線を図E2・36に示します．効果時間曲線のAeとBeの違いを考えてみましょう．AeとBeは最大低下血圧が異なるようにみえますが，初期の血圧E_0（A；208 mmHg，B；182 mmHg）が異なるため，血圧低下率で変動を表すと，それぞれAe；28%，Be；37%とほぼ同程度に低下しています．すなわちAe，Beはほぼ同程度の効果時間推移と考えられます．この効果時間曲線に対応する血中濃度時間曲線Ac，Bcを図E2・37に示します．この2本の曲線は効果時間曲線の大小から単純に予測できません．この理由は被験者A，BのEC_{50}（A；74 ng/mL，B；32 ng/mL）が個人差により異なることによります．このことからEC_{50}は効果の推移を理解するときに重要なパラメータであることが理解できます．またオクスプレノロールのEC_{50}の標準偏差（SD）は121 ng/mLと大きいことが示されています．したがって，EC_{50}の値と血中濃度の値の大小関係により効果が決定され，さらにEC_{50}の変動の大きさは個人差の大きさを示すことになります．PDの変動はPKの変動に影響されるだけでなく，PDそのものの変動にも注意を払う必要があります．

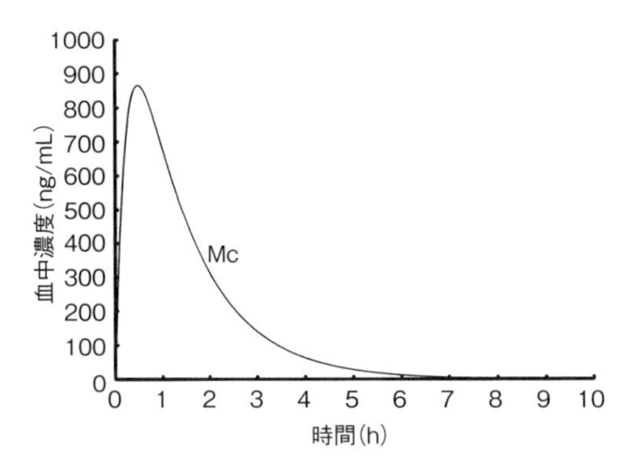

図E2･35　血中濃度時間曲線

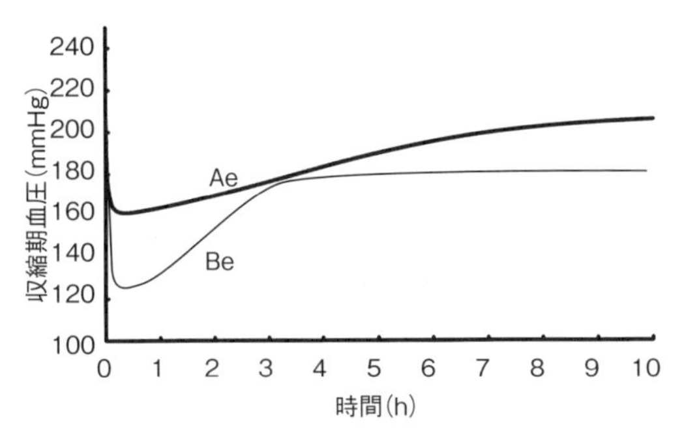

図E2･36　効果時間曲線

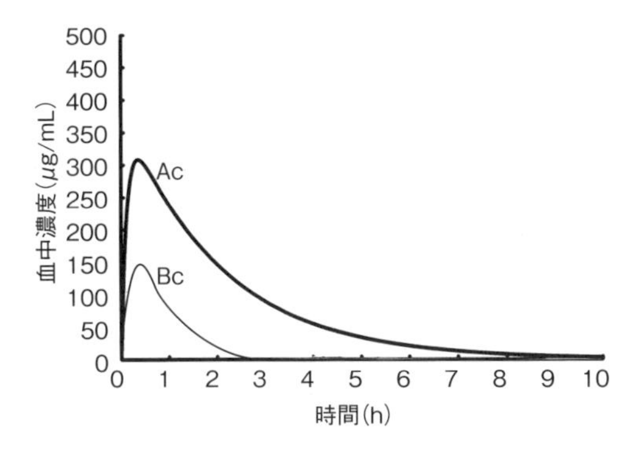

図E2･37　血中濃度時間曲線

直接反応モデルのもう1つの応用例として，アセタゾラミドと眼内圧低下効果について説明します[43]．アセタゾラミド投与後の患者における平均眼内圧低下効果時間曲線Meを図E2・38に示します．効果のモデル式を次に示します．

$$E = E_0 - \frac{E_{max} \cdot C}{EC_{50} + C}$$

E；眼内圧

E_0；投与していないときの眼内圧，30.9 mmHg

E_{max}；最大低下眼内圧，7.2 mmHg

EC_{50}；E_{max}の1/2の効果を示す血中濃度，1.64 μg/mL

C；血中濃度

このときの血中濃度時間曲線Mcを図E2・39に示します．アセタゾラミドのクリアランスはクレアチニンクリアランスに比例することが報告されています．そこで腎機能が低下し，クリアランスが1/2に低下した場合の効果時間曲線$Me_{1/2}$，血中濃度時間曲線$Mc_{1/2}$を図E2・38，図E2・39にそれぞれ併記します．このとき8時間程度までの両者の効果は，ほとんど同じに推移します．これはアセタゾラミドのEC_{50}（1.64 μg/mL）に対して血中濃度が大きく超えているためです．したがって，EC_{50}と実際に使われている血中濃度の大小関係は重要であることを示しています．さらにPK/PD解析により眼内圧低下効果の時間推移を再現よく表すことができることから，E_{max}の70%を示す血中濃度は4 μg/mLと容易に求められ，連続投与では腎機能の状態による投与量を至適に計画することが可能となります[43]．このようにEC_{50}を明確にし，血中濃度の変動要因を明らかにすることにより適正な投与計画が可能となります．

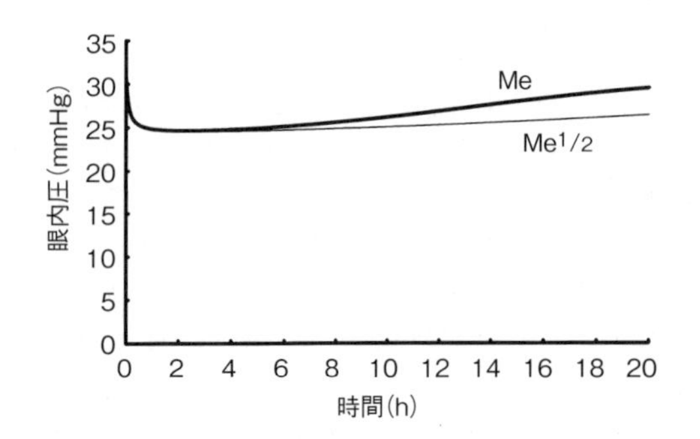

図 E2·38　効果時間曲線

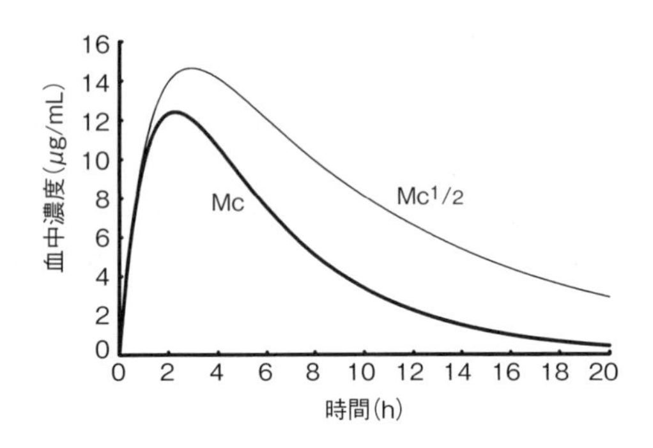

図 E2·39　血中濃度時間曲線

一般に直接反応モデルとして扱うことのできる薬物において，効果は血中濃度にただちに依存するため，PD のパラメータが決定された後は PD の変動を意識しながら PK の動きに注意を払う必要があると考えられます．

通常の治療では第 I 部で述べられているように，血中濃度は定常状態で扱うことができ，そのときの効果が変動しやすいかどうかを EC_{50} などで判断することが重要となります．

E2・2・2　間接反応モデル

間接反応モデルの説明は前述（E2·1·2）しました．ここでは実際の効果の動きに注目した説明をします．間接反応モデルは，効果（反応）が酵素・生理活性物質などの変動を通して発現・変動し，その発現・消失過程を血中濃度が促進・阻害するモデルです．間接反応モデルでは，k_{in} と k_{out} の大きさとその大小の関係が効果発現までの時間および効果の程度を示すことから，k_{in}，k_{out}，EC_{50} および IC_{50} は重要なパラメータとなります．一般に間接反応モデルで扱うことのできる薬物は，血中濃度変化がただちに効果に反映されないことが特徴となります．

間接反応モデルの一例としてワルファリンについて説明します．ワルファリン[33] の場合は，E2・1・2 の①の式を応用し，ビタミン K のリサイクリングを阻害することによるプロトロンビン活性阻害を効果の指標とし，単回投与の場合を図 E2・40，図 E2・41 に示します．プロトロンビン活性の低下は 12 時間から数日間続きますが，血中濃度は約 5 時間でピークに達します．この投与のタイミングと，いつプロトロンビン活性が回復するかを調べることにより至適投与量，投与間隔を導き出します．連続投与時における間接反応モデルについてワルファリンの例を用いると，プロトロンビン活性阻害である効果と血中濃度の関係は図 E2・42，図 E2・43 となります．このグラフからどの程度で効果が定常状態に到達するか，薬物を中止した場合いつ効果が消失するかなどの予測が立ち，薬物の適正使用に明確なアドバイスが行えます．その例として 1 日投与量は一定として，投与回数を変えてシミュレーションした場合を図 E2・44，図 E2・45 に示します．ワルファリンの場合[33]，1 日の投与量を同投与量とするとき，1 日 1 回投与でも 2 回投与でも約 4 日後に効果は定常状態になります．両投与計画では効果時間曲線には大きな違いが現れないことになります．さらに，ワルファリンは効果が安定するまでに 4 〜 5 日かかるため，効果を正しくコントロールするには短時間の投与量変更はすべきではありません

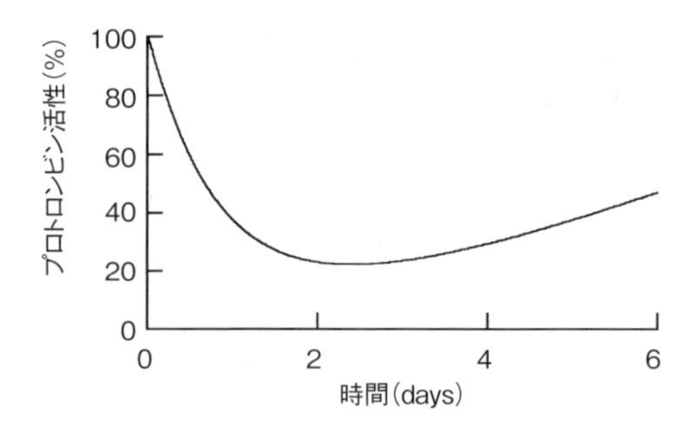

図 E2·40　ワルファリン単回投与後の効果推移

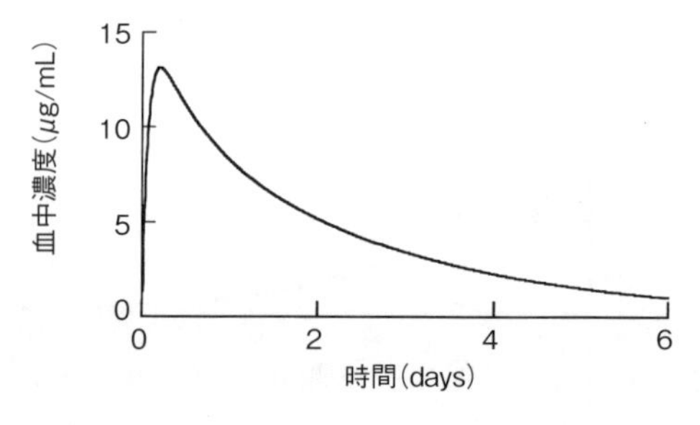

図 E2·41　ワルファリン単回投与後の血中濃度推移

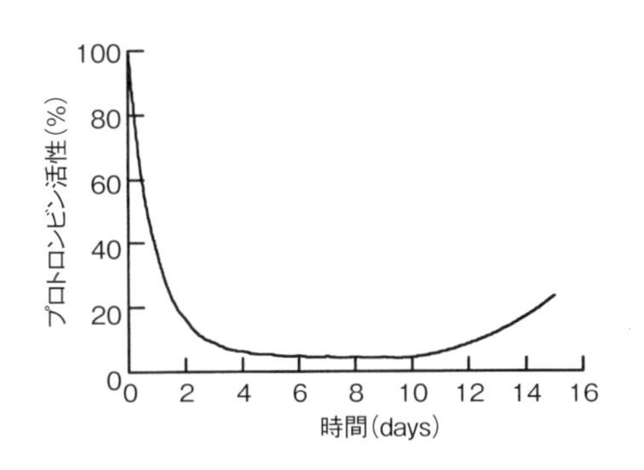

図 E2·42　ワルファリン連続投与における効果推移，1 日 1 回投与

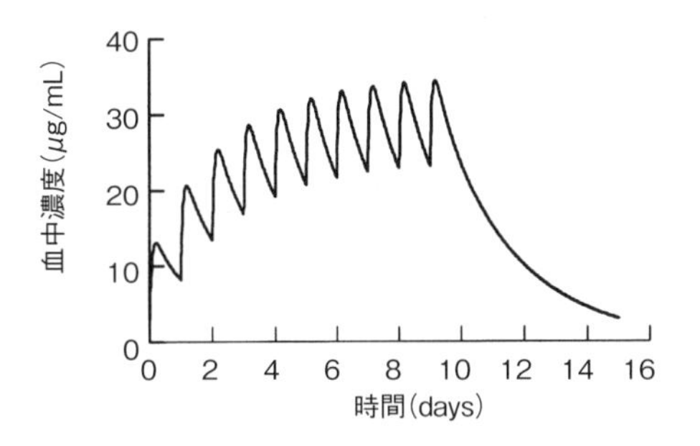

図 E2·43　ワルファリン連続投与における血中濃度推移，1 日 1 回投与

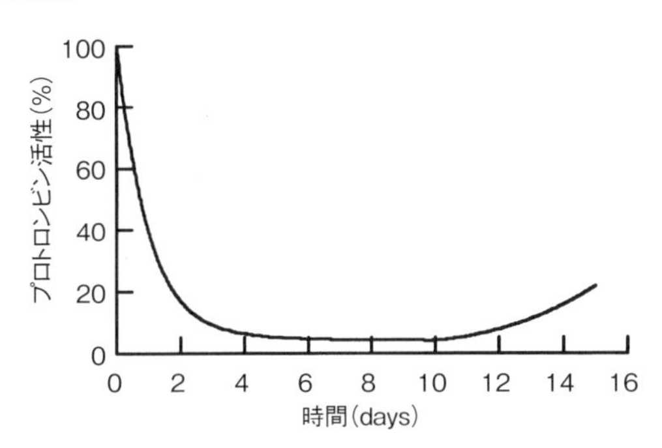

図 E2·44　ワルファリン連続投与における効果推移，同投与量 1 日 2 回投与

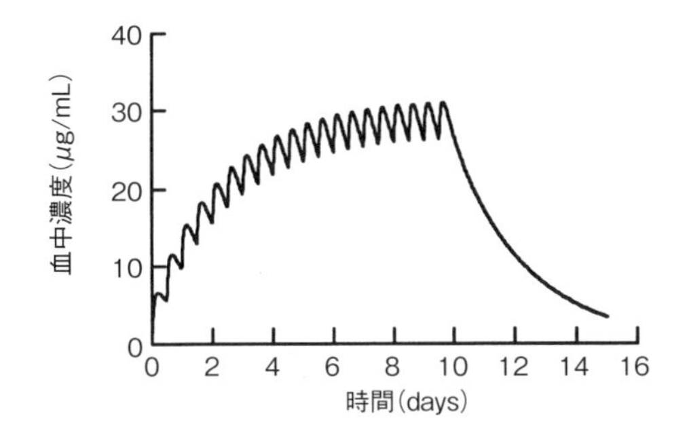

図 E2·45　ワルファリン連続投与における血中濃度推移，同投与量 1 日 2 回投与

[44].

間接反応モデルの応用例として，E2・1・2 の ①の式を用いた経口避妊薬[45]，トルレスタットの赤血球中のソルビトール濃度[46]，E2・1・2 の ③の式を用いたインターフェロン[47] などが報告されています．

E2・2・3　薬効コンパートメントモデル

薬物治療において，血中濃度から作用部位への薬物の透過，効果発現などに時間がかかると，図 E2・46 に示すように効果と血中濃度の関係は時間的ずれが生じ，効果と濃度の関係においてヒステレシスが観察されます（図 E2・47）．このヒステレシスの原因を透過機構，作用機序などで説明することができる場合には，前述の間接反応モデルで解析できます．明確に説明できない場合には，作用部位に薬効コンパートメントを仮定し，血中濃度と作用部位濃度を速度定数で結びつける方法[48〜50]，あるいはそのヒステレシスを算術的につぶすセミパラメトリック PK/PD 解析方法[51,52] が用いられています．

薬効コンパートメントモデルでは，血中濃度と効果

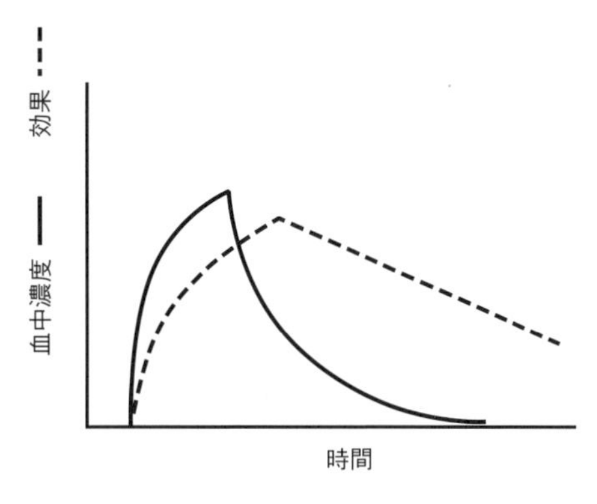

図 E2·46　血中濃度推移と効果推移の時間的ずれ

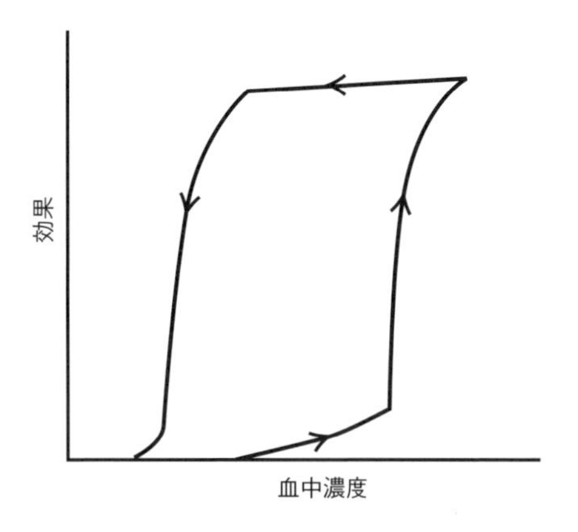

図 E2·47　効果発現の遅れによるヒステレシスの出現

のずれをなくすため，1つの薬効コンパートメントを仮定します．薬効コンパートメントモデルを図E2・48に示します．このモデルでは，薬物は薬効コンパートメントへ一次速度過程で移動しますが，中心コンパートメントの薬物量には影響しないと仮定します．さらに薬効コンパートメントからの薬物の消失は一次速度過程で表しますが，戻る場所は中心コンパートメントではなく効果コンパートメントから外へ消失すると仮定します．作用部位濃度の変化を，1つの速度定数 k_{eo} を用いて表すことができ，血中濃度推移から効果の時間推移を求めることができます．k_{eo} は血中濃度と効果発現までの時間的なずれを間接的に表すもので，PKとPD両者の動きから求めます．効果コンパートメントモデルにおける k_{eo} の説明をPKの説明にたとえると，点滴投与では血中濃度の定常状態到達時間を左右するものは，点滴速度ではなく消失速度定数であることと，ほぼ同様に理解することができます．したがって，PK/PD解析を行うときに k_{eo} は重要なパラメータとなります．一般的な k_{eo} が大きい場合・小さい場合の血中濃度と効果の関係を図E2・49に示します．

薬効コンパートメントモデルにおける k_{eo} について説明します．図E2・50に示す血中濃度時間曲線から図E2・48に示す式より k_{eo} の値を変え，効果時間曲線（図E2・51），効果血中濃度曲線（図E2・52）のシミュレーションを示します．一般的に k_{eo} が大きい場合は，直接反応モデルのように効果が速く現れ，速く消える傾向を示し，血中濃度の変化に対応します．k_{eo} の小さい場合は，間接反応モデルのように血中濃度の変化に比べ効果が遅れて現れ，持続する推移を示します．k_{eo} は一次速度定数なので血中濃度半減期と同じように，$t_{1/2keo} = 0.693/k_{eo}$ として扱うことができます．$t_{1/2keo}$ が小さい（k_{eo} が大きい）と効果が血中濃度の動きと同じように速く発現し，速く消失します．薬物投与後の効果発現速度を同効薬で比較する場合，$t_{1/2keo}$ が小さいと速効性があると考えることができます．例えばロクロニウムはベクロニウムに比べ $t_{1/2keo}$ が小さく，効果発現が速いと報告されています[53]．k_{eo} が1つの重要な指標であることを示す例として，ジアゼパムとミダゾラムの例を挙げることができま

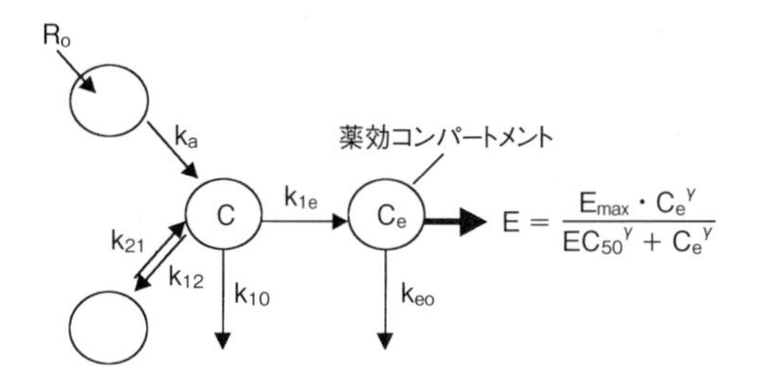

図E2·48　薬効コンパートメントを用いたPK/PDモデル

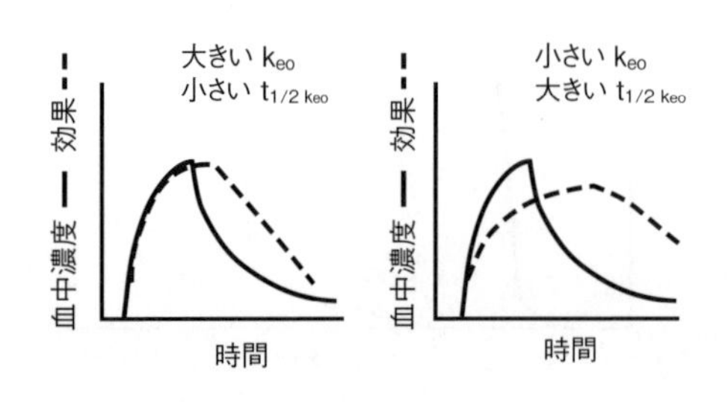

図E2·49　k_{eo} の大きさと効果のずれの関係

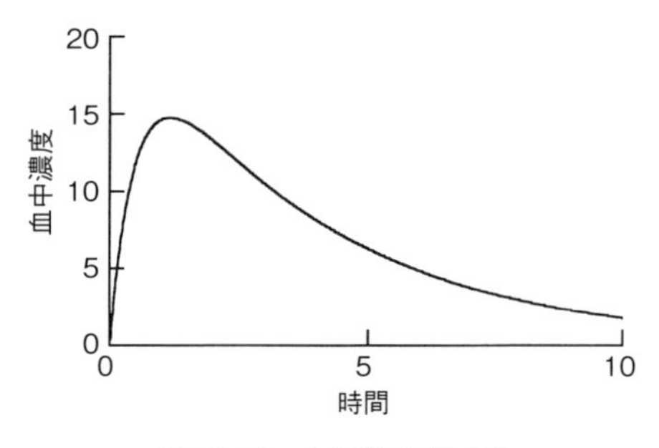

図E2·50　血中濃度時間曲線

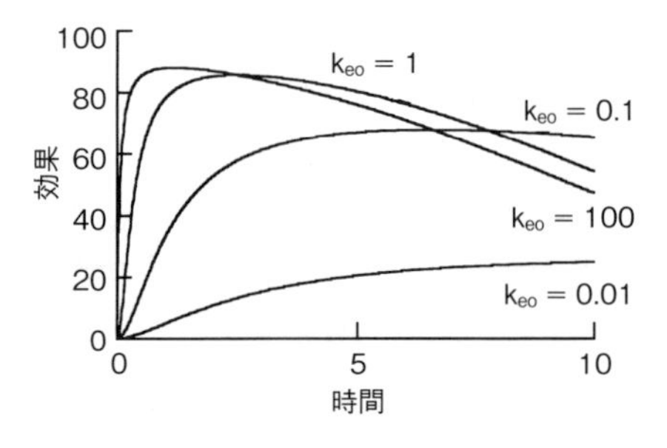

図E2·51　効果時間曲線．薬効コンパートメントを用いたPK/PDモデリングにおける k_{eo} の影響

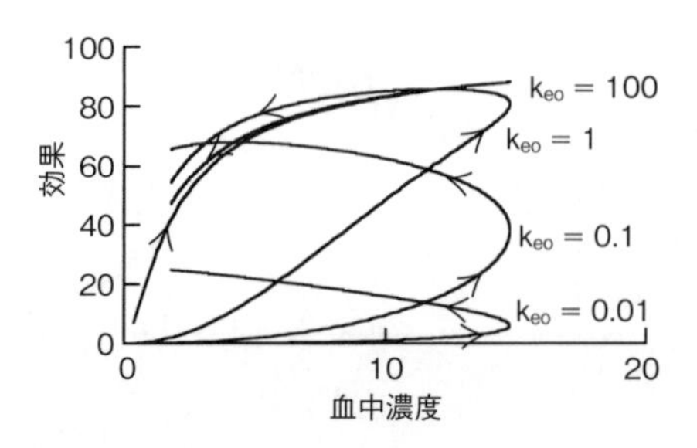

図E2·52　効果血中濃度曲線．薬効コンパートメントを用いたPK/PDモデリングにおける k_{eo} の影響

す[7]．ミダゾラムはジアゼパムに比べ強い薬（ミダゾラムの EC_{50} はジアゼパムの 1/6）であることは前述しました．一方ミダゾラムの $t_{1/2keo}$ はジアゼパムに比べ約 3 倍長い，すなわち効果発現が遅いことが解析されています．このときジアゼパムを使っていた感覚でミダゾラムを使うと，効果の強いミダゾラムを過剰量使ってしまうことになり，思わぬ事故につながるおそれがあり，適正に使用しなければなりません[54～56]．さらに k_{eo} は効果の発現，消失の速さを表す 1 つのパラメータであることから，薬物とその代謝物の効果発現を評価する指標にも用いられています[57]．さらに薬効コンパートメントモデルの例として，抗痙攣薬のオキサゼパムは脳波を効果の指標とすると，脳波と薬効コンパートメント中の薬物濃度は対数線形モデルで解析できると報告されています[58]．またイブプロフェンの痛みの抑制効果について，薬効コンパートメント中の薬物濃度と効果は E_{max} モデルを用いて説明されています[59]．

薬効コンパートメントモデルを用いた例をさらに説明します．トリアゾラム投与後の鎮静効果による起立しているときの身体の揺れ効果時間曲線を図 E2・53 に示します[60]．効果のモデル式を次に示します．

$$E = E_0 + \frac{E_{max} \cdot Ce^{\gamma}}{EC_{50}{}^{\gamma} + Ce^{\gamma}}$$

E；身体の揺れ

E_0；投与していないときの身体の揺れ，12.9 回

E_{max}；最大効果，755 回

EC_{50}；E_{max} の 1/2 の効果を示す作用部位濃度，5.55 ng/mL

Ce；薬効コンパートメント（作用部位）における濃度

γ；4.5

トリアゾラムを投与すると，鎮静効果により起立時の身体に揺れが起こります．そのときの血中濃度曲線を図 E2・54 に示します．濃度効果曲線を求めると，図 E2・55 に示すようなヒステレシスが観察されます．この反時計回りのヒステレシスは血中濃度の上昇・下降に比べ，効果が遅れていることを意味します．さらにこのヒステレシスをなくすために薬効コンパートメントを仮定し，k_{eo}，6.6 h^{-1} を用いると，作用部位薬物濃度と効果の関係は図 E2・56 となります．作用部位薬物濃度と効果は 1 対 1 の関係となり，効果と薬物濃度の関係が明確になり，効果の予測が可能となります．

薬効コンパートメントモデルの応用例をもう 1 例説

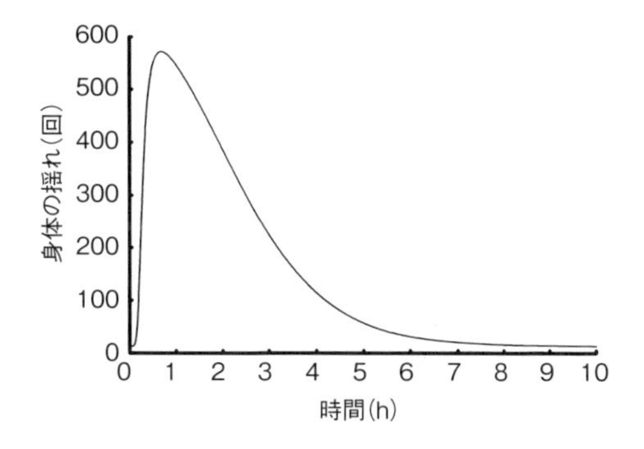

図 E2·53　効果時間曲線

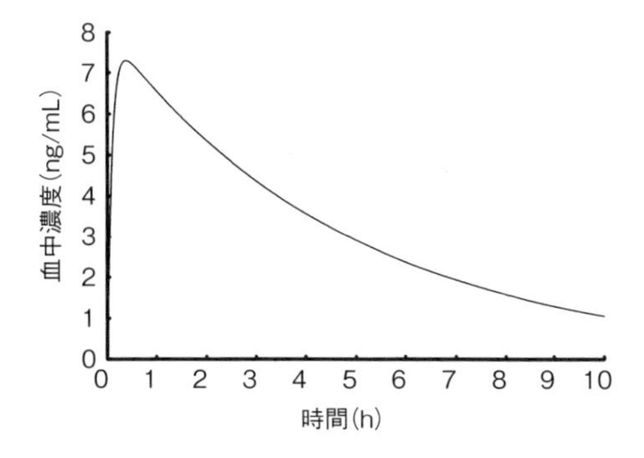

図 E2·54　血中濃度時間曲線

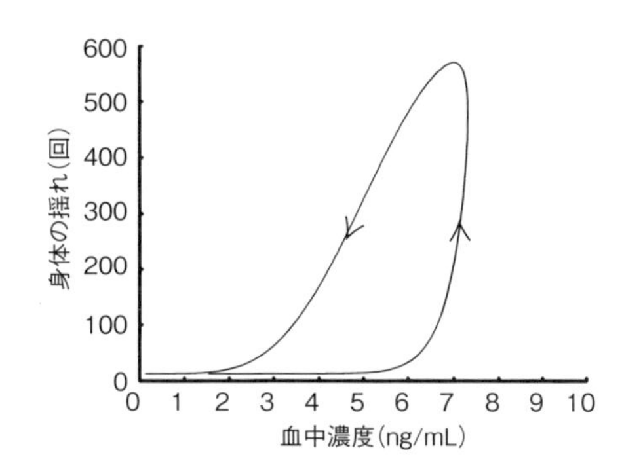

図 E2·55　効果血中濃度関係によるヒステレシス

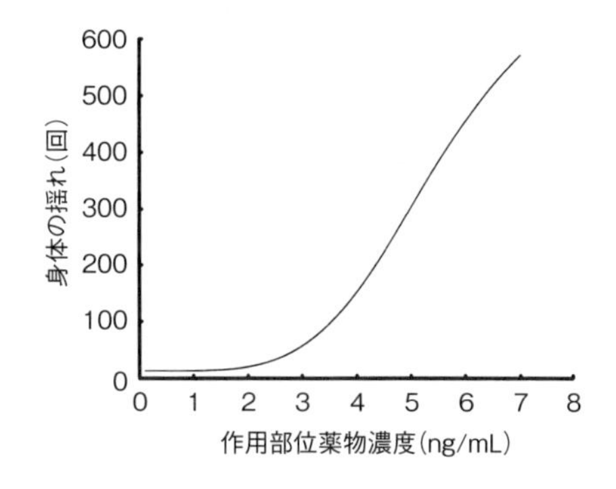

図 E2·56　効果作用部位薬物濃度曲線

明します．β_2作動薬のホルモテロールについて報告されています[61]．効果の指標として好酸球数（sarrogate marker）が用いられています（近年，喘息における気道炎症に好酸球の変動が関与していると考えられています）．ホルモテロール投与後の平均好酸球数減少効果時間曲線 Me を図 E2・57 に示します．効果のモデル式を次に示します．

$$E = E_0 - \frac{E_{max} \cdot Ce^{\gamma}}{EC_{50}{}^{\gamma} + Ce^{\gamma}}$$

E；好酸球数

E_0；投与していないときの好酸球数，277×10^6/L

E_{max}；最大減少数，0

EC_{50}；$(E_0 - E_{max})$ の 1/2 の効果を示す作用部位濃度，47 pg/mL

Ce；薬効コンパートメント（作用部位）における濃度

γ；2

平均血中濃度推移 Mc を図 E2・58 に示します．好酸球数減少効果は血中濃度推移に比べ遅れて発現し，k_{eo} は 0.64 h^{-1} を示しています．このモデルを用いると，効果の時間推移を確認することができます．被験者 A，B の効果時間曲線および血中濃度時間曲線を図 E2・59，図 E2・60 に示します．このとき血中濃度効果曲線はヒステレシスを示します（図 E2・61，Ah，Bh）．被験者 A の効果は B に比べ大きくなっていますが，血中濃度は逆に A に比べ B のほうが高くなっています．これらのように直感的に矛盾を感じることは直接反応モデルでも説明しましたように，B の EC_{50}（65 pg/mL）が A（22 pg/mL）に比べ 3 倍大きくなっているためです．したがって，薬効コンパートメントモデルを用いた場合でも EC_{50} は重要なパラメータです．

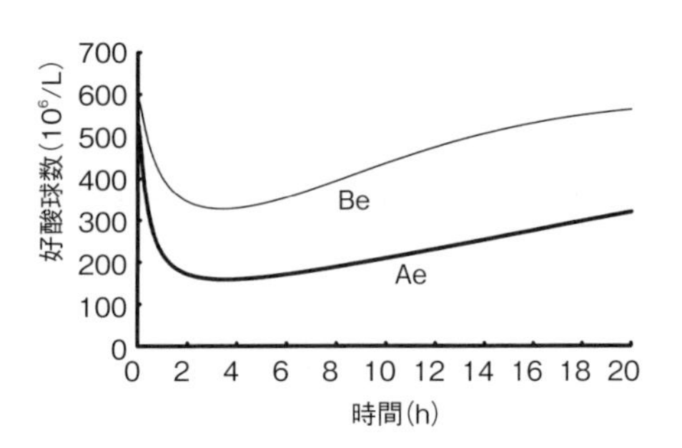

図 E2·59　効果時間曲線

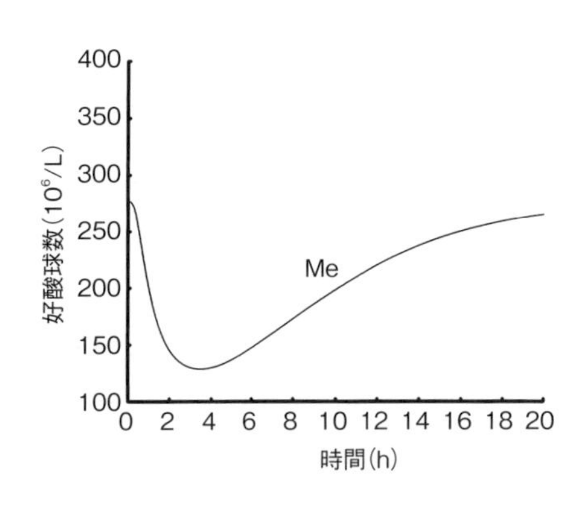

図 E2·57　効果時間曲線

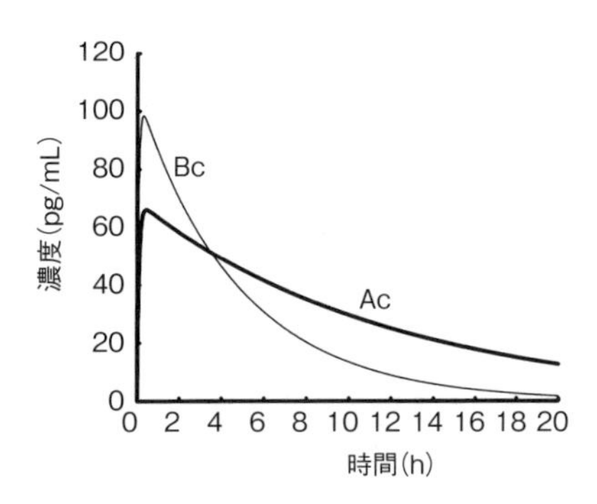

図 E2·60　血中濃度時間曲線

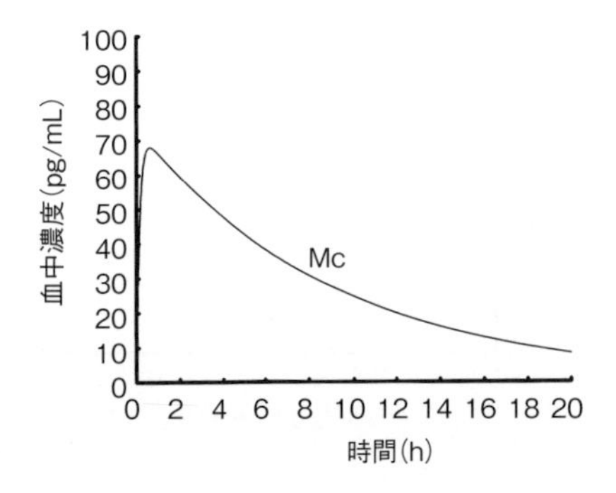

図 E2·58　血中濃度時間曲線

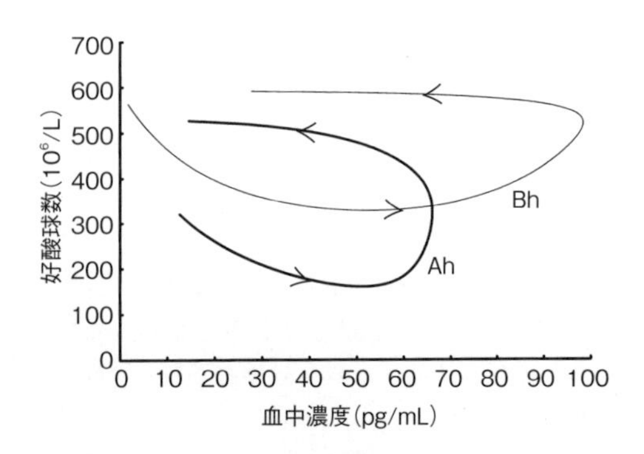

図 E2·61　効果血中濃度関係によるヒステレシス

E2・2・4　その他のモデル

効果または副作用の発現およびその程度がAUCなどのモデル非依存のパラメータに相関するモデルが報告されています[62,63]．また薬物投与後の効果時間曲線と薬物を投与していないときの効果時間曲線との間の面積を利用して解析することが報告されています[64,65]．抗がん剤において，適切な治療濃度が明らかにされ，適正な投与量が報告されています[66]．

さらに間接作用モデルの応用として，耐性[67]およびリバウンド効果[68]の解析も報告されています．

E2・3　ま と め

以上，PK/PD解析の基本的な説明を行いました．PK/PD解析の方法は今後さらに進む余地が多く残されています[69～71]．薬物治療は患者の病態およびコンプライアンスなどに左右されることから，実際に適正な薬物治療が行われているかどうかは，個々の薬物の薬物動態と薬力学の関係を結びつけ，薬物投与後の効果の推移をできるだけ正確に把握することができるかどうかにかかっていると考えます．

E3 応 用 編

E3・1 PK/PD解析を利用するには

PK/PD 解析を行う場合，PK/PD 解析を構築するのか，利用するのかをあらかじめ決定しておくことが必要です．ここでは PK/PD 解析を利用する場合の指標について説明します．PK/PD 解析を利用するには PK，PD および PK と PD の関係それぞれを明確に理解することがまず必要になります．手順を以下に示します．

(1) PK のモデルは何か．

(2) PD のモデルは何か．

(3) PK/PD 統合方法は何か．

(4) 統合モデルによりシミュレーションを行う．

(1) ～ (3) を明確にしてそれぞれのパラメータを調べます．具体的に (1) PK についてその薬物のクリアランス，分布容積，半減期，非結合形分率はいくらか，また変動はどの程度かを調べます．また単回投与か連続投与かについて調べます．(2) 再現性の高い PD，バイオマーカーを決定し，PD について作用部位濃度と効果の関係を調べます．その関係についてモデルを用いて表すことができるならば，線形モデル，E_{max} モデル，シグモイド E_{max} モデル，レセプターモデルなどを用いて PD を表します．(3) PK と PD の統合方法として，直接反応モデル，間接反応モデルまたは薬効コンパートメントモデルの何を用いているかを調べます．PK/PD 解析の行われている薬物を例に，表 E3・1 に直接反応モデル，表 E3・2 に間接反応モデル，表 E3・3 ～ 5 に薬効コンパートメントモデルを用いて解析されている薬物とそのパラメータを示します．これらのパラメータとその変動 (SD, SE,

表 E3・1 直接反応モデル

薬物名	被験者	投与回数 投与量	PD モデル	薬効	EC_{50} IC_{50}	ヒル係数	PKモデル 投与方法	文献
Nisoldipine (Ca 拮抗薬)	患者	連続 20 mg	E_{max}	拡張期血圧	EC_{50}： 2.6 μg/mL (CV%，94)	1	n-C po	72
Zaleplon (催眠薬)	健常人	単回 20 mg	Exponential	脳波 DSST			n-C po	73
Zolpidem (催眠薬)	健常人	単回 20 mg	Exponential	脳波 DSST			n-C po	73
Tolcapone (抗パーキンソン薬)	健常人	単回 50 mg	E_{max}	COMT 活性	EC_{50}： 1.2 μg/mL	1	2-C infusion	74
CGP 51901 (免疫グロブリン製剤)	患者	単回 15 ～ 60 mg	Sigmoid E_{max}	IgE	EC_{50}： 179 ng/mL (SE，44.9)	0.516 (SE，0.026)	2-C infusion	75
Meloxicam (鎮痛薬)	健常人	単回 15 mg 連続 15 mg/day	Sigmoid E_{max}	TXB2 阻害	単回 EC_{50} 37 ng/mL (SD，29.6) 連続 EC_{50} 87 ng/mL (SD，55.2)	単回 0.75 (SD，0.42) 連続 1.17 (SD，0.35)	1，2-C po	76
Dicrofenac (鎮痛薬)	健常人	単回 75 mg 連続 150 mg/day	Sigmoid E_{max}	TXB2 阻害	単回 EC_{50} 677 ng/mL (SD，189) 連続 EC_{50} 1850 ng/mL (SD，830)	単回 1.52 (SD，0.67) 連続 1.96 (SD，1.02)	1，2-C po	76

1-C：one-compartment model，2-C：two-compartment model，n-C：non-compartment model，
DSST：Digit Symbol Substitution Test，COMT：catechol-O-methyltransferase，IgE：immunoglobulin E，TXB2：thromboxane B2

表 E3·2 間接反応モデル

薬物名	被験者	投与回数 投与量	PD モデル	薬効	EC_{50} IC_{50}	k_{in}	k_{out}	E_{max}	PK モデル 投与方法	文献
Warfarin (抗血栓薬)	健常人	単回 1.5 mg/kg	阻害モデル ①	プロトロンビン活性	IC_{50}： 1.26 mg/L	121% /day	1.21 day^{-1}		2-C po	33
Pyridostigmine (重症筋無力症用薬)	患者	単回 5 mg	阻害モデル ②	筋収縮反応	IC_{50}： 28.8 ng/mL	1.64% /gain/min	0.028 min^{-1}		2-C iv bolus	33
Cimetidine (消化性抗潰瘍薬)	患者	単回 300 mg	促進モデル ③	プロラクチン放出量	EC_{50}： 14.3 μg/mL	0.015 ng/mL/min	0.073 min^{-1}	212 ng/mL	2-C iv bolus	33
Terbutaline (β 2 刺激薬)	健常人	単回 0.5 mg	促進モデル ④	血漿中カリウム濃度	EC_{50}： 18.8 ng/mL	15.8 mmol/L/h	3.66 h^{-1}	1.25 mmol/L	2-C s. c.	33
Fluticasone Propionate (気管支喘息治療薬)	患者	単回 0.5 ～ 3 mg	促進モデル ③	リンパ球数	EC_{50}： 30 pg/mL (SD, 3)	100 × k_{out}	0.74 h^{-1} (SD, 0.41)	0.63 (SD, 0.15)	1-C in halation	77
Fluocortolone (ステロイド剤)	健常人	単回 20, 50, 100 mg	阻害モデル ①	コルチゾール濃度	EC_{50}： 0.95 mg/mL (SD, 0.22)		0.58 h^{-1} (SD, 0.09)		1-C po	78

1, 2-C：1, 2-compartment model

表 E3·3 薬効コンパートメントモデル

薬物名	被験者	投与回数 投与量	PD モデル	薬効	傾き	EC_{50} IC_{50}	ヒル 係数	k_{eo}	PK モデル 投与方法	文献
Prazocin (α 遮断薬)	健常人	単回 1 mg	直線	収縮期血圧	− 1.96 mmHg/μg/mL (SD, 0.7)			k_{eo}： 2.07 h^{-1} (SD, 0.61)	2-C iv bolus	79
Doxazosin (α 遮断薬)	健常人	単回 1 mg	直線	収縮期血圧	− 2.3 mmHg/μg/mL (SD, 0.35)			k_{eo}： 0.65 h^{-1} (SD, 0.14)	2-C iv bolus	79
Triazosin (α 遮断薬)	健常人	単回 100 mg	直線	収縮期血圧	− 2.8 mmHg/μg/mL (SD, 1.8)			k_{eo}： 7.4 h^{-1} (SD, 0.72)	2-C iv bolus	79
Metoprolol (β 遮断薬)	患者	単回 4 mg	直線	心拍数	27 beats/min/Ae (SD, 9)			k_{eo}： 1.3 min^{-1} (SD, 0.61)	1-C iv bolus	80
Sotalol (β 遮断薬)	患者	単回 20 mg	直線	心拍数	4 beats/min/Ae (SD, 1)			k_{eo}： 0.66 min^{-1} (SD, 0.19)	2-C iv bolus	80
Ketorolac (鎮痛薬)	患者	単回 10, 30, 60, 90 mg	E_{max}	VAS 持続時間		EC_{50}： 0.37 mg/L (SE, 0.34)	1	k_{eo}： 1.76 h^{-1} (SD, 0.53)	2-C i. m.	81
Methadone (鎮痛薬)	患者	単回 10 ～ 30 mg	Sigmoid E_{max}	VAS		Css_{50}： 0.29 μg/mL (SD, 0.38)	2.03 (SD, 1.1)	$t_{1/2keo}$： 3.6 min	3-C iv bolus	82

VAS：Visual Analogue Scale, 1, 2, 3-C：1, 2, 3-compartment model

表 E3·4　薬効コンパートメントモデル

薬物名	被験者	投与回数 投与量	PD モデル	薬効	EC_{50} IC_{50}	ヒル係数	k_{eo} $t_{1/2keo}$	PK モデル 投与方法	文献
Piritaramide (鎮痛薬)	患者	単回 7 mg/kg/min	Sigmoid E_{max}	VAS	EC_{50}： 12.7 ng/mL (2.86 ～ 29.75)	1.91 (0.54 ～ 6.14)	k_{eo}： 16.78 min^{-1} (4.37 ～ 41.59)	2-C infusion	83
Flumazenil (in amidazolam steady-state) (ベンゾジアゼピン拮抗薬)	健常人	単回 1 mg	Sigmoid E_{max}	DSST	Ceq50： 7.4 ng/mL (CV%, 26)	6.3 (CV%, 40)	$t_{1/2keo}$： 3.28 min (CV%, 92)	2-C infusion	84
Midazolam (鎮静薬)	健常人	単回 2.5 mg/min	Sigmoid E_{max}	EEG	EC_{50}： 384 ng/mL (SD, 140)	1.4 ～ 3.5	$t_{1/2keo}$： 2.4 min (SD, 1.3)	2, 3-C infusion	85
Fentanyl (麻酔薬)	健常人	単回 2.2 μg/kg/min	Sigmoid E_{max}	EEG	EC_{50}： 9.8 ng/mL (SD, 8.3)	4 (SD, 3)	$t_{1/2keo}$： 5.4 min (SD, 2.1)	2, 3-C infusion	86
Alfentanyl (麻酔薬)	健常人	単回 22 μg/kg/min	Sigmoid E_{max}	EEG	EC_{50}： 577 ng/mL (SD, 273)	6 (SD, 2)	$t_{1/2keo}$： 0.6 min (SD, 0.4)	2, 3-C infusion	86
Dofetilide (抗不整脈薬)	健常人	単回 2.5 mg/min	Sigmoid E_{max}	QTc 間隔	EC_{50}： 2.2 ng/mL (SD, 0.6)	2.9 (SD, 1.8)	k_{eo}： 7.5 h^{-1} (SD, 1.3)	n-C infusion	24

VAS：Visual Analogue Scale, DSST：Digit Symbol Substitution Test, EEG：Electroencepharograph,
2, 3-C：2, 3-compartment model, n-C：non-compartment model

表 E3·5　薬効コンパートメントモデル

薬物名	被験者	投与回数 投与量	PD モデル	薬効	EC_{50} IC_{50}	ヒル係数	k_{eo} $t_{1/2keo}$	PK モデル 投与方法	文献
d-Sotalol (抗不整脈薬)	健常人	単回 0.5, 1.5, 3 mg/kg	Sigmoid E_{max}	QTc 間隔	EC_{50}： 11.41 ～ 6552 ng/mL	0.16 ～ 76.8		3-C infusion	87
Glibenclamide (糖尿病治療薬)	健常人	単回 3.5 mg	Sigmoid E_{max}	血糖値	CEss50： 108 ng/mL (CV%, 26)	2.4	k_{eo}： 1.59 h^{-1} (CV%, 36)	2-C po	88

2, 3-C：2, 3-compartment model

CV%）を確認し，薬物治療の状態を把握し，病態，年齢などによる PK および PD の変動を考慮し，(4) シミュレーションすることにより薬物治療の支援が可能となります．すなわち PK/PD 解析を利用することにより，投与設計，最大用量などを決定することができます．さらに患者ごとの至適な薬物濃度を予測することは有用と考えられます[89]．一方，上記の求められている各パラメータが，ある投与量，効果および血中濃度の範囲で求められていることを覚えておく必要があります．例えば E_{max} は薬理学的に薬物固有の値を示し，本来変動しないはずですが，治療の段階において求められる E_{max} は投与量が変わると変動する場合があります．また EC_{50} もある効果の範囲ではほぼ同じ値を示しますが，異なる場合もあります．したがって，治療において本来薬物のもっている薬効のどの部分における濃度範囲が実際に使われているかを十分に確認する必要があり，C_{max} と EC_{50} の大小関係，常用量と試験投与量の大小関係などを客観的に比較しておくことが大切です．

PK/PD 解析を行う場合，単回投与と連続投与の関係を理解する必要があります．図 E3・1 にクリアランス 52 L/h，分布容積 200 L，吸収速度定数 0.5 h^{-1} の 0 ～ 25 時間と 150 ～ 170 時間の連続投与時の血中濃度時間曲線と効果時間曲線を示します．PK を 1-

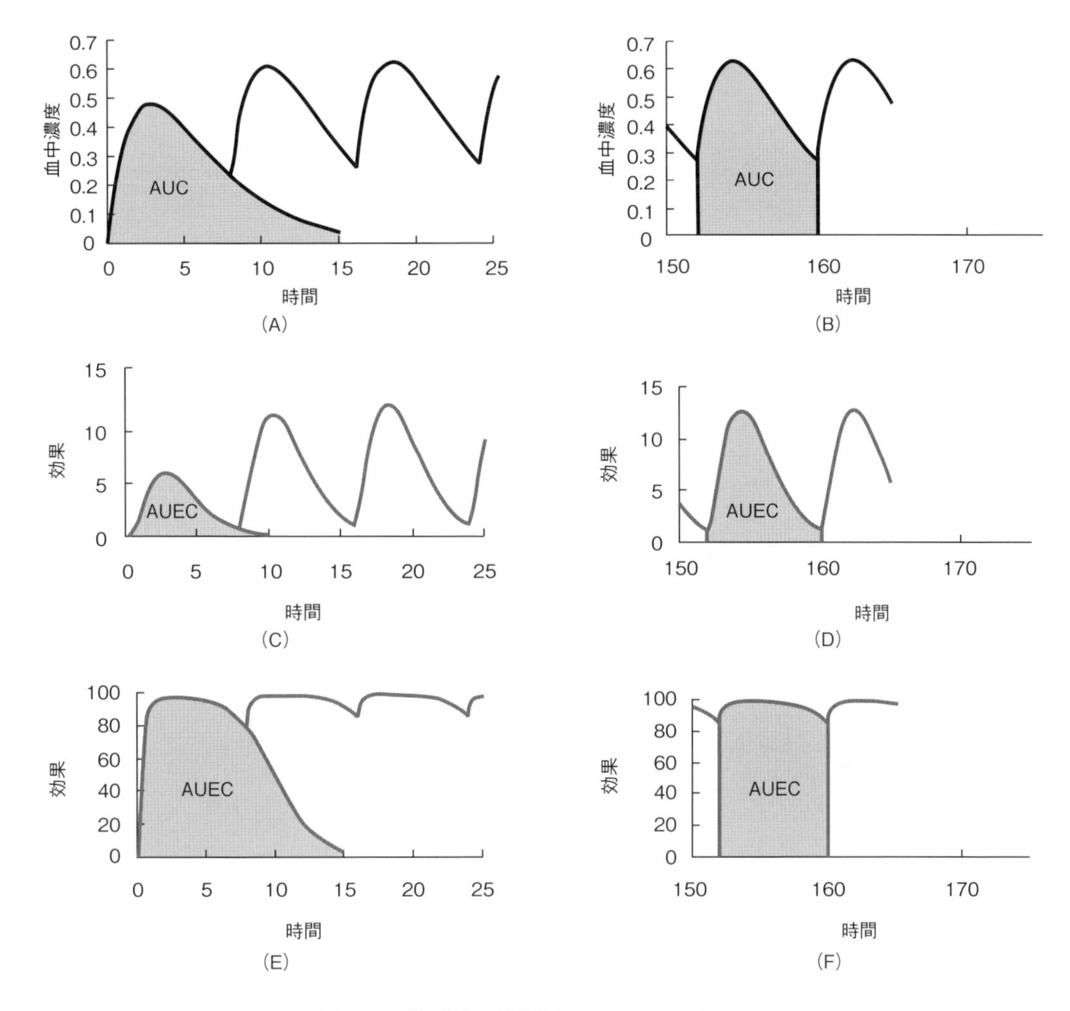

図 E3·1　単回投与と連続投与における AUC と AUEC

コンパートメントモデルで表せる場合，単回投与のAUC はそのまま連続投与時の AUC を予測することができます（図 E3・1(A)(B)，(A)と(B)の AUC は等しい）．PK/PD 解析による効果の指標 Area Under the Effect-time Curve（AUEC）は，図 E3・1(C)(D)(E)(F)に示すように単回投与と連続投与では異なる場合があることに注意が必要です．効果推移について直接反応モデルのシグモイド E_{max} モデル，$EC_{50} = 1.2$，$\gamma = 3$，を用いてシミュレーションを行うと，(D)連続投与の AUEC は(C)単回投与時に比べ大きくなり，EC_{50} が 0.15 と小さい薬物の場合の(F)連続投与の AUEC は(E)単回投与時に比べ小さくなります．

単回投与と連続投与の場合に効果が異なる 1 例を説明します．高齢者におけるフェロジピンの血圧低下効果についてグレープフルーツジュースの影響が報告[90]されています．この現象について変化が明確になるようシミュレーションし説明します．図 E3・2 にフェロジピンとグレープフルーツジュース併用における血中濃度時間曲線と効果時間曲線を示します．単回投与では，血中濃度が上昇し血圧が低下します．このときグレープフルーツジュースを併用するとバイオアベイラビリティの変動により血中濃度が有意に上昇し，効果も有意に強くなります．一方，連続投与の場合，血中濃度は単回投与に比べ蓄積し高くなり，効果もそれに伴い大きくなります．連続投与において，グレープフルーツジュースを併用すると，血中濃度は有意に高くなりますが，血圧は単独投与に比べそれほど大きく低下しません．すなわち，単回投与のグレープフルーツジュース併用では，薬効を有意に大きくしますが，連続投与時ではそれほどの影響がありません．この理由を効果血中濃度関係に注目し説明します．図 E3・3 にフェロジピン単独投与時の効果血中濃度曲線を示

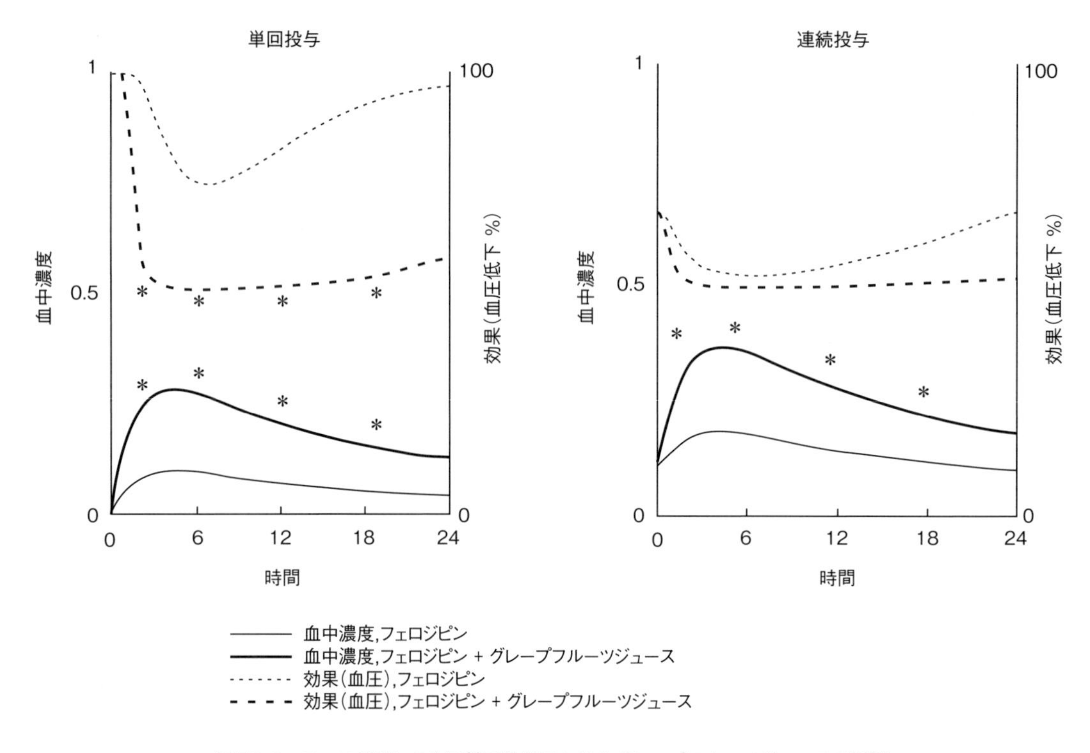

図 E3·2 フェロジピンの血圧低下効果におけるグレープフルーツジュースの影響

します．フェロジピンの単独投与において，単回投与では血中濃度は例えば 0.01 から 0.15 の範囲で動き，効果は 0 ～ 25％低下します．連続投与時の血中濃度は 0.15 から 0.25 の範囲となり，効果は 30 ～ 50％低下しています．単回投与と連続投与の効果血中濃度曲線は大きく異なります．図 E3・4 にフェロジピンとグレープフルーツジュース併用投与時の効果血中濃度曲線を示します．フェロジピンとグレープフルーツジュース併用投与において，単回投与では血中濃度は例えば 0.01 から 0.4 の範囲で動き，血圧（効果）は 0 ～ 50％低下します．連続投与時の血中濃度は 0.15 から 0.5 の範囲となり，血圧（効果）は 30 ～ 50％低下しています．ここで，図 E3・3 と図 E3・4 の単回投与時のグラフを比べてみます．血圧低下効果の最大値は大きく異なります．一方，図 E3・3 と図 E3・4 の連続投与時のグラフを比べてみます．効果はどちらも最大効果に近く，大きく異なりません．したがってグレープフルーツジュースを併用しても連続投与時では影響が少なくなっていることになります．しかし，臨床においては安全性を優先させて併用は避けるべきとしています．以上のように PK の動きと PD の動きを統合して常に考えておく必要があります．いったんモデルを決定してシミュレーションしてからも実際の PK と効果時間推移を絶えず比較することが必要と考えられます．

PK と PD の変動因子に関する研究が近年盛んに進んでいます．因子の中で遺伝子の影響は 1 つの大きな要因になります[91]．ワルファリンでは具体的な遺伝子として，PK に CYP2C9，PD に VKORC1 を組み込み，モデリング[92] をして治療に役立てようとしています．遺伝子多型により効果への影響を予測することは重要と考えられています[93]．クリアランスの変動因子として年齢[94] があることは知られています．PK に関しては，治療経過とともに年齢が増し，その補正をクリアランスに組み込むことは古くから行われています．一方，PD に関しても，病態が時間経過とともに変化しています[95]．この病態の経時変化を考慮した解析が行われています．パーキンソン病においてレボドパなどの効果に disease progression モデルを組み込んだ PK/PD 解析が報告されています[96]．さらに生体内リズム（日内変動）が多くの薬物の体内動態[97] と効果[98] に含まれていることが報告されています．PK/PD 解析に生体内リズムを組み込む[99] ことは，最適な投与設計に欠かせないと考えます．また，

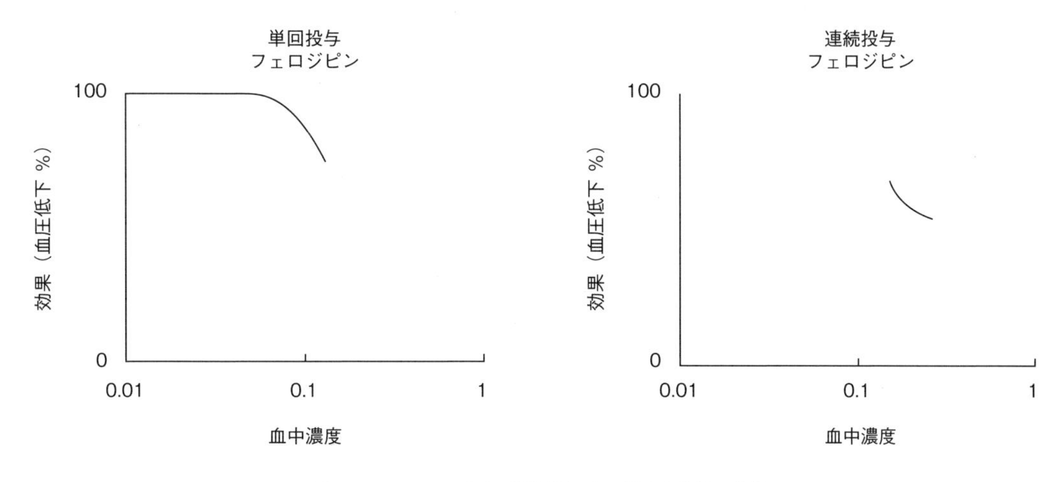

図 E3·3　フェロジピン単独投与時の効果血中濃度曲線

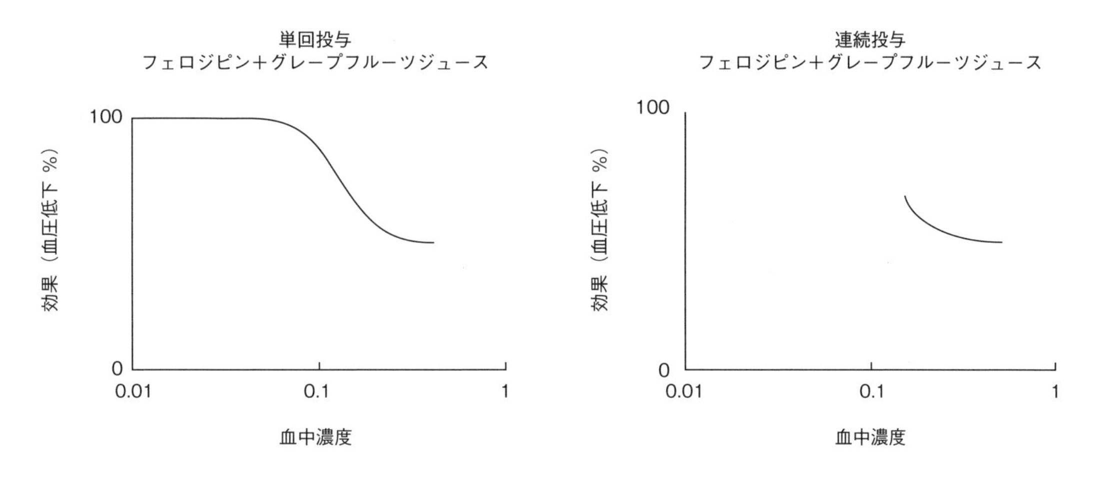

図 E3·4　グレープフルーツジュース併用におけるフェロジピンの効果血中濃度曲線

PK/PD 解析は服薬のタイミング [100]，生理学的 PK/PD 解析は効果の機能 [101] を明らかにすることができます．抗体医薬における PK/PD 解析は，開発の段階から臨床における最適化に有用な方法となっています [102]．また近年の AI 活用の進歩により，ニューラルネットワークを経時的な薬物動態の予測に応用する手法が報告 [103] され，今後の発展が期待されています．

以上，PK/PD 解析を利用するときに重要なパラメータ，EC_{50}，IC_{50}，k_d，E_{max}，γ，k_{in}，k_{out}，k_{eo} およびモデルと変動因子について説明しました．実際に使用されている医薬品では，これらのパラメータなどを明確に説明していない場合がありますが，これらを基本としてよく理解し，患者のためにより再現性の高い適正な薬物治療が行われることを望みます．

文　献

1) Edited by William E Evans, Jerome J. Schentag, William J, Jusko, Applied Pharmacokinetics, Applied Therapeutics, Inc., Vancouver, WA 1992.
2) Dayneka NL, Grag V, Jusko WJ, Comparison of four basic models of indirect pharmacodynamic response. *J Pharmacokin Biopharm* 1993；**21**：457-478.
3) 花野学，梅村甲子郎，伊賀立二，"医薬品開発のためのファーマコキネチックス実験法"，ソフトサイエンス社，東京，1985.
4) Edited by C. J. van Boxtel, N. H. G. Holford, M. Danhof, The in vivo study of drug action, Elsevier, Amsterdam, 1992.
5) http://www.fda.gov/ScienceResearch/SpecialTopics/CriticalPathInitiative/CriticalPathOpportunitiesReports/ucm077262.htm
6) Kenakin T, Pharmacologic analysis of drug-receptor interaction, Raven Press, Ltd., New York, 1993.
7) Mould DR, DeFeo TM, Reele S, Milla G, Limjuco R, Crews T, Choma N, Patel IH, Simultaneous modeling of the pharmacokinetics and pharmacodynamics of midazolam and diazepam. *Clin Pharmacol Ther* 1995；**58**：35-43.
8) Janku I, Perlik F, Tkaczykova M, Brodanova M, Disposition kinetics and concentration-effect relationship of metipranolol in patients with cirrhosis and healthy subjects. *Eur J Clin Pharmacol* 1992；**42**：337-340.
9) Dingemanse J, Haussler J, Hering W, Ihmsen H, Albrecht S, Zell M, Schwilden H, Schuttler J, Phramcokinetic-pharmacodynamic modelling of the EEG effects of Ro 48-6791, a new short-acting benzodiazepine, in young and elderly subjects. *Br J Aneath* 1997；**79**：567-574.
10) Abernethy DR, Schwartz JB, Todd EL, Luchi R, Snow E, Verapamil pharmacodynamics and disposition in young and elderly hypertensive patients. *Ann Int Med* 1986；**105**：329-336.
11) Desager JP, Horsmans Y, Pharmacokinetic-pharmacodynamic relationships of H1-antihistamines. *Clin Pharmacokinet* 1995；**28**：419-432.
12) van Ogtrop ML, Mattie H, Guiot HFL, van Strijen E, van-Dokkum AMH, van Furth R, Comparative study of the effects of four cepharosporins against Escherichia coli in vitro and in vivo. *Antimicrob Agents Chemother* 1990；**34**：1932-1937.
13) Wakelkamp M, Alvan G, Paintaud G, The time of maximum effect for model selection in pharmacokinetic-pharmacodynamic analysis applied to frosemide. *Br J Clin Pharmacol* 1998；**45**：63-70.
14) Dutta S, Matsumoto Y, Ebling WF, Is it possible to estimate the parameters of sigmoid E_{max} model with truncated data typical of clinical studies? *J Pharm Sci* 1996；**85**：232-239.
15) McDevitt DG, Shand DG, Plasma concentrations and the time-course of beta blockade due to propranolol. *Clin Pharmacol Ther* 1975；**18**：708-713.
16) Levy G, Kinetics of pharmacologic effects. *Clin Pharmacol Ther* 1966；**7**：362-372.
17) Mayersohn M, Perrier D, Kinetics of pharmacologic response to cocain. *Res Commun Chem Pathol Phrmacol* 1978；**22**：465-474.
18) Cocchetto DM, Kinetics of phrmacological effects on constantrate intravenous infusion. *J Pharm Sci* 1981；**70**：578-579.
19) Kamali F, Emanuel M, Rawlins MD, A double-blind placebo controlled dose response study of noberastine on histamine induced weal and flare. *Eur J Clin Pharmacol* 1991；**40**：83-85.
20) Holford NH, Coates PE, Guentert TW, Riegelman S, Sheiner LB, The effect of quinidine and its metabolites on the electrocardiogram and systolic time intervals：concentration-effect relationships. *Br J Clin Pharmacol* 1981；**11**：187-195.
21) Whiting B, Kelman AW, Barclay J, Addis GJ, Modelling theophylline response in individual patients with chronic bronchtis. *Br J Clin Pharmacol* 1981；**12**：481-487.
22) Whiting B, Kelman AW, Struthers AD, Prediction of response to theophylline in chronic bronchitis. *Br J Clin Pharmacol* 1984；**17**：1-8.
23) Samara E, Cao G, Locke C, Grennerman GR, Dean R, Killian A, Population analysis of the pharmacokinetics and pharmacodynamics of seratrodast in patients with mild to moderate asthma. *Clin Pharmacol Ther* 1997；**62**：426-435.
24) Coz FL, Funck-Brentano C, Morell T, Ghadanfar MM, Jaillon P, Pharmacokinetic and pharmacodynamic modeling of the effects of oral and intravenous administrations of dofetilide on ventricular repolarization. *Clin Pharmacol Ther* 1995；**57**：533-542.
25) D'Argenio ZD, Schumitzky A, ADAPT II. Pharmacokinetic/pharmacodynamic systems analysis software. User's guide to release 4, March 4 1997.
26) Nagai N, Ogata H, Quantitative relationship between pharmacokinetics of unchanged cisplatin and nephrotoxicity in rats：importance of area under the concentration-time curve（AUC）as the major toxicodynamic determinant in vivo. *Cancer Chemother Pharmacol* 1997；**40**：11-18.
27) Minami H, Sasaki Y, Saijo N, Ohtsu T, Fujii H, Igarashi T, Itoh K, Indirect-response model for the time course of leukopenia with anticancer drugs. *Clin Pharmacol Ther* 1998；**64**：511-521.
28) Makino Y, Yamamoto N, Sato H, Ando R, Goto Y, Tanai C, Asahina H, Nokihara H, Sekine I, Kunitoh H, Ohe Y, Sugiyama E, Yokote N, Tamura T, Yamamoto H, Pharmacokinetic and pharmacodynamic study on amrubicin and amrubicinol in Japanese patients with lung cancer. *Cancer Chemother Pharmacol* 2012；**69**：861-869.
29) Scaglione F, Can PK/PD be used in everyday clinical practice. *Int J Antimicrob Agents* 2002；**19**：349-353.
30) Ohata Y, Tomita Y, Nakayama M, Tamura K, Tanigawara Y, Optimal treatment schedule of meropenem for adult patients with febrile neutropenia based on pharmacokinetic-pharmacodynamic analysis. *J Infect Chemother* 2011；**17**：831-841.
31) Kaneko M, Aoyama T, Ishida Y, Miyamoto A, Saito Y, Tohkin M, Kawai S, Matsumoto Y, Lack of ethnic differences of moxifloxacin and metabolite pharmacokinetics in East Asian men. *J Pharmacokinet Pharmacodyn* 2018 Apr；**45（2）**：199-214.
32) Bulik CC, Bader JC, Zhang L, Van Wart SA, Rubino CM, Bhavnani SM, Sweeney KL, Ambrose PG, PK-PD Compass: bringing infectious diseases pharmacometrics to the patient's bedside. *J Pharmacokinet Pharmacodyn* 2017 Apr；**44（2）**：161-177.
33) Jusko WJ, Ko HC, Physiologic indirect response models characterize diverse types of pharmacodynamic effects. *Clin Pharmacol Ther* 1994；**56**：406-419.

34) Breimer DD, Danhof M, Relevance of the application of pharmacokinetic-pharmacodynamic modelling concepts in drug development, *Clin Pharmacokinet* 1997；**32**：259-267.

35) Shen D, O'Malley K, Gibaldi M, McNay JL, Pharmacodynamic of minoxidil as a guide for individualizing dosage regimens in hypertension. *Clin Pharmacol Ther* 1975；**17**：593-598 .

36) Phimmasone S, Kharasch ED：A pilot evaluation of alfentanil-induced miosis as a noninvasive probe for hepatic cytochrome P450 3A4(CYP3A4)activity in humans. *Clin Pharmacol Ther* 2001；**70(6)**：505-517.

37) Blue JW, Colburn WA, Efficacy measures：Surrogates or clinical outcomes? *J Clin Pharmacol* 1996；**36**：767-770.

38) Lee JW, Hulse JD, Colburn WA, Surrogate biochemical markers：Precise measurement for strategic drug and biologics development. *J Clin Pharmacol* 1995；**35**：464-470.

39) 澤田康文，山田安彦，伊賀立二，"レセプター結合占有理論に基づいた薬効・薬理作用と副作用・毒性作用の定量的評価"，薬学雑誌，1997；**117**：65-90 .

40) Hochhaus G, Mollman H, Pharmacokinetic/pharmacodynamic characteristics of the beta-2-agonists terbutaline, salbutamol and fenoterol. *Int J Clin Pharmacol Ther Toxicol* 1992；**30**：342-362.

41) Kramer WG, Kolibash AJ, Lewis RP, Bathala MS, Visconti JA, Reuning RH, Pharmacokinetics of digoxin：relationship between response intensity and predicted compartmental drug leves in man. *J Pharmacokinet Biopharm* 1979；**7**：47-61.

42) Koopmans R, Oosterhuis B, Karemaker JM, Wemer J, van Boxtel CJ, Pharmacokinetic-pharmacodynamic modelling of oxprenolol in man using continuous non-invasive blood pressure monitoring. *Eur J Clin Pharmacol* 1988；**34**：395-400.

43) Yano I, Takayama A, Takano M, Inatani M, Tanihara H, Ogura Y, Honda Y, Inui K, Pharmacokinetics and pharmacodynamics of acetazolamide in patients with transient intraocular pressure elevation. *Eur J Clin Pharmacol* 1998；**54**：63-68.

44) http://www.guideline.gov/content.aspx?id＝24513

45) Slayter KL, Ludwig EA, Lew KH, Middleton E, Ferry JJ, Jusko WJ, Oral contraceptive effects on methylpredonisolone pharmacokinetics and pharmacodynamics. *Clin Pharmacol Ther* 1996；**59**：312-321.

46) van Griensven JMT, Jusko WJ, Lemkes HHPJ, Verhorst CJ, Chiang ST, Cohen AF, Tolrestat pharmacokinetic and pharmacodynamic effects on red blood cell sorbitol levels in normal volunteers and in patients with insulin-dependent diabetes. *Clin Pharmacol Ther* 1995；**58**：631-640.

47) Nieforth KA, Nadeau R, Patel IH, Mould D, Use of an indirect pharmacokinetic simulation model of MX protein induction to compare in vivo activity of interferon alfa-2a and a polyethylene glycol-modified derivative in healthy subjects. *Clin Pharmacol Ther* 1996；**59**：636-646.

48) Sheiner LB, Stanski DR, Vozeh S, Miller RD, Ham J, Simultaneous modeling of pharmacokinetics and pharmacodynamics：application to d-tubocurarine. *Clin Pharmacol Ther* 1979；**25**：358-371.

49) Holford NHG, Sheiner LB, Understanding the dose-effect relationship：Clinical application of pharmacokinetic-pharmacodynamic models. *Clin Pharmacokinet* 1981；**6**：429-453.

50) Ebling WF, Matsumoto Y, Levy G, Feasibility of effect-controlled clinical trials with pharmacodynamic hysteresis using sparse data. *Pharma Res* 1996；**13**：1804-1810.

51) Verotta D, Sheiner LB, Simultaneous modeling of pharmacokinetics and pharmacodynamics：an improved algorithm. *CABIOS* 1987；**3**：345-349.

52) Fuseau E, Sheiner LB, Simultaneous modeling of pharmacokinetics and pharmacodynamics with a nonparametric pharmacodynamic model. *Clin Pharmacol Ther* 1984；**35**：733-741.

53) Plaud B, Proost JH, Wierda MKH, Barre J, Debaene B, Meistelman C, Pharmacokinetics and pharmacodynamics of rocuronium at the vocal cords and the adductor pollicis in humans. *Clin Pharmacol Ther* 1995；**58**：185-191.

54) Taylor JW, Simon KB, Possible intramuscular midazolam-associated cardiorespiratory arrest and death. *DICP Ann Pharmacother* 1990；**24**：695-697.

55) Dionne R, Oral sedation. *Compendium* 1998；**19**：868-877.

56) Arrowsmith JB, Gerstman BB, Fleischer DE, Benjamin SB, Results from the American Society for Gastrointestinal Endoscopy/U.S. Food and Drug Administration collaborative study on complication rates and drug use during gastrointestinal endoscopy. *Gastrointest Endosc* 1991；**37**：421-427.

57) Mandema JW, Tuk B, van Steveninck AL, Breimer DD, Cohen AF, Danhof M, Pharmacokinetic-pharmacodynamic modeling of the central nervous system effects of midazolam and its main metabolite α-hydroxymidazolam in healthy volunteers. *Clin Pharmacol Ther* 1992；**51**：715-728.

58) Dingemanse J, Voskuyl RA, Langemeijer MWE, Postel-Westra I, Breimmer DD, Meinardi H, Danhof M, Pharmacokinetic-pharmacodynamic modelling of the anticonvulsant effect of oxazepam in individual rats. *Br J Pharmacol* 1990；**99**：53-58.

59) Suri A, Grundy BL, Derendorf H, Pharmacokinetics and pharmacodynamics of enantiomers of ibuprofen and flurbiprofen after oral administration. *Int J Clin Pharmacol Ther* 1997；**35**：1-8.

60) Gupta S K, Ellinwood EH, Nikaido AM, Heatherly DG, Simulaneous modeling of the pharmacokinetic and pharmacodynamic properties of benzodiazepines. II. Triazolam. *Pharm Res* 1990；**7**：570-576.

61) van den Berg BTJ, Braat MCP, Pharmacokinetics and effects of formoterol fumarate in healthy human subjects after oral dosing. *Eur J Clin Pharmacol* 1998；**54**：463-468.

62) Cutler NR, Seifert RD, Schleman MM, Sramek JJ, Szylleyko OJ, Howard DR, Brachowsky A, Wardle TS, Brass EP, Acetylcholinesterase inhibition by zifrosilon：Pharmacokinetics and pharmacodynamics. *Clin Pharmacol Ther* 1995；**58**：54-61.

63) Weber C, Schmitt R, Birnboeck H, Hopfgartner G, van Marle, Peeters PAM, Jonkman JHG, Jones C-R, Pharmacokinetics and pharmacodynamics of the endothelin-receptor antagonist bosentan in healthy subjects. *Clin Pharmacol Ther* 1996；**60**：124-137.

64) Mene-Tetang GML, Gobburu JVS, Jusko WJ, Influence of gender on prednisolone effects on whole blood T-cell deactivation and trafficking in rats. *J Pharm Sci* 1998；**88**：46-51.

65) Dingemanse J, Jorga KM, Schmitt M, Gieschke R, Fotteler B, Zurcher G, Parada MD, van Brummelen P, Integrated pharmacokinetics and pharmacodynamics of the novel catechol-O-methyltransferase inhibitor tolcapone during first administration to humans. *Clin Pharmacol Ther* 1995；**57**：508-517.
66) Kawaguchi T, Hamada A, Hirayama C, Nakashima R, Nambu T, Yamakawa Y, Watanabe H, Horikawa K, Mitsuya H, Saito H, Relationship between an effective dose of imatinib, body surface area, and trough drug levels in patients with chronic myeloid leukemia. *Int J Hematol* 2009；**89**：642-648.
67) Wakelkamp M, Alvan G, Gabrielsson J, Paintaud G, Pharmacokinetic modeling of furosemide tolerance after multiple intravenous administration. *Clin Pharmacol Ther* 1996；**60**：75-88.
68) Sharma A, Ebling WF, Jusko WJ, Precursor-dependent indirect pharmacodynamic response model for tolerance and rebound phenomena. *J Pharm Sci* 1998；**87**：1577-1584.
69) Sheiner LB, Verotta D, Further notes on physiologic indirect response models. *Clin Pharmacol Ther* 1995；**58**：238-240.
70) Derendorf H, Meibohm B, Modeling of pharmacokinetic/pharmacodynamic (PK/PD) relationships：Concepts and perspectives. *Phrma Res* 1999；**16**：176-185.
71) Krzyzanski W, Jusko WJ, Caution in use of empirical equations for pharmacodynamic indirect response models. *J Phramcokin Biopharm* 1998；**26**：735-741.
72) Schaefer HG, Heinig R, Adelmann AH, Tetzloff W, Kuhlmann J, Pharmacokinetic-pharmacodynamic modelling as a tool to evaluate the clinical relevance of a drug-food interaction for a nisoldipine controlled-release dosage form. *Eur J Clin Pharmacol* 1997；**51**：473-480.
73) Greenblatt DJ, Harmatz JS, von Moltke LL, Ehrenberg BL, Harrel L, Corbett K, Counihan M, Graf JA, Darwish M, Mertzanis P, Martin PT, Cevallos WH, Shader RI, Comparative kinetics and dynamics of zaleplon, zolpidem, and placebo. *Clin Pharmacol Ther* 1998；**64**：553-561.
74) Jorga KM, Fotteler B, Heizmann P, Zurcher G, Pharmacokinetics and pharmacodynamics after oral and intravenous administration of tolcapone, a novel adjunct to Parkinson's disease therapy. *Eur J Clin Pharmacol* 1998；**54**：443-447.
75) Racine-Poon A, Botta L, Chang TW, Davis FM, Gygax D, Liou RS, Rohane P, Staehelin T, van Steijn AMP, Frank W, Efficacy, pharmacodynamic, and pharmacokinetics of CGP 51901, an anti-immunoglobulin E chimeric monoclonal antibody, in patients with seasonal allergic rhinitis. *Clin Pharmacol Ther* 1997；**62**：675-690.
76) Tegeder I, Lotsch J, Krebs S, Muth-Selbachu, Brune K, Geisslinger G, Comparison of inhibitory effects of meloxicam and diclofenac on human thromboxane biosynthesis after single doses and at steady state. *Clin Pharmacol Ther* 1999；**65**：533-544.
77) Mollmann H, Wagner M, Meibohm B, Hochhanus, Barth J, Stockmann R, Krieg M, Weisser H, Falcoz C, Derendrof H, Pharmacokinetic and pharmacodynamic evaluation of fluticasone propinate after inhaled administration. *Eur J Clin Pharmacol* 1998；**53**：459-467.
78) Rohatagi S, Tauber U, Richter K, Derendorf H, Pharmacokinetic/pharmacodynamic modeling of cortisol suppresion after oral administration of fluocortolone. *J Clin Pharmacol* 1996；**36**：311-314.
79) Meredith PA, Elliott HL, Kelman AW, Reid JL, Application of Pharmacokinetic-Pharmacodynamic Modelling for the Comparison of Quinazoline α-Adrenoceptor Agonists in Normotensive Volunteers. *J Cardiovasc Pharmacol* 1985；**7**：532-537.
80) Ritchie RH, Morgan DJ, Horowitz JD, Myocardial effect compartment modeling of metoprolol and sotalol：Importance of myocardial subsite drug concentration. *J Pharm Sci* 1998；**87**：177-181.
81) Mandema JW, Stanski DR, Population pharmacodynamic model for ketorolac analgesia. *Clin Pharmacol Ther* 1996；**60**：619-635.
82) Inturrisi CE, Colbrun WA, Kaiko RF, Houde RW, Foley KM, Pharmacokinetics and pharmacodynamics of methadone in patients with chronic pain. *Clin Pharmacol Ther* 1987；**41**：392-401.
83) Kietzmann D, Bouillon T, Hamm C, Schwabe K, Schenk H, Gundert-Remy U, Kettler D, Pharmacodynamic modelling of the analgesic effects of piritramide in postoperative patients. *Acta Anaethesiol Scand* 1997；**41**：888-894.
84) Zhi J, Massarella JW, Melia AT, Teller SB, Schmitt-Muskus J, Crews T, Oldfield N, Erb RJ, Leese PT, Patel IH, The pharmacokinetic-pharmacodynamic (Digit Symbol Substitution Test) relationship of flumazenil in a midazolam steady-state model in healthy volunteers. *Clin Pharmacol Ther* 1994；**56**：530-536.
85) Fiset P, Lemmens HLM, Egan TE, Shafer SL, Stanski DR, Phamacodynamic modeling of the electroencephalographic effects of flumazenil in healthy volunteers sedated with midazolam. *Clin Pharmacol Ther* 1995；**58**：567-582.
86) Lemmens HJM, Dyck JB, Shafer SL, Stanski DR, Pharmacokinetic-pharmacodynamic modeling in drug development：Application to the investigational opioid trefentanil. *Clin Pharmacol Ther* 1994；**56**：261-271.
87) Salazar DE, Much DR, Nichola PS, Seibold JR, Shindler D, Slugg PH, A pharmacokinetic-pharmacodynamic model of d-sotalol Q-Tc prolongation during intravenous administration to healthy subjects. *J Clin Pharmacol* 1997；**37**：799-809.
88) Rydberg T, Jonsson A Karlsson MO, Melander A, Concentration-effect relations of glibenclamide and its active metabolites in man：modelling of pharmacokinetics and pharmacodynamics. *Br J Clin Pharmacol* 1997；**43**：373-381.
89) Levy G, Predicting effective drug concentrations for individual patients. *Clin Pharmacokinet* 1998；**34**：323-333.
90) Dresser GK, Bailey DG, Carruthers SG, Grapefruit juice-felodipine interaction in the elderly. *Clin Pharmacol Ther* 2000 Jul；**68** (1)：28-34.
91) Evans WE, Relling MV, Pharmacogenomics：Translating Functional Genomics into Rational Therapeutics. *Science* 1999；**286** (15)：487-491.
92) Hamberg AK, Dahl ML, Barban M, Scordo MG, Wadelius M, Pengo V, Padrini R, Jonsson EN, A PK-PD Model for Predicting the Impact of Age, CYP2C9, and VKORC1 Genotype on Individualization of Warfarin Therapy. *Clin Pharmacol Ther* 2007；**81** (4)：529-538.
93) Aoyama T, Ishida Y, Kaneko M, Miyamoto A, Saito Y, Tohkin M, Kawai S, Matsumoto Y, Pharmacokinetics and Pharmacodynamics of Meloxicam in East Asian Populations: The Role of Ethnicity on Drug Response. *CPT*

Pharmacometrics Syst Pharmacol 2017 Dec ; **6** (**12**) : 823-832.

94) Swart EL, Zuideveld KP, de Jongh J, Danhof M, Thijs LG, Strack van Schijndel RM, Population pharmacodynamic modelling of lorazepam- and midazolam-induced sedation upon long-term continuous infusion in critically ill patients. *Eur J Clin Pharmacol* 2006 ; **62** (**3**) : 185-194.

95) Frey N, Laveille C, Paraire M, Francillard M, Holford NH, Jochemsen R, Population PKPD modelling of the long-term hypoglycaemic effect of gliclazide given as a once-a-day modified release (MR) formulation. *Br J Clin Pharmacol* 2003 ; **55** (**2**) : 147-157.

96) Holford NH, Chan PL, Nutt JG, Kieburtz K, Shoulson I; Parkinson Study Group, Disease progression and pharmacodynamics in Parkinson disease - evidence for functional protection with levodopa and other treatments. *J Pharmacokinet Pharmacodyn* 2006 ; **33** (**3**) : 281-311.

97) Bressolle F, Joulia JM, Pinguet F, Ychou M, Astre C, Duffour J, Gomeni R, Circadian rhythm of 5-fluorouracil population pharmacokinetics in patients with metastatic colorectal cancer. *Cancer Chemother Pharmacol* 1999;**44**(**4**) : 295-302.

98) Troconiz IF, de Alwis DP, Tillmann C, Callies S, Mitchell M, Schaefer HG, Comparison of manual versus ambulatory blood pressure measurements with pharmacokinetic-pharmacodynamic modeling of antihypertensive compounds: application to moxonidine. *Clin Pharmacol Ther* 2000;**68**(**1**) : 18-27.

99) Matsumoto Y, Fujita T, Ishida Y, Shimizu M, Kakuo H, Yamashita K, Majima M, Kumagai Y. Population pharmacokinetic-pharmacodynamic modeling of TF-505 using extension of indirect response model by incorporating a circadian rhythm in healthy volunteers. *Biol Pharm Bull* 2005 ; **28** (**8**) : 1455-1461.

100) Aoyama T, Omori T, Watabe S, Shioya A, Ueno T, Fukuda N, Matsumoto Y, Pharmacokinetic/pharmacodynamic modeling and simulation of rosuvastatin using an extension of the indirect response model by incorporating a circadian rhythm. *Biol Pharm Bull* 2010 ; **33** : 1082-1087.

101) Rose RH, Neuhoff S, Abduljalil K, Chetty M, Rostami-Hodjegan A, Jamei M, Application of a Physiologically Based Pharmacokinetic Model to Predict OATP1B1-Related Variability in Pharmacodynamics of Rosuvastatin. CPT Pharmacometrics Syst Pharmacol 2014 ; **3** : e124.

102) Singh AP, Shah DK, Application of a PK-PD Modeling and Simulation-Based Strategy for Clinical Translation of Antibody-Drug Conjugates : a Case Study with Trastuzumab Emtansine (T-DM1). *AAPS J* 2017 Jul ; **19** (**4**) : 1054-1070.

103) Ogami C, Tsuji Y, Seki H, Kawano H, To H, Matsumoto Y, Hosono H, An artificial neural network-pharmacokinetic (ANN-PK) model and its interpretation using Shapley additive explanations. *CPT Pharmacometrics Syst Pharmacol* 2021 ; **10** (**7**) : 760-768.

第 IV 部

F. 薬物の動態パラメータ値の特徴づけとその臨床応用

この章では https://www.maruzen-publishing.co.jp/info/n20107.html に掲載した PK パラメータを使い，その変動要因に基づいた血中非結合形濃度の時間推移の予測法について，方法や内容を概説します．第 5 版では従来の血漿中薬物濃度（C_p）を可能な限り全血液中薬物濃度（C_B）に補正して，PK パラメータの特徴づけを行っています．そのため，特徴づけの方法も一部追加されていますので，注意してください．さらに，この改訂版では掲載薬物数を増やし，新薬情報も追加しました．また，PK パラメータの特徴づけをご自身で行うときの計算シート（Excel ファイル）とその具体的な使い方について F2 節にまとめました．PK パラメータをこのシートに入力することにより簡便に特徴づけができますので，ご活用ください．皆さんが患者の臨床状況に応じて PK 情報を駆使し，血中非結合形濃度の動きに添った薬物治療計画（投与量・投与間隔の設計）を立案する際の一助となれば幸いです．

F1 薬物の体内動態パラメータ値とその特徴づけ

―病態変化に伴う血中非結合形濃度の予測への応用

我が国において臨床的に利用可能な薬物の中で，信頼できると考えられる体内動態（PK）パラメータ値が報告されている薬物について，PK パラメータの特徴づけ（変動要因の明確化）を行った結果（〔A〕：薬物の動態パラメータと PK シート）と各薬物の PK パラメータの予想される変動因子とその病態変化に伴う動きを Table（〔B〕：1111 ～ 2332）にまとめました．さらに，病態の変化に伴い CL_{intX}，Q_X，fuB がそれぞれ変化した場合における各薬物の予測される血中総濃度・非結合形濃度推移を投与ルート（静脈内・経口）と投与方法（急速・持続点滴投与，単回・繰り返し経口投与）別に図示しました（〔C〕：繰り返し投与では投与間隔と薬物の半減期の関係から蓄積しない場合があり，その場合は単回投与の繰り返しとなるので，注意しましょう）．また，PK の特徴づけが同一の（同一 Table 番号である）薬物を〔D〕表にまとめました．

以下に今回用いた各薬物の動態パラメータと PK シート〔A〕(PK の特徴づけ）についてこのシートの上段から説明します．PK シートは文献値，基本パラメータ，二次パラメータと特徴づけの 4 つのパートで構成されています．

F1・1 【文献値】について

1. 記載した PK パラメータは基本的に “Goodman & Gilman's The Pharmacological Basis of Therapeutics（9 ～ 13th edition）”（McGraw-Hill）の Appendix（Pharmacokinetic Data Table）に掲載されている薬物の PK パラメータ値で，かつ日本で販売されている薬物（医薬品医療機器総合機構（PMDA）の HP[1] で添付文書が掲載されている）を抽出し，“文献値”として以降の解析に用いました．一部，おもに新薬に関しては審査報告書や引用文献にさかのぼって PK パラメータ値を検索・解析した薬物情報(薬物治療塾の HP[2])を引用しました．血漿あるいは血清中薬物総濃度を用いてパラメータ値が算出されている場合，$CL_{tot}(p)$，$V_d(p)$ と記載しました．
2. “文献値” の中で CL_{tot}/F と V_d/F に○がついている薬物は，経口投与後の血漿あるいは血清中薬物総濃度を用いて PK パラメータが算出されていたのにも関わらず，文献に CL_{tot}（mL/min/kg）と V_d（L/kg）として記載されていた薬物です．静脈内投与後のデータが明確でないため（F が不明か，F

はあるが CL_{tot}/F や V_d/F のみが報告されている場合)，これらの薬物については特徴づけを行いませんでした．

3. “文献値” の中で $CL_{tot}(B)$ と $V_d(B)$ としている薬物は，血漿ではなく全血液中薬物濃度の測定により求めた CL_{tot} (mL/min/kg) と V_d (L/kg) が文献に記載されていた場合で，血漿データから得られた $CL_{tot}(p)$ や $V_d(p)$ と区別して示しました．
4. B/P (B/P ratio, Blood/Plasma 中の薬物濃度比) は報告が非常に限られているのが現状ですが，血漿パラメータを全血液パラメータに変換するためには必要不可欠な値です．医薬品申請資料や審査報告書 (PMDA の HP[1]) を検索すると記載されている場合があります．赤血球への分布データ (血球中薬物濃度か，血球移行率/分布率/分配率；ヒト生体試料を用いた *in vitro* 試験の項など) が記載されている場合は, B/P を算出できます (pp.28-29, ならびに F2・3 項計算を参照).

F1・2 【基本パラメータ】について

5. 【基本パラメータ】の中で $CL_{tot}(B)$ (mL/min) と $V_d(B)$ (L) は血漿パラメータではなく血液パラメータです．全血液中薬物濃度，あるいは血漿パラメータと B/P を使い血液パラメータに変換した値です．
6. 【文献値】の $CL_{tot}(p)$ と $V_d(p)$ には体重 (/kg)，体表面積 (/m^2)，あるいは CL_{cr} (mL/min) 当たりの値が文献に記載されていたため，文献データの主対象であると考えられる平均的な白人健常成人男性 (体重＝70 kg，体表面積＝1.73 m^2，CL_{cr} ＝100 mL/min) を用いて，まず $CL_{tot}(p)$ (mL/min) と $V_d(p)$ (L) を算出しました．ただし，審査報告書に記載されている国内日本人データの場合は，体重＝60 kg，体表面積＝1.6 m^2 を基準値としました．
7. 次に B/P が報告されている薬物は，6 で算出した $CL_{tot}(p)$ (mL/min) と $V_d(p)$ (L) をそれぞれ B/P で除して血液パラメータに変換し ($CL(B) = CL_{tot}(p)/(B/P)$，$V_d(B) = V_d(p)/(B/P)$)，“基本パラメータ” を求めました．
8. B/P が報告されていない場合における血漿パラメータから全血液パラメータへの補正が，今回の改訂で追加された部分です．薬物が血漿中のみに限局している場合は，ヘマトクリット値を便宜的に 0.5 とすると，B/P は 0.5 と最小値になります．つまり，必ず $B/P \geqq 0.5$ なので，$CL_{tot}(B) \leqq CL_{tot}(p)/0.5$，$V_d(B) \leqq V_d(p)/0.5$ と表現しました．
9. 【基本パラメータ】の血漿中非結合形分率 (fuP) は，文献値の Bound in plasma (%) /100 を 1 から引き，fuP ＝1－ (Bound in plasma % /100) により求めました．

F1・3 【二次パラメータ】について

10. 【二次パラメータ】の $CL_R(B)$ は $CL_{tot}(B)$ (mL/min)・A_e (%)/100 で求めました．次に腎外クリアランス ($CL_{eR}(B)$) は肝で消失する薬物の $CL_H(B)$ と，肝以外で消失する薬物 (例えば，レミフェンタニルのような血漿中エステラーゼによる加水分解で消失する場合や，高分子薬物が肝臓や脾臓などの細網内皮系に取り込まれて消失する場合など) の $CL_x(B)$ とに分けて考えることにしました．そのため，肝臓や腎臓以外の消失機構で消失する薬物は消失機構を可能な限りメモ欄に記載しました．$CL_R(B) = CL_{tot}(B)\cdot A_e$ (%)/100，$CL_{tot}(B) - CL_R(B) = CL_{eR}(B)$，肝臓で消失する場合は $CL_H(B)$，肝臓以外の臓器 x で消失する場合は $CL_x(B)$，消失臓器が不明の場合は $CL_{eR}(B)$ のままとしました．
11. 【二次パラメータ】の臓器抽出比 ($E_X(B)$) は臓器 $CL_X(B)/Q_X(B)$ で求めました．$Q_H(B)$ は平均的な白人健常成人の値として肝血流速度＝1600 mL/min，$Q_R(B)$ は腎血流速度＝1200 mL/min を用いて，$E_H(B)$ と $E_R(B)$ をそれぞれ算出しました．
12. 肝代謝型薬物 (A_e (%) < 30 で $CL_{eR}(B)$ が肝臓からの消失を表している場合) で，経口投与後の F 値 ($F = F_{oral}$) がある薬物では，$1-F < 0.3$ の場合には $E_H(B) < 0.3$ としました．

F1・4 【特徴づけ】について

13. B/P がなく $B/P \geqq 0.5$ の関係を用いて $E_x(B)$ や $V_d(B)$ を算出した場合は，以下のように特徴づけました (p.29 参照).

    $E_x(B) < 0.3$ か，肝代謝型薬物で $1-F < 0.3$ の場合は消失能依存型
    $E_x(B) > 0.3$ の場合は特定不能
    $V_d(B) < 20$ L の場合は $V_d(B)$ は小さい
    $V_d(B) > 20$ L の場合は特定不能

    腎臓や肝臓以外で消失する薬物に対して，$CL_x(B)$ と $Q_H(B)$ を使い $E_H(B)$ を求めて PK の特徴づけをすることはできません．例えばレミフェンタニル

のように血中エステラーゼで消失する薬物の場合は，消失臓器までの運搬過程はありませんから，血中エステラーゼ活性そのものが CL_x(B)の変動要因となりCapacity-limited型と判定されます．レミフェンタニルの場合は CL_{tot}(p)が3500 mL/min/70 kgと非常に大きいことから，エステラーゼ活性のcapacityはかなり大きいと予想されます．一方，主として肝臓や脾臓の細網内皮系で消失する抗体医薬品のトシリズマブの場合は，CL_{tot}(p)は最大4.4 mL/min（用量依存性がある）であり[3]，肝臓や脾臓への血流速度（それぞれ1600 mL/minと160 mL/min[4]）に比較して非常に小さいことから，この場合もCapacity-limited型と判断できます（なお，抗体医薬品のPKパラメータはCLと V_d は小さく，A_e や血漿たん白との結合はほとんど無視できることが共通した特徴です）．このように腎臓・肝臓以外で消失する薬物の特徴づけに関しては，その消失機構ごとに関与する変動要因を考慮することが重要となります．

14. A_e（%）（文献値），算出した臓器抽出比（E_x(B)，二次パラメータ），V_d(B)（基本パラメータ），fuP（基本パラメータ，fuBの特徴づけはその変化率をもとに評価しますが，それはfuPの変化率と同一であるため，ここではfuPを使いました．p.7参照）をもとに，表F1・1の①～④にそれぞれ示したRangeを基準として各薬物をCode（コード）分けして体内動態の特徴づけを行い，その値をもとにNumberにより分類しました（表F1·2(A)，(B)，pp.209-210）．この分類は各薬物の体内動態の大まかな特徴づけを目的としていますので，例えば A_e について考えてみますと，30%以下であれば主として肝代謝，70%以上であれば主として腎排泄により消失する薬物であると便宜的にとらえているため，絶対的な分類ではありません．傾向を示すと考えてください．各薬物はPKシート〔A〕の【特徴づけ】欄右端に記載されている4桁のTable番号（表F1・1の①～④のパラメータについて各コードごとのNumber）によりPKの特徴づけがなされています（表F1・2(A)，(B)，pp.209-210）．
   ① A_e（消失臓器，elimination organ：特徴づけTable番号1桁目，腎排泄 *vs* 肝代謝）
   ② CL_{tot}(B)（臓器抽出比 E_x(B)：特徴づけTable番号2桁目，Capacity-limited *vs* Flow-limited）．クリアランスの特徴づけの流れは表F1・3(A)，(B)（pp.211-212）に示しました．
   ③ V_d(B)（特徴づけTable番号3桁目，大＞50 L *vs* 小＜20 L）
   ④ 血漿中非結合形分率（fuP：特徴づけTable番号4桁目，binding sensitive＜0.2 *vs* binding insensitive 0.2～1.0）
   例：Table番号が1121に分類される薬物の場合
   1121の1桁目：1；A_e（%）＜30，H，肝代謝型薬物
   1121の2桁目：1；E_H(B)＜0.3，C，消失能依存型
   1121の3桁目：2；V_d(B)＝20－50 L，M，中間型
   1121の4桁目：1；fuP＜0.2，S，血漿中たん白結合依存型

15. 肝代謝型薬物（A_e（%）＜30）と腎排泄型薬物（A_e

表F1・1　体内動態パラメータの特徴づけ

Parameter	Range	Code		Number
① A_e（%）	A_e（%）＜30	H	：肝代謝型	1
	A_e（%）＝30-70	RH	：腎・肝混合型	–
	A_e（%）＞70	R	：腎排泄型	2
② CL_{tot}(B)	E_x(B)＜0.3	C	：Capacity limited，消失能依存型	1
	E_x(B)＝0.3-0.7	M	：Moderate，中間型	2
	E_x(B)＞0.7	F	：Flow limited，血流速度依存型	3
③ V_d(B)	V_d(B)＜20 L	S	：Small，小	1
	V_d(B)＝20-50 L	M	：Medium，中	2
	V_d(B)＞50 L	L	：Large，大	3
④ fuP	fuP＜0.2	S	：Sensitive，血漿たん白結合依存型	1
	fuP＝0.2-1.0	IS	：Insensitive，血漿たん白結合非依存型	2

(%) > 70) の特徴づけの流れを，それぞれ表F1・2 (A)，(B)と表F1・3 (A)，(B)にまとめました．腎・肝混合型薬物については複雑になり，あわせて肝疾患や腎疾患などの単独疾患では，PKの変化が小さいという点から特徴づけの対象としませんでした．

16. 〔B〕にそれぞれのTable 1111～2332に入るそれぞれの薬物について，各PKパラメータの変動因子と病態の変化 (CL_{intX}，Q_X，fuBの増減) に伴って予測される各体内動態パラメータ (V_d(B)，C_{B0}，CL_{tot}(B)，AUC_{iv}(B)，$C_{Bss(iv)}$，CL_{po}(B)，AUC_{po}(B)，$C_{Bssave(po)}$，k_{el}，$t_{1/2}$) の変化について矢印で示しました．例として肝代謝型Flow-limited型薬物の変動因子についてTable 1331 (p.206) を示しましたが，この表の最下段には総濃度測定によりTDMを行う場合に，fuBの変化に伴い治療域が変わる場合について示しました．例えば，Table 1331のFlow-limited型薬物をfuBが上昇している患者 (病態の変化や薬物相互作用などにより) にIVあるいはPO投与後の定常状態における総濃度の変化は非結合形濃度の変化を反映していません．この場合では総濃度に基づく治療域を下げる必要があります (fuBの上昇により，IV投与後ではC_{Bss}は変化しませんがC_{Bssf}は上昇するため，総C_Bに基づく治療域は低下させる必要があります．一方，PO投与後では$C_{Bssavef}$は変化しませんが，C_{Bssave}は低下してしまうので，この場合も総C_Bに基づく治療域は低下させる必要があります)．これらの結果を用いて，血中総濃度・非結合形濃度の時間推移を投与ルート (経口・静脈内) 別に単回投与と繰り返し投与を想定して，〔C〕に図示しました．ただし，繰り返し投与しても投与間隔が半減期の4～5倍以上の場合は，C_Bが蓄積しないため単回投与と同様の動きをするので (単回投与の繰り返し，とくに抗がん剤のプロトコールなどで多い)，各薬物の投与法ごとに個別に判断してください．なお，V_d(B)やCL_{tot}(B)が中間型に分類される場合のk_{el}の決定因子についてはA4・3項g (p.67) に考え方が述べられています．病態の変化により各PKパラメータが変化したとしても，その変化の程度は小さいと予想される場合は〔B〕の矢印に (括弧) をつけて示しましたが，ほとんど変動しないとしてCL_x(B) = CL_x(B)，V_d(B) = V_d(B)と表現し，k_{el}の変化で考察して良いのではないかと考えます．

17. 〔D〕表 (p.208) には特徴づけ後，同一Table番号である (体内動態の特徴が同一である) 薬物をまとめました．同一番号である薬物の各PKパラメータの変動因子は共通することから，病態による変化も同様であると考えられます．

F1・5　薬物の動態特性の臨床応用

18. 次に薬物の動態特性を病態時の薬物治療へ応用する場合の例として，静注製剤も経口製剤 (錠剤) も使用可能であり，抗不整脈薬として頻脈性の不整脈に使われることの多いCaチャネル拮抗薬のベラパミルについて，肝硬変患者に使用するときの体内動態の変化や投与量について考察していきます．ベラパミルは光学異性体のラセミ体として投与されますが，(−) 体のほうが活性が高く，CL_{tot}やCL_{po}は光学異性体間で異なり ((−) 体>(+) 体)[5]，複雑な体内動態を示します[5～8]．また，活性代謝体であるノルベラパミルも血管拡張作用を示しますが，心拍数やP-R間隔には直接的な影響はないとされています．P-R間隔の変化は血漿中ラセミ体ベラパミル濃度と非常に高い相関性 ($P < 0.001$，$\Delta PR = 0.65 \cdot C_p - 2.3$) を示すため[7]，今回は肝硬変患者にベラパミルをIVとPOで投与後のラセミ体の動きを考えていきます．また，ベラパミルは代謝酵素CYP3A4と排出トランスポータP糖たん白の基質であり，かつ強力な阻害薬です．血漿中の主結合たん白はアルブミンとα_1-酸性糖たん白です[5]．通常，病態時にはTable〔B〕1111～2332に予想したようなCL_{intX}，Q_X，fuBが単独で変化するのではなく，同時に複数のパラメータが変化する場合が多いと考えられます．肝硬変患者の場合でも

① Q_HとCL_{intH}の低下
② アルブミンやα_1-酸性糖たん白などの血漿中の薬物結合たん白の合成低下によるfuBの上昇
③ 門脈大静脈シャント形成による初回通過効果の回避とFの上昇

などが同時に起こる可能性があります．

a. ベラパミルのPKの特徴づけと変動要因

まず，肝硬変患者におけるベラパミルのPKの変化を予測するために，ベラパミルについて“Goodman & Gilmanの薬理書”に記載されているPKパラメータを用いて，その特徴づけを行いました (〔A〕，p.205)．

* A_e = 3.0 % (Hepatically eliminated drug)

* CL_{tot}(B)＝15 mL/min/kg･70 kg/0.89(＝B/P)＝1180 mL/min
* CL_H(B)＝1180・0.97 ＝ 1144 mL/min
* E_H(B)＝1144 / 1600 ＝ 0.72（Flow-limited drug）
* V_d(B)＝5.0 L/kg・70 kg/0.89（＝B/P）＝393 L（Large）
* fuP ＝ 0.1（binding sensitive drug）
* $t_{1/2}$ ＝ 2.4 h（経口の場合は 1 日 3 回投与が標準的投与法ですので，連続投与後の蓄積係数＝ 1.3 と計算されますが，実際には 2 倍以上の上昇が報告されています.）

以上の PK の特徴づけからベラパミルは肝代謝型で CL_H(B) は Flow-limited，V_d(B) は大きい薬物であり，binding-sensitive であるので Table 1331 に分類されます．同様の体内動態の特徴をもつ循環器系薬物にはプロプラノロール，プロパフェノン，ヒドララジンなどがあり（〔D〕表)，これらの薬物についても肝硬変患者ではベラパミルと同様の体内動態の変化が認められる可能性があります.

b. 肝硬変によるベラパミルの PK 変化：予測

次に，ベラパミルを IV と経口（PO）投与後におけるそれぞれの PK パラメータの変動因子を明確にしました（〔B〕の Table 1331 参照)．IV と PO 投与後の CL_{tot}(B) と CL_{po}(B) の変動因子が異なるため，病態による影響も投与経路ごとに異なることに注意しましょう.

* CL_{tot}(B) ≈ Q_H(B) ↓（Q_H が低下する肝硬変のような病態では低下する可能性）
* IV 投与後の効果に影響する C_{Bssf} や AUC_f(B) を決定する
  CL_{totf}(B) ≈ Q_H(B) ↓ /fuB ↑（肝硬変患者では Q_H は低下し，一方で fuB は上昇する可能性があり，これらの変化はともに CL_{totf}(B) を低下させ，C_{Bssf} や AUC_f(B) は上昇する方向に動く）
* CL_{po}(B) ≈ fuB ↑・CL_{intH}(B) ↓ /F_a（肝硬変患者では fuB と CL_{intH}(B) の影響が逆方向に働くため，CL_{po}(B) はそれぞれの影響の程度により増減する可能性）
* 経口投与後の効果に影響する $C_{Bssavef(po)}$ や AUC_{pof}(B) を決定する
  CL_{pof}(B) ≈ CL_{intH}(B) ↓ /F_a（肝硬変患者ではベラパミルの主代謝酵素である CYP3A4 活性は低下するため，
  $C_{Bssavef(po)}$ や AUC_{pof}(B) は上昇する可能性）
* V_d(B) ≈（fuB ↑ /fuT）・V_T（肝硬変患者では上昇する可能性）
* 負荷投与後の C_{B0f} を決定する V_{df}(B) ≈ V_T/fuT（肝硬変患者では大きな変化は認められない可能性）
* $t_{1/2}$ ≈ 0.693・fuB ↑・V_T/（fuT・Q_H(B) ↓）（肝硬変患者における fuB の上昇や Q_H(B) の低下はともに $t_{1/2}$ を延長させる可能性）

c. 肝硬変によるベラパミルの PK 変化：文献調査（予測の妥当性評価）

次に，文献検索[5～9] を行い，これらの予測の妥当性について臨床試験との比較を試みました．まず，ベラパミルの CL_{tot}(p) については肝血流速度との良好な相関性が報告されており（CL_{tot}(p)＝ 0.87・肝血流速度，r ＝ 0.99[8]），予測したように Flow-limited 型の薬物であることが確認できました．ここからは肝硬変患者と健常成人について安定同位体ラベル化したベラパミルを IV と PO で同時期に同一対象者に投与して得られた PK パラメータをもとに考えていきます（表 F1・4）[7].

血漿中たん白結合については，この論文[7] では肝硬変患者のデータのみが報告されていたため，その後に報告された *in vitro* 系の血漿中たん白結合実験結果[9] をもとに考察しました．文献 9 は年齢と性別を肝硬変患者とマッチさせた健常人血漿を用いて比較しています．その結果，健常成人に比較して肝硬変患者では fuP が 9.9％から 16％へ約 1.6 倍上昇することが報告されていました（fuB^{IM}/fuB^N ＞ 1，A1・2 項，p.4 参照）[9]．以下に文献 7 で報告された PK パラメータの変化を示しました．次いで健常成人の B/P から想定された各 PK パラメータの決定因子をもとに，肝硬変患者における変化について考察しました.

① CL_{tot}(p)（37.0 L/h *vs* 75.5 L/h；肝硬変患者 / 健常成人の比 ＝ 0.49）は約 51％減少
  ＊肝硬変患者で Q_H(B) が 49％へ低下していた可能性がある.

② CL_{po}(p)（78 L/h *vs* 382.8 L/h；肝硬変患者 / 健常成人の比 ＝ 0.20）は 80％減少
  ＊fuP は肝硬変患者では 1.6 倍へ上昇していたので，CL_{intH}（CYP3A4 活性や P 糖たん白活性）は 12.5％へ低下していた可能性がある.

③ $V_{d\beta}$（12.1 L/kg *vs* 6.8 L/kg；肝硬変患者 / 健常成人の比＝ 1.8 倍）へ上昇
  ＊肝硬変患者では fuP が約 1.6 倍上昇したので，その上昇が $V_{d\beta}$ の上昇へ反映しているものと考

表F1・4　健常人と肝硬変患者のVerapamilのPKパラメータの比較[7, 9]

	CL_{tot}(p) (L/h)	$t_{1/2}$ (h)	CL_{po}(p) (L/h)	fuP[9] (%)	F (%)
健常成人（n = 6）	75.5	3.7	382.8	9.9	22
肝硬変患者（n = 7）	37.0	14.2	78	16	52.3

えられる．

④ $t_{1/2}$(14.2 h *vs* 3.7 h；肝硬変患者/健常成人の比＝3.8倍）へ延長

*肝硬変患者ではCL_{tot}の低下とV_dの上昇により，k_{el}が約18～27%へ低下した可能性がある．

⑤ F（52.3% *vs* 22%；肝硬変患者/健常成人の比＝2.4倍）の上昇

*F＝CL_{tot}(B)/CL_{po}(B)＝Q_H(B)/(fuB・CL_{intH}(B)/F_a）と表現できるので，肝硬変患者ではCL_{tot}(B)（Q_H(B)）は半減していたが，CL_{po}(B)は20%（うちCL_{intH}(B)は12.5%へ低下）へより大きく低下したため，Fが上昇したと考えられる．

これらの文献調査により，各PKパラメータの肝硬変による変化についてそれぞれのPKパラメータの変動要因に基づく予測の妥当性を確認しました．

d. 肝硬変による非結合形ベラパミルのPK変化：予測

そこで次に，肝硬変患者における非結合形のPKパラメータの変化について考察を進めました．

① CL_{totf}(B)＝CL_{tot}(B)/ fuB（肝硬変患者/健常成人の比＝0.49/1.6＝0.31）

AUC_{iv}(B)＝Dose（iv）/ CL_{tot}(B)（肝硬変患者/健常成人の比＝1/0.49＝2.0）

AUC_{ivf}(B)＝Dose（iv）/ CL_{totf}(B)（肝硬変患者/健常成人の比＝1/0.31＝3.2）

② CL_{pof}(B)＝CL_{po}(B)/ fuB（肝硬変患者/健常成人の比＝0.2/1.6＝0.125）

AUC_{po}(B)＝Dose（po）/CL_{po}(B)（肝硬変患者/健常成人の比＝1/0.2＝5.0）

AUC_{pof}(B)＝Dose（po）/CL_{pof}(B)（肝硬変患者/健常成人の比＝1/0.125＝8.0）

③ $t_{1/2} \approx 0.693 \cdot fuB \uparrow \cdot V_T / (fuT \cdot Q_H(B) \downarrow)$（肝硬変患者/健常成人の比＝1.6/0.49＝3.3）．肝硬変患者では健常成人に比較してIV投与後よりPO投与後のほうが血中総濃度（AUC(B)やC_{Bssave}）の上昇率が大きく（2倍 *vs* 5倍），さらに肝硬変患者では効果に影響する非結合形濃度はIV投与後では$C_{Bssf(iv)}$やAUC_f(B)は約3倍，経口投与後では$C_{Bssavef(po)}$やAUC_{pof}(B)は健常成人の約8倍へ上昇することが予想されます．つまり肝硬変患者では静脈内投与でも経口投与でも健常成人と同様の定常状態における平均血中非結合形濃度を保つためには，投与量の減量が必須となると考えられます．また半減期も長くなりますので，肝硬変患者で血中濃度を治療域に保つためには，減量とともに投与間隔の延長が必要になると考えられます．

e. 病態時における血中非結合形濃度予測に基づく投与設計の手順

以上のように薬物のPKの特徴づけと病態時における文献情報を組み合わせることにより，病態時における非結合形濃度の動きを比較的定量的に予測できる可能性があります．薬物のPK特性を活かした投与設計の手順をまとめますと以下のようになります．

① 個々の薬物のPKパラメータの特徴づけを行う

② 各PKパラメータの変動要因を明確にする（Table 1111～2332）

③ 病態時における各変動要因の変化について文献を検索する

④ 薬理効果，副作用に影響する非結合形濃度の動きを予測する

⑤ 非結合形濃度−効果・副作用の関係を調べる

PK-PD関係の考慮は投与設計に重要となりますが，現実的には非結合形濃度の測定はほとんどなされておらず，効果・副作用についても適切なバイオマーカーが確立していない場合が多いので，5に関しては今後の課題といえます．しかし，1～4に関しては現在多くの情報が利用可能になってきていますので，臨床の現場でもPKの特徴づけを利用することにより，常に非結合形濃度の動きを予想しながら投与設計をすることが可能です．とくにTDM対象薬物に関しては総濃度のみを測定する場合がほとんどですので，総濃度と非結合形濃度の動きにギャップが生じる場合（binding-sensitive 薬物で fuB が病態により変化する場合，例えば，腎不全時のフェニトインやバルプロ酸など）の血中濃度のように，TDM 時の治療域を病態により変化させて考える必要がある場合は，とくに総濃度の解釈に注意して治療計画を立案することが非常に重要となってきます．

このような薬物の動態特性を利用した最適な投与設計を行うためには，薬物の血漿中濃度ではなく全血液中濃度をもとにした正しい PK の特徴づけが基本となります．そのためには IV 投与後の PK 情報とともに，B/P に関する情報が必要不可欠です．今回の PK シートでは B/P を見つけることができた薬物は約 25% のみで，現在のところ B/P の報告は非常に限られています．B/P はラベル体を用いれば *in vitro* 系の実験で比較的容易に求めることができますので，今後新薬情報には必ず記載されていることが望まれます．

文　献

1) 独立行政法人 医薬品医療機器総合機構（PMDA）医療用医薬品 情報検索
https://www.pmda.go.jp/PmdaSearch/iyakuSearch/
(2023.6.6)
2) 薬物治療塾
https://plaza.umin.ac.jp/~juku-PT/summaryD.html
(2023.6.6)
3) 飯田理文，高分子医薬品の体内動態．ファルマシア 2018；**54**：425-429.
4) 斉藤正之，寺林秀隆，和田勝則ら，パルスドップラー複合装置による門脈・脾血流速度，血流量測定の臨床的意義．肝臓 1984；**25**：1281-1287.
5) McTavish D, Sorkin EM, Verapamil: an updated review of its pharmacodynamic and pharmacokinetic properties, and therapeutic use in hypertension. *Drugs* 1989；**38**：19-76.
6) Hamann SR, Blouin RA, McAllister RG, Clinical pharmacokinetics of verapamil. *Clin Pharmacokinet* 1984；**9**：26-41.
7) Somogyi A, Albrecht M, Kliems G, Schäfer K, Eichelbaum M, Pharmacokinetics, bioavailability and ECG response of verapamil in patients with liver cirrhosis. *Br J Clin Pharmacol* 1981；**12**：51-60.
8) Woodcock BG, Rietbrock I, Vőhringer HF, Rietbrock N, Verapamil disposition in liver disease and intensive-care patients: kinetics, clearance, and apparent blood flow relationships. *Clin Pharmacol Ther* 1981；**29**：27-34.
9) Giacomini KM, Massoud N, Wong FM, Giacomini JC, Decreased binding of verapamil to plasma proteins in patients with liver disease. *J Cardiovasc Pharmacol* 1984；**6**：924-928.

Verapamil

【文献値】 *"Goodman & Gilman's The Pharmacological Basis of Therapeutics"(9-13th edition)(McGlaw-Hill)の Appendix(Pharmacokinetic Data Table)より許可を得て引用

F, %	Ae, %	Bound in plasma, %	CLtot(p), mL/min/kg	Vd(p), L/kg	B/P ratio	CLtot/F	Vd/F
22	3	90	15	5	0.89		

【基本パラメータ】

CLtot(B), mL/min/70kg	Vd(B), L/70kg	fuP
1180	393	0.1

【二次パラメータ】

CL_R(B), mL/min/70kg	E_R(B)	CLeR(B), mL/mih/70kg	CL_H(B), mL/min/70kg	E_H(B)	1-F
35	0.03		1144	0.72	0.78

【特徴づけ】

主消失経路	CLtot(B)≒CLH(B)	Vd(B)	Protein binding	Table #
① 肝	③ 血流依存(E>0.7)	③ 大(Vd>50L)	① S	1331

【メモ】

* ラセミ体；活性は(-)体>(+)体
* 活性代謝物；norverapamil
* 消失；代謝(CYP3A4,CYP2C9, 他の CYPs)+P-glycoprotein の基質
* B/P ratio；Somogyi A et al., *Br J Clin Pharmacol* 1981;**12**:51-60

〔B〕 PK パラメータの変動要因とそれらの病態変化に伴う動き

table-1331

肝代謝型薬物（Ae％ < 30）；
$E_H(B) > 0.7$, $Vd(B) > 50$, $fuB < 0.2$

【PKパラメータの決定因子】

	Vd(B)	CL_{tot}(B)	AUC_{iv}(B)	CL_{po}(B)	AUC_{po}(B)	k_{el}	$t_{1/2}$
C_B	$\frac{fuB \cdot V_T}{fuT}$	Q_H	$\frac{D}{Q_H}$	$\frac{fuB \cdot CLint_H}{Fa}$	$\frac{D \cdot Fa}{fuB \cdot CLint_H}$	$\frac{fuT \cdot Q_H}{fuB \cdot V_T}$	$\frac{0.693 \cdot fuB \cdot V_T}{fuT \cdot Q_H}$
C_{Bf}	$\frac{V_T}{fuT}$	$\frac{Q_H}{fuB}$	$\frac{D \cdot fuB}{Q_H}$	$\frac{CLint_H}{Fa}$	$\frac{D \cdot Fa}{CLint_H}$	$\frac{fuT \cdot Q_H}{fuB \cdot V_T}$	$\frac{0.693 \cdot fuB \cdot V_T}{fuT \cdot Q_H}$

$$C_{B0} = \frac{D \cdot fuT}{fuB \cdot V_T} \quad C_{Bss(iv)} = \frac{Rinf}{Q_H} \quad C_{Bssave(po)} = \frac{D \cdot Fa}{\tau \cdot fuB \cdot CLint_H}$$

$$C_{B0f} = \frac{D \cdot fuT}{V_T} \quad C_{Bssf(iv)} = \frac{Rinf \cdot fuB}{Q_H} \quad C_{Bssavef(po)} = \frac{D \cdot Fa}{\tau \cdot CLint_H}$$

【CLint , Q および fuB の変化に伴う各パラメータの動き】

	$CLint_H$				Q_H				fuB			
	⇩		⇧		⇩		⇧		⇩		⇧	
	C_B	C_{Bf}	C_B	C_{Bf}	C_B	C_{Bf}	C_B	C_{Bf}	C_B	C_{Bf}	C_B	C_{Bf}
Vd(B)	⇔	⇔	⇔	⇔	⇔	⇔	⇔	⇔	⇩	⇔	⇧	⇔
C_{B0}	⇔	⇔	⇔	⇔	⇔	⇔	⇔	⇔	⇧	⇔	⇩	⇔
CL_{tot}(B)	⇔	⇔	⇔	⇔	⇩	⇩	⇧	⇧	⇔	⇧	⇔	⇩
AUC_{iv}(B)	⇔	⇔	⇔	⇔	⇧	⇧	⇩	⇩	⇔	⇩	⇔	⇧
$C_{Bss(iv)}$	⇔	⇔	⇔	⇔	⇧	⇧	⇩	⇩	⇔	⇩	⇔	⇧
CL_{po}(B)	⇩	⇩	⇧	⇧	⇔	⇔	⇔	⇔	⇩	⇔	⇧	⇔
AUC_{po}(B)	⇧	⇧	⇩	⇩	⇔	⇔	⇔	⇔	⇧	⇔	⇩	⇔
$C_{Bssave(po)}$	⇧	⇧	⇩	⇩	⇔	⇔	⇔	⇔	⇧	⇔	⇩	⇔
k_{el}	⇔	⇔	⇔	⇔	⇩	⇩	⇧	⇧	⇧	⇧	⇩	⇩
$t_{1/2}$	⇔	⇔	⇔	⇔	⇧	⇧	⇩	⇩	⇩	⇩	⇧	⇧
TDMの治療域（Target C_{Bssave}）	⇔		⇔		⇔		⇔		⇧		⇩	

〔C〕　病態の変化に伴う血中総濃度・非結合形濃度の推移

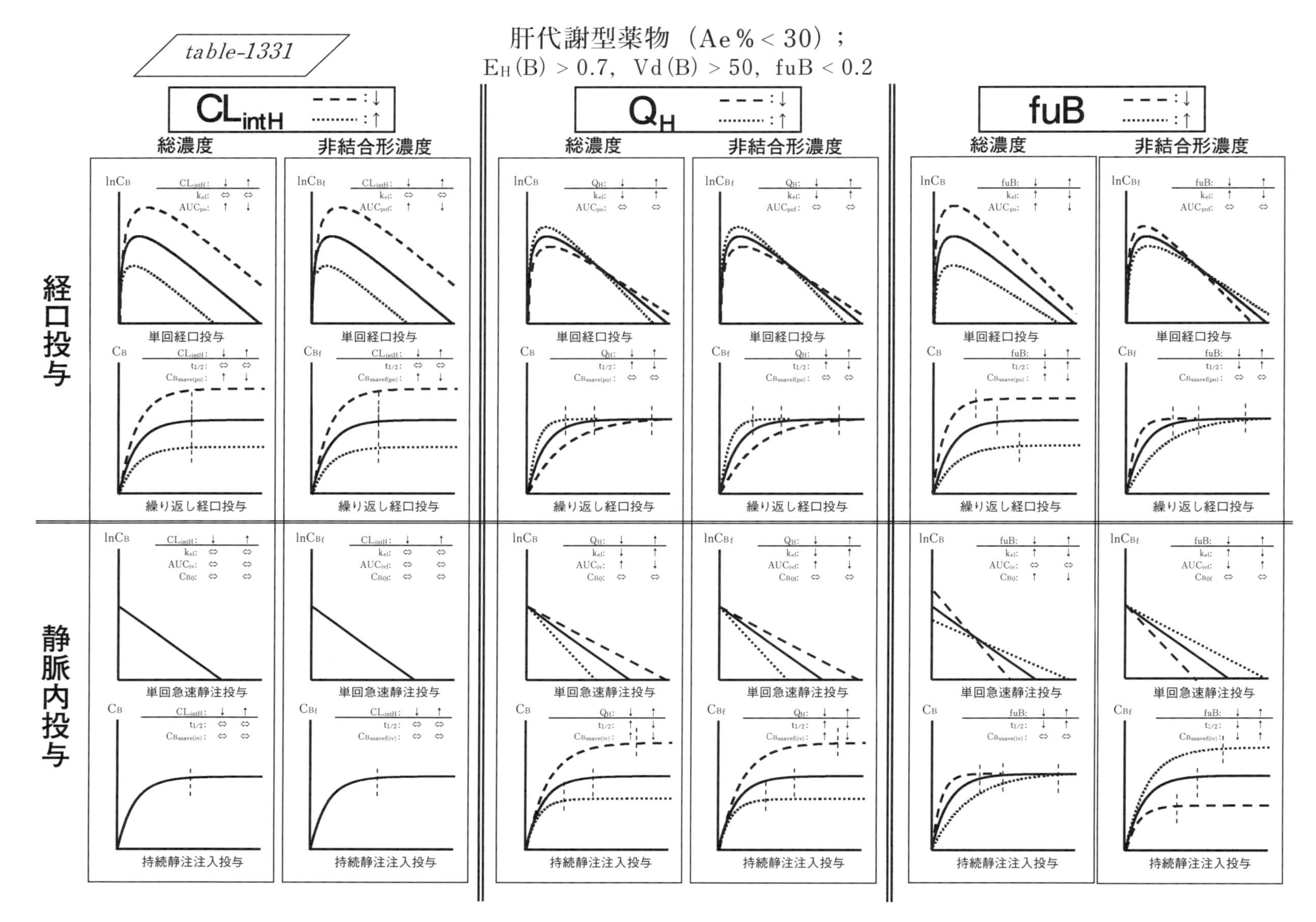

〔D〕同一 Table 番号である薬物リスト（体内動態の特徴づけが一致）

table 番号	Drugs
1111	Caspofungin
	Micafungin
	Warfarin
1121	Apixaban
	Azilsartan
1122	Octreotide
1131	Aprepitant
	Bortioxetine
	Clozapine
	Cyclosporine
	Dapagliflozin
	Darolutamide (S,R)
	Darolutamide (S,S)
	Darunavir
	Eletriptan
	Esaxerenone
	Finasteride
	Irbesartan
	Palbociclib
	Phenytoin
	Safinamide
	Tacrolimus
	Tofogliflozin
1132	Aliskiren
	Betamethasone
	Eribulin
	Galantamine
	Hydroxychloroquine
	Lamotorigine
	Letrozole
	Moxifloxacin
	Tramadol
	Voriconazole
1221	Omeprazole
	Selexipag
1231	Amitriptyline
	Bupivacaine
	Cabazitaxel
	Nicardipine
	Ropivacaine
	Solifenacin
	Zolpidem
1232	Dexamethasone
	Ivabradine
	Rizatriptan
1331	Cocaine
	Entacapone
	Hydralazine
	Propafenone
	Propranolol
	Ramelteon
	Vardenafil
	Verapamil
2111	Furosemide
2112	Piperacillin
2122	Pregabalin
2132	Levofloxacin
2222	Oseltamivir
2332	Metformin

表 F1・2（A） 肝代謝型薬物（Hepatically eliminated drugs）の PK の特徴づけと Table 番号

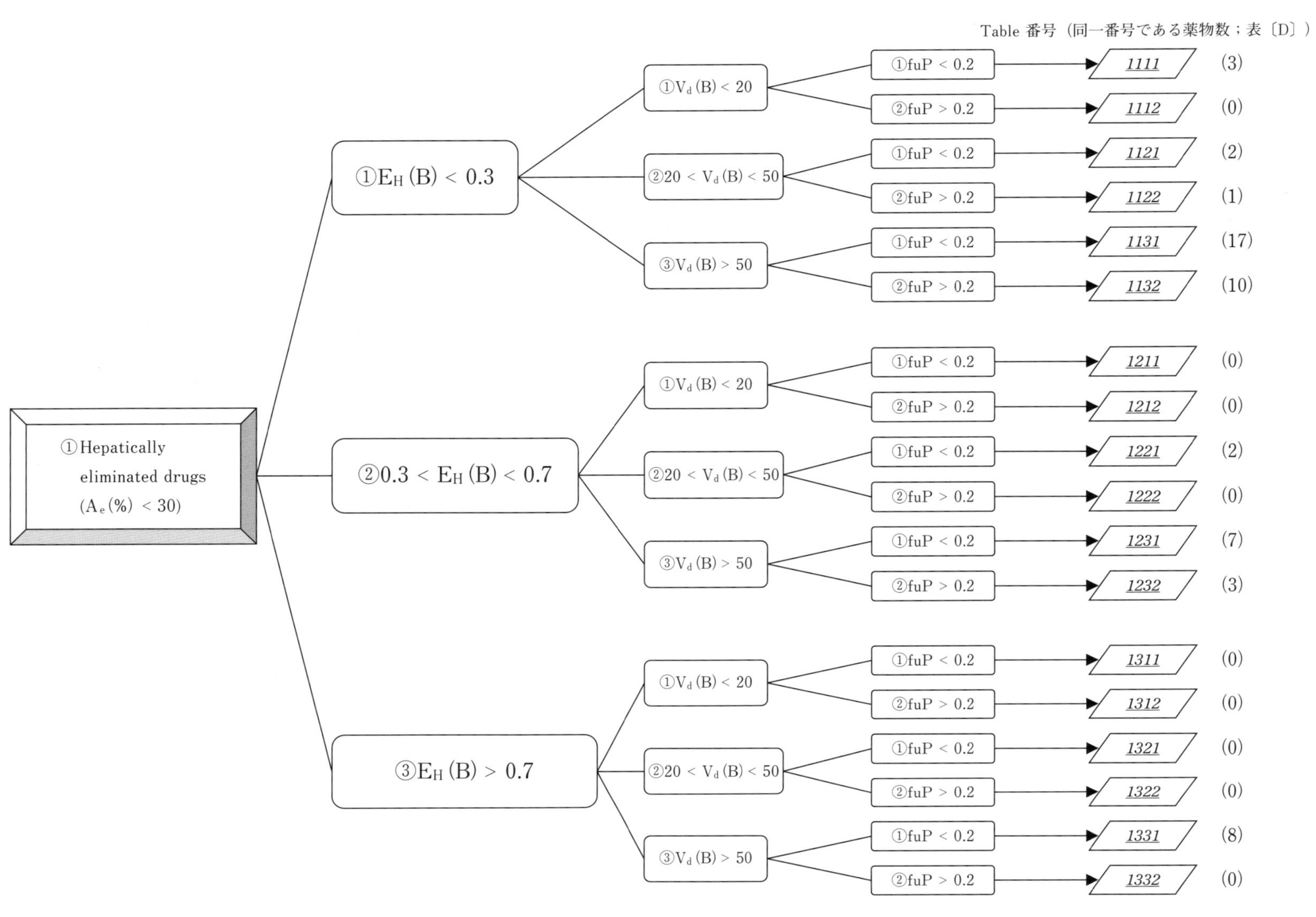

表 F1・2（B）　腎排泄型薬物（Renally eliminated drugs）の PK の特徴づけと Table 番号

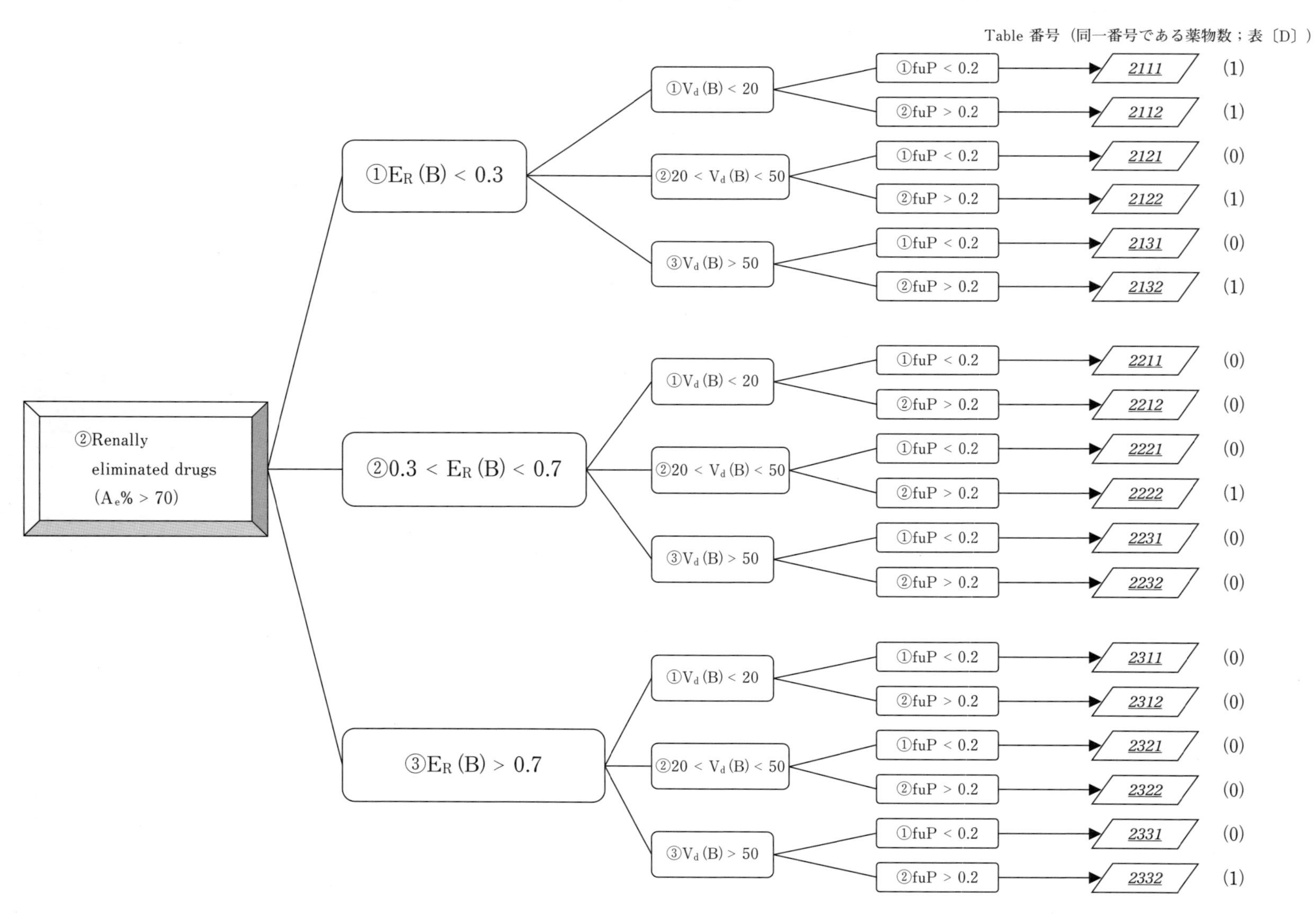

表 F1・3（A）　クリアランスの特徴づけの流れ：肝代謝型薬物（elimination organ : H）

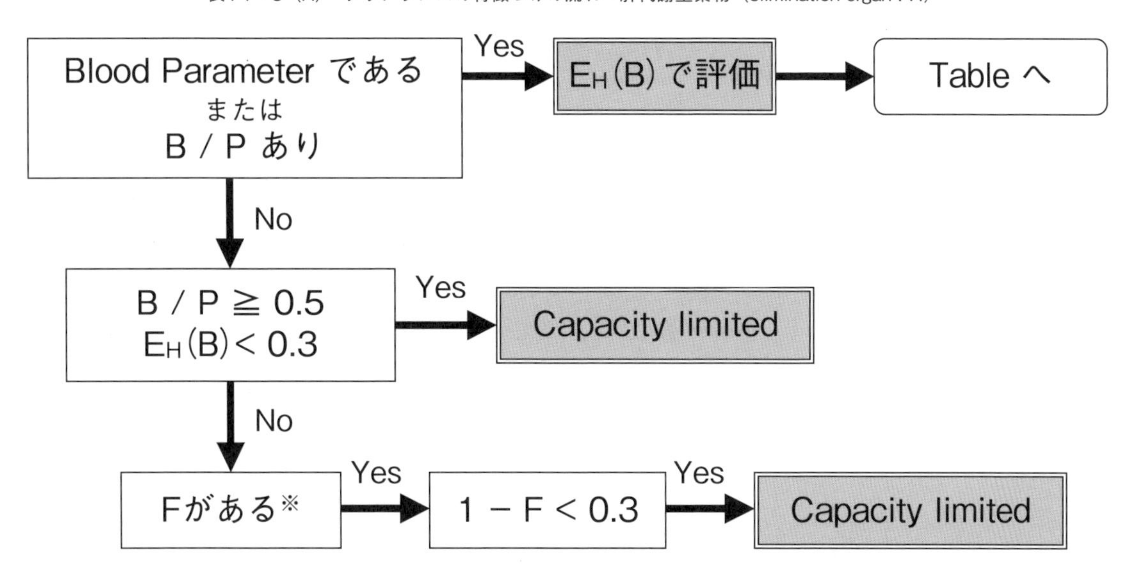

※: 用いる F は経口投与時のものに限る(F = Foral)

Table

E_H(B) Range	Code	Number
< 0.3	C：Capacity limited	1
0.3-0.7	M：Moderate	2
> 0.7	F：Flow limited	3

表 F1・3（B）　クリアランスの特徴づけの流れ：腎排泄型薬物（elimination organ : R）

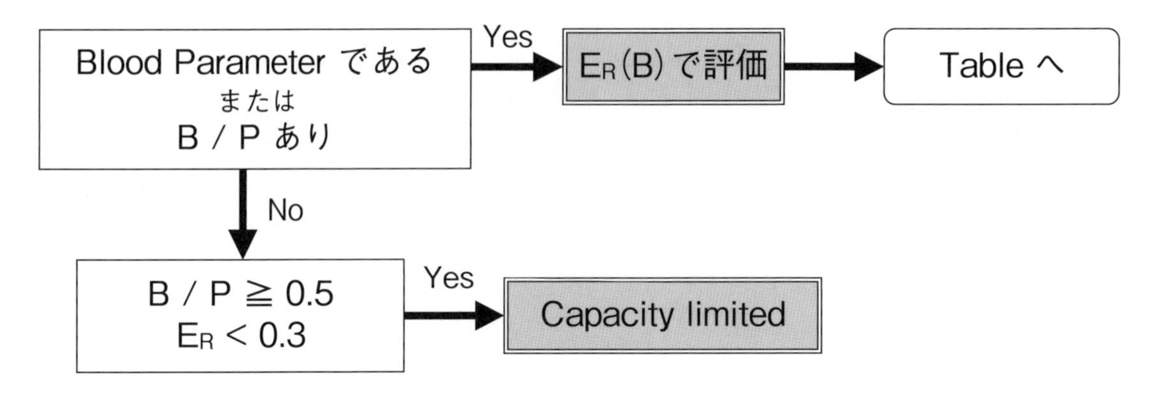

Table

E_R(B) Range	Code	Number
< 0.3	C:Capacity limited	1
0.3-0.7	M:Moderate	2
> 0.7	F:Flow limited	3

F2　Microsoft Excel を利用した薬物動態学的特徴把握のための数値計算

この節では，汎用表計算ソフトである Microsoft Excel を利用して薬物動態学的特徴を把握できるように著者らが作成したファイルの利用方法を説明します．下記に解説する Excel シートは https://www.maruzen-publishing.co.jp/info/n20674.html からダウンロードしてご利用いただけます．

ここで紹介するシートを利用すれば，入力する数値の読み取りミスや単位の誤りなどがない限り，誰でも簡単に薬物動態の特徴づけを行うことができると思います．ですが，著者らがこのシートを作成した意図は，あくまで薬物動態の特徴づけに関する学習の補助（検算のようなもの）にあります．ご自身で1つ1つの計算式やその意義をよく理解しつつ，あくまでその際のサポートとしてこのシートを利用することを心がけてください．特徴づけのステップ自体は（Excel で自動計算できるほど）半ば機械的な作業ですので，繰り返し練習すれば誰でもすぐに習得できます．真に皆さんの能力が求められるのはこの先のステップです．薬物動態学的特徴を把握した上でどうやって個々の患者に最適化した薬物投与を行うか？　将来的にここへ十分な時間と労力を割くことができるよう，まずは本シートを脇におきながら薬物動態の特徴づけをマスターしてください．

F2・1　計算シートの使い方

「計算シート.xlsx」は，既知の薬物動態パラメータから薬物動態の特徴づけに必要な二次パラメータを計算する過程やその値に基づいた特徴づけをサポートするために作成したファイルです．Microsoft Excel の表計算機能を使っておおむね自動計算されるように数式が入力されています．セルの保護などはとくにしていないので，誤って数式を削除してしまった場合には，復元するか，またはオリジナルの計算シートを再度ご用意ください．

「計算シート.xlsx」には3つのシート（「PK 計算」，「BPR 計算」，「PK シート」）が含まれています．各シートの概略は以下の通りです．

- **「PK 計算」**：既知の薬物動態パラメータを入力して二次パラメータを計算するためのシート（図 F2・1 参照）．
- **「BPR 計算」**：血液-血漿濃度比（blood to plasma concentration ratio；BPR［＝B/P ratio］）が直接的に得られていない場合に，得られているデータを BPR へ変換するためのシート（図 F2・2 参照）．
- **「PK シート」**：自動入力された各データをもとに薬物動態の特徴を選択するシート（図 F2・3 参照）．

F2・2　「PK 計算」シート入力の手引き

このシートで入力作業を行う箇所は文献値の部分のみとなります（3 行目：B3 ～ J3）．基本パラメータ以下のセルは必要な文献値が入力されると自動で計算されます．なお，計算式はグレーで表記しており，網掛けの部分は特徴づけに直結する値であることを意味しています．各パラメータの入力ルールは以下の通り

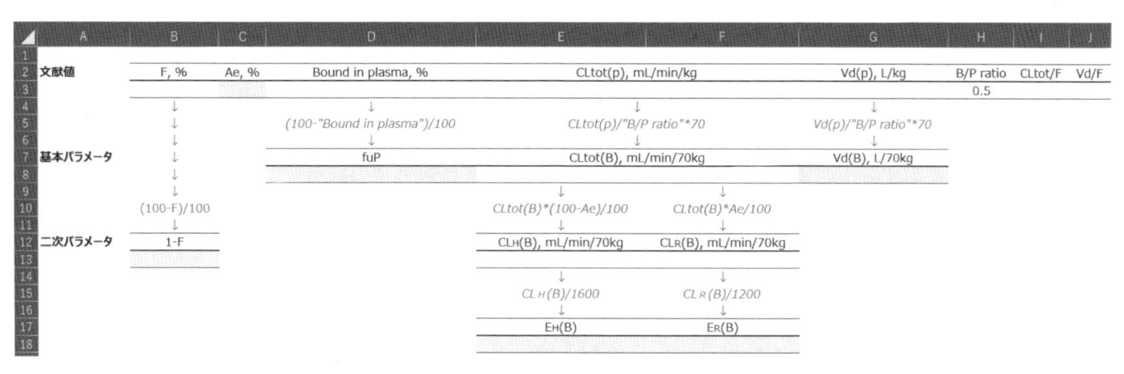

図 F2・1　「計算シート.xlsx」の「PK 計算」シートのひな形

です．

- **F, %**：経口バイオアベイラビリティのパーセント値（0～100）を入力してください．経口投与時のバイオアベイラビリティは $F_{po}=F_a \cdot F_g \cdot (1-E_H)$ の関係式で示される通り，肝抽出比（E_H）の見積もりをサポートし得る情報になります．
- **A_e, %**：未変化体尿中排泄率のパーセント値（0～100）を入力してください．入力すべき値は静脈内投与後のデータに限ります．主消失経路（未変化体の消失における腎臓の寄与度）を推定するに当たっては，全身循環血中に到達した未変化体薬物量（F･D）のうちどれだけの割合がそのまま腎臓を介して消失したかを把握する必要があるため，ADME 情報として通常得られている「投与量に対する未変化体尿中排泄量（A_e/D）」を「全身循環血中に到達した未変化体薬物量に対する未変化体尿中排泄量（$A_e/[F \cdot D]$）」として解釈できる条件は F＝1（静脈内投与）のデータであることに注意してください．
- **Bound in plasma, %**：血漿たん白結合率のパーセント値（0～100）を入力してください．入力元のデータがパーセント値（0～100）ではなく比率（0～1）として与えられている場合には 100 を乗じてパーセント値へ変換したものを入力します．また，もし与えられているデータがすでに血漿中非結合形分率（fuP）である場合には，そのまま基本パラメータの「fuP」へ直接入力していただいて問題ありません．
- **CL_{tot}(p), mL/min/kg**：単位体重当たりの血漿クリアランス値を入力してください．単位は mL/min/kg であることに十分ご注意ください．データソースによっては L/h など異なる単位で報告している場合も多く存在します．もし与えられているクリアランス値が静脈内投与後のものでない場合には，数値の入力に加えて，I3 セル（「CL_{tot}/F」）のプルダウンメニューで「○」を選択してください．これは静脈内投与後の値ではないため誤解しないように印をつけることにしています．静脈内投与以外の場合には F 値が小さいほど見かけの CL_{tot} 値が真の値より大きくなってしまいますので，このままでは特徴づけができません．F 値（ここでは絶対的バイオアベイラビリティのことを意味します）の算出には静脈内投与後のデータが不可欠なので，CL_{tot}/F でしか与えられていないのであれば静脈内投与後のデータが不明であることを意味し，それゆえ未変化体尿中排泄率も不明なため，PK の特徴づけには大きな限界があります．クリアランス値の報告のされ方には他にもいくつかのパターンが存在しますので，できるだけ正確に入力するために以下の点もよく確認しておきましょう．
  - 体重当たりのデータが得られていない場合には，可能な限り薬物動態試験の対象集団の平均体重を使って体重当たりのクリアランス値へ変換します．もし集団の平均体重が不明な場合には，成人男性の場合 70 kg を想定して大丈夫です．体表面積当たりで報告されている場合もあると思いますが，70 kg 成人男性の体表面積は 1.73 m^2 と考えておけば問題ありません．小児の場合には基本的に体格当たりのクリアランス値が報告されているはずです．
  - クレアチニンクリアランスなどを組み込んだ関係式でクリアランスが与えられている場合には，正常値（クレアチニンクリアランスなら 100 mL/min）を想定して計算した値を入力します．ただし，与えられている関係式に代入すべきパラメータの単位には十分注意してください．クレアチニンクリアランスなら代入する値の単位が L/h や L/min，L/h/kg，L/min/kg，mL/min/kg など式によってさまざまです．単位の換算を間違えると大きな誤りにつながります．とくに投与設計まで考える場合には投与量の誤算が患者の身体的不利益につながる可能性もあります．ここは焦らずきちんと確認する癖をつけておくとよいでしょう．
  - 一部の薬物は赤血球中への薬物移行率が高いことがすでにわかっているため，はじめから CL_{tot}(B) として与えられている場合があります（シクロスポリンやタクロリムスなど）．その場合には mL/min/70 kg の単位に合わせた上で，E8 セル（「CL_{tot}(B), mL/min/70 kg」）にその値を直接入力しましょう．
  - 必要な関係式
    - $CL_{tot}(B) = CL_{tot}(p) /$［B/P ratio］
    - $CL_R(B) = CL_{tot}(B) * A_e$
    - $CL_H(B) = CL_{tot}(B) * (1\text{-}A_e)$
      * 腎外消失経路が主に肝臓と見なせる場合
    - $CL_{eR}(B) = CL_{tot}(B) * (1\text{-}A_e)$
      * 腎外消失経路が主に肝臓と見なせない場合
    - $E_R(B) = CL_R(B) / Q_R(B)$
      *Q_R はおよそ 1200 mL/min/70 kg
    - $E_H(B) = CL_H(B) / Q_H(B)$
      *Q_H はおよそ 1600 mL/min/70 kg

- **Vd(p)**：単位体重当たりの分布容積値を入力してください．分布容積にはその算出方法によっていくつかの種類がありますが（V_{ss}, V_{β}, V_z など），特徴づけにおいて大きな影響はありませんのでどの値でも構いません．ここに入力する値は体重当たりである点だけご留意ください．もし与えられている分布容積値が静脈内投与後のものでない場合には，数値の入力に加えて，J3 セル（「Vd/F」）プルダウンメニューで「○」を選択してください．クリアランスと同じく静脈内投与後の値ではないことを示すために印をつけることにしています．CL_{tot}/F と同様，F 値不明（静脈内投与後データ不明）では PK の特徴づけには大きな限界があります．また，関係式として与えられている場合の対応も上述のクリアランスと同様です．あらかじめ全血パラメータとして与えられている場合もやはり L/70 kg の単位に合わせた上で，G8 セル（「Vd(B), L/70 kg」）に直接入力しましょう．
  - 必要な関係式
    - $V_d(B) = V_d(p)/[B/P\ ratio]$
- **B/P ratio**：ここでは初期値として 0.5（ヘマトクリット（Hct）を 50%とおいた場合に赤血球中への移行がまったくない場合の値）を入力してあります．報告値がない場合には 0.5 を入力したままにしておきます．もしヒト血液中における血液-血漿濃度比が与えられている場合にはその値で上書きしてください．赤血球中への薬物分布について血液-血漿濃度比以外の示され方がされている場合には，「BPR 計算」のシートで変換した値をここに入力します（使い方は次項で説明）．

これらの数値が入力されると，計算可能な基本パラメータや二次パラメータが自動で算出され，「PK シート」へも当該パラメータが自動で反映されるようになっています．

F2・3 「BPR 計算」シート入力の手引き

このシートは，ヒト血液における赤血球中への薬物移行のデータが得られているものの，血液-血漿濃度比とは異なったパラメータとして与えられている場合にのみ使用します．与えられているパターンごとの利用の仕方は以下の通りです．

- **血球移行率（分布率，分配率）**：ヒト血液にある量の薬物を添加した場合に赤血球中から検出された薬物量を添加した量に対する割合として与えられている場合です．パーセント値の場合はそのまま E3 セル（「血球移行率（A_{BC}/A_B），%」）へ入力してください．パーセント値（0～100）ではなく比率（0～1）として与えられている場合には 100 を乗じてパーセント値に変換した値を入力します．E3 セルに値を入力すると E8 セルに血液-血漿濃度比へ変換された値が表示されますので，その値を「PK 計算」シートの H3 セル（B/P ratio）へ入力すればすべての全血パラメータが自動更新されます．ここで，コピー＆ペーストを行う場合にはペーストオプションの「値としてペースト」機能を使ってください．もし値としてペーストする方法がわからない場合には，表示されている数値を手入力していただいても問題ありません．
  - 必要な関係式
    - $[B/P\ ratio] = (1\text{-}Hct)/(1\text{-}[A_{BC}/A_B]/100)$
- **赤血球-血漿濃度比**：赤血球中濃度（C_{BC}）と血漿中濃度（C_p）をそれぞれ測定して血漿中濃度に対する赤血球中濃度の比率（C_{BC}/C_p）として与えられている場合です．それぞれの濃度が与えられている場合には該当するセル（D3 と B3）にそれぞれの値を入力することで D8 セルに血液-血漿濃度比へ変換された値が表示されます．もし比率の値しか与えられていない場合には，比率を D3 セル（C_{BC}）に入力し，B3 セル（C_p）には「1」を入力すれば変換値が得られます．以降は同様に D8 セルの値を「PK 計算」シートへ反映させてください．
  - 必要な関係式
    - $[B/P\ ratio] = (1\text{-}Hct) + Hct^*[C_{BC}/C_p]$
- **全血液中濃度と血漿中濃度がそれぞれ与えられている場合**：この場合は該当するセル（C3 と B3）

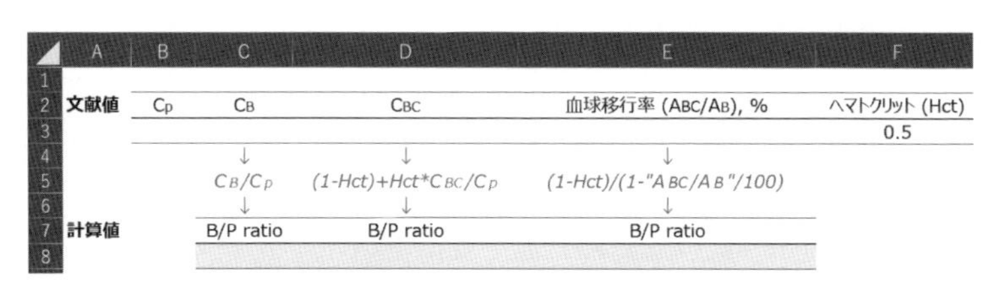

図 F2・2 「計算シート.xlsx」の「BPR 計算」シートのひな形

にそれぞれの値を入力することでC8セルに血液-血漿濃度比へ変換された値が表示されます．もちろん，ご自身の計算機を使って簡単に算出することもできます．以降の手順は同様です．

- **全血液中濃度に対する血漿中濃度（C_p/C_B）として与えられている場合**：この場合はこのシートを使わず，ご自身の計算機で逆数に変換するだけで対応可能です．変換値を「PK計算」シートへ反映させましょう．
- どの報告様式であっても共通してご注意いただきたいのは，薬物濃度を放射活性として測定している場合です．放射活性を有する薬物のデザインによっては，未変化体薬物（または活性本体）だけでなく種々の代謝物も区別することなく測定してしまうことがあります．もし代謝物も同時に測定していると考えられる場合には血液-血漿濃度比は不明としてあきらめましょう．

以上の要領で必要に応じて血液-血漿濃度比への変換を試みてください．なお，一部の計算にはヘマトクリット値を用いており，デフォルトではヘマトクリット値0.5として計算しています．

F2・4　「PKシート」シート入力の手引き

デフォルトではすべて空欄ですが，「PK計算」シートに文献値が入力されている場合には「PKシート」上でも同じ値が反映されています．また，基本パラメータや二次パラメータについても，「PK計算」シート上で算出できていればその値が反映されています．さらに，未変化体尿中排泄率（A_e）の値に応じて主消失経路の特徴づけ（A19セル）が，血漿中非結合形分率（fuP）の値に応じてProtein bindingの特徴づけ（D19セル）がそれぞれ自動で入力されています．

このシート上で作業を要する点は以下の通りです．

- **B/P ratio（F5セル）**：血液-血漿濃度比が不明の場合（つまり「PK計算」シート上で初期値0.5のまま上書きしていない場合）には，F5セルのプルダウンメニューから「≧0.5」を選択してください．関連する基本パラメータや二次パラメータが想定され得る最大値である旨を表示する注釈が自動的に表示されます．一方，血液-血漿濃度比がわかっている場合（つまり「PK計算」シート上で報告値へ上書きした場合）には，プルダウンメニューから「＝PK計算!H3」を選択してください．報告値が表示され，関連パラメータの部分の注釈は表示されません．
- **二次パラメータ**：クリアランスの値と未変化体尿中排泄率（A_e）の値が得られている場合には，全血腎外クリアランス（$CL_{eR}(B)$：C14セル）と全血肝クリアランス（$CL_H(B)$：D14セル）がともに同じ値として表示されています．当該薬物の腎外消失経路がおもに肝臓の場合には全血腎外クリアランス（$CL_{eR}(B)$：C14セル）の値を手動で削除してください．逆に，腎外消失経路がおもに肝臓であるかどうか不明な場合には，全血肝クリアランス（$CL_H(B)$：D14セル）と肝抽出比（$E_H(B)$：E14セル）の値を手動で削除してください．
- **Column1（B18セル）**：主消失経路の情報をもとに以下の通りプルダウンメニューから選択してください．
  - 主消失経路が空欄（不明）：$CL_{tot}(B)$
  - 主消失経路が「②腎」：$CL_{tot}(B) \fallingdotseq CL_R(B)$
  - 主消失経路が「①肝」：$CL_{tot}(B) \fallingdotseq CL_H(B)$
  - 主消失経路が「腎外」：$CL_{tot}(B) \fallingdotseq CL_x(B)$
  - 主消失経路が「腎と腎外」：$CL_{tot}(B) = CL_R(B) + CL_{eR}(B)$

	A	B	C	D	E	F	G	H
1				Drug Name				
2								
3	【文献値】 *"Goodman & Gilman's The Pharmacological Basis of Therapeutics (9-13th edition) (McGraw-Hill) の Appendix (Pharmacokinetic Data Table) より許可を得て引用							
4	F, %	Ae, %	Bound in plasma, %	CLtot(p), mL/min/kg	Vd(p), L/kg	B/P ratio	CLtot/F	Vd/F
5								
6								
7	【基本パラメータ】							
8	CLtot(B), mL/min/70kg	Vd(B), L/70kg	fuP					
9								
10								
11								
12	【二次パラメータ】							
13	CLR(B), mL/min/70kg	ER(B)	CLeR(B), mL/min/70kg	CLH(B), mL/min/70kg	EH(B)	1-F		
14								
15								
16								
17	【特徴づけ】							
18	主消失経路	Column1	Vd(B)	Protein binding	Table #			
19								
20								
21	【メモ】							
22								
23								
24								
25								
26								
27								

図F2・3　「計算シート.xlsx」の「PKシート」のひな形

- **Column1（B19 セル）**：主消失経路が①肝臓または②腎臓の場合に，該当する抽出比（E_H(B) または E_R(B)）の値に基づいてその特徴をプルダウンメニューから選択します．以下に該当する場合には「特定不能」を選択してください．
  - CL_{tot}/F のセル（G5）が「○」の場合
  - 血液-血漿濃度比が不明かつ抽出比（E）が 0.3 以上の場合
  - 抽出比が得られていない場合
  - 主消失経路が「空欄」「腎外」「腎と腎外」の場合
    - ただし，「腎と腎外」の場合，腎外消失がおもに肝臓でかつ腎抽出比（E_R(B)）と肝抽出比（E_H(B)）がともに <0.3 の場合は「①消失脳依存（E<0.3)」を選択しても間違いではありません．
- **V_d(B)（C19 セル）**：分布容積（V_d(B)）の値に基づいてその特徴をプルダウンメニューから選択します．分布容積のデータが得られていない場合，V_d/F のセル（H5）が「○」の場合は「特定不能」となります．血液-血漿濃度比が不明の場合は分布容積が 20 L 未満の場合なら「①小（$V_d < 20$ L)」を選択しますが，それ以外の場合には「特定不能」となります．
- **Table #（E19 セル）**：主消失経路，CL_{tot}(B)，V_d(B)，Protein binding のすべてのセルに①②③などの接頭番号が出揃っている場合には左から順にその番号をつないだ 4 桁の数字をこのセルに入力してみましょう．この 4 桁の数字は本書 HP に掲載している薬物動態パラメータ変化時の血中濃度推移の〔C〕図や〔B〕表,〔D〕表の番号と対応しています．
- **メモ欄**：数値だけでは表現しきれない特記事項があればこの欄にメモしておくと便利です．

F2・5　薬物動態の特徴づけを勉強中の皆さんへ

「計算シート.xlsx」ではあらかじめ Excel シートに計算式を入力しているため，これを利用することで比較的簡単に薬物動態の特徴を把握することができるものと思います．しかしながら本質的な理解ができていればこのシートを利用することなくご自身でいつでも正しく特徴づけを行うことができますので，あくまで当面の到達目標はそこにおいた上で，それまでの理解のサポートやダブルチェックの目的でこのシートを活用していただければ幸いです.繰り返しになりますが，薬物動態の特徴づけを行うことの（臨床的な）真の目的は，患者のアウトカムを改善するために医薬品の合理的な投与ならびに適切な治療モニタリングを実践するところにあるという点は忘れないでください．

付　　表

Appendix Pharmacokinetic drug data [a]

Drug [b]	F [c] (%)	CL [c] (L/h)	$t_{1/2}$ [c] (h)	Vd [c] (L) [per 70 kg]	Protein binding [c] (%)	$f_{NR(n)}$ [c,d] [P_o]
Acebutolol [e]	40	20	7	84	～20	0.8 [e]
Acecainide (*N*-acetylprocainamide)	83	8.3	8	91	10	0.2
Acetazolamide		～2.7	～1.7		95	0.2
Acetohexamide [e]			1.5/6	14 [h]	～75	0.6 [e]
Aciclovir	15-30	12	3	49	15	0.1
Allopurinol [e]	90	46	0.83	～42	0.45	0.85 [e]
Alprazolam [f]		4.0 [h]	16	70 [h]	70	0.9 [f]
Amantadine [f]		16.5 [h]	15	560 [h]		0.1 [f]
Amiodarone [e]	50	8.6	14/1300	4970	96	1.0 [e]
Amikacin		4	3	17.5	<10	0.02
Amitriptyline [e]	48	51	19	1085 [g]	95	1.0 [e]
Amlodipine	60	21.5	38	1470	95	0.9
Amoxicillin	75	15	1	28	18	0.06
Amphotericin B [f]		～1.8	～360	280	>90	0.95 [f]
Ampicillin		13	1	21	18	0.1
Amrinone	93	1.4 [h]	5	7 [h]		
Aprindine		13-68	8-10.1	280-1120	96	1.0
Aspirin [e]	68	39	0.25	10.5	～70	1.0
Astemizole [e]			～20	～17500	97	1.0 [e]
Atenolol	55	11	6.7	77	3	0.06
Atropine		70	2.2	231	50	0.45
Azathioprine [e]	60		0.2			1.0 [e]
Azithromycin	37	5 [h]	10-57	1890	7-50	
Aztreonam		～6	1.5	14	56	0.3
Benazepril [e]		1.5	3(22)	8.4	>95	
Benzafibrate		8 [h]	1.7	19.6 [h]	95	0.15
Benzylpenicillin (penicillin G)		30	0.7	28	65	0.08
Betamethasone	72	11	6.5	126	6.4	0.95
Bleomycin [f]		5.2	3	24.5		0.45 [f]
Bromazepam		2.5	12	70		1.0
Bromocriptine [f]	6	56	3	～238	90	1.0 [f]
Brotizolam [e]		7	5	49	90	1.0 [e]
Bumetanide [f]	90	12	1.75	16.8	96	0.35 [f]
Buprenorphine	30	70	2.5	140	～96	1.0
Captopril [f]	65	～56	～1.9	～49 [g]	30	0.55 [f]
Carbamazepine [e]	>70	1.1/4.5 [h]	36/16	84 [h]	75	1.0 [e]
Carboplatin		4.5	3	18.2	>15(85)	
Cefaclor [f]	90	30 [h]	0.6	35 [h]		0.25 [f]
Cefalexin	90	15	1	21	15	0.04
Cefalothin [e]		20	0.5	14	70	0.04 [e]
Cefamandole		10	1	14	75	0.04
Cefazolin		3	2	9.1	85	0.06
Cefepime		8	2	14	16-19	0.2
Cefoperazone		4.5	2	14	90	0.75
Cefotaxime	90-95	15	1.2	25.2	25-40	0.5
Cefotiam		20	1	21	40	0.35
Cefpirome			2			0.1
Cefpodoxime proxetil	50	17.8	2.6	49	18-23	0.2
Ceftazidime		6.7	2.0	17.5	～15	0.05
Ceftizoxime		8	1.7	21	30	0.05
Ceftriaxone		0.5-1.2	7	7-14	83-96	0.5
Chloramphenicol	76-93	12	4	56	～60	0.95
Chlordiazepoxide [e]	>86	1	20	28	96	1.0 [e]
Chlorpromazine [e]	32	38	30	1470	98	1.0 [e]
Chlorpropamide [e]	>90	0.13 [h]	40	～10.5 [h]	90	0.2 [e]
Cibenzoline	85	40	7.2	392	50-60	0.4
Cilastatin	0	14	0.9	17.5	35	0.2
Cilazapril [e]	57-77	7	1.8(40-50)	35		0.1

Appendix [Continued]

Drug[b]	F[c] (%)	CL[c] (L/h)	$t_{1/2}$[c] (h)	Vd[c] (L) [per 70kg]	Protein binding[c] (%)	$f_{NR(n)}$[c,d] [P_o]
Cimetidine	70	36	2	91	20	0.3
Ciprofloxacin	69-85	30	5	210	~30	0.3
Cisapride	40-50		10	168	98	1.0
Cisplatin(*cis*-platinum)		0.3	40-240		~90	
Clarithromycin[e]	55	52	3	245	40-70	
Clavulanic acid		13	1	14	27	0.55
Clindamycin[f]	87	12	3	56	93	0.9[f]
Clofibrate		0.4	15/54	8.4	97	0.8
Clonazepam	98	~6[h]	25	210[h]	85	1.0
Clonidine[f]	90	0.16-0.6	6.2-12.8	241.5	20	0.4[f]
Codeine[e]	55	98	2.8	378	~7	1.0[e]
Colchicine[f]		36	~1	49	31	1.0[f]
Cortisone			1.5			
Cyclophosphamide[e]	74-97	4.4	7	49	13	0.5[e]
Cyclosporin (cyclosporin A)	34	17	10	245	98	1.0
Daunorubicin[e]			27	1610		0.9[e]
Desipramine[e]	51	130[h]	22	1568[h]	80	1.0[e]
Dexamethasone	80	14.7	3	52.5	77	1.0
Diazepam[e]	100	1.8	40	140	98	1.0
Diclofenac[f]	60	15.6	1.5	10.5	>99	1.0[f]
Diflunisal	100	0.35-0.49	5-20	7.7	99	0.95
Digitoxin[e]	>90	0.2	134	31.5	>90	0.7[e]
Digoxin	70	4.5	40	420	27	0.3
Diltiazem	41	60	5.1	315	98	1.0
Diphenhydramine[f]	42	47	5	280	98.5	0.9[f]
Disopyramide[e]	83	40	5.5	182	54-81	0.4[e]
Dobutamine		244	0.04	14		
Dopamine		234-330	0.12			
Doxorubicin (Adriamycin)[e]			~30	~3010	71	0.6[e]
Doxycycline	93	1.7	16	49	90	0.7
Enalapril[e]	40	6.1	5(35)		50	0.1
Enoxaparin sodium	91	1.24	4.2	7		
Epoetin (erythropoietin)	21.5	0.18	8	2.1		0.9
Erythromycin	35	26	1.3-2.4	35-70	73	0.8
Ethambutol[f]	73	30	4	175	6.3	0.2[f]
Ethosuximide[f]		0.7	54	49	<10	0.8[f]
Etodolac		2.8	6	28.7	>99	1.0
Etoposide (VP 16-213)	50	2.3	5.6	16.1	94	0.9
Famotidine	37-43	25	3	84[g]	16	0.2
Felodipine	16	69	11.4	679	99	1.0
Fenbufen[e]	>85		10	210[h]	>99	0.95[e]
Fenofibrate[e]		1.9	22	62.3	>99	
Fentanyl[f]		47	3	~210	83	0.95[f]
Flecainide[e]	95	42.8	12/19.5	588	52	0.7[e]
Fluconazole	90		30	56	11	0.3
Flufenamic acid			9		>90	1.0
Flumazenil	16	60	0.9	73.5[g]	45	1.0
Flunitrazepam[f]	85	8[h]	29	259[h]		1.0[f]
Fluorouracil[e] (5-fluorouracil)	28	63	0.25	17.5		1.0[e]
Flurazepam[e]			2/80	238	97	1.0
Flurbiprofen	>85	1.3[h]	3.5	7[h]	>99	0.9
Fluvoxamine	77		20	1400		0.95
Foscarnet		12.8	88	357[g]		0.1
Furosemide(frusemide)	65	8	1	21	97	0.35
Ganciclovir	6	12	2-4	39.2	2	0
Gentamicin		4	3.0	17.5	<10	0.02
Glibenclamide (glyburide)[e]		5.5	1.5-1.0	10.5	>99	1.0[e]
Granisetron		14.7	11	231		0.9
Granulocyte colony-stimulating factor (rG-CsF)			5			

Appendix [Continued]

Drug[b]	F[c] (%)	CL[c] (L/h)	$t_{1/2}$[c] (h)	Vd[c] (L) [per 70 kg]	Protein binding[c] (%)	$f_{NR(n)}$[c,d] [P_o]
Granulocyte macrophage colony-stimulating factor (rGM-CSF)		6	1.5			
Haloperidol	65	46	20	1400	90	1.0
Heparin	0	2.5	1.5	4.9	95	0.8
Hydralazine[e]	16/35	200	2.5	350	89	0.85[e]
Hydrochlorothiazide	66-75	22	10	210	40	0.05
Hydrocortisone		21-30	1.3-1.9	21-35	75-95	
Ibuprofen	>80	3.5[h]	2.5	9.8[h]	99	1.0
Ifosfamide	100	3.6	6.5	33.6		
Imipenem		14	0.9	17.5	10-20	0.3
Imipramine[e]	27	58	18	1470	89	1.0[e]
Indomethacin	>85	6.3	6	14	>90	0.85
Insulin		10-40	0.25-2		~5	0.4
Interferon-α	>80	~10	~5	~70		
Interleukin-2		3-11	1.5-12	441-553		
Isepamicin		4.2	1	6.65[g]	3-8	
Isoniazid		~20/10	1.2/3	42	low	0.6
Isosorbide 2-mononitrate	100	21	2.5	~49		1.0
Isosorbide 5-mononitrate	93	7.6	4.4	49	0	0.8
Isosorbide dinitrate[e]	30	147	0.3	105		1.0[e]
Itraconazole	40		30		>99	
Kanamycin	100	6	2.5	~21	0	0.03
Ketamine[f]	20	60	3	140	12	1.0[f]
Ketoconazole			8		99	1.0
Ketoprofen	>85	5.2	1.4	7.7	<94	0.75
Ketorolac	80	2	5.6	17.5	99	
Ketotifen[e]	50		22		75	1.0[e]
Labetalol	33	90	3.9	392	50	0.95
Lansoprazole			2			1.0
Levodopa[e]			1.4			1.0[e]
Lidocaine (lignocaine)	35	40	3.9	210	60	0.95
Lisinopril	25-50	~6	30		<1	0.2
Lithium	>85	1.6	27	56		1.02
Lomefloxacin		20	7.5	147	10	0.25
Lorazepam	93	3[h]	20	105[h]	90	1.0
Maprotiline[e]	68	63.5	40	3640	88	1.0[e]
Mefenamic acid			3.5		high	0.9
Melphalan[e]	78	31	1.5	35	55	0.9[e]
Metformin	50	26-42	1.5-4.5	70-280	<5	0.01
Methadone	92	7.5	29	280	80	0.6
Methotrexate[e]	65	12	10		95	0.06[e]
Methyldopa[e] (α-methyldopa)	25	~24	~1.3	~42	<15	0.4[e]
Methylprednisolone	82	15	3	49		1.0
Metildigoxin (β-methyldigoxin)			62		10	0.35
Metoclopramide	85	38/23	4/7	210	30	0.7
Metolazone		6.6	20	112	95	0.2
Metoprolol[e]	50	68	3.5	385	8	0.95[e]
Metronidazole[e]	100	3	8	49	<20	0.85[e]
Mexiletine[f]	85	27	10	350	70	0.8[f]
Mianserin[e]	63	19	33	441	95	0.95[e]
Miconazole[f]	27	46	23	1400	99	1.0[f]
Midazolam	35	20	3.0	84	95	1.0
Midodrine[e]	90	102	3(0.5)	294		0.95
Milrinone	85-92	10	2.2	28		0.15
Minocycline	100	5	15	105	70	0.85
Morphine[f]	20-33	72	2.5	245	35	0.9[f]
Nadolol	25	12	19	133	28	0.25
Nalidixic acid[e]		~10[h]	~6	~70[h]	95	0.8[e]
Naloxone[f]	2	104	1.5	210		~1.0[f]
Naproxen	99	0.3	14	7	99	0.9
Nicardipine	15-45	42	1	52.5	>98	1.0

Appendix [Continued]

Drug[b]	F[c] (%)	CL[c] (L/h)	$t_{1/2}$[c] (h)	Vd[c] (L) [per 70 kg]	Protein binding[c] (%)	$f_{NR(n)}$[c,d] [P_o]
Nicorandil	>75	52-69	0.75	84	24	1.0
Nifedipine	50	42	1.8	98	97	1.0
Nisoldipine	8	50	11.3	245	99	1.0
Nitrazepam	78	4	30	175	85	1.0
Nitrendipine	30	80	6.3	378	>99	1.0
Nitroglycerin (glyceryl trinitrate)		~1260	0.05	~210		
Norfloxacin	31-45		4.8		15	0.7
Ofloxacin	100	16[h]	7	210[h]		0.25
Omeprazole	67	35	0.5	24.5	95	1.0
Ondansetron	60	29	3	161	70-76	
Oxazepam	>90	8[h]	7	70[h]	>95	1.0
Paclitaxel		~20	~8	~140	90	
p-Aminosalicylic acid (para-aminosalicylic acid;PAS)			~1	~14	~15	0.9
Pancuronium bromide[e]		7	1.5	16.1		<0.4[e]
Paracetamol[e] (acetaminophen)	70-90	19.3	2.5	65.8	low	1.0[e]
Pentazocine		79	3	392	65	0.8
Pentobarbital[f]	100	1.5	25	70	55	1.0[f]
Pethidine (meperidine)[e]	54	38	6.9	280	70	0.9[e]
Phenobarbital	100	0.3	100	49	50	0.7
Phenylbutazone[e]	>85		70	11.9	99	1.0[e]
Phenytoin (diphenylhydantoin)	98			56	90	1.0
Pindolol	100	32	2.5	84	50	0.5
Piperacillin		10	1	14	22	>0.25
Pirenzepine	26	15	11		12	0.5
Piretanide	57-80	12	1.4	21	>90	0.55
Pirmenol[f]	87	12.6	7	91	87	0.7[f]
Piroxicam		0.14[h]	45	9.8[h]	99	0.9
Pravastatin	17	57	1.95	32.2[g]	55	0.5
Prazosin	57	10	3	35	94	1.0
Prednisolone	80	6.3-15	3.6	28-91	65-91	1.0
Primidone[e]	86-96	2[h]	10	42[h]	20	0.6
Probenecid[e]	100	1.4	6-12	11.2	89	0.9[e]
Procainamide[e]	83	~37	3	154	15	0.3[e]
Propafenone[e]	5-12	47	5	210	>95	1.0[e]
Propofol		104	0.05;0.5;4	280[g]		1.0
Propranolol[e]	~30	63	4	196	93	1.0[e]
Propylthiouracil		7	1.5	~28	80	0.9
Pyrazinamide			10		50	
Qunidine[e]	78	18	6	175	90	0.8[e]
Ranitidine[e]	50	35	2	105	15	0.3[e]
Rifampicin (rifampin)[e]		10[h]	4	70[h]	80	0.85[e]
Risperidone[e]			3	105	90	
Salbutamol (albuterol)			~5			
Salicylate		0.6-3.6	2-30	11.9	85	0.9
Simvastatin[e]	<5		2		>95	1.0[e]
Sodium nitroprusside	0		very short			
Sotalol	>60	10	7.5	91	<1	0.2
Spironolactone[e]	70		19		98	1.0[e]
Streptomycin			3	~21	~50	0.04
Sulbactam		17	1	17.5		0.9
Sulfamethoxazole	100	1.57[h]	10	14[h]	68	0.8
Sulfasalazine			10	<70	>95	0.9
Sulindac[e]	>88		7		96	1.0
Tacrolimus (FK 506)	5-67	143	8.7	1295	88	1.0
Teicoplanin		1.1	50	77	90	0.35
Terbutaline		13	15	112[g]	25	0.45
Terfenadine[e]			20		97	1.0[e]
Tetracycline	77	15[h]	6	140[h]		0.12

Appendix [Continued]

Drug[b]	F[c] (%)	CL[c] (L/h)	$t_{1/2}$[c] (h)	Vd[c] (L) [per 70kg]	Protein binding[c] (%)	$f_{NR(n)}$[c,d] [P_o]
Theophyline[e]	96	3	8	35	50	0.9[e]
Thiamazole (methimazole)		10[h]	4	～42	low	0.9
Thyroxine		0.1	150	～14	>99	
Ticarcillin		8.5	1.2	14	60	0.1
Ticlopidine			96		98	
Timolol[f]	61	32	2.7	119	60	0.8[f]
Tobramycin	0	4	3	17.5	<10	0.02
Tolbutamide		～1[h]	7	10.5[h]	95	
Trazodone			8		93	1.0
Triazolam[e]	55	20[h]	3	70[h]	80	1.0[e]
Trimethoprim	100	4.5[h]	11	91[h]	45	0.45
Valproic acid (sodium valproate)[e]	100	0.5	13	10.5	90	
Vancomycin		4.0	10	42[g]	<10-55	0.03
Vecuronium bromide[e]		12	1.5	14[g]		～0.8[e]
Verapamil[e]	25	52	4.8	308	90	1.0[e]
Vinblastine[f]		52	25	1890	75	0.95[f]
Vincristine[f]		7.7	85	588	75	0.95[f]
Vindesine		17.5	24	616		
Warfarin[e]	100	0.2/0.15[h]	35/50	10.5[h]	99	1.0[e]
Zidovudine	64	100	1-2	98-147	7-38	0.85
Zonisamide		1.24	75	105	49	
Zopiclone	80	14.8	4.9	98	45	1.0

a Trevor M.Speight and Nicholas H.G. Holford ed, Avery's Drug Treatment 4th Edition, Appendix A.Pharmacokinetic drug data, p.1639-1664, Adis International. より許可を得て一部改変して引用.

b アルファベット順に配列

c 'Representative' values found in human pharmacokinetic studies. Note that the interindividual variability of phamacokinetic parameters in patients is usually very large; for example, the typical range for the total clearance of various drugs is 4- to 5-fold(see introduction for further information and references).
F = biovavailability (oral, unless stated otherwise). *NB*. Oral vioavailability values are largely dependent on the galenic formulation. Values after intramuscular (IM) administration are indicated separately.
CL =total clearance, calculated either by the dose divided by the total area under the serum or plasma concentration ***versus*** time curve ***or*** by the dose rate divided by the average steady-state concentration.
$t_{1/2}$ = half-life of the terminal elimination phase (unless stated otherwise).
Vd = apparent volume of distribution obtained by dividing the total clearance by the elimination rate constant associated with the terminal elimination phase.

d $f_{NR(n)}$(also referred to as P_o value) = ***normal*** nonrenal drug clearance fraction [= nonrenal drug clearance divided by total (plasma) clearance in individuals with normal renal function (creatinine clearance = 100 mL/min), i.e. the fractin of the dose eliminated by nonrenal pathways in normal individuals]. See nomogram method of dose estimation in renal failure in appendix E for clinical application of this value.
NB.1 - $f_{NR(n)}$ is an estimate of the fraction of the drug excreted unchanged in the urine in normal individuals.

e Pharmacologically active metabolite(s).

f Metabolite(s) with possible pharmacological activity.

g Apparent volume of distribution at steady-state.

h After oral administration.

～ 近似的に等しい

索　引

(1)　日本語索引は五十音順とし，その後に外国語で始まる語をアルファベット順に配列してある．
(2)　長音符「ー」は読みを省略してある．
(3)　接頭のギリシャ文字 α，β，γ，……はそれぞれ alpha (A)，beta (B)，gamma (G) の項に配列してある．(例：β 遮断薬は B の項，γ 相は G の項)．

A

B

C

D

E

F

G

I

K

L

M

N

P

Q

R

S

T

V

Z

執筆者紹介
緒方宏泰（明治薬科大学　名誉教授）
増原慶壮（聖マリアンナ医科大学　客員教授）
松本宜明（元 日本大学薬学部　教授）
高橋晴美（明治薬科大学　名誉教授）
小川竜一（アムジェン株式会社）
木島慎一（独立行政法人医薬品医療機器総合機構）
（2023年6月現在）

第5版　臨床薬物動態学　薬物治療の適正化のために

令和5年7月20日　発　行

編著者　緒　方　宏　泰

発行者　池　田　和　博

発行所　丸善出版株式会社
〒101-0051 東京都千代田区神田神保町二丁目17番
編集：電話 (03) 3512-3261／FAX (03) 3512-3272
営業：電話 (03) 3512-3256／FAX (03) 3512-3270
https://www.maruzen-publishing.co.jp

組版印刷・富士美術印刷株式会社／製本・株式会社 松岳社

ISBN 978-4-621-30829-5　C 3047　Printed in Japan